19.95

# HISTOIRE DE
# LA FRANCE
## de 1914 à nos jours

LAROUSSE
POCHE

# HISTOIRE DE
# LA FRANCE
## de 1914 à nos jours

**Pierre Bezbakh**

LAROUSSE

21, RUE DU MONTPARNASSE 75283 PARIS CEDEX 06

Responsable de la collection : Michel Guillemot
Édition : Gilbert Labrune
Service lecture-Correction : Larousse
Fabrication : Nathalie Jovanovic-Floricourt
Composition, mise en page : Josiane Pitrou

Impression : MAURY - Manchecourt (45)
N° série éditeur : 19070
ISBN : 2-03-507142-9
Dépôt légal : Septembre 1997

FR23,30 4X

# Sommaire

*Remerciements*

*L'auteur tient à remercier pour leurs précieux conseils et remarques dans les domaines littéraire et scientifique : Pierre Lartigue, professeur de lettres au lycée de Marseilleveyre, Pierre Cartier, professeur de mathématiques à l'École normale supérieure de Paris, Alain Boudard, ingénieur au Commissariat à l'énergie atomique (Centre de Saclay) et Jean Dupouy-Camet, professeur à l'université René Descartes (CHU Cochin).*

# Introduction

Quand la Première Guerre mondiale éclate, la France présente un double visage. Le premier est celui d'un pays attaché aux valeurs traditionnelles, à la terre qui occupe encore près de la moitié de sa population, et à un mode de vie où le risque, la nouveauté, l'originalité font largement défaut ; de ce point de vue, le patriotisme sans faille qui fera accepter à ses forces vives les terribles épreuves de la guerre permet de mesurer le poids de l'idéologie nationaliste ; entretenue par ceux qui ne peuvent admettre la défaite de 1871 ni l'amputation du territoire, elle débouche sur le désir d'une revanche militaire contre une nouvelle Allemagne à l'industrialisation rapide et aux prétentions coloniales.

Mais, en même temps, la France est aussi à la pointe du progrès technique et des connaissances scientifiques dans des domaines qui vont bouleverser les rapports entre les hommes durant le XXe siècle : l'automobile, l'aviation, les télécommunications, l'électricité, la physique atomique, la chimie, les mathématiques... On peut comprendre ainsi que, malgré les lourdes pertes humaines et les coûteuses destructions causées par la guerre, la France ait connu un essor industriel spectaculaire durant les années 1920, malgré (ou grâce à ?) ses difficultés financières, tout en restant un lieu privilégié d'expression artistique, culturelle et littéraire.

Moins perméable aux idées révolutionnaires qui agitaient l'Allemagne au lendemain de la guerre, et n'ayant pas à surmonter comme elle le traumatisme d'une défaite, la France reste longtemps dominée sur le plan politique par un parti radical, expression de la montée des classes moyennes, qui représente une solution intermédiaire entre la droite traditionaliste et la gauche inquiétante et divisée, depuis le congrès de Tours en 1920.

Le parti radical joue un rôle charnière, autorisant une politique conservatrice quand il penche à droite ou l'expérience de « front populaire » en 1936, quand il s'allie à gauche. C'est, de plus, son rapprochement avec le parti socialiste et le parti communiste qui avait mis un terme à l'agitation d'extrême droite culminant en 1934.

Le choc de la défaite de juin 1940 livrant le pays à l'occupation hitlérienne provoque une redistribution des cartes politiques : la III<sup>e</sup> République laisse place à la dictature d'un groupe d'hommes rassemblés autour du maréchal Pétain, le « vainqueur de Verdun », dont l'objectif est de mettre en œuvre une « Révolution nationale » permettant à la France de retrouver sa grandeur, en puisant dans ses traditions terriennes, corporatistes et familiales. Cela implique de collaborer avec l'Allemagne, afin d'obtenir du vainqueur une paix honorable, de pouvoir reconstruire un appareil de pouvoir politique, administratif et économique uniquement tourné vers l'établissement d'un ordre nouveau débarrassant la France des causes de son déclin : les idées démocratiques et socialistes, la décadence des mœurs et l'esprit de facilité, le judaïsme cosmopolite et les « fauteurs de guerre ». Il faudra attendre la mondialisation du conflit pour que l'appel lancé depuis Londres par le général De Gaulle, en juin 1940, trouve un écho véritable parmi les Français de métropole et pour que s'organise et s'amplifie la résistance intérieure.

Dès la libération du territoir national, à partir de l'été 1944, un gouvernement provisoire constitué autour de

Charles De Gaulle jette les bases de nouvelles institutions. Mais les forces politiques traditionnelles imposeront une Constitution donnant l'essentiel des pouvoirs à l'Assemblée législative et provoquant alors le départ du général, qui critiquera le « régime des partis ». La « valse des ministères », qui marque la vie politique de 1946 à 1958 ne gêne pas la reconstruction du pays et l'élévation du niveau de vie de la plupart des Français, ni le renouveau de la vie scientifique, littéraire, artistique et philosophique. Mais, reflétant la division des Français, elle contribue à paralyser le pouvoir exécutif et à l'empêcher de prendre des décisions claires et responsables à propos des grands problèmes de l'heure : l'adhésion éventuelle à la Communauté européenne de défense, la politique à suivre en Indochine puis en Algérie. La solution à ces deux conflits dramatiques ne sera trouvée que grâce à la fermeté montrée par deux personnalités appelées en dernier recours : Pierre Mendès France en 1954 et le général De Gaulle, revenant au pouvoir dans des conditions ambiguës en 1958.

Durant dix ans, la France gaullienne connaît alors une mutation profonde : elle sort de l'ère coloniale, elle se dote de nouvelles institutions, dominées par les nouveaux pouvoirs du président de la République, elle accélère son industrialisation et elle accède à l'arme nucléaire. Le choc de mai 1968 est alors d'autant plus inattendu que le pays semblait avoir trouvé son équilibre et une nouvelle prospérité. Il peut pourtant s'expliquer par l'arrivée à l'âge adulte d'une nouvelle génération née « après-guerre », mal à l'aise dans une société nouvelle de « consommation » (dont elle se sentait partiellement exclue), contestant les pouvoirs établis et l'autoritarisme de l'« ordre gaulliste » et voulant « changer la vie ».

Le « meurtre du père » ne sera perpétré qu'un an plus tard, quand les Français voteront majoritairement « non » au référendum que leur proposera le général De Gaulle, ce qui provoquera son départ. La transition est pourtant assurée sans heurts par Georges Pompidou, qui incarne la poursuite de l'industrialisation de la France et la transformation de son urbanisme. Sa mort coïncide avec les premiers effets du choc pétrolier de 1974, qui font connaître à la France comme au reste du monde une crise économique que l'on croyait désormais impossible. Le septennat de Valéry Giscard d'Estaing en subit les conséquences : le ralentissement de la croissance, la montée de l'inflation et du chômage provoquent une impopularité croissante de son Premier ministre, Raymond Barre, appelé en 1976 pour rétablir la situation économique ; et n'y parvenant que très partiellement.

Les Français font alors confiance aux partis de gauche et à François Mitterrand pour mettre en œuvre une autre politique permettant de sortir de la crise et de résorber le chômage. Mais, après deux années de « relance », le pouvoir socialiste est amené à choisir la « rigueur » qui doit permettre de lutter contre la concurrence internationale, politique alternative à un repliement protectionniste. Cette politique devient à son tour impopulaire, car, si elle permet la « désinflation », elle ne résorbe pas le chômage.

C'est en partie sur ce thème que se fera la campagne des législatives de1986, qui conduit à la victoire de la droite proposant le retour au vrai libéralisme afin de relancer l'esprit d'initiative des Français. Deux années de « cohabitation », marquées par les privatisations d'entreprises industrielles, financières et culturelles, ne changent cependant pas fondamentalement les choses. Au contraire, les attentats meurtriers et la contestation lycéenne de l'automne 1986, puis la crise boursière d'octobre 1987 contribuent à déconsidérer la nouvelle majorité qui s'était présentée comme garante de l'ordre et de l'efficacité économique. Sa division contribue également à favoriser la réélection de François Mitterrand à la présidence de la République en mai 1988.

Le second septennat de ce dernier débute sous le signe de la « réconciliation des Français », apparemment moins divisés par les vieux clivages doctrinaux, la « mort des idéologies » marquant une fin de siècle pacifique.

Mais ses ministres ne parviendront pas à lutter efficacement contre la montée du chômage, ni à donner de la gestion socialiste « réaliste » une image mobilisatrice.

Aussi, l'échec (annoncé) de la gauche aux élections législatives de 1993 ouvre-t-il la voie à une seconde « cohabitation », marquée par la maladie et par l'évocation de la jeunesse compromettante de François Mitterrand.

L'élection de Jacques Chirac à la présidence de la République en mai 1995, qui avait dénoncé sur un ton gaullien la « fracture sociale » le temps d'une campagne électorale, n'apportera cependant pas de réponse claire à l'inquiétude des Français : le chômage et les inégalités s'aggraveront en effet, la forme de la construction européenne sera incertaine et contestée, et la seule voie proposée aux Français « moroses » est l'insertion dans une économie concurrentielle mondialisée. La réponse des Français à « l'incroyable dissolution » du printemps 1997 sera de confier à nouveau à la gauche les rênes du pouvoir.

À l'approche de l'an 2000, le « consensus social » qui semblait pouvoir clore un siècle conflictuel apparaît bien précaire.

# 1914-1919

# Chronologie

Présidence de Raymond Poincaré (janvier 1913-janvier 1920)

## 1914
28 juillet : Déclaration de guerre de l'Autriche-Hongrie à la Serbie.

31 juillet : Assassinat de Jean Jaurès.

1er août : Déclaration de guerre de l'Allemagne à la Russie.

3 août : Invasion de la Belgique et déclaration de guerre de l'Allemagne à la France.

4 août : La Chambre des députés accorde à l'unanimité les pleins pouvoirs au gouvernement. Déclaration de guerre de la Grande-Bretagne à l'Allemagne.

6 août : Déclaration de guerre de l'Autriche-Hongrie à la Russie.

16 août : Les Allemands entrent dans Liège.

20-24 août : « Bataille des frontières » (Ardennes, Charleroi, Mons).

23 août : Déclaration de guerre du Japon à l'Allemagne.

26 août : Défaite russe à Tanenberg face à Hindenburg.

Deux socialistes (J. Guesde et M. Sembat) entrent dans le gouvernement Viviani.

5 septembre : Les armées allemandes dépassent Meaux et menacent Paris.

6-13 septembre : Contre-offensive française de Foch sur la Marne. Les Allemands sont repoussés sur l'Aisne.

18 septembre-15 novembre : « Course à la mer » et bataille des Flandres.

9 octobre : Chute d'Anvers.

1er novembre : Bataille navale du Coronel.

3 novembre : Déclaration de guerre des Alliés à la Turquie.

8 décembre : Bataille navale des Falkland.

## 1915
Février : Attaques française en Champagne, allemande en Lituanie et anglaise aux Dardanelles.

Avril : Offensive française en Lorraine.

26 avril : Traité de Londres. L'Italie déclare la guerre à l'Autriche.

Mai-juin : Attaque française en Artois. Attaque allemande en Galicie.

20 mai : Le socialiste Albert Thomas devient sous-secrétaire d'État à l'Artillerie.

Septembre : Attaque française en Champagne et diversion anglaise en Artois.

5 octobre : Entrée en guerre de la Bulgarie contre les Alliés et effondrement serbe.

29 octobre : Démission du ministère Viviani.

30 octobre : Formation du cabinet

Briand. Gallieni ministre de la
Guerre.
Novembre : Retrait anglais de
Gallipoli.
2 décembre : Joffre commandant en chef des armées françaises.

## 1916
21 février : Offensive allemande
sur Verdun.
Février-avril : Offensive russe en
Arménie.
Février-décembre : Bataille
de Verdun.
7 mars : Démission de Gallieni.
Avril : Défaites anglaises à Bagdad et Kut el-Amara.
Juin-août : Attaque russe en
Galicie.
Juillet-octobre : Offensive française sur la Somme.
27 août : Déclaration de guerre
de l'Italie à l'Allemagne.
28 août : La Roumanie entre
en guerre au côté des Alliés.
Décembre : Occupation de la
Roumanie par les Autrichiens et
les Bulgares. Prise d'El-Arich et
de Gaza par les Anglais. A. Thomas ministre de l'Armement.
12 décembre : Lyautey ministre
de la Guerre. Retrait de
J. Guesde.
15 décembre : Le Parlement interdit au gouvernement l'usage
des décrets-lois.
26 décembre : Nivelle remplace
Joffre au commandement en
chef des armées du Nord.

## 1917
Février : Intensification de la
guerre sous-marine. Début de la
révolution russe. Repli des
lignes allemandes sur le front
français.
17 mars : Démission du ministère Briand.
20 mars : Formation du ministère Ribot.
2 avril : Déclaration de
guerre des États-Unis aux
Empires centraux.
9-21 avril : Attaque alliée en
Artois et sur le Chemin des
Dames.
4 mai : Premières mutineries
dans l'armée française.
Mai-juin : Grèves dans les
usines, mutineries au front.
15 mai : Nivelle est remplacé
par Pétain au haut commandement.
Mai-août : Offensive italienne.
28 juin : Débarquement de la
première division américaine (à
Saint-Nazaire).
7 septembre : Démission du cabinet Ribot.
13 septembre : Formation du
cabinet Painlevé. Les socialistes
refusent d'y entrer.
Septembre : Offensive allemande à l'Est (prise de Riga et
de la Galicie).
Octobre : Prise du pouvoir
par les bolcheviks en Russie.
Défaite italienne (Caporetto).
13 novembre : Renversement
du cabinet Painlevé.
16 novembre : Formation du cabinet Clemenceau.
Novembre : Offensive anglaise
en Palestine.
9 décembre : Prise de Jérusalem
par les Anglais.
15 décembre : Armistice entre l'Allemagne et la Russie
(Brest-Litovsk).

**1918**
10 février : Le gouvernement obtient le droit de gouverner par décret.
Mars : Offensive allemande en Picardie.
**26 mars : Foch nommé général en chef des armées alliées (à Doullens).**
27 mars : Prise de Montdidier par les Allemands.
9-25 avril : Attaque allemande en Flandre. Prise du mont Kemmel.
27 mai : Les Allemands atteignent Château-Thierry.
9-13 juin : Attaque allemande sur le Matz.
15 juillet : Offensive allemande sur Reims.
18 juillet : Contre-attaque française vers Soissons.
3 août : Reprise de Château-Thierry.
8-29 août : Reprise de la poche de Montdidier.
**12 septembre : Grande offensive des Alliés qui l'emportent à Saint-Mihiel.**
15 septembre : Offensive de Franchet d'Esperey en Bulgarie.
19 septembre : Offensive anglaise en Palestine.
**12 septembre : Grande offensive alliée en Flandre, sur la Somme et en Argonne.**

29 septembre : Armistice avec la Bulgarie.
17 octobre : Début de la dernière grande offensive alliée.
30 octobre : Armistice avec la Turquie.
3 novembre : Armistice avec l'Autriche.
4 novembre : Repli général allemand sur le Rhin.
**11 novembre : Armistice de Rethondes avec l'Allemagne.**

**1919**
18 janvier : Début de la conférence de la paix.
19 mars : Vote de la loi électorale.
31 mars : Loi sur les pensions de guerre.
17 avril : Loi sur les dommages de guerre.
19-21 avril : Mutinerie des marins français de la mer Noire.
23 avril : Loi réduisant la journée de travail à huit heures.
23-24 avril : Congrès socialiste à Paris.
15-21 septembre : Congrès de la CGT à Lyon.
1er-2 novembre : Création de la CFTC.
16-30 novembre : Victoire du Bloc national aux élections législatives ; il obtient 433 sièges.

# Les origines du conflit

## Les causes de la guerre sont multiples et discutées

*Plusieurs explications du premier conflit mondial peuvent être évoquées (économiques, politiques, sociologiques), mais aucune n'est totalement satisfaisante.*

La Première Guerre mondiale a incontestablement des causes économiques et politiques. Son déclenchement peut également s'expliquer aisément par le jeu mécanique des alliances internationales et par la certitude des uns et des autres d'obtenir une victoire rapide. Il n'en reste pas moins que les raisons qui ont précipité l'essentiel du monde « civilisé » et « développé » du début du XXe siècle dans cette grande tragédie ne peuvent se réduire à ces raisons apparentes.

### Les causes économiques

L'une des origines de la guerre réside dans l'évolution économique des grands pays en cours d'industrialisation.

L'Angleterre avait connu, à partir de la fin du XVIIIe siècle, une révolution technique et des transformations sociales qui l'avaient engagée dans la voie du développement industriel. Après avoir été l'« atelier du monde » durant plusieurs décennies, elle fut imitée progressivement par ces autres nations à travers des formes et des rythmes qui leur furent spécifiques : croissance lente mais assez régulière en France durant l'ensemble du XIXe siècle ; industrialisation plus brutale en Prusse et aux États-Unis à partir du milieu du siècle, marquée dans ces deux pays (comme au Japon après 1870) par la formation rapide de grands groupes industriels (konzerns outre-Rhin, trusts et cartels outre-Atlantique, zaibatsu japonais).

La Grande-Bretagne et la France, engagées dans la course à la colonisation, et affectant une partie importante de leur épargne dans les placements à l'étranger, furent alors dépassées par leurs rivaux commerciaux dans le domaine des industries nouvelles (aciers spéciaux, chimie, électricité...) ; alors que l'agriculture française souffrait de la concurrence américaine et se protégeait par le relèvement des droits de douane.

Mais tout accroissement et toute diversification de l'offre ne sont rentables que s'il existe des débouchés suffisants pour écouler la production. L'excès périodique de celle-ci sur la demande solvable avait ainsi provoqué au XIXᵉ siècle des crises cycliques provenant de la saturation des marchés ou de la croissance insuffisante des revenus salariaux (en particulier en 1847-1848 et de 1873 à 1895). Des crises ponctuelles se reproduisirent au début du XXᵉ siècle (1904, 1907-1908, 1913), attestant la fragilité d'une croissance pourtant plus régulière depuis le milieu des années 1890.

La rivalité économique entre la Grande-Bretagne, la France et l'Allemagne, en passe de supplanter ses grands rivaux européens, constitue donc la toile de fond de ce conflit dont les deux alliés attendaient la remise en cause de l'hégémonie naissante du nouvel Empire allemand.

### Les causes politiques

Parallèlement à cette évolution économique, le début du siècle avait vu se constituer en Europe deux grands blocs de plus en plus cohérents. D'un côté, le rapprochement franco-britannique, qui s'était déjà manifesté avec l'expédition commune contre les Turcs en 1827 puis contre la Russie en 1854-1855, et par le traité commercial de

## L'impérialisme selon Lénine et Rosa Luxemburg

Pour **Lénine** la guerre mondiale provient du fait que les principaux pays capitalistes ont atteint dès la fin du XIXe siècle un « stade suprême » monopoliste et nécessairement impérialiste : reprenant la théorie de Marx selon laquelle le taux de profit du capital tend à baisser avec son accumulation, parce qu'il devient progressivement moins productif, Lénine considère que cette baisse de la rentabilité des investissements dans chaque pays capitaliste conduit à la formation de grands groupes industriels et bancaires (constituant le « capital financier »). Ils cherchent à placer leurs fonds à l'étranger, là où la rentabilité est meilleure, et entrent ainsi en conflit direct avec ceux des pays concurrents. Cette contradiction entre les impérialismes nationaux créerait donc les conditions objectives d'un conflit armé.

L'analyse des contradictions que connaît l'accumulation du capital est légèrement différente chez la théoricienne allemande **Rosa Luxemburg.**

Selon elle, le problème fondamental que rencontrent les économies capitalistes n'est pas lié à un stade historique du capitalisme ; il consiste en ce que les débouchés intérieurs dans chaque pays sont structurellement insuffisants pour absorber la totalité de la production. Pour éviter la crise de surproduction, il faut donc pouvoir écouler ailleurs l'excédent invendable. Il y a donc, selon elle, un besoin permanent d'expansion vers l'extérieur de la part des pays capitalistes, qui provoque des rivalités interimpérialistes, chacun cherchant à imposer ses produits à la place de ceux des autres.

1860, avait débouché sur l'Entente cordiale en 1904. Les rivalités coloniales entre les deux pays avaient donc été heureusement surmontées, cela malgré l'incident de Fachoda. Cette alliance entre les anciens ennemis s'était accompagnée d'une réconciliation, elle aussi historique, avec la Russie, les trois pays se promettant assistance militaire en cas d'agression. Face à cette Triple-Entente, l'Allemagne s'était de son côté rapprochée de l'Autriche-Hongrie et de l'Italie pour former une Triple-Alliance. Chaque bloc avait de plus des alliés tels que la Belgique et la Serbie pour le premier, la Turquie et la Roumanie pour le second.

Dans ce contexte, les rivalités internationales risquaient à tout moment de faire basculer l'Europe dans un conflit généralisé, même si la cause pouvait sembler lointaine ou mineure ; ainsi, les provocations allemandes au Maroc (voyage de Guillaume II à Tanger en 1905, envoi d'une canonnière devant Agadir en 1911) avaient entraîné une vive tension internationale qui laissa place cependant à une solution négociée.

De même, la guerre dans les Balkans en 1912-1913 révéla la fragilité de l'équilibre européen : la Serbie, soutenue par la Russie qui voyait en elle un moyen de progresser vers la Méditerranée, constituait un foyer d'agitation nationaliste dans les provinces méridionales de l'Empire austro-hongrois (correspondant approximativement au territoire de l'ex-Yougoslavie).

Aussi, l'assassinat à Sarajevo, le 28 juin 1914, de l'archiduc François-Ferdinand, héritier d'Autriche-Hongrie, servit-il de prétexte à l'Autriche pour déclarer la guerre à la Serbie, qu'elle estimait responsable. Pourtant, la Russie avait annoncé qu'elle soutiendrait la Serbie si celle-ci était attaquée, et la France avait renouvelé son appui à la Russie. Ainsi, l'attaque de la Serbie entraînat-elle la mobilisation russe le 30 juillet, provoquant la déclaration de guerre allemande à la Russie, puis la mobilisation générale en France. En réponse, l'Allemagne envahit la Belgique le 3 août et déclara en même temps la guerre à la France. La Grande-Bretagne, invoquant la violation de la neutralité belge, déclara à son tour la guerre à l'Allemagne. La solidarité des blocs avait joué pleinement et entraîné l'Europe dans un conflit aux conséquences insoupçonnées.

### Les explications sociologiques

Cependant, les causes économiques et le jeu géopolitique ne suffisent pas à rendre compte totalement du déclenchement de ce conflit. Il ne semblait pas en effet inévitable : si les milieux nationalistes français, animés par Déroulède, Barrès ou Maurras, avaient fait pendant de longues années campagne pour la reconquête de l'Alsace-Lorraine et souhaitaient voir les regards se fixer sur la « ligne bleue des Vosges », la plupart de leurs concitoyens n'étaient pas désireux de prendre une « revanche » sur l'Allemagne, et les partis socialistes français et allemand militaient pour la paix. De même, les Anglais apparaissaient comme conciliateurs, et la Russie, ébranlée par la défaite militaire contre le Japon et la révolution de 1905, ne semblait pas prête à la guerre.

Certes, les forces bellicistes étaient plus manifestes dans l'Empire allemand, où Guillaume II jugeait la guerre « inévitable et nécessaire » et où les forces militaristes pouvaient s'appuyer sur le pangermanisme prussien qui avait permis l'unification de l'Allemagne après les victoires sur l'Autriche en 1866 et sur la France en 1870-1871. Mais l'unanimité ne régnait pas non plus dans ce pays sur l'opportunité d'un conflit dont les effets sur les affaires étaient redoutés par ceux qui ne produisaient pas directement ou indirectement pour l'effort de guerre. De plus, les milieux pacifistes allemands défendaient l'idée que dans le monde moderne une guerre n'est jamais économiquement avantageuse, même pour le vainqueur ; d'autre part, on a pu constater que l'idéologie agressive était plus vive au sein de la vieille aristocratie foncière que chez la nouvelle bourgeoisie.

Aussi, un certain nombre de sociologues mettent-ils en avant des motivations irrationnelles reposant sur des instincts belliqueux propres au genre humain, sur la frustration des groupes sociaux déclinants, ou relevant

---

### L'origine extra-économique des guerres

Selon Gaston Bouthoul, les guerres purement économiques ne se rencontrent que chez les tribus primitives souffrant d'une économie sans élasticité, et attaquant leurs voisines pour trouver de quoi se nourrir. Mais dans les sociétés humaines développées, il existe toujours des solutions moins coûteuses et moins risquées qu'une guerre pour résoudre les problèmes, quels qu'ils soient.

Si les seules sociétés animales qui connaissent la guerre sont celles d'insectes tels que les fourmis et les abeilles, qui se livrent à un travail productif et constituent des réserves, il observe qu'il existe chez elles de véritables cérémonies évoquant des assemblées religieuses ou des rites collectifs. Il en déduit ainsi que les fourmis font la guerre parce qu'elles ont, comme les humains, une vie économique mais aussi une vie socio-religieuse.

D'autre part, remarquant à propos des guerres coloniales que ce sont les plus riches qui attaquent les plus pauvres, il considère que c'est l'abondance qui incite à la guerre : elle développe l'orgueil, la vanité et la soif du pouvoir absolu. Mais elle peut aussi produire un sentiment de culpabilité qui provoque des rites expiatoires sous forme de destruction de surplus (la « part maudite » de Georges Bataille) ou de pulsions sadomasochistes. Cette sociologie de la guerre aboutit en fait, si on la prolonge, à une psychanalyse des pulsions agressives.

de pratiques magiques ou religieuses. Si ces explications ne peuvent se suffire à elles-mêmes, elles ont l'avantage de montrer qu'un phénomène aussi majeur ne peut se réduire à l'effet mécanique d'une cause unique.

## 1914 : L'embrasement

### L'échec des grandes offensives

*Bousculant les troupes alliées, les armées allemandes menacent Paris. Elles reculent après la bataille de la Marne, mais l'équilibre des forces débouche sur la guerre de tranchées.*

Après la déclaration de guerre de l'Autriche-Hongrie à la Serbie, le 28 juillet 1914, les démarches britanniques pour provoquer des négociations sont rejetées par l'Allemagne.

La dernière chance de paix réside dans la détermination des socialistes à faire jouer l'« internationalisme prolétarien ». Mais le 31 juillet, Jean Jaurès, qui avait multiplié déclarations et meetings pacifistes, est assassiné à Paris. Dans les deux camps, la classe ouvrière et la paysannerie vont accepter le fait accompli. Si tout le monde ne part pas dans l'enthousiasme participer à la « guerre fraîche et joyeuse » promise par Guillaume II, les mobilisés répondent à l'appel des armes avec résignation et certains dans la joie. Les partis socialistes des deux pays participent même à des gouvernements d'« union sacrée », et soutiennent l'effort de guerre : Jules Guesde, ancien anarchiste converti au marxisme et longtemps opposé à toute « collaboration de classe », sera même ministre d'août 1914 à décembre 1916. Il n'est plus

désormais question que de victoire sur l'ennemi héréditaire, le mythe de la « guerre révolutionnaire » de 1792
estompant l'idéal de la paix entre les peuples.

---

### Jaurès le pacifiste

Fondateur avec Jules Guesde du Parti socialiste SFIO en
1905, Jean Jaurès incarne jusqu'à la veille de la guerre le
pacifisme socialiste.

Le 25 juillet 1914, il lançait encore un dernier et vibrant
appel à la paix : « Il n'y a plus, au moment où nous
sommes menacés de meurtre et de sauvagerie, qu'une
chance pour le maintien de la paix et le salut de la
civilisation, c'est que le prolétariat rassemble toutes ses
forces et que tous les prolétaires, français, anglais, allemands, italiens, russes, s'unissent pour que le battement
unanime de leur cœur écarte l'horrible cauchemar. »

---

## Les forces en présence

En août 1914 se trouvent face à face les Alliés (France,
Grande-Bretagne, Russie, Belgique, Serbie et Japon) et
les Empires centraux (Allemagne et Autriche-Hongrie),
l'Italie et la Turquie restant neutres. Numériquement,
les Alliés ont l'avantage : l'Empire britannique compte
environ 450 millions d'habitants, la Russie 170 millions,
la France et son empire 80 millions (soit autant que
l'Allemagne et ses colonies) et l'Autriche-Hongrie
50 millions. Mais en termes de forces combattantes
l'équilibre est presque réalisé : la France compte 93 divisions, la Belgique 7, la Grande-Bretagne 5 et l'Allemagne 94 ; la Russie en compte 99, la Serbie 11 et
l'Autriche-Hongrie 94. Toutefois, les Allemands possèdent un armement supérieur en canons lourds et en

mitrailleuses, des troupes mieux entraînées et mieux encadrées alors que les fantassins français au pantalon rouge garance sont des cibles idéales pour les tireurs ennemis.

## L'offensive allemande

Mieux préparée à la guerre, l'armée allemande attaque en suivant le « plan Schlieffen », repris par son chef d'état-major, von Moltke : il s'agit de traverser par surprise la Belgique, de disloquer l'armée française tournée vers l'Alsace-Lorraine, en la prenant à revers, pour la repousser ensuite vers les Vosges et le Jura. Cela devait permettre ensuite aux troupes allemandes de se retourner contre la Russie, lente à mobiliser, mal équipée et sous-encadrée.

Ainsi, à partir du 3 août, cinq armées allemandes pénètrent-elles en Belgique et au Luxembourg : plus au nord, von Kluck encercle l'armée belge à Anvers, prend Mons, et, par Cambrai, Montdidier et Compiègne, atteint Meaux début septembre ; un peu plus au sud, von Bülow fait le siège de Liège, longe la Sambre, prend Charleroi, passe l'Oise à Guise et la Marne à Jaulgonne, malgré une vive résistance française ; parallèlement von Hausen marche jusqu'à la Meuse, puis, par Rocroi et les Ardennes, atteint Châlons-sur-Marne après des combats indécis ; à travers le Luxembourg, le duc de Wurtemberg prend Neufchâteau et, par Sedan et Grandpré, se rapproche également de la Marne, en atteignant les abords de Vitry-le-François ; il est rejoint par le prince Frédéric-Guillaume qui a attaqué par Longwy et l'Argonne. Deux autres armées allemandes (celles du prince Rupprecht de Bavière et de von Heeringen), partant de Lorraine et d'Alsace, se portent vers les Vosges, menaçant Rambervillers et Saint-Dié.

Au nord, l'armée belge, prise de court, est contrainte au repli, imitée en cela par l'armée britannique battue à Mons et par les armées françaises (24 août-5 septembre) après la défaite de Lanzerac à Charleroi. C'est en Lorraine que les Français résistent le mieux, arrêtant les Allemands devant Nancy et Charmes.

L'évolution des combats sur le front oriental va cependant fragiliser l'avance allemande : à l'offensive autrichienne en Galicie a succédé une contre-attaque russe en Prusse-Orientale, menée par Samsonov et Rennenkampf, à la demande des Alliés débordés au nord de la France. Elle oblige au repli les troupes de Prittwitz et entraîne le déplacement de deux corps d'armée allemands de la Belgique vers la Prusse. L'armée allemande d'Hindenburg écrase alors les Russes, mal préparés, à Tannenberg (26-30 août) et aux lacs Mazures (8-10 septembre) ; mais cette attaque russe a pour résultat de contrarier l'offensive allemande sur le front ouest.

### La contre-offensive française

Pourtant, forts de leur victoire sur les Russes et de leur position acquise au nord et à l'est de la France, les Allemands pensent avoir atteint leur objectif initial. Mais après une retraite précipitée et alors que Gallieni s'apprête à défendre Paris directement menacé par l'armée allemande, Joffre ordonne, le 6 septembre, une contre-attaque générale sur un front de 180 km, de Meaux à Vitry-le-François. Bien qu'effectuée dans des conditions improvisées (avec l'aide des fameux « taxis de la Marne » réquisitionnés pour transporter les troupes), cette contre-offensive surprend l'armée de von Kluck, pendant que Foch résiste à une attaque allemande dans les marais de Saint-Gond. Les Allemands décident alors le repli, mais prennent position sur une ligne partant d'Arras et passant par Péronne, Noyon, Reims, Verdun, Nancy, Saint-Dié..., qui va constituer grossièrement le front occidental durant les années à venir.

À l'ouest, les dernières grandes offensives de 1914 ont lieu dans les Flandres, où Français, Britanniques et Belges résistent à une furieuse attaque de l'armée allemande qui désire s'emparer de Calais et Dunkerque (« Course à la mer », octobre-novembre 1914). Après quoi, la décision se révélant impossible, les deux belligérants se mettent à creuser des tranchées, et le front se stabilise sur 750 km de la mer du Nord à la Suisse.

Il en est de même à l'est, où après une contre-attaque russe en Galicie, évacuée par les Austro-Hongrois, et la prise de Belgrade par les Serbes, une autre ligne de tranchées se creuse, de Königsberg, sur la Baltique, aux Carpates.

---

### Le Japon dans la guerre

Le Japon se range du côté des Alliés en déclarant la guerre à l'Allemagne le 23 août après son ultimatum du 14 août exigeant le départ des bateaux allemands des eaux japonaises et chinoises. Le Japon ne combat pas en Europe mais annexe les îles allemandes du Pacifique nord (Mariannes, Carolines, Marshall), et obtient la reddition de la base navale allemande de Ts'ing-tao, située sur la côte chinoise, à environ 300 km au sud de Pékin. Poursuivant son implantation en Chine, le Japon s'alliera à la Russie en 1916, mais participera à l'expédition des Alliés en Sibérie contre les bolcheviks en 1918. En 1919, le traité de Versailles reconnaîtra les droits du Japon sur la région de Chan-tong, et lui confiera un mandat sur les anciennes possessions allemandes du Pacifique.

# 1915-1916 : L'enlisement

## Les vaines boucheries

*Durant ces deux années, les armées ennemies se disputent quelques kilomètres carrés au prix d'énormes pertes humaines.*

### 1915 : des offensives inutiles

Le début de l'année est marqué par une tentative allemande d'enfoncement du front oriental, les positions à l'ouest étant difficiles à remettre en cause. Attaquant en février en Lituanie, en mai-juin en Galicie et en juillet sur la Vistule, les Allemands font reculer l'armée russe (qui perd près d'un million et demi de soldats !) jusqu'à la Berezina. À la fin de l'année, le front russe suit une ligne nord-sud presque droite, de Riga, sur la Baltique, à l'embouchure du Danube, sur la mer Noire. Le front s'est finalement déplacé vers l'est, mais ces hécatombes n'ont servi à rien : les Allemands n'ont pu faire céder les Russes ni les amener à signer une paix séparée.

À l'ouest, l'Italie est entrée en guerre du côté des Alliés contre l'Autriche (traité de Londres, 26 avril). Mais en France plusieurs attaques françaises en Champagne (février), Lorraine (avril), Artois (mai-juin) sont des échecs ; une nouvelle offensive en Champagne (septembre), complétée par celle des Britanniques en Artois, n'a pour résultat que des pertes humaines considérables. À l'état-major français on envisage maintenant une « longue période d'attitude défensive ».

Le troisième théâtre d'opérations se situe dans les Balkans. Désireux de prendre pied au Proche-Orient, d'attaquer les Allemands sur leurs points faibles et de soutenir la Serbie en difficulté, les Britanniques entreprennent une action sur les Dardanelles (février) qui se solde par un échec : les troupes débarquées à Gallipoli doivent faire face à une forte résistance turque et aux épidémies ; décimées, elles quittent les lieux en novembre. Pendant ce temps, la Bulgarie a rejoint les Empires centraux, et la Serbie s'est effondrée. Le seul élément positif pour les Alliés est l'établissement par les Français d'une tête de pont à Salonique, en Thrace, profitant des hésitations germano-bulgares.

En outre, le torpillage dans l'Atlantique nord, où la situation reste indécise, d'un paquebot britannique, le *Lusitania*, à bord duquel se trouvaient de nombreux citoyens américains, provoque une vive émotion aux États-Unis. Mais pour le moment cela ne remet pas en cause l'isolationnisme de ce pays.

---

### La crise des états-majors

Si Falkenhayn a succédé à von Moltke à la tête de l'état-major allemand après l'échec du plan Schlieffen en septembre 1914, il est à son tour remplacé par Hindenburg assisté de Ludendorff après la bataille de Verdun : l'échec des deux grandes offensives allemandes pose désormais la question de la stratégie à adopter. Ce sera finalement celle de la défense terrestre et de l'offensive sous-marine, entreprise en 1917.

Du côté français, à l'attitude défensive de Joffre, relayée sur le terrain par celle de Pétain, qui avait résisté à Verdun, succède celle de l'offensive animée par Foch et par Nivelle ; ce dernier a remplacé Pétain avant de prendre la place de Joffre comme chef d'état-major, à la fin de 1916.

### *1916 : Verdun*

Pour sortir de l'enlisement sur le front français, Falkenhayn, qui a remplacé von Moltke comme chef d'état-major après son échec sur la Marne, décide de porter une attaque massive sur Verdun. Cette région constitue une poche à l'intérieur des lignes allemandes, jugée difficile à défendre. Il s'agit de « saigner à blanc » l'armée française, en l'entraînant dans une résistance épuisante, pour aboutir ainsi à son effondrement. Les Allemands attaquent le 21 février, et les Français, commandés par Pétain, puis par Nivelle, mobilisent des réserves importantes pour empêcher une percée ennemie. Douaumont, Vaux, Souville sont les hauts lieux de cet « enfer de Verdun » qui se prolonge jusqu'à la fin de l'année : les combats sont incessants et acharnés, les attaques et contre-attaques permanentes sous une pluie d'obus et une mitraille insoutenable. De février à décembre, les Français laissent environ 360 000 hommes et les Allemands 335 000.

Mais l'offensive allemande a finalement été vaine : tout en résistant à Verdun, les Français commandés par Foch lancent une attaque sur la Somme, le 1er juillet. Elle durera quatre mois, et empêchera les Allemands de s'engager totalement en Argonne.

L'énorme mobilisation humaine et matérielle, l'héroïsme et l'abnégation des combattants des deux camps, les centaines de milliers de morts, de mutilés, de gazés, les mois d'apocalypse et d'horreur n'ont servi à rien : en décembre les Allemands sont revenus approximativement à leur point de départ du début de février.

### 1916 à l'est

Les Russes remportent des succès en Arménie (février-avril), et en Galicie (juin-août), où Broussilov menace Lvov avant d'atteindre les Carpates. La Roumanie entre alors dans la guerre au côté des Alliés, le 28 août, le lendemain du jour où l'Italie déclare la guerre à l'Allemagne. Auparavant, les armées italiennes ont repoussé une attaque autrichienne dans le Trentin, avant de contre-attaquer jusqu'aux abords de Trieste (début août). En revanche, l'initiative roumaine se révèle désastreuse : rapidement battue et envahie par les Austro-Hongrois et les Bulgares, la Roumanie offre aux Empires centraux son blé et son pétrole.

Au Proche-Orient, les Britanniques, préoccupés par leur empire et désireux de renforcer leur position dans cette région du monde, combattent les Turcs, qui les battent en Mésopotamie. Ils doivent alors évacuer Bagdad et capituler à Kut el-Amara (28 avril). Mais ils contre-attaquent en Palestine et prennent en décembre El-Arich et Gaza. De plus, l'action du capitaine Lawrence conduit au soulèvement des princes arabes contre la domination turque.

### L'opposition à la guerre

Après l'« union sacrée » de 1914, l'espoir d'une guerre éclair a fait place au constat de l'amère réalité : celui d'une guerre longue, de souffrances inouïes et d'une hécatombe insoupçonnée. Les privations et les témoignages des soldats permissionnaires suscitent dans les deux camps une hostilité au conflit qui reste cependant limitée en 1915 : seuls Lénine et quelques socialistes, réunis en Suisse, à Zimmerwald, avancent l'idée d'une paix sans vainqueur. Les massacres de 1916 amplifient leur audience.

Des grèves se produisent, le syndicalisme se renforce, et les socialistes commencent à envisager la fin du soutien à l'effort de guerre.

---

### Une guerre qui change de nature

Envisagée comme une campagne brève, la guerre se transforme en un conflit d'usure, mettant en œuvre toutes les ressources humaines et matérielles des belligérants.

La conscription touche toutes les classes d'âge et les réservistes ; elle fait de plus son apparition en Grande-Bretagne qui ne comptait avant 1916 qu'une armée de métier. Les combats sont désormais précédés d'intenses et éprouvants pilonnages d'artillerie et dès 1915 sont utilisés les gaz et les lance-flammes. Les soldats ne disposent de plus que de courts repos dans des tranchées insalubres, boueuses et sombres.

Le bruit assourdissant des explosions ne s'interrompt que pour faire place à l'angoissante attente de l'attaque.

La militarisation de l'économie impliquant les privations et le travail des femmes, l'exaltation du patriotisme et de l'héroïsme des combattants, la dénonciation des exactions de l'ennemi transforment le conflit en une guerre totale. Elle se prolonge par le blocus économique des Empires centraux et le contingentement des marchandises à destination des pays neutres (mars 1916), qui aboutissent à la guerre sous-marine. De même, l'aviation naissante commence à être utilisée comme moyen de bombardement et de combat.

# 1917 : Le tournant

## L'année de tous les changements

*La guerre sous-marine déclenchée par l'Allemagne provoque l'entrée en guerre des Américains. Mais, après l'échec de l'offensive française et le retrait russe, la situation reste favorable aux Empires centraux.*

Au début de l'année 1917, le haut état-major allemand opte pour une stratégie défensive, après l'échec de l'offensive sur Verdun. Ludendorff choisit d'intensifier la guerre sous-marine, qui devint systématique à partir du 1er février, tout navire allié ou neutre traversant l'Atlantique nord pouvant être torpillé sans sommations. Il s'agit d'asphyxier la Grande-Bretagne pour l'amener à capituler.

---

### Joseph Joffre (1852-1931)

Polytechnicien et officier aux colonies, il combat au Tonkin (1885), au Soudan (1892) et à Madagascar (1900-1903). Chef d'état-major général des armées françaises, il décide la contre-attaque décisive sur la Marne (septembre 1915). En 1915, il organise la coordination des armées alliées (conférences de Chantilly). Pendant la bataille de Verdun, en 1916, il met sur pied l'offensive sur la Somme, mais l'absence de décision amène son remplacement par Nivelle. En 1917, il part aux États-Unis préparer l'intervention américaine.

---

### *Les États-Unis dans la guerre*

Mais, bien vite, les destructions très importantes de navires de commerce américains, qui exportent massivement vers la France et la Grande-Bretagne mobilisées par l'effort de guerre, remettent en cause l'isolationnisme des États-Unis. Le président Wilson, partisan de la non-intervention, se contente d'abord d'une rupture des relations diplomatiques avec l'Allemagne. Mais il doit faire face à la pression des milieux industriels durement touchés par la guerre sous-marine, à celle des banquiers créanciers des Alliés et redoutant leur défaite, et à celle d'une opinion de plus en plus favorable aux Français et aux Britanniques.

Aussi, à la suite d'une attaque contre des bateaux militaires américains, les États-Unis déclarent-ils la guerre aux Empires centraux le 2 avril 1917. Ils restent cependant une simple « puissance associée » aux Alliés, sans entrer dans l'alliance ni participer directement aux combats. Il fallait de toutes les façons environ un an pour que l'Amérique puisse entrer effectivement dans la guerre. C'est d'ailleurs la raison pour laquelle l'Allemagne a pris le risque d'une intervention américaine, escomptant que la guerre sous-marine aurait porté ses fruits bien avant. Mais la rapidité de la décision américaine fait échouer l'espoir allemand d'une victoire maritime.

---

### L'aviation dans la guerre

La Première Guerre mondiale vit l'apparition des premiers combats aériens. Le général Antonin Brocard (1885-1950) s'illustra par son commandement de l'escadrille des Cigognes, dont fit partie Georges Guynemer (1894-1917). Celui-ci en devint le capitaine héroïque et compta 54 victoires avant de disparaître en combat aérien le 11 septembre 1917. Sa devise, « Faire face », est encore celle de l'École de l'air.

## *L'offensive alliée : le Chemin des Dames*

Dans l'attente de l'offensive alliée, le plan de guerre allemand, tenant compte de l'affaiblissement des moyens terrestres dont dispose l'Allemagne, prévoit de se contenter d'une défense passive sur le front occidental. Aussi, face aux velléités offensives des Alliés, Hindenburg ordonne-t-il un léger repli du front allemand sur une ligne fortifiée allant d'Arras à Vailly, en passant par Saint-Quentin et La Fève (27 février).

Cela retarde d'un mois l'attaque décidée par Nivelle, et qui a pour objectif d'enfoncer les lignes allemandes sur l'Aisne, entre Vailly et Craonne, vers le Chemin des Dames (route empruntée jadis par les filles de Louis XV). Le 9 avril, une attaque britannique de diversion a lieu en Artois, avant la grande offensive des armées françaises de Mangin et de Mazel, accompagnée d'une action en Champagne. Mais après cinq jours de durs combats, et malgré l'emploi des chars, les Français n'ont gagné que quelques pouces de terrain et essuyé en revanche de lourdes pertes. Nivelle fait suspendre l'offensive le 21 avril et il est remplacé par Pétain le 15 mai.

Cet échec au Chemin des Dames, dont on attendait une percée décisive hâtant la fin de la guerre, est très mal supporté par les soldats français. Des mutineries éclatent dans plusieurs régiments, et les idées pacifistes prennent de l'ampleur. Des grèves éclatent à l'arrière, et les socialistes se retirent de l'« union sacrée ». La détermination des responsables militaires et civils est cependant inébranlable : les mutins sont fusillés, puis Pétain reprend en main les troupes en faisant preuve de fermeté mais aussi de souplesse (davantage de permissions, meilleur ravitaillement...), les pacifistes sont condamnés et la presse d'opposition est muselée. Clemenceau, devenu président du Conseil en novembre 1917, peut ainsi déclarer : « Ma formule est partout la même. Politique intérieure ? Je fais la guerre. Politique extérieure ? Je fais la guerre. Je fais toujours la guerre. »

---

### Les mutineries de 1917

On ne connaît pas avec précision l'ampleur des mutineries de 1917. La thèse officielle est qu'elles restèrent limitées, et causées davantage par les mauvaises conditions d'alimentation et d'hygiène que par le désir de paix immédiate. L'ardeur au combat en 1918, faisant suite à l'action « humanitaire » du général Pétain améliorant l'ordinaire des troupes, accréditerait cette thèse. Il n'en reste pas moins qu'un certain nombre de soldats ayant refusé de marcher aux ordres furent fusillés « pour l'exemple », tandis que les grèves qui éclatent dans le pays sont réprimées et que d'anciens ministres (Caillaux, Malvy) sont arrêtés pour « défaitisme ».

---

De même, en Grande-Bretagne, Lloyd George affiche un autoritarisme intransigeant, et en Allemagne, où le haut commandement militaire impose ses objectifs belliqueux, les manifestations d'hostilité à la guerre et les grèves sont écrasées.

Les choses vont cependant évoluer différemment à l'est.

### Le retrait soviétique

En Russie, le soulèvement populaire de février 1917 bouleverse en effet le front oriental. Après l'abdication du tsar Nicolas II, le 16 mars, les Alliés espèrent une reprise en main des armées russes qui prévoient une nouvelle grande offensive. Mais le gouvernement provisoire du prince Lvov puis de Kerenski se heurte à la désorganisation interne de l'armée russe, à l'épuisement des soldats gagnés par la propagande pacifiste de Lénine et des bolcheviks. Ceux-ci prêchent en effet le retrait de la Russie de la guerre entre « pays impérialistes », et la prise du pouvoir par les soviets d'ouvriers, de soldats et de paysans afin de permettre le partage des terres et la mise en place du pouvoir ouvrier dans les usines.

Les Allemands, qui ont facilité le retour de Lénine (exilé en Suisse) vers la Russie, profitent des événements pour reprendre l'offensive à l'est, après l'échec français d'avril. En septembre, ils prennent Riga, pénètrent en Bucovine et en Galicie, soulageant ainsi les Autrichiens en difficulté face aux offensives des Italiens (Carso, mai-août), qui sont finalement écrasés à Caporetto (24 octobre) et obligés de se replier sur la Piave.

Ces succès des Empires centraux renforcent l'insubordination au sein de l'armée russe, et les difficultés internes précipitent la révolution d'Octobre : le 24, les bolcheviks s'emparent du pouvoir, et le confient à un Conseil des commissaires du peuple, présidé par Lénine. Désireux d'appliquer rapidement son programme révolutionnaire, celui-ci cherche aussitôt à rétablir la paix extérieure. Trotski négocie avec l'Allemagne l'armistice de Brest-Litovsk (15 décembre), puis le traité du même nom (3 mars 1918). La Russie se trouve libérée du poids de la guerre (mais au prix de dures concessions territoriales) alors que les Alliés doivent faire face à l'arrivée sur le front occidental des troupes libérées par l'arrêt des combats à l'est.

L'année 1917 n'aura pas apporté de changement significatif sur le terrain : le front occidental n'a pour ainsi dire pas bougé ; la fin des hostilités sur le front oriental

---

### Les vains efforts de paix

Deux tentatives ont lieu en 1917 pour susciter une négociation. La première est celle du nouvel empereur d'Autriche, Charles Ier, qui entre en rapport avec Poincaré, et cherche à établir une paix séparée. Mais elle échoue en avril, en raison des pressions allemandes et des exigences italiennes. La seconde est l'œuvre du pape Benoît XV, dans son appel du 1er août. Mais dans les deux camps, on se refuse à la moindre concession : les Alliés espèrent reconquérir le terrain perdu, alors que l'Allemagne veut tirer parti de sa position géographique favorable.

---

ne fera sentir ses effets que l'année suivante, l'Allemagne devant maintenir la pression jusqu'à la signature de la paix séparée avec la Russie et afin de lui imposer de dures concessions territoriales ; d'autre part la guerre sous-marine n'aura pas permis à l'Allemagne d'atteindre son objectif : après avoir subi de lourdes pertes en début d'année, les Alliés organisent la protection de leurs convois et construisent par la suite plus de bateaux qu'ils n'en perdent. Mais les conditions sont réunies pour un bouleversement des données de la guerre, qui se fera jour en 1918.

---

### La guerre au Proche-Orient

Elle est menée essentiellement par la Grande-Bretagne, qui y mobilise une partie importante de ses troupes pour y combattre les Turcs. Les Britanniques remportent alors quelques succès durant l'année 1917 : le 11 mars, ils prennent Bagdad ; le 31 octobre, Allenby déclenche une offensive en Palestine et entre à Jérusalem le 9 décembre. Mais le statu quo règne au nord de la Grèce, le corps expéditionnaire français, commandé par Guillaumat (remplaçant Sarrail), se contentant de maintenir ses positions.

---

# 1918 : La décision

## Vers la capitulation allemande

*Avec la paix germano-russe, la situation des Alliés sur le front occidental devient difficile. Mais l'arrivée des troupes américaines fait basculer le sort de la guerre.*

$A$u début de l'année 1918, la fin de la guerre sur le front russe permet à l'Allemagne de déplacer massivement ses troupes vers l'ouest : 700 000 hommes viennent renforcer l'armée du front occidental après la signature du traité de Brest-Litovsk avec la Russie révolutionnaire, et celui de Bucarest avec la Roumanie. En outre, l'occupation de l'Ukraine, proclamée indépendante, permet à l'Allemagne de s'approvisionner en blé et en charbon. Comme de plus les armées alliées connaissent une pénurie d'effectifs conduisant Pétain à adopter une attitude prudente, Ludendorff décide d'engager une grande offensive avant l'arrivée des troupes américaines.

---

**Le traité de Brest-Litovsk (3 mars 1918)**

Après l'armistice du 15 décembre 1917, déjà signé à Brest-Litovsk, le traité du même nom impose à la Russie des conditions très dures : elle perd la Finlande, les pays Baltes et la Pologne, ainsi que l'Ukraine qui devient indépendante. Elle est ainsi amputée d'un quart de sa population et des trois quarts de ses ressources en fer et charbon.

---

### L'offensive allemande

Les Allemands portent ainsi une attaque massive en Picardie dès le mois de mars, sur le point faible des lignes de défense franco-britanniques, qui souffrent du manque de coordination entre les deux armées. Les Alliés n'ont pu en effet établir une unité de commandement, et se contentent d'attendre le renfort des soldats américains qui doivent compenser la défection des Russes.

Du 21 au 27 mars, les armées de von Bülow, von der Marwitz et von Hutier réussissent à percer le front sur 90 km, de Bapaume à Noyon, contraignant les Britanniques à se retirer vers le nord-ouest, et les Français à reculer en direction de Paris. Le 27 mars, von Hutier entre à Montdidier. Devant la menace d'un éclatement du front, les Alliés confient à Foch le commandement suprême de leurs armées (Doullens, 26 mars).

---

### Ferdinand Foch (1851-1929)

Polytechnicien et professeur à l'École de guerre, il s'illustre lors de la bataille de la Marne en s'opposant aux armées allemandes dans les marais de Saint-Gond. Puis il est chargé par Joffre de coordonner l'action des armées britannique, belge et française en Flandre. En 1916, il commande, avec Haig, les troupes franco-britanniques durant la bataille de la Somme. En 1917, il est nommé chef d'état-major, puis devient en 1918 général en chef des armées alliées, qu'il mène à la victoire. C'est lui qui reçoit la capitulation allemande à Rethondes, le 11 novembre 1918.

---

Aussitôt, le groupe d'armées de réserve de Fayolle reconstitue le front du nord au sud de Montdidier. Dans le même temps, les Britanniques de Haig tiennent autour d'Amiens. Le 4 avril, les dernières attaques allemandes se brisent sur cette nouvelle ligne de défense. Ludendorff décide alors de porter une nouvelle attaque dans les Flandres le 9 avril. Les Allemands bousculent l'armée britannique près d'Ypres et prennent le mont Kemmel (25 avril). Mais 13 divisions françaises envoyées par Foch arrêtent l'armée allemande qui conserve toutefois la « poche de Kemmel », contrôlant la région jusqu'au début de septembre.

Pour forcer la décision, Ludendorff ordonne une autre offensive sur l'Aisne, pour contraindre les Français à retirer leurs troupes des Flandres : le 27 mai, les Allemands atteignent Château-Thierry et menacent Paris. Pour faire face aux contre-attaques de Foch dans la forêt de Villers-Cotterêts et sur les monts de Champagne, Ludendorff porte de nouvelles attaques : à l'ouest sur le Matz (9-13 juin), provoquant une contre-attaque victorieuse de Mangin, et à l'est sur Reims (15 juillet) ; mais cette dernière offensive est également arrêtée et manifeste l'incapacité de l'armée allemande, épuisée, de réussir une percée décisive.

### Les autres fronts en 1918

En Macédoine, après l'entrée en guerre de la Grèce aux côtés des Alliés (juin 1917), la tête de pont française de Salonique peut être consolidée. Cela permet à Franchet d'Esperey et à une armée serbe de passer à l'offensive en Bulgarie (15 septembre 1918). Ils remportent la victoire du Dobro Polje, obligeant les Bulgares à demander la paix (29 septembre). Les Français continuent alors leur action vers le Danube, dégageant la Serbie et la Roumanie, et menaçant l'Autriche-Hongrie. Cela provoque de vifs problèmes intérieurs dans l'Empire, qui amènent l'Autriche, battue par les Italiens le 24 octobre à Vittorio Veneto, à signer l'armistice à Padoue le 3 novembre. Les Hongrois, qui s'étaient détachés de l'Autriche, font de même le 13 novembre.

Parallèlement, les Britanniques déclenchent une attaque en Palestine : le 19 septembre, Allenby bouscule l'armée germano-turque et prend successivement Beyrouth, Damas et Alep (25 octobre). Le 30 octobre, la Turquie, menacée également par les Franco-Grecs à Constantinople, demande la paix (armistice de Moudros).

## La contre-offensive des Alliés

Le 18 juillet, Foch engage une contre-attaque vers Soissons et reprend la poche de Château-Thierry (3 août). Le 8 août, que Ludendorff appellera le « jour de deuil de l'armée allemande », il déclenche une nouvelle offensive, de Montdidier vers Roye. Après vingt jours de durs combats, les Allemands cèdent et Noyon est reprise le 29 août. Attaquant sans relâche, Foch porte alors les efforts alliés vers la Meuse et Mézières. Le 12 septembre, une violente offensive (engageant 13 divisions américaines, 4 divisions coloniales françaises, 270 chars, 250 batteries d'artillerie et un important support aérien) permet de remporter la bataille de Saint-Mihiel. Dès lors, le repli allemand se précipite.

L'appui d'un million de soldats américains et l'utilisation massive des chars permettent en effet une offensive générale sur tout le front, face à une armée allemande ébranlée. À partir du 26 septembre, les Alliés attaquent ainsi dans trois directions : dans les Flandres, les Anglais, les Français et les Belges progressent vers Gand ; les Anglo-Français enfoncent la « ligne Hindenburg » vers Cambrai et Saint-Quentin, tandis que les Américains et les Français passent à l'offensive en Argonne, vers Sedan.

Le 17 octobre, Foch décide de percer les dernières lignes défensives allemandes, en engageant 12 armées alliées et en prolongeant l'attaque en Lorraine. Mais les Allemands préfèrent se replier sur le Rhin (4 novembre) et, face à leurs problèmes intérieurs, demandent le 7 novembre 1918 l'armistice, qui sera signé le 11. L'Europe et le monde peuvent enfin respirer.

---

### Les crises internes des Empires centraux.

L'Autriche-Hongrie est confrontée à d'insurmontables difficultés intérieures qui précipitent son effondrement après les défaites militaires de l'été 1918. Les minorités nationales s'agitent, les républicains et les socialistes réclament un changement radical. Ainsi, une république tchécoslovaque est proclamée à Prague, les Serbes, Croates et Slovènes veulent créer un État yougoslave, et les Hongrois proclament leur autonomie (31 octobre). En Allemagne, où Guillaume II et une partie de l'armée veulent poursuivre la guerre, des troubles éclatent début novembre : mutineries à Kiel, grèves ouvrières, constitution de soviets, alors que Ludendorff démissionne. Le 9 novembre, Guillaume II abdique et la république est proclamée à Berlin. Le nouveau pouvoir désire, lui, hâter le retour de la paix.

---

# 1919 : L'épilogue

## Vers une nouvelle Europe

*Les différents traités de paix sanctionnent la défaite de l'Allemagne et de l'Autriche-Hongrie en redécoupant la carte de l'Europe centrale.*

### La conférence de Paris

En janvier 1919 débutent à Paris les travaux de la conférence de la paix. Trente-deux États y participent, mais les décisions sont prises par le Conseil des Quatre, réunissant les chefs d'État américain, britannique, italien et français (Wilson, Lloyd George, Orlando et Clemenceau). Les nations vaincues sont exclues des discussions et viendront seulement signer les traités qui leur sont imposés.

Les divergences apparaissent bien vite entre les vainqueurs : le président Wilson, qui avait justifié l'intervention américaine par des considérations morales (les Alliés représentant la démocratie et le droit contre la « barbarie » germanique), comprend mal les revendications territoriales de la France et de l'Italie. Pour lui, il s'agit de rapprocher les peuples en abaissant les frontières économiques, d'assurer la liberté totale de navigation, et de mettre en place un organisme international permettant de substituer la négociation à la guerre.

En revanche, Clemenceau, qui juge naïfs les espoirs américains, est surtout soucieux d'obtenir des garanties face à l'Allemagne et la dislocation de l'Empire austro-hongrois. De même, les Italiens cherchent des rectifications de frontières face à leur vieil ennemi autrichien. Quant aux Britanniques, leur préoccupation principale est le Proche-Orient et la puissance turque dans cette région, mais ils veulent éviter des traités trop avantageux pour la France.

### La guerre russo-polonaise

Les Soviétiques profitent de la défaite allemande pour avancer vers l'ouest et pénétrer profondément en Pologne. Mais après une vive contre-attaque polonaise (avril 1919), menée par Pilsudski, conseillé par le général Weygand, les Soviétiques doivent accepter le traité de Riga qui fixe la frontière à 200 km à l'est de la ligne Curzon passant par Brest-Litovsk.

C'est finalement l'Autriche-Hongrie qui sera la plus affectée par le résultat de négociations difficiles débouchant sur une série de compromis, les problèmes étant compliqués par l'existence de minorités ethniques dans les différentes régions contestées.

### Le traité de Versailles

Signé le 28 juin 1919, il règle le problème de la paix avec l'Allemagne : la France récupère l'Alsace et la Lorraine, la Belgique obtient deux cantons frontaliers, et le Danemark la province du Schleswig (après plébiscite) ; la Pologne indépendante reçoit la Posnanie anciennement allemande et le fameux « corridor » de Dantzig. D'autre part, les vainqueurs mettent la main sur les colonies allemandes : la France et la Grande-Bretagne se partagent le Cameroun et le Togo, la Grande-Bretagne obtient l'Afrique-Orientale, la Belgique, le Rwanda-Urundi, alors que le Japon et l'Australie reçoivent mandat pour administrer les îles allemandes du Pacifique.

Si les Français ne peuvent imposer la création d'une Rhénanie indépendante, ils ont satisfaction sur les points suivants : le service militaire obligatoire est aboli en Allemagne, qui ne peut disposer que d'une armée de 100 000 hommes, sans aviation, ni chars, ni artillerie lourde ; la rive gauche du Rhin restera occupée durant quinze ans avant d'être démilitarisée ; la Sarre choisira son destin par plébiscite. D'autre part, les États-Unis et la Grande-Bretagne s'engagent à aider la France si elle est attaquée par l'Allemagne.

Enfin, l'Allemagne, reconnue responsable de la guerre, doit verser aux vainqueurs des « réparations » pour les dommages causés par le conflit. Dans un premier temps elle fournit des matières premières, et le montant des « réparations » sera déterminé par une commission ad hoc.

Au total, les clauses du traité de Versailles ne sont pas très dures pour l'Allemagne, qui conserve l'essentiel de son territoire ainsi que son indépendance politique ; elle évite l'occupation de son sol et le paiement immédiat d'une indemnité de guerre.

## La SDN

Dans son programme du 8 janvier 1918, le président Wilson avait souhaité voir naître une institution internationale susceptible de régler pacifiquement les conflits. Le traité de Versailles reprend cette idée en créant la Société des Nations. Installée à Genève, elle est dotée d'une Cour de justice internationale (à La Haye), d'un Bureau international du travail (à Genève), d'une Banque des règlements internationaux (à Bâle). Mais elle ne dispose d'aucun moyen pour faire respecter les dispositions des traités, d'autant plus que le Sénat américain, gagné par le courant isolationniste, refuse de les signer et de participer à la SDN, par peur de se trouver impliqué dans d'éventuelles nouvelles difficultés européennes.

## Les autres traités de paix

Le traité de Saint-Germain-en-Laye (10 septembre 1919) et celui du Trianon (4 juin 1920) organisent la dislocation de l'ancien Empire austro-hongrois. L'Autriche se trouve réduite à la superficie qui est la sienne actuellement : elle perd la Bohême, la Moravie, la Slovaquie (constituant un État nouveau, la Tchécoslovaquie), la Bosnie-Herzégovine (qui, cédée à la Serbie, forme avec elle la Yougoslavie), la Galicie (qui devient polonaise),

le Trentin et l'Istrie, absorbés par l'Italie. Tout rattachement de l'Autriche à l'Allemagne est en outre express-
sément interdit. La Hongrie devient totalement
indépendante et acquiert également ses dimensions
actuelles, cédant à la Roumanie la Transylvanie.

D'autre part, le traité de Neuilly (27 novembre
1919) fait perdre à la Bulgarie la Thrace, qu'elle cède à
la Grèce.

Enfin, le traité de Sèvres (10 août 1920) règle le sort
de l'Empire ottoman : la Turquie perd l'Arménie et
l'Arabie, devenues indépendantes, la Syrie, la Mésopotamie et la Palestine administrées par la France et la
Grande-Bretagne, ainsi que le Kurdistan devenu autonome. De plus, la zone des Détroits est neutralisée et
placée sous le contrôle d'une commission internationale.
La Turquie est ainsi réduite au cinquième de la superficie
de son ancien empire.

Mais ces traités ne satisfont pas tous les belligérants :
l'Allemagne proteste contre le « diktat » du traité de
Versailles, l'Italie s'estime lésée, les Français veulent que
« l'Allemagne paie ». Leur remise en cause ne tardera
pas à se faire jour.

---

### Les frontières orientales

Les traités laissent posés le problème russe et celui des
frontières de la Russie avec les nouveaux États d'Europe
centrale. La situation est confuse en Russie de l'Ouest,
occupée par des troupes allemandes, puis par des forces
hostiles au régime et soutenues par des Alliés qui débarquent au nord dans les ports de la mer Blanche, et au sud
à Odessa et en Crimée (fin 1918-1919). Cela suscite des
soulèvements dans les Pays baltes : après deux années de
combats, l'Estonie, la Lituanie, la Lettonie et la Finlande
obtiennent leur indépendance (1920).

# Les effets de la guerre

## Un pays meurtri et transformé

*Touchée dans sa chair et affaiblie dans son patrimoine matériel et financier, la France connaît également une modification de ses structures économiques.*

### Le bilan démographique

Les pertes humaines constituent l'effet le plus dramatique de la guerre : on estime à plus de 8 millions le nombre des tués, dont environ 1,4 million de Français, 1,9 million d'Allemands, 1,7 million de Russes, un million d'Austro-Hongrois, 760 000 Britanniques, 650 000 Italiens, 115 000 Américains, et à 20 millions le nombre des blessés.

Pour la France, ces morts représentent à peu près 10 % de la population active et 27 % des hommes de 18 à 27 ans. S'y ajoutent près de 3 millions de blessés (la moitié l'ayant été deux fois), dont 750 000 invalides et 125 000 mutilés. Sur 10 hommes âgés de 20 à 45 ans en 1914, deux ont été tués, un devient assisté, trois sont infirmes d'une façon ou d'une autre. En 1919, la population française est estimée à 38,7 millions d'habitants, soit un déficit de 1,1 million par rapport à 1914, cela malgré le retour de l'Alsace-Lorraine.

Mais en dehors de ces pertes directes, un bilan démographique plus complet doit tenir compte du fait que ce sont les hommes dans la force de l'âge qui sont morts ou sont amoindris, ce qui réduit le potentiel productif, créatif et le dynamisme démographique de la France : dès 1915, le nombre des naissances s'effondre, et l'on peut évaluer à 1,7 million les enfants qui seraient nés durant les années de guerre, si celle-ci n'avait pas eu lieu.

Malgré l'augmentation des naissances au début des années 20, qui ne comblera pas cette perte, le nombre de jeunes adultes en âge de procréer est faible dans les années 1934-1939. Pour faire face à ce recul, l'immigration étrangère est encouragée : cette population passera d'environ 1,2 million en 1911 à 1,5 million en 1921, à 2,4 millions en 1926 et à 2,7 millions en 1931 (soit moins de 4 % de la population active en 1921 et plus de 7 % en 1931) ; elle est composée essentiellement d'Italiens, de Belges, d'Espagnols et de réfugiés d'Europe centrale. Au total, la France comptera 40,7 millions d'habitants en 1926 et 41,8 millions en 1931.

### Le bilan matériel

La France a eu 7 % de son territoire dévasté, correspondant aux régions du Nord et du Nord-Est, riches en mines et en industries, qui ont été durement touchées : c'est ainsi que la production de charbon est tombée de 18 millions de tonnes en 1914 à 2 millions en 1919 dans le Nord-Pas-de-Calais, que la production nationale d'acier est passée de 4,7 millions de tonnes à moins de 2 millions durant la même période et qu'environ 10 000 usines ont été totalement ou partiellement détruites. La capacité productive du pays a ainsi diminué d'environ 20 %.

D'autre part, plus de 2 millions d'hectares de terres de labour, environ 400 000 hectares de pâturages et 600 000 hectares de terrains bâtis ont été ravagés par les combats ; la production de blé est passée de 8,9 millions de tonnes en 1914 à 5,2 millions en 1919, et celle de pommes de terre de 13,2 à 6,2 millions de tonnes ; près de 2,5 millions d'animaux ont péri ou ont été enlevés par l'ennemi.

Dans les régions dévastées, la production de céréales ne représente en 1919 qu'un tiers environ de celle d'avant-guerre, et la production de charbon et d'acier est devenue presque nulle. Plus de 60 000 km de routes, près de 6 000 km de voies ferrées et environ 2 000 km de canaux doivent être reconstruits ; 550 000 maisons d'habitation, près de 20 000 édifices publics (écoles, mairies, églises...) ont été détruits ou endommagés. Au total, la guerre aurait englouti 30 % de la fortune française (et plus d'un cinquième de la richesse allemande). Le coût total de ces destructions est estimé pour la France à 35 milliards de francs-or, et celui de la reconstruction à 137 milliards de francs de 1920.

On observe en outre un effondrement de la production industrielle : pour une base 100 en 1913, elle tombe à l'indice 57 en 1919. Mis à part le caoutchouc (dont la production a été multipliée par trois) et les cuirs (qui maintiennent leur niveau d'avant-guerre), toutes les grandes branches sont touchées : l'indice est de 60 dans le textile, de 58 dans les industries mécaniques, de 44 dans les industries extractives, de 29 dans la métallurgie et de 16 dans le bâtiment.

## Les conséquences financières

Les gouvernements évitèrent de financer l'effort de guerre par l'accroissement de l'impôt, nécessairement impopulaire, et que les familles modestes, affectées par les départs des soldats, auraient eu bien du mal à payer. Comme on ne voulait pas non plus pénaliser les plus riches ni décourager les entreprises productives, il fallait donc avoir recours à d'autres moyens de financement des dépenses publiques ; ce fut, d'une part, la création monétaire, faisant passer la quantité de monnaie en circulation

de 6 milliards en 1913 à 38 milliards de francs en 1920 ;
et, d'autre part, les émissions d'emprunts, qui portèrent
la dette de l'État à 204 milliards de francs-or en 1919
(contre 33 milliards en 1913). Cette dette publique
pèsera lourd dans les budgets des années à venir, d'autant
plus que s'y ajouteront les pensions à verser aux victimes
de guerre, les dépenses de reconstruction et les remboursements à effectuer aux pays étrangers (États-Unis,
Grande-Bretagne), alors que les réserves de change sont
alors épuisées.

En 1913, la France a en effet accru de 35 milliards
de francs sa dette auprès de ses alliés pour financer l'effort
de guerre. Toutefois, elle a acquis parallèlement des
créances sur certains de ces pays (17 milliards), ce qui
limite à 18 milliards l'accroissement de sa dette extérieure. Mais, dans le même temps, la position financière
de la France s'est considérablement dégradée en raison
de la perte d'une partie de ses placements à l'étranger,
effectués avant 1914. Certains pays sont en effet devenus
insolvables, d'autres refusent le remboursement (telles la
Russie et la Turquie) ou l'effectuent en monnaie dépré-
ciée. Ainsi, les 40 milliards de francs que les Français
avaient investis au dehors sont réduits environ de moitié.
D'autre part, la capacité d'exportation de la France, dont
la place sur différents marchés a été prise par les États-
Unis ou d'autres « nouveaux pays industriels », a été
amoindrie. Enfin, le stock d'or détenu par la Banque de
France ou les particuliers, qui s'élevait à 10 milliards de
francs en 1914, n'atteint plus que 7 milliards en 1919,
ce qui limite la capacité d'acheter des devises ou des
marchandises à l'étranger.

Aussi, cette situation est-elle sanctionnée par l'inflation (qui reflète les déséquilibres d'une économie de

guerre, la hausse des coûts de production et celle des importations) et par le désordre monétaire (qui allège toutefois le poids de la dette publique) : les prix ont été multipliés par 3,5 environ durant les années de guerre. Cela rend donc plus difficiles les exportations, qui ne peuvent se maintenir que grâce à la dépréciation du franc, prenant durant les années d'après-guerre une proportion considérable.

### La « nouvelle donne » économique

La France récupère en 1919 l'Alsace-Lorraine et ses mines de charbon, de fer et de potasse. Cet accroissement des ressources minières qui semble de prime abord une aubaine pour l'industrie française n'est pourtant pas vu sous cet angle par les producteurs français. C'est ainsi que le Comité des forges, qui réunit le grand patronat de l'époque, juge « critique » cette nouvelle situation, car la production des usines des secteurs métallurgique et sidérurgique se trouve presque doublée, sans que les débouchés s'accroissent d'autant. Le problème est le même en ce qui concerne l'industrie cotonnière, particulièrement développée dans ces territoires rendus à la France.

La seule solution réside alors dans l'augmentation des exportations, spécialement à destination de l'Allemagne, à qui l'on cherche à imposer un quota d'importations : l'article 268 du traité de Versailles prévoit ainsi que, durant cinq ans, des matières premières ou produits transformés en provenance de l'Alsace-Lorraine seront vendus à l'Allemagne en franchise de tous droits de douane.

La France, déjà attirée avant la guerre par les exportations de capitaux, s'oriente désormais résolument vers l'exportation de marchandises. Cette question est d'autant plus importante que le marché intérieur ne s'élargit pas. En effet, l'inflation spectaculaire au cours des années de guerre (les prix de détail sont multipliés par plus de 2,5 entre 1914 et 1919) s'accompagne d'une augmentation à peine moins rapide des salaires. Mais leur éventail s'est resserré : alors qu'en 1901 la rémunération des employés parisiens était le double de celle des provinciaux (environ 0,8 francs de l'heure contre 0,4), elle ne lui est plus que d'un tiers supérieure en 1921 (3,5 francs contre 2,3). Cependant, les femmes, qui ont pourtant largement contribué à l'effort de guerre, gagnent toujours en moyenne moitié moins que les hommes.

Par ailleurs, la guerre n'a provoqué aucun développement économique immédiat ni aucune intensification significative du progrès technique. Elle a, en revanche, profité aux entreprises des secteurs stratégiques d'une économie de guerre, qui ont bénéficié de flux réguliers de commandes publiques, passées dans des conditions et à des prix bien coûteux pour l'État. Les industries automobile et aéronautique, l'armement, la sidérurgie, l'appareillage électrique, la chimie connurent ainsi une expansion rapide, développèrent la production en série et augmentèrent considérablement leurs ventes et leurs profits : le chiffre d'affaires des usines Renault passa de 88 millions de francs en 1914 à 378 millions en 1918, alors que la production de Saint-Gobain augmentait de 70 % et que la capacité de production du Creusot était doublée, de même que celle des usines hydroélectriques. La contribution exceptionnelle sur les bénéfices de guerre (c'est-à-dire ceux qui excédaient la moyenne des profits réalisés durant les trois dernières années d'avant-guerre) atteint 2,4 milliards de francs d'août 1914 à décembre 1915, 4,2 milliards pour 1916, 5,3 en 1917 et 5,4 en 1918.

Cela permet de mesurer l'importance des bénéfices réalisés par de grosses entreprises, dont certaines ont été amenées à se regrouper, et qui pourront, la paix revenue, connaître un rythme d'investissement et de croissance particulièrement élevé. La guerre a joué finalement le même rôle que les crises du passé : un certain nombre de grandes firmes ont étendu leur influence, accru leur avance technologique, élaboré de nouveaux produits, au détriment des petits entreprises traditionnelles, touchées par la stagnation de la demande populaire et souvent incapables de résister à la concurrence des grands groupes industriels.

## *Les conséquences sociales*

L'absence de la quasi-totalité de la population masculine valide nécessita la généralisation du travail féminin, en particulier dans les usines, où jusque-là les hommes restaient largement majoritaires.

D'une façon générale, l'ensemble des Français souffrit des privations causées par la diminution de la production agricole et industrielle civile et par l'absence de salaires masculins à l'exception des spéculateurs sur les denrées rares et autres « profiteurs de guerre », industriels produisant pour l'armée... ou des « embusqués » (réformés ou « affectés spéciaux », tels que les cadres de l'industrie ou des ouvriers qualifiés rappelés à l'arrière).

On peut toutefois relever plusieurs catégories plus spécifiques de victimes indirectes du conflit : ce fut le cas des « patriotes » qui apportèrent leur or, échangé contre des bons vite dévalorisés, des petits salariés victimes de la hausse rapide des prix, des rentiers ruinés par l'inflation, des propriétaires d'immeubles touchés par le blocage des loyers, des souscripteurs des emprunts russes, et des familles dont le père ou les fils ne revinrent pas de la guerre. Cela provoqua deux types de réactions opposées : la montée des revendications ouvrières, encouragées par l'exemple de la révolution russe, et celle de l'esprit « ancien combattant », regroupant ceux qui avaient souffert de la guerre et revendiquant une reconnaissance qui faisait trop souvent défaut.

Au total, la Première Guerre mondiale a totalement bouleversé la société française et provoqué au sein du pays un ressentiment profond à l'égard de l'Allemagne, empêchant toute réconciliation ou coopération ; elle a aussi provoqué un désir de profiter de la vie, après ces années de souffrance, et d'éviter à tout prix un nouveau conflit, afin que cette guerre soit bien la « der des der ».

---

### Le déclin de l'Europe

L'Europe occidentale, qui effectuait environ les deux tiers du commerce mondial en 1914, n'en assure plus que les deux cinquièmes après la guerre. D'autre part, les États-Unis détiennent maintenant 50 % du stock d'or mondial. Alors qu'ils étaient débiteurs envers le reste du monde en 1914 de 3,7 milliards de dollars, ils ont, en 1919, une position créditrice nette de 3,7 milliards de dollars.

---

# 1919-1939

# Chronologie

## 1919
8 décembre : Première réunion de la Chambre « bleu horizon ».

**Présidence de Paul Deschanel (janvier-septembre 1920) et d'Alexandre Millerand (septembre 1920-juin 1924)**

## 1920
17 janvier : Élection de Paul Deschanel. Ministère Millerand.

Février, mars et mai : Grandes grèves.

5-16 juillet : Conférence de Spa.

21 septembre : Démission de P. Deschanel.

23 septembre : Élection d'Alexandre Millerand.

25 septembre : Gouvernement Georges Leygues.

27 septembre-2 octobre : Congrès de la CGT à Orléans.

20-26 décembre : Congrès socialiste de Tours. Scission SFIO-PCF.

## 1921
16 janvier : Formation du ministère Briand.

27 février : Conférence de Londres.

Décembre : 1$^{er}$ congrès du PCF à Marseille et scission syndicale (création de la CGTU).

## 1922
5-12 janvier : Conférence de Cannes.

12 janvier : Démission de Briand.

15 janvier : Ministère Poincaré.

Octobre : Début de la dépréciation du mark et du franc face à la livre.

## 1923
11 janvier : Occupation de la Ruhr.

8-9 novembre : Coup d'État manqué d'Hitler à Munich.

## 1924
18 avril : La France accepte le plan Dawes sur les réparations.

11 mai : Victoire du Cartel des gauches aux élections législatives.

10 juin : Démission de A. Millerand.

**Présidence de Gaston Doumergue (juin 1924-mai 1931)**

15 juin : Gouvernement Herriot.

2 octobre : La France admet l'Allemagne à la SDN.

29 octobre : La France reconnaît l'Union soviétique.

31 octobre : Début du plan Dawes et de l'évacuation de la Ruhr.

## 1925
10 avril : Chute du gouvernement Herriot.

17 avril-27 octobre : Ministère Painlevé-Caillaux.

5-16 nov. : Conférence de Locarno.

29 oct.-22 nov. : Ministère Painlevé.

28 nov. : Ministère Briand.

**1926**
9 mars-15 juin : Nouveau ministère Briand.

20-21 juillet : Ministère Herriot. La livre vaut 240 francs.

23 juillet : Formation du gouvernement Poincaré d'Union nationale.

Déc. : La livre vaut 124 francs.

**1927**
Mars : Évacuation de la Sarre.

**1928**
22-29 avril : Élections législatives.

7 juin : Nouveau ministère Poincaré.

25 juin : Stabilisation officielle du franc.

27 août : Signature du pacte Briand-Kellog.

**1929**
20 mars : Mort du maréchal Foch.

7 juin : Adoption du plan Young.

26 juillet : Départ de Poincaré.

29 juillet : Ministère Briand.

**28 octobre : Krach de Wall Street.**

2 novembre : Ministère Tardieu.

24 novembre : Mort de Clemenceau.

29 nov. : Vote de la construction de la ligne Maginot.

**1930**
Février : Chute et retour de Tardieu.

1<sup>er</sup> juillet : Loi sur les assurances sociales.

Novembre : Affaire Oustric.

4 décembre : Chute du cabinet Tardieu.

**1931**
27 janvier : Laval président du Conseil.

**Présidence de Paul Doumer (mai 1931-mai 1932) et d'Albert Lebrun (mai 1932-juin 1940).**
Mai : Élection de Paul Doumer. Exposition coloniale à Vincennes.

**1932**
Février : Chute du cabinet Laval. Retour de Tardieu. Échec de la conférence de Genève sur le désarmement.

11 mars : Loi sur les allocations familiales.

**6 mai : Assassinat de Paul Doumer.**

8 mai : Victoire électorale de la gauche.

**10 mai : Élection d'A. Lebrun.**
Juin-juillet : Conférence de Lausanne sur les Réparations.

29 nov. : Pacte franco-soviétique.

8 déc. : Cabinet Paul-Boncour.

14 déc. : Chute du cabinet Herriot.

**1933**
28 janvier-27 octobre : Cabinet Daladier.

30 janvier : Hitler nommé chancelier.

Oct.-nov. : Cabinet Sarraut.

Nov. : Cabinet Chautemps.

29 déc. : Début de l'affaire Stavisky.

### 1934
28 janvier : Chute du cabinet Chautemps.

30 janvier : Retour de Daladier.

### 6 février : Émeutes d'extrême droite à Paris.
9 février : Manifestation communiste.

12 février : Grève générale.

27 juillet : Pacte d'unité d'action socialo-communiste.

8 novembre : Cabinet Flandin.

### 1935
14 avril : Accord de Stresa.

2 mai : Pacte franco-soviétique.

31 mai : Chute du ministère Flandin.

7 juin : Cabinet Laval.

16 novembre : Affrontements entre Croix-de-Feu et communistes.

### 1936
12 janvier : Publication du programme de Rassemblement populaire.

22 janvier : Sarraut remplace Laval.

13 fév. : Dissolution des ligues.

Mars : Occupation par l'Allemagne de la rive gauche du Rhin. Réunification de la CGT au congrès de Toulouse.

### 26 avril et 3 mai : Victoire électorale du Front populaire.
11 mai : Début des grèves et occupations d'usines.

4 juin : Formation du cabinet Léon Blum.

### 7 juin : Accords Matignon.
25 sept. : Dévaluation du franc.

17 novembre : Suicide de Roger Salengro.

### 1937
13 février : Léon Blum décrète la « pause ».

16 mars : Fusillade de Clichy.

21 juin : Démission de Léon Blum.

22 juin : Cabinet Chautemps.

30 juin : Dévaluation du franc.

31 août : Création de la SNCF.

11 septembre : Attentat de la Cagoule.

### 1938
10 mars : Fin du ministère Chautemps.

### 12-13 mars : Hitler annexe l'Autriche (Anschluss).
13 mars-8 avril : Gouvernement Blum.

10 avril : Cabinet Daladier.

### 30 sept. : Accords de Munich.
10 novembre : Les radicaux quittent le Comité de Rassemblement populaire.

12-13 nov. : Décrets-lois Reynaud.

Fin nov. : Agitation sociale.

30 novembre : Grève générale CGT.

### 1939
7 février : Daladier refuse l'amnistie aux grévistes du 30 novembre.

### 15-16 mars : Hitler annexe la Bohême et la Moravie.
Les Slovaques se placent sous la « protection » de l'Allemagne.

# Introduction

L'entre-deux-guerres constitue à bien des égards une période de transition dominée par les conséquences de la guerre de 1914-1918 et par la crise mondiale de 1929, mais aussi par la montée de nouvelles idéologies et d'un nouveau péril extérieur.

### *La transition économique*

La transition s'affirme durant ces années entre une France à prédominance agricole meurtrie par la guerre et une France industrielle qui avait déjà connu un essor spectaculaire autour des années 1900, et qui en vit un second durant les années 1930. Transition sur le plan de l'organisation économique, avec l'altération de l'ancienne « régulation concurrentielle », qui faisait de la flexibilité à court terme des prix et des revenus le moyen de résorber les déséquilibres de marché : quand les quantités de biens produits augmentaient plus vite que la demande intérieure (grâce en particulier aux gains de productivité non répercutés sur les salaires), les prix baissaient et entraînaient une baisse des revenus, précipitant la crise jusqu'à ce que les prix aient suffisamment diminué pour rétablir le pouvoir d'achat et relancer la demande. Ce schéma explique encore la crise de 1929, qui frappe la France comme les autres grands pays du monde ; mais la constitution des grands groupes industriels, le développement du syndicalisme ouvrier, l'abandon déchirant du « franc éternel », défini jusque-là par un rapport immuable avec l'or ou avec les grandes devises, ainsi que l'affirmation du rôle de l'État dans l'économie conduisent

à un autre mode de fonctionnement de l'économie : la
« régulation monopoliste ». Ainsi, dans les années 20
comme après 1935, la croissance s'appuie sur l'investissement de grands secteurs industriels dynamiques largement à l'abri de la concurrence par les prix et pouvant
accorder aux salariés les hausses de leurs rémunérations
leur permettant le maintien de leur pouvoir d'achat,
mais entretenant un processus inflationniste. Désormais,
la croissance ne sera plus possible sans inflation, et la
hausse du pouvoir d'achat n'interviendra que si les
salaires monétaires augmentent plus vite que les prix.
Ce sera l'un des traits marquants de l'économie du
XXᵉ siècle si l'on excepte les années 1930-1935.

### La transition culturelle

Transition aussi sur le plan des arts et des lettres : dès la
fin de la Première Guerre mondiale, des poètes, des
peintres, des sculpteurs, des musiciens s'affranchissent
des canons traditionnels pour côtoyer le délire créatif. Si
l'on peut retrouver chez eux les influences du non-
conformisme d'avant-guerre, il s'agit aussi de l'expression artistique de l'absurdité d'un monde qui vient d'être
saisi d'une incroyable folie meurtrière.

Transition encore en ce qui concerne les sciences et
les techniques : les découvertes et les innovations de la
fin du XIXᵉ et du début du XXᵉ siècle trouvent des
prolongements qui n'aboutissent pas tous encore au
stade de la « consommation de masse » : les progrès de
la médecine sont manifestes, l'usage de l'électricité se
généralise, la connaissance de la matière fait un saut
qualitatif, le cinéma passe du muet au parlant, mais
l'usage du téléphone, de l'automobile, de l'avion, de la
radio et surtout de la télévision naissante n'est encore

réservé qu'à une minorité de privilégiés fortunés, et le sport, qui devient spectacle, n'est toujours que la pratique de quelques-uns. Quant à la connaissance de l'homme et de son milieu, le renouvellement de l'objet et des méthodes en sciences sociales est encore partiel : la sociologie, l'histoire, la philosophie, la psychologie connaissent quelques précurseurs, mais qui restent marginaux.

## Survie et mort de la IIIᵉ République

Les transformations en profondeur de la société française, la croissance puis la crise économique trouvent leur expression sur le plan politique : dans une France divisée entre ceux qui redoutent par-dessus tout l'extension du « bolchevisme » et qui veulent assurer un ordre respectueux de la propriété et de la liberté d'entreprendre, et ceux qui revendiquent de meilleures conditions de vie pour l'ensemble des salariés ou une remise en cause plus radicale des structures sociales, la « République radicale » constitue durant l'entre-deux-guerres la solution médiane. Bénéficiant à la fois de la confiance des milieux d'affaires, d'une bonne partie de la France rurale et conservatrice, de celle des classes moyennes redoutant les solutions extrêmes, le parti radical est une pépinière d'hommes de gouvernement et contrôle le jeu politique parlementaire. Il doit faire face aux attaques de l'extrême droite et des communistes dénonçant sa corruption, à celles de la droite traditionaliste l'accusant de collusion avec les socialistes, et à celles des socialistes lui reprochant ses compromis avec le centre droit.

À deux reprises cependant, les socialistes partagent le pouvoir avec les radicaux, sans pouvoir l'exercer seuls en raison d'une audience insuffisante. Ils ne prennent pourtant pas d'initiatives déterminées de nature à modifier le cours de l'histoire : en 1924, ils n'osent pas s'attaquer au « mur de l'argent » ; en 1936, ils mettent fin à l'agitation sociale et choisissent la neutralité dans la guerre civile espagnole, alors que les nationalistes sont soutenus par l'Allemagne nazie et l'Italie fasciste ; en 1938, ils ne dénoncent pas les accords de Munich.

La majorité des élus de Front populaire voteront même les pleins pouvoirs au maréchal Pétain en juillet 1940, après avoir fait preuve d'une coupable passivité face à l'expansionnisme hitlérien, avoir subi sans initiative neuf mois de « drôle de guerre » et s'être révélés incapables d'organiser la résistance à la « guerre éclair » déclenchée par l'armée allemande en mai 1940.

La responsabilité de la débâcle ne peut certes être imputée uniquement à ceux qui ont exercé la responsabilité des affaires depuis 1933 ou à la seule classe politique. Quand le radical Édouard Daladier signe les accords de Munich, en septembre 1938, il est accueilli triomphalement au Bourget par une foule nombreuse qui salue le sauveur de la paix. Les Français, dans leur quasi-unanimité, soucieux de préserver leur mieux-vivre, redoutent en effet par-dessus tout un nouveau conflit meurtrier. Trop de sang avait été versé, trop de corps avaient été meurtris, trop de richesses réduites en cendres, trop de familles déchirées devant la guerre qui n'avait pris fin que dix ans auparavent !

De plus, la croissance des années 20 a surtout profité à une minorité accédant à la consommation de biens nouveaux et vivant pleinement les « Années folles » au rythme du charleston, et, accessoirement, à une nouvelle classe moyenne urbaine ; mais les inégalités ont suscité une grande frustration dans la classe ouvrière, excédée aussi par les multiples scandales financiers. Elle prend certes une éphémère revanche en 1936, refusant la fatalité de la crise et espérant obtenir sa part des fruits d'une croissance retrouvée. Mais ce faisant, si sa mobilisation pacifique bloque la montée du fascisme en France, elle n'empêche pas l'extension meurtrière du nazisme en Europe.

# La Chambre « bleu horizon »
## (1919-1924)

### La droite au pouvoir

*Après la victoire du Bloc national aux élections de novembre 1919 et le retrait de Clemenceau, le pouvoir oscillera entre la modération de Millerand et de Briand et l'intransigeance de Poincaré.*

La personnalité de Georges Clemenceau (1860-1934) domine la fin de la guerre et l'année 1919. Depuis son accession à la présidence du Conseil, le 16 novembre 1917, Clemenceau, surnommé « le Tigre », avant de devenir « le Père la Victoire », symbolise la détermination guerrière de la France, puis le désir d'imposer une paix dure à l'Allemagne.

### Le départ de Clemenceau

Durant l'année 1919, Clemenceau tente d'obtenir, comme le demande Foch, des garanties territoriales substantielles. Mais devant l'hostilité des Américains et des Britanniques, refusant que la rive gauche du Rhin devienne française ou même autonome, il doit se contenter de garanties politiques, préférant le maintien de la solidarité des Alliés à des annexions qui auraient provoqué l'isolement de la France. C'est ainsi que Clemenceau interdit également au général Mangin, commandant de l'armée française d'occupation en Rhénanie, d'apporter son soutien aux autonomistes locaux comme il était prêt à le faire. Mais le refus ultérieur du Sénat américain de ratifier le traité de Versailles (mars 1920) rendra caduque cette stratégie.

Malgré les déceptions, quant aux conditions de la paix européenne, la popularité de Clemenceau reste grande au moment de l'élection législative de novembre 1919. La joie de la victoire est présente, l'« union sacrée » encore dans les esprits, et s'y ajoute la peur du « bolchevisme » au sein des milieux aisés ou traditionalistes. Ces sentiments expliquent la victoire des candidats du Bloc national républicain, représentant la droite et le centre, qui obtient 433 sièges sur 613.

Le 8 décembre 1919, la Chambre « bleu horizon » tient sa première séance. On pouvait s'attendre alors à l'élection de Georges Clemenceau à la présidence de la République en remplacement de Raymond Poincaré, lors du vote du Congrès qui a eu lieu le 17 janvier 1920. Mais son autoritarisme, le jeu des rivalités personnelles et l'hostilité des milieux catholiques lui font préférer le modéré et effacé Paul Deschanel. Clemenceau se retire alors avec dédain de la vie politique.

---

### Les révolutionnaires allemands (1918-1919)

L'Allemagne connaît dans l'immédiat après-guerre de graves problèmes intérieurs. Les grèves des derniers jours du conflit se prolongent par des actions révolutionnaires : à Munich, le socialiste Kurt Eisner proclame une République bavaroise, alors que les séparatistes rhénans s'agitent. Comme en Russie, des conseils d'ouvriers et de soldats se constituent dans les villes industrielles et les ports. À Berlin, le mouvement spartakiste de Karl Liebknecht et Rosa Luxemburg prend les armes et investit la ville (décembre 1918). Mais le gouvernement social-démocrate d'Ebert lève des « corps francs » commandés par Noske, qui écrasent la révolution berlinoise en janvier 1919 ; Eisner, Liebknecht et R. Luxemburg sont assassinés, et une dure répression s'ensuit.

### Millerand et Briand (janvier 1920-janvier 1922)

La présidence de P. Deschanel ne dure que neuf mois :
il doit démissionner le 21 septembre 1920 pour raison
de santé. Alexandre Millerand, président du Conseil
depuis janvier, est élu président de la République le
23 septembre.

L'année 1920 est marquée par la persistance des
difficultés économiques dans un pays non encore recons-
truit et aux prises avec une vive concurrence étrangère.
Les affaires sont médiocres, le chômage réapparaît, la
hausse des prix est forte, le franc se déprécie (voir p. 84).
De grandes grèves éclatent alors : celles des cheminots
(23 février-3 mars), des mineurs du Nord (à partir du
7 mars), qui s'étendent en mai. L'agitation retombe toutefois assez vite en raison d'une dure répression (intervention de l'armée, révocation des cheminots, poursuites
contre les fonctionnaires) et de la division des forces
populaires.

---

#### La gauche divisée

Après un premier congrès à Strasbourg (25-29 février), le
parti socialiste, agité par le problème de l'adhésion à
l'Internationale communiste, tient un nouveau congrès à
Tours (20-26 décembre), qui est celui de la scission. Une
partie des délégués se retire de la SFIO pour fonder le
parti communiste français (voir p. 116-117)

---

D'autre part, du 5 au 16 juillet 1920 se tient la
conférence de Spa, où les Alliés rencontrent pour la première fois depuis la guerre des représentants allemands
pour discuter de la question des réparations : 52 % doivent revenir à la France, 22 % à la Grande-Bretagne,

10 % à l'Italie, 8 % à la Belgique... Mais les divergences se creusent entre les Français, voulant faire payer l'Allemagne, et les Britanniques, plus conciliants.

L'opposition entre les deux pays se manifeste aussi à propos de l'Europe de l'Est : les Français soutiennent la Pologne contre les Soviétiques et envoient le général Weygand comme conseiller militaire ; ils se rapprochent de la Tchécoslovaquie, de la Yougoslavie et de la Roumanie, pour former avec ces trois pays une « Petite Entente », organisant un « cordon sanitaire » contre le bolchevisme ; les Britanniques dénoncent le « militarisme français ». Mais alors qu'Aristide Briand remplace Georges Leygues, renversé par le Parlement (16 janvier 1921), la France et le Royaume-Uni se rapprochent lors de la conférence de Londres (mai 1921) pour exiger le paiement de 132 milliards de marks-or au titre des réparations, auxquels s'ajoute un pourcentage de la valeur des exportations allemandes. Les Allemands jugeant « inexécutables » ces dispositions, les Britanniques et les Français menacent d'occuper la Ruhr et obligent ainsi l'Allemagne à s'incliner.

La question n'est pas réglée pour autant : après que le ministre français des Régions libérées, Loucheur, s'est entendu avec le ministre allemand de la Reconstruction, Rathenau, pour organiser des paiements en nature (octobre 1921), la chute du mark accompagne les premiers paiements en monnaie des réparations, et l'Allemagne réclame une renégociation de leur montant.

À la conférence de Cannes (5-12 janvier 1922), les divergences réapparaissent entre la Grande-Bretagne et la France : Lloyd George propose de réunir une conférence internationale avec l'Allemagne et la Russie, pour évoquer l'ensemble des problèmes économiques européens alors que les Français défendent le principe des réparations et veulent consolider la Petite Entente. Vivement critiqué pour son manque de fermeté, Briand démissionne à son retour de Cannes (12 janvier 1922).

---

### Les présidents de 1919 à 1924

Après l'élection de la Chambre « bleu horizon » (victoire du Bloc national, 30 novembre 1919) ont lieu celles de Paul Deschanel (17 janvier 1920), puis d'Alexandre Millerand (23 septembre 1920), à la présidence de la République. Durant cette législature se succèdent à la présidence du Conseil Georges Clemenceau (jusqu'en janvier 1920), Alexandre Millerand (janvier-septembre 1920), Georges Leygues (septembre 1920-janvier 1921), Aristide Briand (janvier 1921-janvier 1922) et Raymond Poincaré (janvier 1922-juin 1924).

---

## *Le ministère Poincaré (janvier 1922- juin1924)*

Briand laisse sa place à celui qui incarne la fermeté, l'ancien président de la République Raymond Poincaré, qui a entre-temps exercé la présidence de la commission des Réparations. Poincaré devient président du Conseil le 15 janvier. Pour lui, toute négociation sur ce problème doit s'accompagner de garanties militaires et territoriales sur la Rhénanie démilitarisée et les frontières orientales. En avril 1922, la conférence de Gênes débouche sur un nouveau constat de désaccord entre les différents pays, alors que l'effondrement du mark se poursuit (voir p. 81) ; les partisans de l'exécution des réparations sont éliminés en Allemagne, laquelle demande le 12 juillet un nouveau moratoire pour le paiement des réparations.

Poincaré n'est prêt à l'accorder que s'il est gagé par un contrôle des mines de la Ruhr. Après six mois de vaines discussions, il décide de passer à l'action : le 11 janvier 1923, il donne l'ordre aux troupes françaises d'occuper la Ruhr, obtient un large soutien du Parlement (452 voix contre 72), ainsi que l'appui belge et italien.

Les Allemands réagissent en organisant la « résistance passive », des grèves et des sabotages. Mais les ouvriers et les ingénieurs français et belges envoyés sur place arrivent à faire fonctionner les mines et les chemins de fer, et, progressivement, la production reprend. L'Allemagne abandonne en septembre la « résistance passive », le gouvernement Stresemann acceptant le principe de la reprise des paiements, tout en devant faire face à de graves problèmes intérieurs (putsch de Hitler à Munich, le 9 novembre).

---

### L'extrême droite en Allemagne (1920-1923)

En 1920, une « Division de fer » qui combattait dans les pays Baltes marche sur Berlin et y proclame Kapp chancelier. La grève générale empêche ce coup d'État de réussir, mais les putschistes restent impunis. Alors que de nombreuses personnalités de gauche, ou favorables à une réconciliation avec la France, sont assassinées, une nouvelle tentative de coup d'État a lieu les 8 et 9 novembre 1923 à Munich ; elle est l'œuvre d'Adolf Hitler, soutenu par Ludendorff, qui s'attaque aux « ennemis intérieurs » (les juifs et les marxistes) et réclame un sursaut nationaliste. Trop isolés, les putschistes échouent, mais Hitler, condamné à cinq ans de prison, n'y reste que six mois et Ludendorff est acquitté.

---

Parallèlement, les Britanniques et les Américains apportent leur soutien financier à l'Allemagne, contribuant ainsi au redressement du mark, et le plan Dawes propose une solution au problème des réparations. Poincaré doit accepter ce règlement en avril 1924 pour ne pas avoir cherché de solution bilatérale avec l'Allemagne, et avoir attendu en vain d'une position militaire forte en Europe des garanties de la part des Alliés et une réduction de la dette française à l'égard des États-Unis. Décevant pour les Français, cet accord est finalement favorable à l'Allemagne, qui bénéficie en contrepartie de l'afflux de capitaux américains, permettant de stabiliser le mark et facilitant le paiement de la dette allemande. La droite française parle de capitulation, alors que la gauche et les modérés, hostiles à l'action militaire, se renforcent dans leur position.

Après la victoire du Cartel des gauches, le 11 mai 1924, le président Millerand doit démissionner le 10 juin, entraînant le départ de Poincaré. Gaston Doumergue devient président de la République et Édouard Herriot président du Conseil ; le nouveau gouvernement décide alors l'évacuation de la Ruhr, en la liant à l'application du plan Dawes (conférence de Londres, juillet-août 1924).

---

### Le plan Dawes

Il ne remet pas explicitement en cause le montant des réparations prévu en 1921 à la conférence de Londres. Mais, s'il prévoit le paiement d'annuités croissantes, fonction de l'« indice de prospérité » de l'économie allemande, il n'en précise pas le nombre total !

Leur règlement, assuré par des recettes douanières et des taxes, est gagé par des obligations industrielles et ferroviaires allemandes ; une « Caisse des transferts » est chargée de surveiller l'évolution du change. D'août 1924 à mai 1930, date du début du plan Young, 7,170 milliards de marks-or seront effectivement payés.

# Le Cartel des gauches (1924-1926)

## Une majorité éphémère

*L'union de l'opposition au Bloc national, victorieuse aux élections législatives de mai 1924, ne résiste pas aux difficultés financières et se brise contre le « mur d'argent ».*

La victoire électorale du Cartel des gauches, le 11 mai 1924, provoque une crise institutionnelle. Cette coalition, qui réunit les diverses tendances radicales et socialistes, peut compter sur 327 députés, et le Bloc national sur 228. Pratiquant la « grève des ministres », elle oblige le président Millerand à démissionner (10 juin). Après l'élection de Gaston Doumergue, elle soutient un gouvernement radical homogène avec à sa tête Édouard Herriot.

---

### Édouard Herriot (1872-1957)

Ancien dreyfusard et maire de Lyon à partir de 1905, É. Herriot est ministre des Travaux publics durant la guerre et président du parti radical de 1919 à sa mort. Président du Conseil après la victoire du Cartel des gauches en 1924, il doit démissionner en 1925, puis revient au pouvoir durant quelques jours, en juillet 1926, et devient ministre de l'Instruction publique sous le gouvernement Poincaré. Il est de nouveau président du Conseil de juin à décembre 1932, et ministre dans les gouvernements Doumergue, Flandin et Laval (1934-1936). Il est ensuite président de la Chambre des députés sous le Front populaire (1936), qu'il a soutenu à ses débuts. Hostile au gouvernement de Vichy, il est placé en résidence surveillée (1942), puis emprisonné en Allemagne (1944-1945). Après la guerre, il redevient maire de Lyon et président de l'Assemblée.

---

### Le ministère Herriot (juin 1924-avril 1925)

Arrivé au pouvoir le 15 juin 1924, Herriot cherche à rassurer les milieux financiers, tout en menant une politique de conciliation avec l'Allemagne (admise à la SDN le 2 octobre) et avec la Russie soviétique (reconnue par la France le 28 octobre). Il veut aussi étendre la laïcisation de l'enseignement public, en particulier en Alsace-Lorraine, ce qui ranime la guerre religieuse. L'hostilité qu'il rencontre dans le pays l'amène à y renoncer.

Plus graves sont les problèmes monétaires et financiers. L'exemple de l'inflation et de l'effondrement du mark en Allemagne a en effet provoqué de vives inquiétudes en France, le franc amorçant une baisse dangereuse : la livre sterling, qui vaut déjà 72 francs fin 1922, s'échange contre 125 francs en mars 1924. Le gouvernement s'engage alors à ne pas accroître la création monétaire, jugée responsable de l'inflation et de la dépréciation du franc. C'est ainsi que la loi du 31 décembre 1923 fixe un plafond aux avances de la Banque de France au Trésor et limite la circulation monétaire à 41 milliards de francs. Soucieux de ne pas dépasser ce plafond, le gouvernement Herriot est alors contraint de recourir à des expédients (appel à des banques privées, trucage des bilans de la Banque de France, émission d'emprunts publics, qui rencontrent peu de succès...).

Ces difficultés de trésorerie de l'État sont ressenties par le public, qui commence à demander le remboursement des bons du Trésor. Parallèlement, les socialistes réclament un impôt sur la fortune, ce qui provoque une sortie de capitaux et accentue la baisse du franc face à la livre et au dollar. Obligé de demander un dépassement du « plafond monétaire », le ministre des Finances Clementel démissionne le 2 avril 1925 et le gouvernement Herriot est renversé le 10 avril.

## *Le ministère Painlevé-Caillaux (avril-octobre 1925)*

Le 17 avril, Gaston Doumergue confie la présidence du Conseil à Paul Painlevé, autre dirigeant radical, qui nomme aux finances Joseph Caillaux (dont l'image de gauche a été rehaussée par l'hostilité que lui vouait Clemenceau). Caillaux fait porter à 45 milliards le plafond monétaire et met à l'étude plusieurs solutions au problème des ressources publiques : augmentation des bons de la Défense nationale, transformation des bons à court terme déjà émis en crédits à long terme (projets qui n'aboutissent pas en raison de la défiance des épargnants), mise en relation des remboursements de la dette extérieure de la France avec le rythme de paiement des réparations (refusé par les États-Unis). Caillaux refuse l'impôt sur le capital réclamé par les socialistes, ce qui provoque la scission du Cartel des gauches.

Comme aucune solution financière ne se fait jour, le ministère Painlevé, isolé, doit démissionner (27 octobre 1925), peu de temps après avoir signé les importants accords de Locarno.

---

### La conférence de Locarno (5-16 octobre 1925)

Elle se tient peu de temps avant la chute du ministère Painlevé et réunit le Français Briand, l'Anglais Chamberlain, l'Italien Mussolini, l'Allemand Stresemann et le Belge Van der Velde. Elle débouche sur la reconnaissance mutuelle par les cinq pays des frontières entre la France, la Belgique et l'Allemagne, et la légitimité d'une riposte armée si l'Allemagne remilitarisait la Rhénanie. Stresemann accepte ces accords, sous réserve d'une évacuation de la région de Cologne encore occupée par les Alliés et d'une entrée définitive de l'Allemagne à la SDN, qui est effective en septembre 1926.

## Le spectre de l'hyperinflation allemande

En 1918, l'Allemagne est confrontée à deux difficultés majeures : l'importance de la dette publique (150 milliards de marks) et le poids des réparations exigées par les vainqueurs (132 milliards de marks-or).

En Allemagne, le gouvernement social-démocrate envisage d'abord diverses formes d'imposition du capital qui provoquent (comme en France) une fuite des capitaux à l'étranger, alors que l'inflation réduit parallèlement la valeur réelle des impôts. L'État est alors conduit à créer toujours plus de monnaie et à lancer de nouveaux emprunts pour financer ses dépenses et rembourser ses dettes. Cela entraîne une augmentation des prix et une dépréciation accélérée du mark, qui permet toutefois dans un premier temps de stimuler les exportations allemandes, ainsi que la production et l'emploi. Mais si l'inflation allège la dette réelle des particuliers et de l'État, elle réduit aussi les salaires réels et la demande intérieure.

Il s'ensuit donc une crise classique de débouchés, accompagnée d'une spéculation effrénée contre le mark : alors qu'en janvier 1919 le mark-or valait 2 marks-papier, il en vaut 50 au début de 1922, 2 000 fin 1922 et 1 000 milliards en décembre 1923 ! Le dollar, qui valait 13 marks en 1921, en vaut 4 200 milliards en novembre 1923 ! Le mark perd toute fonction économique, et l'on revient à une économie de troc.

Pourtant, avec la création du Retenmark (valant 1 000 milliards de marks-papier et gagé sur le patrimoine national), le passage des socialistes dans l'opposition (rassurant les milieux d'affaires) et l'apport de capitaux étrangers (surtout américains), tout rentre « miraculeusement » dans l'ordre en 1924 : la spéculation cesse brusquement et la situation économique se normalise.

La France connaît finalement un phénomène de même nature, mais de bien moindre ampleur, durant les années 1924-1926, dont la composante spéculative est aussi importante, et la fin aussi rapide.

### La valse des ministères (octobre 1925-juillet 1926)

Durent les neuf mois suivants se succèdent des ministères éphémères qui se révèlent tous incapables de résoudre le problème financier et celui de la dépréciation du
franc (une livre vaut 240 francs en juillet 1926) ; ils ne
parviennent pas dans ces conditions à trouver ou à
conserver une majorité parlementaire. C'est ainsi que se
constituent tour à tour un nouveau ministère Painlevé
(29 octobre-22 novembre 1925) et trois ministères
Briand (28 novembre 1925-6 mars 1926, puis 9 mars-
15 juin 1926 et 24 juin-17 juillet 1926). Leurs échecs
permettent le retour de Raymond Poincaré.

# Inflation et chute du franc (1919-1926)

### La fin du « franc éternel »

*Au sortir de la guerre, l'affaiblissement du potentiel
productif de la France et sa dette extérieure provoquent
un mouvement lié d'inflation et de dépréciation de sa
monnaie.*

Jusqu'en 1914, en effet, la France était restée attachée
au régime de l'étalon-or, selon lequel les espèces en circulation étaient garanties par une encaisse métallique. La
monnaie « Banque de France » était convertible, et la
fixité des changes entre devises nationales était assurée
par des mouvements d'or, si d'aventure la variation de
leurs cours sur les marchés libres atteignait les limites
fixées au préalable (points d'or).

   Ainsi, le franc avait gardé sa valeur or définie au
temps de Napoléon I$^{er}$ (franc germinal de 1803), la
flexibilité acceptée étant celle des prix des marchandises,

quels qu'en fussent les effets sur l'activité : rien ne devait remettre en cause l'orthodoxie monétaire assurant la pérennité du poids d'or que l'on pouvait obtenir contre un franc.

## Guerre, monnaie et inflation

Mais, dès le 5 août 1914, le « cours forcé » de la monnaie est décrété, ce qui signifie que l'on ne peut plus convertir le franc en or : les réserves de la Banque de France doivent servir à couvrir les importations ou à gager les crédits que la France sollicite des Alliés pour financer la guerre. Il s'agit d'acheter à l'étranger ce que l'on ne peut plus produire en quantité suffisante, mais aussi de s'approvisionner en matières premières et en matériel de guerre.

La paix revenue, les entreprises françaises peuvent certes recommencer à produire ; mais la France doit faire face au coût élevé de la reconstruction de son infrastructure routière, ferroviaire, agricole et industrielle et ne peut rembourser séance tenante les quelque 20 milliards de francs de dette extérieure.

D'autre part, et bien qu'il n'y ait pas eu de « dérapage » salarial pendant la guerre, les salaires distribués dans toutes les entreprises produisant pour l'armée alimentaient la demande de biens de consommation civils, produits en quantités insuffisantes ; de plus, l'État avait recours au déficit budgétaire financé par l'émission monétaire et l'emprunt, pour assurer l'ensemble de ses dépenses civiles et militaires. Ainsi la dette publique est-elle passée de 33 milliards de francs en 1913 à 204 en 1919, et la masse monétaire de 6 milliards en 1913 à 38 en 1920. Cela ne pouvait que conduire à une augmentation rapide des prix, qui se produit dans tous les pays belligérants ; mais cette augmentation est plus forte en France que chez ses alliés américains et britanniques (voir tableaux p. 88).

Dans ces conditions, les exportations françaises, déjà désavantagées par les effets de la guerre, sont pénalisées par la hausse des prix, alors qu'elles devraient augmenter rapidement pour dégager un surcroît de devises permettant de rembourser les dettes de la France.

## L'effondrement du franc

Les autorités françaises tentent alors d'obtenir des Alliés un allongement des délais de paiement, de nouveaux prêts permettant de financer la reconstruction et un soutien du franc, qui commence à perdre de son crédit sur le marché des changes ; elles voudraient également imposer à l'Allemagne un lourd tribut de guerre, dont le paiement conditionnerait le remboursement des dettes françaises : « l'Allemagne paiera », tel est le mot d'ordre volontiers avancé par les négociateurs français, et largement partagé par l'opinion publique.

Mais bien vite, après quelques nouvelles avances consenties par les Alliés à la fin de 1918 et au début de 1919, la solidarité financière anglo-américaine fait défaut ; de plus, les Britanniques s'opposent aux thèses françaises sur les réparations à exiger de l'Allemagne, dont ils souhaitent se faire un partenaire commercial, alors que la France ne songe qu'à lui faire supporter le plus possible le coût du conflit passé.

Affaibli objectivement par la situation générale de l'économie française, et attaqué par ceux qui anticipent sa baisse, le franc s'effondre rapidement : alors que durant le XIX$^e$ siècle et encore à la fin de 1918 le dollar valait environ 5,2 francs et la livre 25 francs, ils s'échangent respectivement, en décembre 1919, contre approximativement 11 et 42 francs. La chute du franc se poursuit dans les années suivantes, la spéculation contre la monnaie française étant particulièrement forte au début de 1924 puis au début de l'été 1926 : en six ans, le pouvoir d'achat du franc en devise forte est divisé par huit.

L'effet « magique » du retour de Poincaré semble avoir suffi pour inverser les anticipations, permettre la remontée du franc, avant que ne soit officialisée sa stabilisation, en juin 1928 (voir p. 89-93). Celle-ci peut apparaître comme une réaction salutaire face au risque d'un affaiblissement indéfini du franc, au coût croissant de nos importations, entretenant l'inflation, et à l'insolvabilité française. Elle a le mérite de reconnaître ce que certains se refusent à admettre, à savoir l'impossibilité d'un retour aux parités d'avant-guerre. Reconnaissant la dévaluation du franc (un dollar valant 25,5 francs et une livre 125), la loi monétaire de 1928 met fin à la tempête spéculative  (voir tableau page suivante) et aux conséquences monétaires de la guerre de 1914. Elle augmente de plus la valeur en francs 1928 des réserves en or de l'État et favorise l'amortissement de la dette publique.

Mais en même temps le redressement et la stabilisation du franc vont provoquer des effets pervers : le franc faible a en effet été le moyen de rendre moins chers les produits français et de favoriser ainsi une croissance vigoureuse appuyée sur l'accroissement des exportations (voir p. 93).

## Évolution des prix de gros en France et à l'étranger
### (1918-1924) [base 100 en 1913]

|              | 1918 | 1919 | 1920 | 1921 | 1922 | 1923 | 1924 |
|--------------|------|------|------|------|------|------|------|
| France       | 339  | 356  | 509  | 345  | 327  | 419  | 489  |
| États-Unis   | 194  | 206  | 226  | 147  | 149  | 154  | 150  |
| Gde-Bretagne | 229  | 254  | 315  | 137  | 159  | 159  | 166  |

*Source :* P. Léon, *Histoire économique et sociale du monde.* A. Collin, p. 149.

## Cours moyen annuel de la livre sterling, du dollar
## et du deutschmark en francs
### (1918-1933)

|            | 1918  | 1919 | 1920 | 1921 | 1922 | 1923 | 1924 | 1925  |
|------------|-------|------|------|------|------|------|------|-------|
| 1 dollar   | 5.2   | 7.3  | 14.3 | 13.5 | 12.3 | 16.6 | 19.3 | 21.2  |
| 1 livre    | 25.2  | 31.8 | 52.7 | 51.9 | 54.5 | 75.7 | 84.3 | 102.6 |
| 100 marks  | 123.5 | 30.4 | 24.6 | 16.2 | 2.7  | 0.1  | 0.0  | 505.0 |

|            | 1926  | 1927  | 1928  | 1929  | 1930  | 1931  | 1932 | 1933 |
|------------|-------|-------|-------|-------|-------|-------|------|------|
| 1 dollar   | 31.4  | 25.5  | 25.5  | 25.3  | 25.5  | 25.5  | 25.5 | 20.6 |
| 1 livre    | 152.7 | 123.9 | 124.1 | 124.0 | 123.9 | 115.6 | 89.2 | 84.6 |
| 100 marks  | 748.4 | 605.4 | 608.0 | 608.0 | 608.0 | 607.2 |      |      |

*Source :* A. Sauvy, *Histoire économique de la France entre les deux guerres,* Economica, vol. III, p. 395.

## Le retour de Poincaré (1926-1929)

### Une « opération confiance » réussie

*Reprenant une dernière fois les rênes du pouvoir, Raymond Poincaré parvient à rétablir la crédibilité du franc.*

Le retour de Raymond Poincaré à la tête du gouvernement s'explique donc par les difficultés financières de l'État et par la dépréciation grandissante du franc sur le marché des changes.

### L'héritage financier

Cependant, ces difficultés avaient commencé dès 1923, à l'époque où Poincaré était déjà président du Conseil : le dollar, qui valait 11 francs en 1921, s'échangeait contre 15 francs début 1923, contre 20 francs à la fin de l'année, et atteignit plus de 28 francs au printemps 1924. Pourtant, le gouvernement Poincaré avait pris des mesures d'austérité budgétaire (augmentation de 20 % des impôts) qui avaient assaini la situation financière du Trésor, et obtenu un prêt de 100 millions de francs de la banque Morgan.

Ainsi, au moment des élections de 1924, la confiance est-elle partiellement revenue, et le dollar est retombé à 15 francs. Mais la victoire électorale de la gauche, les hésitations des radicaux et les revendications socialistes inquiètent les milieux industriels et financiers, ainsi que les classes moyennes ; parallèlement, la presse d'extrême droite condamne l'incurie gouvernementale, entretient la peur du « bolchevisme » et dénonce la loi des huit heures, les hauts salaires ouvriers et les projets de lois sociales.

Dans ces conditions, la peur des épargnants et des porteurs de bons d'État reprend de plus belle et se manifeste par une spéculation contre le franc : ceux qui possèdent des disponibilités importantes (banquiers, industriels, gros commerçants, etc., rejoints par les petits épargnants) s'empressent d'acheter des devises étrangères, dans la mesure où le contrôle des changes reste peu effectif. Ainsi, la baisse du franc appelle de nouvelles baisses : la livre, qui valait environ 125 francs au printemps 1924, atteint près du double quand Poincaré reprend la tête du gouvernement, le 23 juillet 1926, alors que le dollar, coté environ 20 francs au début de 1924, crève le plafond des 40 francs en juillet 1926.

### Poincaré et l'Union nationale

Raymond Poincaré, fort de son prestige personnel et de son image d'« homme à poigne », entreprend immédiatement une opération politique visant à rassembler des hommes d'horizons différents pour constituer un gouvernement d'Union nationale, rappelant le défunt Bloc national de 1919. C'est ainsi qu'il va appeler des personnalités de droite et du centre (Louis Marin, Louis Barthou, André Tardieu), des radicaux de l'ancien Cartel des gauches (Édouard Herriot et Paul Painlevé), et l'éternel Aristide Briand aux Affaires étrangères.

Puis Poincaré fait adopter au mois d'août une série de mesures visant à restaurer le crédit de l'État et par là même la confiance dans le franc : taux d'escompte porté à 7,5 %, hausse des impôts sur les valeurs mobilières, taxe de 7 % sur la première mutation du capital immobilier, relèvement des impôts sur la consommation (automobiles, boissons, bicyclettes...), mais baisse de l'impôt sur le revenu, uniformisation de la taxe sur le chiffre d'affaires ; d'autre part est créée une Caisse autonome de gestion des bons de la Défense nationale, chargée d'amortir la dette publique, grâce aux nouveaux impôts.

---

### La politique étrangère (1926-1929)

Elle est essentiellement menée par A. Briand, qui s'efforce de normaliser les relations franco-allemandes. Il se fait l'apôtre du combat pour l'établissement d'une paix durable, dans ses discours à la SDN ou dans les diverses négociations internationales. Après le traité de Locarno (octobre 1925) et l'entrée de l'Allemagne à la SDN un an plus tard, il rencontre Stresemann à Thoiry (septembre 1926) pour tenter de mettre sur pied une coopération financière franco-allemande. Puis il cherche un rapprochement avec les États-Unis, qui débouche sur le « pacte Briand-Kellog » de renonciation à la guerre (27 août 1928), lequel est signé par 57 nations, dont l'Allemagne. Enfin, l'adoption du plan Young (7 juin 1929) règle définitivement le problème du calendrier des réparations, et prévoit l'évacuation anticipée de la Rhénanie en juin 1930.

---

Mais, avant même que ces mesures ne soient prises, la spéculation contre le franc a cessé et un mouvement inverse de rachat du franc s'est amorcé dès l'annonce de la formation du gouvernement Poincaré : le 23 juillet, la livre est revenue de 240 à 210 francs et à moins de 200 francs le 27 juillet ; en décembre, elle ne cote plus qu'environ 120 francs. Dans le même temps, le dollar, qui valait près de 41 francs en août, tombe à 25 francs à la fin de l'année. Le « miracle Poincaré » s'est produit : par sa simple présence, par l'« effet d'annonce » d'une politique de franc stable, et en raison de l'éloignement de la « peur des rouges », les spéculateurs français et étrangers ont joué la carte du rétablissement du franc, sa hausse appelant de nouvelles hausses.

## *Les limites du « franc fort »*

Pourtant, cette opération connaît des limites : la remontée du franc a en effet pour conséquence de rendre plus
chers les produits français, donc plus difficiles les exportations, alors que les importations deviennent meilleur
marché ; il s'ensuit donc des difficultés pour les entreprises françaises. De plus, cela provoque un alourdisse-
ment de la dette, alors que le crédit devient plus onéreux.

L'activité s'en ressent donc, le chômage réapparaît,
et les milieux patronaux et syndicaux s'inquiètent.
Simultanément, le gouverneur de la Banque de France,
Émile Moreau, et le secrétaire de la CGT, Léon Jouhaux,
font pression pour arrêter cette remontée du franc. Aussi,
après être intervenu durant l'année 1927 et au début de
1928 pour maintenir le franc autour de 120 livres,
et après les élections législatives d'avril 1928, assurant
un nouveau soutien à l'équipe Poincaré, celui-ci fait-il
voter la loi monétaire du 24 juin 1928. Elle institution-
nalise une nouvelle parité or du franc, mais officialise en
même temps sa perte de valeur par rapport au franc
d'avant-guerre. Le mythe du retour à la valeur du franc
1914 a donc vécu, et la spoliation de tous ceux qui
possédaient des avoirs en francs de 1914 est définitive.
Mais les motifs de nouvelles spéculations disparaissent,
ainsi que les effets pervers d'une remontée du franc sur
l'activité (comme cela s'est produit en Grande-Bretagne).

La question financière enfin réglée, Poincaré s'efforce
d'en finir avec celle des réparations, grâce à l'action de
Briand et en s'appuyant sur un cabinet de centre droit
(les radicaux ayant quitté le gouvernement en novembre
1928). Puis, malade, il démissionne le 26 juillet 1929,
laissant la place à un nouveau ministère Briand.

---

**La stabilisation officielle du franc**
(24-25 juin 1928)

Cette loi fixe la valeur du franc à 65,5 mg d'or, soit le cinquième de sa valeur d'avant-guerre ; on peut de nouveau échanger des billets de banque contre de l'or, mais sous la forme de lingots d'au moins 215 000 francs, ce qui évite le risque de forts mouvements de conversion. Cela permet aussi une revalorisation des réserves du Trésor, qui apure ainsi sa dette envers la Banque de France. Tout en remettant en cause l'idée d'un « franc éternel » et en amputant la valeur de l'épargne d'une partie des Français, ces mesures constituent une voie moyenne entre un impossible retour en arrière et une dérive monétaire aux conséquences imprévisibles.

---

# La croissance des années 20

## Les « Années folles »

*Après les difficultés de l'immédiat après-guerre, la France connaît une phase d'essor spectaculaire du capitalisme industriel, favorisée par la faiblesse de sa devise.*

### La reprise de la croissance

Si la France sort affaiblie de la Grande Guerre et si la valeur du franc s'effondre par rapport au dollar et à la livre, la reconstruction de son appareil productif est rapide et permet un essor industriel remarquable : pour une base 100 en 1913, l'indice de la production industrielle, qui était tombé à 57 en 1919, est égal à 109 en 1924 et à 139 en 1929, la branche des industries mécaniques connaissant la croissance la plus forte. La

## La crise de 1920-1921

La France doit faire face, au lendemain de la guerre, à une crise mondiale venant s'ajouter à ses problèmes de reconstruction : dès la fin de 1920 se produit une baisse des prix mondiaux, particulièrement forte en ce qui concerne les produits agricoles et les matières premières. Cela s'explique par le fait que les efforts réalisés partout dans le monde pour accroître la production conduisent à un excès de l'offre, maintenant que la paix est revenue et que les nations belligérantes se remettent à produire. De plus, des mesures de restriction du crédit pratiqué aux États-Unis et en Grande-Bretagne afin de lutter contre l'inflation et de satisfaire les milieux financiers se traduisent par une contraction des disponibilités monétaires. Enfin, ces mêmes pays déflationnistes prennent des mesures protectionnistes afin de lutter contre les importations de ceux qui acceptent la baisse de leurs devises (comme la France et l'Allemagne).

Cela produit dans les pays déflationnistes une baisse sensible de l'activité : entre 1920 et 1921, la production manufacturière baisse de 24 points aux États-Unis (qui comptent alors 5 millions de chômeurs) et de 38 points en Grande-Bretagne (où l'on recense 2,5 millions de chômeurs). Dans les pays inflationnistes, les choses évoluent différemment : l'indice de la production manufacturière gagne 16 points en Allemagne en 1921 et 7 nouveaux points en 1922. En France, la production industrielle diminue, mais dans des moindres proportions que chez ses anciens alliés : pour une base 100 en 1913, l'indice, qui était tombé à 57 en 1919, remonte à 62 en 1920 et redescend à 55 en 1921, avant de remonter à 78 en 1922. Cette dernière année 1922 marque la fin de la crise. La reprise s'amorce aux États-Unis grâce au développement du crédit à la consommation, qui va permettre l'essor de la production relayée par l'élargissement de la demande intérieure : le fordisme et la consommation de masse vont caractériser l'expansion américaine des années 20. En Grande-Bretagne, l'orthodoxie monétaire permet la défense de la place de Londres et la pérennité du rôle de la livre dans le monde, mais au prix du maintien d'un taux de croissance plus faible qu'ailleurs. En Allemagne, le « pari inflationniste » dérape dans l'hyperinflation dramatique de 1923. La France, quant à elle, connaît grâce à son franc faible une expansion industrielle vigoureuse durant les années suivantes.

production agricole ne retrouve pas immédiatement son niveau d'avant-guerre en raison du temps nécessaire à remettre en culture les régions sinistrées, mais augmente également très vite dès la paix revenue, grâce aux progrès de la productivité. Au total, le revenu national par tête retrouve en 1922 sa valeur de 1913, et s'accroît ensuite d'environ 5 % par an jusqu'en 1929.

Si l'on compare la France aux autres grands pays industriels, entre les années 1911-1913 et la fin des années 20, on s'aperçoit qu'elle fait presque aussi bien que les États-Unis, et bien mieux que la Grande-Bretagne et l'Allemagne : en effet, la production industrielle par tête augmente en moyenne annuelle de 2,10 % environ en France contre 2,3 % aux États-Unis, 0,4 % en Allemagne, alors qu'elle diminue de 0,4 % en Grande-Bretagne. De même, le revenu national par tête augmente en France de 1,5 % par an, de 1,90 % aux États-Unis, mais de 0,1 % seulement en Allemagne et de 0,3 % en Grande-Bretagne.

Cette croissance de la production industrielle, en France comme à l'étranger, provient de gains de productivité élevés, qui excèdent largement les hausses des salaires réels ; ainsi, alors que ceux-ci avaient augmenté en France plus vite que la productivité par tête de 1896 à 1913 (+2,1 % par an contre 1,8 %), ils stagnent durant les années 20, tandis que la productivité augmente de près de 6 % par an, taux record dans l'histoire du capitalisme industriel en France. Au total, le taux de croissance annuel moyen de la production est en France de 1,6 % pour la période 1913-1929 et de 4,2 % pour les seules années 1925-1929, alors que les salaires quotidiens dans l'industrie n'augmentent que de 0,4 % et de 1,7 % durant les mêmes périodes.

Le phénomène est le même dans les autres grands pays : de 1913 à 1929, la production augmente aux États-Unis de 3,1 % par an, en Grande-Bretagne de 1,5 %, alors que les salaires industriels ne s'accroissent respectivement que de 2,2 et 1,1 % ; de 1925 à 1929, le décalage est, comme en France, encore plus frappant : + 3,6 % par an pour la production américaine et + 3,1 % pour celle de la Grande-Bretagne contre + 1,4 % environ pour les salaires dans les deux pays.

C'est donc sur une dynamique bien particulière, celle de l'investissement, des profits et du réinvestissement, que repose cette phase de croissance vigoureuse qui risque à tout moment d'être compromise par l'insuffisance de la demande intérieure de biens de consommation.

### Un nouveau dynamisme du capitalisme

On doit en effet abandonner l'idée que la France des années 20 continue à subir le contrecoup de la guerre et reste figée dans l'immobilisme et la nostalgie du passé : si la production industrielle augmente de près de 10 % par an de 1921 à 1929 (ce qui représente un doublement en moins de dix ans), si celle de l'acier est multipliée par 2,5 et celle des automobiles par 6, c'est parce que les industriels français ont massivement investi et modernisé leurs entreprises. Ainsi, la part de l'investissement dans le produit national, inférieure à 15 % avant la guerre, est de 19 % en 1928, et, pour une base 100 en 1913, l'indicateur de l'investissement atteint 223 en France en 1928-1929, contre 137 au Royaume-Uni et 101 en Allemagne.

Dans les grandes entreprises, le taylorisme, qui parcellise les tâches et introduit la rémunération au rendement, devient systématique et intensifie les cadences de travail, alors que les effectifs augmentent de 1,2 million entre 1913 et 1929 dans les industries autres que le textile, qui, lui, perd 500 000 personnes ; tout cela permet les gains de productivité particulièrement élevés que l'on vient d'évoquer.

Grâce à cet investissement productif, à ces nouvelles méthodes de production et à l'importance des nouveaux secteurs « de pointe », le profit industriel grimpe rapidement, favorisé de plus par les hausses de prix : les bénéfices distribués par les sociétés passent ainsi de 3,7 milliards de francs en 1921 à 11,8 en 1929 ; le taux de profit des entreprises industrielles (rapport du profit au capital engagé) grimpe de 10 % en moyenne pour les années 1920-1922 à environ 30 % durant les années 1925-1929 ; les bénéfices imposables des 50 000 plus grosses entreprises, de 10 milliards de francs en 1921-1922, atteignent 17-18 milliards à la fin des années 20.

Cette prospérité industrielle crée un climat de confiance qui permet aux entreprises de se financer en plaçant des titres sur le marché boursier : les émissions d'actions et d'obligations doublent à la Bourse de Paris, si l'on compare les années 1920-1929 aux années 1901-1910 ; elles représentaient 5,3 % de la production intérieure brute en 1913, et 7,8 % en 1930. Elles bénéficient de plus d'une bonne tenue des cours. Les crédits à l'économie accordés par les banques commerciales, d'une valeur annuelle égale en moyenne à 27 milliards de francs durant les années 1920-1924, atteignent environ le double (près de 54 milliards) durant la période 1925-1929 (alors qu'ils plafonneront à 58 milliards par an en moyenne durant la décennie suivante).

Toutefois, la plus grosse part de l'investissement provient des ressources propres des entreprises : le taux d'autofinancement a en effet été de 70 % en moyenne durant l'entre-deux-guerres, ce qui montre bien, même si ce taux est inférieur à celui d'avant 1914, en raison de l'accroissement du volume des investissements, l'importance de la motivation industrielle des chefs d'entreprise durant cette période.

### Le rôle des exportations

Contrairement à une autre idée reçue, la France n'est pas, au lendemain de la guerre, un pays replié sur lui-même et vivant en quasi-autarcie. Déjà largement ouverte vers l'extérieur avant 1914, comme en témoignent l'importance de ses échanges internationaux, son expansion coloniale et ses placements financiers dans le monde, elle connaît un essor spectaculaire de son commerce extérieur dans les années 20. Grâce à l'affaiblissement du franc, les produits français sont meilleur marché que ceux de leurs concurrents étrangers, malgré la hausse des prix plus élevée en France qu'aux États-Unis ou en Grande-Bretagne. En 1924, les prix de gros français sont multipliés par 5 environ par rapport à 1910, contre environ 1,5 dans ces deux pays, mais dans le même temps la valeur du franc par rapport au dollar et à la livre est divisée par près de quatre ; de même, si de 1924 à 1926 l'inflation s'accélère en France, les prix étant multipliés par près de 1,5 en deux ans, la valeur du franc est de nouveau divisée par deux, toujours par rapport à ces mêmes devises fortes. Il en résulte donc un « dopage » des exportations françaises, qui connaissent de 1920 à 1926 une croissance remarquable : leur valeur double et un excédent du solde des échanges extérieurs apparaît de 1924 à 1926.

Cette réussite de l'économie française est d'autant plus notable qu'elle dépasse celle des autres pays : alors que le volume des exportations mondiales de produits manufacturés augmente de 12 % en 1928 par rapport à 1913, celui de la France croît de près de 70 % ; et si l'on compare 1928 à 1922, cette progression est aussi d'environ 70 % pour la France, contre environ 35 % pour les États-Unis et l'Allemagne, et 22 % pour la Grande-Bretagne. Cela permet à la France d'accroître le volume de ses importations (malgré la hausse de leur coût) et de s'approvisionner en matières nécessaires à l'industrie (lesquelles représentent plus du tiers des importations). Mais cela signifie aussi qu'elle trouve à l'extérieur les débouchés sans lesquels la croissance industrielle et le plein emploi ne seraient pas possibles. En effet, en 1926, la France exporte 38 milliards de produits fabriqués et n'en importe que 7,6 milliards ; en 1928,

3 près du tiers de son produit physique est exporté, chiffre qui est encore bien supérieur pour un certain nombre d'entreprises du textile ou de l'industrie de pointe (tel Pont-à-Mousson qui exporte près de deux tiers de sa production en 1926). Aussi la stabilisation du franc va-t-elle porter un coup fatal à cette dynamique du commerce extérieur malgré la fin de l'inflation et le retour de la confiance.

**Commerce extérieur de la France**
(1913-1926) en milliards de francs

|      | 1913 | 1919 | 1920 | 1921 | 1922 | 1923 | 1924 | 1925 | 1926 |
|------|------|------|------|------|------|------|------|------|------|
| Imp. | 8,4 | 35,8 | 49,9 | 22,7 | 24,3 | 32,8 | 40,2 | 44,1 | 59,6 |
| Exp. | 6,9 | 11,8 | 26,9 | 19,7 | 21,3 | 30,8 | 42,4 | 45,7 | 59,7 |
| Solde | −1,5 | −24 | −24 | −3 | −3 | −2 | +2,2 | +1,6 | +0,1 |

*Source : A. Sauvy. Histoire économique de la France. op. cit.. p. 297 et 299.*

# Une euphorie trompeuse (1926-1929)

## L'économie française à la fin des années 1920

*En 1926, le rétablissement du franc et l'arrêt de l'infla-*
*tion permettent à la France de retrouver un prestige*
*financier, mais au prix d'un ralentissement de l'activité.*

### Une France rassurée

Dès la formation du gouvernement Poincaré, la spéculation contre le franc s'arrête et l'inflation, due en partie à
la hausse du coût des importations, fait place à une baisse
des prix de l'ensemble des produits nationaux en 1927,
suivie d'une légère remontée en 1928.

D'une façon générale, les Français respirent mieux :
la France qui a gagné la guerre ne subira pas le même
sort honteux que l'Allemagne ébranlée par l'hyperinflation de 1922-1923. Le franc retrouve son honorabilité
sur le marché des changes, et la France sa place parmi les
puissances financières.

Parallèlement, le budget de l'État, qui accusait un
déficit permanent depuis la guerre, redevient excéden-
taire en 1926 (+ 2 milliards de francs) et le restera durant
les années suivantes (+ 0,2 milliard en 1927, + 3,9 en
1928). D'autre part, la croissance de la circulation monétaire, que l'on considère volontiers comme la cause de
l'inflation et de la dépréciation du franc, est jugulée : la
valeur des billets en circulation, qui était passée de
31,6 milliards de francs en janvier 1919 à 56 milliards
en août 1926, revient à 53,5 milliards en moyenne,
durant l'année 1927, alors que les avances faites à l'État
par la Banque de France, qui atteignent 36 milliards en
1926, sont ramenées à 27,3 milliards en 1927 et à
22,5 milliards début 1928. Mais cette plus grande rigueur

monétaire de la part des autorités est compensée par un accroissement rapide des crédits accordés par les banques, bénéficiant du retour des capitaux étrangers. C'est ainsi que les escomptes d'effets privés consentis par la Banque de France passent de 45 milliards en 1927 à 105 en 1929.

Dans ce climat favorable, la production industrielle comme celle de l'agriculture continue à augmenter jusqu'en 1929 et l'optimisme s'accentue sur le marché des titres : pour une base 100 en 1913, l'indice représentatif de 20 groupes de valeurs françaises qui était passé de 150 en 1920 à 200 en 1925 dépasse 500 en 1929 ! Tout semble aller pour le mieux dans le meilleur des mondes... si toutefois on ne se place que du point de vue financier.

### Financiers contre exportateurs

Mais derrière l'image rassurante d'une France retrouvée se profile une menace inquiétante pour l'économie française. L'expansion des années précédentes a reposé, en grande partie nous l'avons vu, sur le dynamisme de l'exportation. C'est ainsi qu'en 1928 les industries de la laine exportaient 50 % de leur production, celles du tissage de la soie et de la rayonne les deux tiers, les aciéries 30 % et l'automobile 15 %. En 1930, alors que ce pourcentage diminue, des branches comme la parfumerie, l'horlogerie, la bijouterie, la maroquinerie réalisent encore 60 % de leurs ventes à l'exportation, les industries pharmaceutiques et celles de la mode 50 %, la sidérurgie 29 %, la chimie 25 %, le caoutchouc 15 %, les industries mécaniques 14 %, l'automobile et les houillères 10 %.

Or la remontée du franc fin 1926 puis sa « stabilisation » de 1928 ont cessé de faire bénéficier les entreprises exportatrices d'un avantage appréciable face à leurs concurrents. Ainsi, en francs constants, le recul des exportations est sensible dans la plupart des grands secteurs, de 1926 à 1929 : - 45 % pour le caoutchouc, - 25 % pour les vêtements et la lingerie, - 24 % pour les ouvrages métalliques, - 21 % pour l'automobile et les fils de laine, - 19 % pour les soieries, - 16 % pour les tissus de coton...

Le résultat en est un premier tassement du profit, dont le taux se réduit de quelques points dans les années 1927-1928, et une dégradation du commerce extérieur : si en 1927 le solde reste positif (1,8 milliard de francs), c'est parce que les importations, rendues plus coûteuses, se réduisent plus que les exportations ; mais en 1928 et 1929 la poursuite du repli des exportations fait apparaître un déficit extérieur de 2 puis de 8 milliards de francs. Au total, les exportations sont passées de 59,7 milliards en 1926 à 50 en 1929, alors que les importations s'accroissent : égales à 53 milliards en 1927 et 1928, elles atteignent 58,2 milliards en 1929.

En lui-même, ce solde n'a rien de dramatique, d'autant plus que la France dispose de réserves en or et en devises. Mais il signifie que les entreprises françaises vendent moins bien leurs produits tant en France qu'à l'étranger. Pourtant, si certains industriels mettent l'accent sur le risque d'un ralentissement de l'activité, et si le cours des actions des entreprises exportatrices amorce un repli au printemps de 1929, l'optimisme du public et des autorités restera de mise même une fois la crise mondiale déclenchée.

# Le bilan économique d'une décennie
## (1919-1929)

### Modernisation et nouvelles inégalités

*La France connaît durant les années 20 une mutation industrielle qui ne profite que bien partiellement à sa classe ouvrière.*

### Concentration et restructuration industrielle

L'investissement et la croissance des années 20 sont en partie liés à un mouvement de concentration industrielle et financière, en particulier dans les secteurs de l'électricité, du pétrole et de la chimie : les grandes firmes qui dominent ces branches ont pour noms la Compagnie générale d'électricité et l'Union d'électricité, la Compagnie française des pétroles, Saint-Gobain, Pechiney, Kuhlmann ; elles rejoignent Schneider, Alsthom, Renault et Citroën... Le phénomène touche aussi le domaine de la distribution, avec la création à la fin des années 20 des Monoprix, Uniprix et Prisunic, magasins à succursales multiples aux prix plus bas que chez les commerces traditionnels ou dans les grands magasins, créés au siècle précédent.

Si cette concentration favorise la standardisation de la production et si l'apparition de la « réclame » sollicite les consommateurs, on ne peut toutefois dire que la France des années 20 est entrée dans l'ère de la consommation de masse : une grande partie de la production reste tournée vers l'exportation, comme nous l'avons vu, ou s'adresse à une clientèle privilégiée et raffinée : les « Années folles » ne concernent qu'une partie de la population.

Cependant, l'appareil productif connaît bien une restructuration significative : entre 1913 et 1929, la population active des secteurs du textile, de l'habillement et du cuir diminue de 550 000 personnes, alors que celle des autres secteurs industriels augmente de 1,26 million ; dans le même temps, la part de la valeur ajoutée provenant des industries mécaniques, électriques et chimiques passe de 8,6 à 12,2 %. Ce phénomène, qui explique les gains de productivité élevés de la période,

---

### Le chômage mal connu

Les statistiques concernant le chômage dans l'entre-deux-guerres sont divergentes et de mauvaise qualité, au moins jusqu'en 1931-1932. C'est ainsi que, selon une première méthode d'appréciation retenue jusqu'en 1925 par le « Bulletin de statistiques générales de la France », les demandes d'emploi non satisfaites sont d'environ 50 000 début 1920, de 160 000 début 1921, et se stabilisent autour de 40 000 de 1923 à 1925. Mais selon le même bulletin, qui change de méthode fin 1925, ces demandes d'emploi n'auraient été que d'environ 10 000 en 1925-1926 et de 13 000 en 1930. Elles atteindraient 64 000 en 1931, 300 000 en 1932, 464 000 en 1935. Par ailleurs, selon l'Annuaire statistique de la France, le nombre de chômeurs secourus par l'État serait de 175 000 en 1926, soit beaucoup plus que les demandes d'emploi non satisfaites ! Il est donc bien difficile de se faire une idée précise de l'importance du sous-emploi durant les années 20. Le recensement des chômeurs n'est effectué que dans les villes relativement importantes, l'habitude de « pointer au chômage » n'est pas véritablement entrée dans les mœurs (se déclarer chômeur étant l'aveu d'une déchéance sociale), et la situation de l'emploi dans les petites entreprises n'est pas vraiment connue ; de plus, de nombreux chômeurs repartent vivre dans leur famille, à la campagne, et échappent ainsi aux statistiques.

est favorisé par l'accroissement de la taille des entreprises industrielles : en 1906, 58 % de la population active industrielle travaillait dans des établissements employant moins de 10 salariés ; en 1926, cette part n'est plus que de 41 %, et en 1931, de que 34 % ; parallèlement, les établissements de plus de 100 salariés, qui employaient 25 % des effectifs industriels en 1906, en utilisent 36 % en 1926 et près de 42 % en 1931. Cela traduit en particulier la réduction rapide du nombre de très petites entreprises de type artisanal employant jusqu'à quatre salariés (618 000 en 1906 et 435 000 en 1936).

Cette mutation s'accompagne d'une diversification et d'une modernisation de la production : développement de l'électrification, de l'automobile, des aciers spéciaux, des textiles synthétiques ; tout cela est permis par la construction de barrages hydroélectriques, par la mise au point de nouveaux ciments, de nouvelles techniques d'usinage, la recherche fondamentale en chimie organique ou en chimie des colorants.

L'industrie française ne reste donc pas en dehors du grand mouvement de mutation industrielle qui caractérise cette décennie. Mais le pourcentage de la valeur ajoutée des industries « modernes » que l'on vient d'évoquer demeure suffisamment modeste pour ne pas exagérer l'ampleur du phénomène, et en 1929 la population agricole représente encore 33,5 % de la population active.

### Les rémunérations salariales

Les statistiques concernant l'évolution des rémunérations des employés, l'éventail des salaires et les salaires ouvriers moyens faisant cruellement défaut, on doit se

### L'agriculture

Selon A. Sauvy, l'agriculture française se caractérise durant ces années par un « sous-emploi des terres, combiné à un sous-emploi des hommes ». Elle paie en effet les conséquences d'une politique de protection de l'emploi agricole, par le soutien des prix, freinant l'exode rural et n'incitant pas au progrès technique. La France est ainsi sous-équipée ; son matériel est vétuste et la recherche agronomique est particulièrement limitée. Cela explique que la productivité agricole soit plus faible que celle de ses voisins : ainsi, durant les années 1927-1931, elle est de 14,2 quintaux à l'hectare pour le blé (mais de 20,5 en Allemagne, 21,9 en Grande-Bretagne, 29,1 aux Pays-Bas), de 104 quintaux à l'hectare pour les pommes de terre (et de 149 en Allemagne, 163 en Angleterre et 191 aux Pays-Bas). De plus, la France ne produit durant les années 1929-1931 que 75 % de sa consommation alimentaire ; elle importe 16 % de l'étranger et 9 % de ses colonies.

contenter pour cette période de données parcellaires concernant certains corps de métiers qui font apparaître une croissance du pouvoir d'achat ouvrier au début des années 20 (quand la croissance des salaires nominaux excède celle des prix des biens de consommation courante) suivie d'une quasi-stagnation jusqu'en 1929.

Ainsi, la classe ouvrière, qui représente près de 44 % de la population active en 1926 (contre 40 % en 1913), n'a que partiellement bénéficié de la croissance des années 20 : en 1930, la production industrielle s'est accrue d'environ 40 % par rapport à l'immédiat avant-guerre, et le pouvoir d'achat ouvrier de moins de 20 %.

## Salaires, prix de détail et pouvoir d'achat
## de plusieurs catégories d'ouvriers
(1914-1930) (en indices, 1914 = 100)

|  | 1919 | 1920 | 1921 | 1922 | 1923 | 1924 |
|---|---|---|---|---|---|---|
| Salaires |  |  | 342 |  |  | 376 |
| Prix | 255 | 366 | 324 | 301 | 334 | 378 |
| Pouvoir d'achat | 106 | 114 | 119 | 119 | 117 | 112 |

|  | 1925 | 1926 | 1927 | 1928 | 1929 | 1930 |
|---|---|---|---|---|---|---|
| Salaires | 401 | 499 | 502 | 514 | 594 | 650 |
| Prix | 414 | 532 | 549 | 550 | 582 | 587 |
| Pouvoir d'achat | 101 | 101 | 102 | 105 | 107 | 118 |

*Source :* A. Sauvy, *Histoire économique de la France, op. cit.,* p. 501 et 511.

---

### La répartition des revenus en 1929

Le tableau ci-dessous, représentant la hiérarchie des revenus des ménages en 1929, fait apparaître que près de 60 % de la population dispose d'un revenu annuel compris entre 10 000 et 50 000 francs ; mais on voit aussi que 37 % des détenteurs de revenus se répartissent moins de 16 % du revenu national, alors que 4 % des familles perçoivent près du quart des revenus distribués.

| Montant du revenu/an | Nombre des revenus | Répartition en % | Revenu total millions F | Répartition en % |
|---|---|---|---|---|
| – 10 000 | 6 740 000 | 36,90 | 51 900 | 15,6 |
| 10 000 à  15 000 | 5 670 000 | 31,00 | 67 500 | 20,3 |
| 15 000 à  30 000 | 3 510 000 | 19,20 | 72 300 | 21,8 |
| 30 000 à  50 000 | 1 600 000 | 8,80 | 5 900 | 17,8 |
| 50 000 à 100 000 | 588 000 | 3,10 | 37 700 | 11,3 |
| 100 000 à 200 000 | 134 800 | 0,73 | 17 940 | 5,4 |
| + de 200 000 | 50 940 | 0,27 | 25 910 | 7,8 |

*Source :* P. Léon, *Histoire économique et sociale du monde, op. cit.,* tome V, p. 218.

### Le sort des salariés

Un début de protection sociale a cependant lieu : en novembre 1922, l'assurance contre les accidents du travail est étendue aux ouvriers agricoles, et un système d'assurances sociales est voté en 1928 (financé par un prélèvement sur les salaires de 5 % et une cotisation patronale du même montant).

Malgré le vote en avril 1919 de la loi sur la journée de huit heures (dont l'application ne sera que progressive) et de celle de décembre 1923 sur le repos hebdomadaire (limitant à 48 heures la durée hebdomadaire du travail), les conditions de travail ne se sont pas améliorées pour tous : la standardisation de la production a permis la généralisation du travail à la chaîne, organisé « scientifiquement » par les bureaux d'étude, selon les principes préconisés à la fin du XIXe siècle par l'Américain Taylor. Les gestes de l'ouvrier ou du mineur (« système Bedaux ») sont décomposés, un rendement moyen est exigé, assorti de primes ou de pénalités. C'est le travail « en miettes » rythmé par l'implacable chronomètre qui domine désormais le travail ouvrier, et qui fut immortalisé par *les Temps modernes* de Charlie Chaplin.

D'autre part, si les fonctionnaires bénéficient du droit syndical en 1925 et si les conditions de vie des classes moyennes s'améliorent grâce au développement des activités tertiaires, le monde ouvrier reste largement isolé du reste de la nation : les sections syndicales d'entreprise n'ont pas d'existence légale, les délégués syndicaux ne jouissent d'aucune protection, l'accès à l'enseignement secondaire (qui ne deviendra gratuit qu'en 1930) et aux universités est quasiment fermé aux ouvriers et ce pour des raisons aussi bien économiques que culturelles. Cependant, le nombre et l'ampleur des

mouvements de grève sont assez faibles de 1922 à 1929 :
alors qu'on dénombre environ 1,1 million de grévistes
en 1919, 1,3 million en 1920 et 400 000 en 1921, ils
ne sont que de 200 à 300 000 durant les années suivantes. Cela peut s'expliquer par l'échec des grandes
grèves de 1919-1920 : 18 000 cheminots ont été révo-
qués, le harcèlement mené par la CGT s'est révélé inefficace, et l'espoir d'un changement social est abandonné ;
puis la scission politique et syndicale de la gauche contribue à démobiliser la classe ouvrière. Enfin, le taux de
chômage assez bas durant cette période, représentant de
1 à 1,5 % de la population active, contribue sans doute
également à expliquer cette léthargie ouvrière.

## Les socialistes jusqu'au Front populaire

### De l'union à l'éclatement de la gauche

*Après l'unification des socialistes français en 1905, la
révolution russe provoqua une scission entre partisans
et adversaires de l'adhésion à l'Internationale communiste.*

### La naissance de la SFIO

L'organisation politique de la classe ouvrière française
connaît un moment décisif en 1905, avec la création du
parti socialiste unifié - SFIO (Section française de l'Internationale ouvrière). Jusque-là, le mouvement socialiste avait été dominé par les idées anarchisantes ou
décentralisatrices de Proudhon, Cabet ou Fourier (voir
*Histoire de la France des origines à 1914*). Il avait connu de
rudes épreuves avec l'effondrement du rêve d'une
« République sociale » en 1848 et l'écrasement de la

Commune en 1871. Par la suite, la légalisation des syndicats ouvriers en 1884 et l'émergence d'une représentation parlementaire de la gauche socialisante avaient permis un développement des organisations politiques et syndicales se réclamant du socialisme.

Ainsi, l'idéal anarchiste qui avait pris dans les années 1880 une forme violente (attentats, assassinat de Sadi Carnot) tendait à laisser sa place à une autre conception de l'action politique inspirée directement par la pensée marxiste. Jules Guesde avait joué, de ce point de vue, un rôle décisif, en popularisant la théorie marxiste de la lutte des classes, en affirmant la nécessité d'un parti représentant exclusivement la classe ouvrière et en n'acceptant aucun compromis avec les « partis bourgeois ». Jules Guesde fut également l'un des principaux artisans de la création de la SFIO. Il avait auparavant fondé en 1879 le **Parti ouvrier français,** dont le programme était dû en grande partie à Marx et à Engels et qui s'opposait à la conception d'Auguste Blanqui d'un parti organisé militairement en vue d'un coup de main insurrectionnel, préparé par des révolutionaires « professionnels ». Cette dernière conception du rôle du parti avait été reprise par Édouard Vaillant, qui avait fondé en 1898 le **Parti socialiste révolutionnaire.**

Parallèlement, une **Fédération des travailleurs socialistes** avait vu le jour en 1882 : elle regroupait les « possibilistes », qui voulaient rendre le socialisme possible grâce à une succession de réformes ; d'autre part, les syndicalistes révolutionnaires, peu confiants dans l'action politique classique, fondaient en 1890 le **Parti ouvrier socialiste révolutionnaire.** Mais au début des années 1890 les partis de Guesde et de Vaillant se regroupaient au sein du **Parti socialiste de France,** et les deux autres tendances dans un **Parti socialiste français** dont le dirigeant était Jean Jaurès. Enfin, les 23, 24, et 25 avril 1905, se tenait au café du Globe, boulevard de Strasbourg, à Paris, le congrès de l'unification de ces différents mouvements. Le PSU-SFIO était né, avec à sa tête deux grandes personnalités socialistes de l'avant-guerre : le tribun Jean Jaurès et l'organisateur Jules Guesde.

---

**La SFIO parti révolutionnaire**

Les fondateurs de la SFIO, en 1905, votèrent à l'unanimité un texte affirmant clairement la vocation du nouveau parti et sa référence au marxisme : « Le parti socialiste est un parti de classe qui a pour but de socialiser les moyens de production et d'échanges, c'est-à-dire de transformer la société capitaliste en une société collectiviste ou communiste, et pour moyen l'organisation économique et politique du prolétariat [...]. Tout en poursuivant la réalisation de réformes immédiates revendiquées par la classe ouvrière, [la SFIO] n'est pas un parti de réforme, mais un parti de classe et de révolution...»

---

### *Le programme de la SFIO*

La SFIO s'affirme immédiatement comme un parti révolutionnaire, ayant comme objectif la rupture avec le capitalisme et la mise en place d'une société collectiviste, et comme moyen l'organisation autonome de la classe ouvrière, sans pour autant refuser de participer au système parlementaire. Mais les élus du nouveau parti doivent former au Parlement « un groupe unique, en face de toutes les fractions politiques bourgeoises [...], refuser au gouvernement tous les moyens qui assurent la domination de la bourgeoisie et son maintien au pouvoir (crédits militaires, crédits de conquête coloniale, fonds secrets...) ». Les socialistes se font les vibrants défenseurs de la législation sociale (réduction de la journée de travail, premières mesures de protection sociale, caisses de retraite...), réclament la nationalisation des chemins de fer (en partie financés par l'État), l'imposition du capital et l'impôt progressif sur le revenu (adopté en 1914). Ils mènent aussi jusqu'au mois de juillet 1914 une campagne vigoureuse contre la guerre : opposition aux crédits militaires, soutien de la réduction de la durée du service militaire, dénonciation du risque de « guerre impérialiste », provoqué par la politique intransigeante de Poincaré.

Même après l'invasion de la Serbie par l'Autriche-Hongrie, le 28 juillet 1914, la commission administrative de la SFIO lance un dernier appel pacifiste dénonçant la compétition entre groupes capitalistes, les convoitises coloniales, les violences de l'impérialisme, « pouvant à tout moment déchaîner sur l'Europe une catastrophe sans précédent ». Réaffirmant la détermination de l'Internationale socialiste de faire échec à la guerre et « à l'abominable crime dont le monde est menacé », elle demande l'ouverture d'une procédure de conciliation entre les deux pays, et qu'une pression soit exercée sur leurs alliés afin d'éviter un engrenage fatidique. Mais cet appel reste sans écho, Jaurès est assassiné le 31 juillet, et la guerre éclate avant que n'ait pu se tenir un congrès de l'Internationale socialiste qui aurait dû décréter la « grève générale ouvrière internationale ». La volte-face des dirigeants socialistes en France et en Allemagne, qui soutiennent presque immédiatement les gouvernements de guerre, laisse cependant planer bien des doutes sur la profondeur de l'enracinement des idées internationalistes au sein de la classe ouvrière des deux pays. En tout état de cause, les ouvriers français et allemands répondent aux ordres de mobilisation, et aucun mouvement organisé ou spontané d'insoumission ou de sabotage n'a lieu : l'idéal socialiste n'a pas su faire échec à la guerre.

---

### Le légalisme-pacifisme de Jean Jaurès

Critiquant la conception marxiste de la prise du pouvoir, Jaurès considérait que « l'organisation du prolétariat en parti de classe n'implique aucunement le recours à la violence [...]. Si un coup de minorité abolissait un moment la propriété capitaliste, partout s'allumeraient des foyers de résistance imprévus. C'est seulement par des transactions nuancées [...] qu'on amènera les moyens et petits possesseurs à consentir à une transformation de la propriété capitaliste en propriété sociale. Or [...] ces garanties ne peuvent être instituées que par la calme délibération et la volonté légale de la majorité de la nation [...]. L'appel révolutionnaire à la force ne peut être aujourd'hui qu'une " prodigieuse mystification ".

---

## La guerre et le mouvement socialiste

Dès la fin du mois d'août 1914, la volte-face de la SFIO est explicite. La direction du parti publie en effet un communiqué appelant à l'« unité nationale » et demandant que « la nation entière se lève pour la défense de son sol et de sa liberté », en ajoutant qu'« à toutes les heures graves, en 1793 comme en 1870, c'est en ces socialistes, en ces révolutionnaires, que la nation met sa confiance ». L'engagement résolu et sans faille des socialistes dans la guerre se justifie donc par le fait que la patrie est en danger et que la défense de la liberté exige la défaite de l'Allemagne. Il s'agit de plus de libérer les provinces annexées par l'impérialisme prussien en 1870, jugé seul responsable de ce nouveau conflit.

La dénonciation de l'impérialisme est donc unilatérale, et le premier devoir des socialistes est maintenant d'oublier la lutte des classes pour se consacrer exclusivement à l'effort de guerre. C'est ce qui permet d'expliquer que Jules Guesde lui-même et Marcel Sembat vont devenir ministres d'un gouvernement d'« union sacrée », avant qu'Albert Thomas, un ancien proche de Jaurès, ne soit nommé secrétaire d'État aux armements en avril 1915. Il contribue activement à la réorganisation d'une économie tournée vers la guerre et désorganisée par le départ massif des ouvriers vers le front. Mais il s'oppose à Millerand, qui affirme qu'« il n'y a plus de droit ouvrier, plus de lois sociales : il n'y a plus que la guerre ». Son action conciliatrice comme son rappel d'un certain nombre de techniciens et d'ouvriers qualifiés devenant « affectés spéciaux » dans les usines d'armement désamorcent en grande partie les revendications syndicales. Des grèves éclatent toutefois dès 1915, mais restent limitées, peu connues en raison de la censure et facilement dénonçables comme des sabotages antipatriotiques. De plus, l'appel à une main-d'œuvre féminine peu politisée et à la recherche d'un salaire de substitution, comme l'emploi de travailleurs provenant des colonies, n'est pas de nature à favoriser le durcissement des conflits du travail.

En définitive, c'est seulement en 1917 que la situation commence à évoluer : après les éprouvants combats de 1916 et les vaines offensives du début de 1917, les mutineries de mai-juin entraînent plusieurs dizaines de milliers de soldats dans des actes d'insubordination, où parfois l'on agite des drapeaux rouges et où l'on chante

---

**Le retour vers l'internationalisme**

Il faudra attendre la fin de la guerre pour que la SFIO retrouve son « identité socialiste », en votant, lors de son XVe congrès d'octobre 1918, un texte présenté par la minorité : il précisait que « c'est l'Internationale socialiste seule qui peut préparer la paix durable des peuples, en abolissant la mainmise de la grande finance et de la grande industrie sur les affaires publiques, et en tuant les haines savamment entretenues par les dirigeants entre les groupements humains ». D'autres motions rappellent l'urgence de la socialisation des moyens de production et d'échange, constituant le premier acte de la transformation sociale.

---

« l'Internationale ». Ces révoltes ne sont cependant pas coordonnées avec les grandes grèves qui éclatent à l'arrière. Elles expriment surtout l'épuisement des combattants et le refus spontané de participer à de nouveaux massacres. Ainsi l'arrivée de Pétain à la tête des armées, qui préconise une stratégie plus attentiste et l'arrêt des offensives manifestement inutiles, calme-t-elle les esprits, alors que la répression contre les mutins et contre les grévistes de l'arrière achève de mettre un terme à ces mouvements. On ne peut donc voir en eux le fruit d'une action concertée des milieux socialistes et pacifistes.

Ceux-ci commencent cependant à étendre leur audience, en raison de la longueur du conflit, des dures conditions de travail dans les usines, de la baisse du pouvoir d'achat et des événements de février en Russie. Aussi le conseil national de la SFIO décide-t-il en mai 1917 d'envoyer des représentants à la conférence internationale des socialistes qui doit se tenir à Stockholm (ils avaient en revanche refusé de participer à la conférence de Zimmerwald, en septembre 1915, où seuls s'étaient

rendus quelques syndicalistes minoritaires, tels Mer-
rheim et Bourderon). Mais le gouvernement refuse de
leur délivrer des passeports, ce qui contribue à amener
la rupture de l'« union sacrée » : les socialistes refusent
de participer au gouvernement, la position des minoritaires réclamant une paix sans conquêtes ni indemnités
se renforce ; mais la majorité continue à soutenir l'effort
de guerre, tout en défendant le droit syndical et en
luttant contre la censure.

### Vers la scission (1919-1920)

La paix revenue, la SFIO est déchirée par le problème de
l'attitude à adopter à l'égard de la Russie bolchevique.
Alors qu'une nouvelle majorité qui lui est favorable se
dégage au sein de la SFIO, la minorité vote une motion
condamnant la forme prise par la « dictature du prolétariat » pratiquée en Russie, cela à l'occasion d'une réunion des partis socialistes européens, tenue à Berne en
février 1919. Puis le congrès de la SFIO, qui a lieu en
avril 1919, est celui du durcissement doctrinal : s'il est
décidé le maintien provisoire au sein de la IIe Internationale (socialiste), la réalité de la lutte des classes est
réaffirmée et la dictature du prolétariat admise comme
transition quasi inévitable. Cela conduit au refus
d'alliance électorale avec les partis « bourgeois », et en
particulier avec le parti radical, avec qui un accord de
désistement était pourtant indispensable, compte tenu
du mode de scrutin.

Aussi, lors des élections de novembre 1919, la SFIO,
tout en obtenant 1 700 000 voix (contre 1 400 000 en
1914), n'a-t-elle que 68 députés (contre 103 en 1914).
Deux attitudes sont alors possibles : celle que préconise
la minorité, souhaitant conserver une stratégie parle-

mentaire et garder ses distances à l'égard de la Russie révolutionnaire, et celle de la majorité, radicalisée par l'échec des grèves du printemps 1920, et acceptant les conditions d'adhésion à la IIIᵉ Internationale (communiste), imposées par Zinoviev. Les premiers refusent la prépondérance de Moscou dans cette nouvelle Internationale et la soumission des syndicats aux partis politiques ; les seconds espèrent de cette adhésion une nouvelle dynamique révolutionnaire, permettant une extension de la révolution en Europe, à partir de l'exemple et avec l'appui de la Russie soviétique.

Au congrès de Tours, qui se tient du 20 au 26 décembre 1920, la scission est inévitable : les majoritaires, avec Cachin et Frossard à leur tête, quittent la SFIO pour fonder le parti communiste français SFIC (Section française de l'Internationale communiste). Ils ont obtenu 3 247 voix contre 1 398 aux partisans de Léon Blum et de Guesde, qui restent fidèles à la tradition socialiste française.

---

### Léon Blum (1872-1950)

Membre du cabinet de Marcel Sembat durant la Première Guerre mondiale, il s'affirme, la paix revenue, comme le digne successeur de Jaurès à la tête de la SFIO. Devenu, avec Jules Guesde, le gardien de la « vieille maison » après le congrès de Tours, il incarne alors le socialisme démocratique et légaliste acceptant la responsabilité du pouvoir, comme ce sera le cas en 1936 et 1938.
Arrêté par le régime de Vichy et jugé au procès de Riom comme responsable de la défaite, il sera déporté en Allemagne en 1943. Après la Libération, il reviendra à la tête du gouvernement de décembre 1946 à janvier 1947.

## *La SFIO et le parti communiste dans les années 20*

Après la scission, le fossé se creuse entre les socialistes, de plus en plus critiques face à l'évolution prise par la révolution russe et proposant des programmes d'action gouvernementale, et les communistes, que les difficultés internes de la Russie soviétique et les échecs des révolutionnaires allemands amènent à se replier sur eux-mêmes. Malgré leur déception, ceux qui avaient fondé le parti communiste dans l'espoir de l'imminence d'une révolution européenne adoptent une nouvelle attitude : il s'agit de construire un parti bastion, refusant toute concession doctrinale et toute compromission politique, y compris avec le parti socialiste, en attendant que se produise une hypothétique situation révolutionnaire. De ce point de vue, la représentation parlementaire est secondaire, l'important étant la constitution d'un « front unique prolétarien », de combattre les « sociaux-traîtres » et l'idéologie « petite-bourgeoise ». C'est ainsi que Frossard, partisan de la reconstitution d'un grand parti de gauche, quitte en 1923 le secrétariat général du parti communiste, puis le parti lui-même, étant remplacé par Treint, qui poursuit la « bolchevisation » du parti communiste.

Pendant ce temps la SFIO, qui doit faire face aux attaques incessantes du PCF, s'est rapprochée électoralement des radicaux, ce qui permet les victoires électorales de 1924 et 1932. Mais, sur le plan doctrinal, la SFIO rappelle dans son programme d'action de 1928 qu'elle est un « parti de classe » dont l'objectif ultime est une révolution sociale, « substituant le régime collectiviste de la production, de l'échange et de la consommation au régime actuel fondé sur la propriété capitaliste ». De même, Léon Blum précise en 1931 que « la démocratie ne sera réalisée qu'après que la révolution sociale aura effacé les privilèges héréditaires de la propriété et les servitudes héréditaires du travail ».

Les divergences entre les deux partis ne portent donc pas sur les objectifs explicites qu'ils se donnent, mais sur les moyens à mettre en œuvre pour les atteindre : le PC, tout en défendant les « avantages acquis » comme la journée de huit heures et le pouvoir d'achat ouvrier, n'attend de salut que de la dictature du prolétariat ; en revanche, les socialistes cherchent à développer la production nationale, acceptent la concentration du capital devant favoriser la collectivisation des moyens de production, veulent développer la tradition démocratique au sein d'une organisation plus poussée de la classe ouvrière, et proposent des mesures immédiates pour améliorer la situation économique et les conditions de vie des salariés : hausse de salaires permettant en même temps d'augmenter la demande intérieure et donc l'activité, développement de la législation sociale et de

---

### Les résultats électoraux du parti communiste

Lors des élections de 1924, les communistes, qui obtiennent environ 900 000 voix, combattent autant le Cartel des gauches que le Bloc national ; il en est de même en 1928, où ils obtiennent plus d'un million de suffrages, mais appliquent la directive « classe contre classe » imposée par la IIIe Internationale. En refusant de reporter au second tour leurs voix sur les candidats socialistes et radicaux, ils font perdre à ces derniers de nombreux sièges au profit de la droite. Mais cela contribue à marginaliser encore plus le parti communiste : le nombre de ses élus passe de 25 en 1924 à 14 en 1928 et à 11 en 1932, et celui de ses membres se réduit de 175 000 en 1919 à 60 000 en 1928 et à 25 000 en 1932. Le coût de cette stratégie est élevé et lourd de menaces pour l'avenir.

l'éducation, impôt sur le capital, lutte contre la fraude fiscale, réduction des dépenses militaires, création de monopoles d'État et d'un office des céréales, etc.

Ainsi, alors que le parti communiste entretient le mythe du « grand soir » et un purisme doctrinal au prix d'un isolement stérile, la SFIO se « compromet » avec le centre et dans le jeu parlementaire, mais fait progresser dans le pays l'idée que des améliorations sensibles du sort des moins favorisés sont possibles sans « apocalypse » sociale.

# Les forces syndicales

## Des travailleurs divisés

*La scission politique entre socialistes et communistes entraîne une scission syndicale qui affaiblit le syndicalisme français.*

Au début des années 20, le mouvement syndical est composé de trois organisations principales.

### La CGT

La plus ancienne est la CGT de Jouhaud, discréditée aux yeux des syndicalistes les plus radicaux par son action trop molle durant la guerre et les grèves de 1919-1920 ; elle reçoit cependant le renfort des instituteurs en 1924 et des syndicats de fonctionnaires en 1928 (après leur légalisation obtenue sous le gouvernement Herriot en 1924) ; le nombre de ses adhérents passe ainsi de 490 000 en 1921 à 580 000 en 1930 ; plus modérée que la CGTU, elle accepte le dialogue avec le patronat, et obtient en 1925 la création d'un Conseil économique

auquel elle participe, défend les idées nouvelles de nationalisation et d'intérêt général, favorise l'avènement du
Cartel des gauches et envoie un délégué à la SDN.

---

### La scission syndicale

La CGT (fondée en 1895) compte 900 000 adhérents en
1913, 1,5 million en 1919 et plus de 2 millions en 1920,
après avoir obtenu en mars-avril 1919 le vote de la journée de huit heures, et une reconnaissance juridique des
conventions collectives. Jusque-là fidèle à la charte
d'Amiens, qui, en 1906, avait affirmé l'autonomie syndicale face aux partis politiques, elle se divise en 1921 entre
les militants des « comités syndicalistes révolutionnaires », partisans d'un rapprochement avec le nouveau
parti communiste, et ceux qui voulaient maintenir l'indépendance syndicale. En décembre, la direction de la CGT
constate la scission de fait. Les « révolutionnaires », qui
lui reprochent son attitude lors des grèves de 1920, quittent alors la CGT et tiennent en juin 1922 le premier
congrès d'une nouvelle CGT unitaire. La CGT se réuni-
fiera en mars 1936, après le congrès de Toulouse.

---

## La CGTU

La deuxième est la CGTU (Confédération générale du
travail unitaire), qui naît en 1921 du départ de la CGT
des éléments révolutionnaires, après la scission au sein
de la SFIO. Il s'agit d'une part de militants communistes
animés par la conception d'un syndicalisme-courroie de
transmission du parti révolutionnaire, devant donc
adopter une stratégie complémentaire de celle du parti
communiste afin de réussir à mettre en œuvre la dictature du prolétariat. Il s'agit aussi d'anarcho-syndicalistes
déçus par le manque de fermeté de la direction de la
CGT, mais attachés à la vieille charte d'Amiens qui
affirmait l'indépendance syndicale. Pour eux, cette

autonomie doit être préservée afin d'éviter que le mouvement syndical ne soit subordonné à la stratégie des bureaucraties politiques. Ils s'affrontent donc avec les communistes, et quittent rapidement la CGTU. Cela explique que ses membres passent d'environ 360 000 en 1922 à 260 000 en 1932.

## La CFTC

Le troisième grand syndicat est la CFTC (Confédération française des travailleurs chrétiens), qui est créée en novembre 1919. Elle regroupe des syndicalistes chrétiens, peu nombreux avant 1914, mais qui bénéficient après la guerre de l'apport de travailleurs d'Alsace-Lorraine, et qui s'inspirent de l'exemple des syndicats chrétiens

---

### La limitation de la durée du travail

En 1919, la conférence générale du Bureau international du travail qui se tient à Washington adopte une convention limitant à 8 heures par jour et à 48 heures par semaine la durée du travail : elle fera en France l'objet d'un projet de loi adopté en avril de la même année mais souffrant de nombreuses dérogations. Auparavant, la journée de travail n'était limitée à 10 heures que pour les enfants de moins de 16 ans, à 11 heures pour les femmes de 16 à 18 ans, cela depuis 1892.

Puis, en 1936, la chambre de Front populaire fixe à 40 heures au maximum la durée hebdomadaire du travail et institue les congés payés (deux semaines par an) pour répondre à la pression populaire mais aussi pour lutter contre le chômage. Si ces dispositions ne parviendront que bien partiellement à le résorber (la France comptant environ 465 000 chômeurs en 1936 et encore près de 400 000 en 1939), 75 % des entreprises industrielles et commerciales pratiqueront effectivement la « semaine de 40 heures » à la veille de la Seconde Guerre mondiale.

belges. Ne touchant avant 1914 que le milieu des employés et fortement imprégné de corporatisme, ce syndicat connaît dans les années 20 un développement certain, mais le nombre d'adhérents reste limité à environ 150 000.

# L'extrême droite révolutionnaire
## (durant les années 20)

### Le fascisme à la française

*La France connaît, avant même l'Italie et l'Allemagne, un courant de pensée alliant le nationalisme et l'antisémitisme, et condamnant à la fois la démocratie, le capitalisme et le socialisme.*

#### Le nationalisme préfasciste

Le fascisme au sens strict naît en 1919 dans l'Italie mussolinienne. Se définissant lui-même comme « réactionnaire, antiparlementaire, antidémocratique, antilibéral et antisocialiste », Mussolini est le premier à créer une organisation politique d'extrême droite structurée, à en faire un mouvement de masse et à prendre le pouvoir. Mais c'est en France, à la fin du XIXᵉ siècle, qu'est apparue cette idéologie, dans le contexte du développement du capitalisme industriel, de l'amertume de la défaite de 1870 et de la progression parallèle du libéralisme économique et des idées socialistes.

Un certain nombre d'auteurs voulaient en effet combattre la « décadence » de la société nouvelle en s'appuyant sur des analyses qui prétendaient parfois être « scientifiques » (voir *Histoire de France des origines à 1914,*). C'est ainsi que Le Bon, Vacher de La Pouge, Soury ou

Gobineau expliquaient l'affaiblissement de la France par le métissage racial et trouvaient dans le nationalisme volontiers antisémite de Maurras, Barrès, Déroulède ou Drumont un prolongement politique. Leur idée commune était que l'individu n'existe vraiment qu'en tant que membre d'une collectivité qui le dépasse et lui donne son sens, à savoir la nation, enraciné dans le sol qui lui a donné vie et lié par le sang de ses ancêtres. Il s'agissait de retrouver, à travers l'unité d'une nation « purifiée » de corps étrangers, une solidarité organique détruite à la fois par l'égoïsme individualiste du capitalisme libéral et par la vision conflictuelle de la lutte des classes propagée par les marxistes.

Cette réaction antilibérale et antimarxiste s'exprime avant 1914 à travers une multitude de revues et d'organisations nationalistes, tels la Ligue des patriotes, la Ligue antisémite, les bandes de Morès ou le « mouvement jaune ». Elle trouve de plus dans l'antisémitisme une explication de la division des Français et un moyen de mobilisation populaire pour une « révolution nationale ».

---

### Antisémitisme et nationalisme

Les liens entre le sentiment nationaliste et l'antisémitisme furent précoces : ainsi Édouard Drumont, l'auteur de *la France juive* (1886), dénonçait avant 1914 la « juiverie ennemie de la France, et les judaïsants complices des financiers cosmopolites » ; il affirmait que les Français « seraient disposés à s'embrasser si le juif payé par l'Allemagne n'était pas toujours là pour souffler la discorde » ; de même, Morès, parlant déjà de doctrine du Faisceau, annonçait que la révolution sociale nécessaire, purifiant le corps national, se ferait contre les juifs, et Baugeois écrivait en 1902 que « le nationalisme sera antisémite [...] ou ne sera pas intégral ».

Ce courant avait pu s'exprimer et montrer son audience populaire à l'occasion du boulangisme et de l'affaire Dreyfus.

## Le nationalisme révolutionnaire

La dimension anticapitaliste du nationalisme va prendre de l'ampleur parmi ceux qui, parfois originaires du syndicalisme révolutionnaire, tel Sorel, sont déçus par le pacifisme et le légalisme des organisations socialisantes acceptant le régime parlementaire.

Exaltant l'action directe et les valeurs guerrières, dénonçant la démocratie et le parlementarisme, le Faisceau de Georges Valois reprend dans les années 20 les idées émises avant la guerre par Lagardelle, Pouget, Hervé, Biétry, Berth et les membres du « cercle Proudhon ». Soutenu et financé par des industriels, comme Eugène Mathon et Gaston Japy, il publie une revue mensuelle, les « Cahiers des États généraux », avant de lancer le « Nouveau Siècle » en février 1925, prélude à la fondation du Faisceau en novembre de la même année. La nature fasciste de cette organisation est explicite, par son titre même et par les idées qu'elle défend : refusant le retour en arrière ou le simple conservatisme, elle propose une révolution nationale remettant en cause le capitalisme, le libéralisme et la culture bourgeoise, en s'appuyant sur la mise en place d'un système corporatiste. Comme le disait lui-même Valois, cela doit permettre de rassembler « les membres épars d'un même corps pour les ressouder à la tête, qui est l'État, au tronc qui est la nation, avec son cœur qui est la famille [...] ; c'est la fin de l'individualisme civique et économique [...] ; c'est la révélation [...] de l'existence d'une nation organisée, formée de corps solidaires »...

---

**Les ligues d'extrême droite**

De la fin du XIXᵉ siècle à la Seconde Guerre mondiale, de nombreuses organisations d'extrême droite se constituèrent en France, dont l'audience dépassait les quelques milliers de membres qu'elles regroupaient chacune : les plus célèbres furent avant 1914 la Ligue des patriotes de P. Déroulède, la Ligue antisémite de É. Drumont, l'Action française de Ch. Maurras et L. Daudet, rejointes durant l'entre-deux-guerres par le Faisceau, les Croix-de-Feu, les Camelots du roi, la Solidarité française, la Francisque et les Jeunesses patriotes...

---

La particularité de Valois est aussi d'avoir voulu lutter contre le capitalisme international, contre les valeurs bourgeoises, l'esprit mercantile qui avilit « la gloire, l'art, la pensée, la science et la religion », sans pour autant remettre en cause, comme le font les marxistes, la propriété privée et la recherche du profit capitaliste. Il s'agit de mettre en avant d'autres valeurs, comme le sang, l'héroïsme patriotique, la valeur du combattant, au service d'une renaissance française et d'un chef représentant la nation réunie.

Mais si pour Valois l'objectif est révolutionnaire, avec un État fort imposant un « ordre nouveau », où chaque groupe social aurait sa place entière, les chefs d'entreprise qui le soutiennent voient d'abord dans le corporatisme un moyen d'assurer la prospérité de l'industrie, d'imposer une stricte discipline ouvrière et de sauvegarder la toute-puissance patronale.

### Le Faisceau et l'extrême droite

Cependant, ces conceptions « aventureuses » ne sont pas totalement partagées par l'ensemble de l'extrême droite traditionaliste : avant la fondation du Faisceau, le mouvement qui lui a donné naissance bénéficie certes du

## La naissance du fascisme italien

L'Italie sortit de la guerre éprouvée par de lourdes pertes (environ 650 000 morts) et par des destructions importantes dans les zones de combats au nord-est du pays. Déçue par le traité de Versailles, elle connut au sortir de la guerre de graves difficultés économiques : aux problèmes structurels du déséquilibre entre le Nord industriel et le Sud agricole et latifundiaire s'ajoutaient les problèmes de reconversion des entreprises d'armement, de l'endettement extérieur, de l'inflation et de la dépréciation de la lire, causés directement par la guerre.

Dans le contexte de la crise de l'immédiat après-guerre se produisirent en 1919 des grèves ouvrières, des émeutes, des pillages de magasins, des soulèvements dans les campagnes où des paysans voulaient récupérer les terres incultes et partager les grands domaines. En 1920, des tentatives d'autogestion ouvrière eurent lieu dans des usines de Lombardie et du Piémont. Sur le plan politique, de nouvelles forces étaient apparues, face au catholicisme conservateur : le poids des socialistes s'était accru et s'exprimait à travers la Confédération générale du travail et la Fédération des travailleurs de la terre, tandis que se créait un parti populaire, chrétien et réformateur. Ces deux tendances obtenaient la majorité aux élections de 1919, mais ne parvenaient pas à gouverner ensemble.

Dans ce climat, les idées nationalistes et les forces conservatrices allaient retrouver de l'audience : en 1919, l'écrivain Grabriele D'Annunzio réalisait un coup de main sur Fiume, tandis que Benito Mussolini fondait en mars 1919 les premiers Faisceaux italiens de combat. D'abord socialiste pacifiste, Mussolini soutint ensuite l'entrée en guerre de l'Italie, affirma des idées nationalistes, et se livra à une surenchère démagogique à l'égard du parti socialiste. Après son échec aux élections de 1919, il fit de ses Faisceaux (composés à la fois d'anciens combattants, d'anarcho-syndicalistes, de chômeurs...) des milices paramilitaires, portant la chemise noire et toutes dévouées au guide (Duce). À partir de 1920, les fascistes s'attaquèrent physiquement aux membres des partis et syndicats de gauche et exercèrent une véritable terreur dans le pays, bénéficiant de la complicité de ceux qui voyaient en eux le seul rempart contre le socialisme. Ils passèrent de 20 000 membres en 1919 à 300 000 en 1921, et Mussolini fut lui-même élu à Milan cette même année.

Profitant de l'indécision ou de l'incompétence des milieux gouvernementaux, il se décida à un coup de force en octobre 1922, après avoir fait échouer en juillet une grève générale organisée par la gauche : il adressa un ultimatum au roi Victor Emmanuel III, qui le nomma Premier ministre. Le 31 octobre, il défilait dans Rome avec ses Chemises noires. Dans un premier temps, Mussolini respecta la légalité et n'appela que quelques fascistes au gouvernement. Mais, après sa victoire aux élections de 1924 (favorisée par des fraudes et des intimidations), il allait rapidement durcir sa politique : assassinat du dirigeant socialiste Matteotti en juin 1924, lois organisant la dictature en 1925 (le Duce détenait tous les pouvoirs), interdiction des partis et syndicats non fascistes, censure totale, déchéance des députés de l'opposition (1926), épuration de l'armée et des administrations, interdiction de la grève et du lock-out (charte du travail, 1927).

Malgré cela, Mussolini bénéficia d'un incontestable soutien populaire, étayé par des réussites économiques : réduction du chômage grâce aux grands travaux, reprise de l'industrialistion, autosuffisance agricole, assainissement des régions incultes. Il put ainsi achever la « fascisation » du pays, en embrigadant la jeunesse et en militarisant la société.

soutien de l'Action française, qui souhaite l'utiliser pour séduire de nouvelles couches sociales, de celui de nombreux industriels et de personnalités nombreuses des lettres et du journalisme : P. Barrès, James de Coquet, R. Jouhannet, J. Maritain, A. Maurois, X. Vallat, P. Dominique... Mais le succès même remporté par cette entreprise, le départ pour le Faisceau, à l'image plus jeune et offensive, de nombreux membres de l'Action française inquiètent les dirigeants de ce mouvement : Léon Daudet et Charles Maurras se livrent alors à une attaque en règle contre Valois et le Faisceau (qui critiquent pour leur part le conservatisme de classe de l'Action française) ; ils font pression sur ceux qui ont été tentés de rejoindre le Faisceau, et réussissent à le discréditer. Le Faisceau ne s'en remettra pas et restera finalement une organisation marginale : les notables de la vieille droite nationaliste et monarchiste ont efficacement contribué à empêcher la formation d'un véritable parti fasciste français. Et ce seront eux qui, durant les années 30, seront aux premières lignes de l'action antiparlementaire. Il n'en reste pas moins que les idées de Valois sont partagées par une partie de l'extrême droite et se retrouveront dans l'idéologie de la « Révolution nationale » du régime de Vichy.

# La crise mondiale de 1929

## Le capitalisme ébranlé

*Partie des États-Unis, après le krach boursier de Wall Street, la crise surprend l'ensemble du monde occidental et n'épargne personne.*

Lors du krach boursier d'octobre 1929, personne n'imagine les conséquences qu'il aura sur l'activité économique et l'ampleur de la crise qui allait ébranler le monde. Les Français en particulier ne se sentent pas concernés par les difficultés américaines : début novembre, le président du Conseil André Tardieu déclare que la

France n'est pas touchée par cette crise, et que « la confiance est un devoir ». Ses propos font écho à ceux du président Hoover qui proclame outre-Atlantique que « la prospérité est au coin de la rue ». Certes, il s'agit de rassurer l'opinion ; mais cela reflète aussi l'état d'esprit qui règne dans les grands pays capitalistes, après la forte croissance des années 20 et l'euphorie boursière qui l'a accompagnée.

### La spéculation à Wall Street

Depuis deux ans, le cours des actions à la Bourse de New York n'a cessé de monter, et l'indice des valeurs industrielles double entre le début de l'année 1928 et septembre 1929 ; l'engouement pour le jeu boursier devient considérable : en 1929, entre 4 et 8 millions de titres s'échangent par jour et 1,5 million d'Américains de toutes catégories sociales participent à ces transactions par l'intermédiaire de sociétés d'investissement qui offrent des placements attrayants, en raison de la hausse de la valeur des actions. Celle-ci s'explique par la confiance dans les entreprises américaines, plus que par l'importance des bénéfices distribués (souvent de 3 à 5 %) ; mais la confiance engendre des anticipations optimistes sur la valeur à venir de ces titres : la hausse crée la hausse.

Cependant, une part importante de ces achats se fait grâce aux prêts consentis par les courtiers américains à leurs clients, lesquels courtiers (ou « brokers ») empruntent à leur tour aux banques pour pouvoir financer les achats de titres ; c'est ainsi que le montant de leurs emprunts passe d'environ 4,4 milliards de dollars en décembre 1927 à 8,5 milliards au début d'octobre 1929. Une telle situation ne peut se poursuivre indéfiniment :

un jour ou l'autre, l'écart entre la rentabilité économique des entreprises et la rentabilité financière des titres finit par inquiéter les milieux d'affaires, et les acheteurs d'actions deviennent vendeurs pour réaliser leur plus-value boursière. Il suffit alors que soit passé un nombre significatif d'ordres de vente pour que le cours des actions ralentisse sa progression ; d'autres détenteurs de titres s'inquiètent et deviennent à leur tour vendeurs, « avant qu'il ne soit trop tard ». La baisse des cours apparaît alors et précipite le renversement des anticipations : la panique se substitue à l'euphorie.

Le mouvement prend en octobre 1929 d'autant plus d'ampleur que les « brokers » américains endettés doivent liquider rapidement leurs actifs pour pouvoir payer leurs clients vendeurs : ainsi, le 24 octobre (le fameux « jeudi noir »), 13 millions de titres sont vendus à Wall Street, puis encore 16,5 millions le 29 octobre, malgré l'intervention des banques qui tentent d'enrayer la baisse des cours par des achats massifs. Mais cela n'empêche pas la poursuite de la baisse : la valeur moyenne des titres cotés s'effondre vers la mi-novembre à l'indice 198, soit la moitié de celui du mois de septembre. Une reprise s'effectue pourtant à la fin de l'année, l'indice atteignant le niveau 250 ; mais la tendance baissière réapparaît début 1930 et se poursuivra jusqu'au milieu de 1932.

### Une crise de surproduction

On peut se demander pourquoi une crise au départ purement financière a entraîné le monde capitaliste dans la récession la plus sévère de son histoire. Le rapport entre les deux phénomènes s'éclaire cependant si l'on considère que les grands pays développés sont confrontés, particulièrement à la fin des années 20, au « vieux problème » des

débouchés évoqués par les économistes « pessimistes ».
Selon eux, en effet, le capitalisme doit faire face à une
contradiction permanente : chaque capitaliste cherche à
réduire ses coûts de production, en baissant les salaires
réels et en utilisant de nouvelles techniques qui accroissent la productivité ; mais, ce faisant, il limite la demande intérieure de biens de consommation, tout en
accroissant les quantités offertes. Cette surproduction de
marchandises par rapport à la demande solvable provoque des baisses de prix qui altèrent les profits des capitalistes et compromettent la rentabilité du capital.

Deux solutions sont alors possibles : développer les
exportations pour pallier l'insuffisance des débouchés internes et/ou avoir recours aux crédits bancaires pour
financer la consommation et l'investissement. Or la première solution ne peut être utilisée simultanément par
tous les pays, puisque les exportations des uns sont les
importations des autres ; dans les années 20, la reconstruction étant terminée et les rendements agricoles
élevés, la concurrence se fait vive, d'autant plus que
certains pays moins développés sont devenus exportateurs eux aussi. La seconde solution pourrait, elle, ne
connaître aucune limite, puisque l'on peut toujours créer
des lignes de crédit par un simple jeu d'écritures. Encore
faut-il pour cela que les autorités monétaires acceptent
d'accroître la liquidité de l'économie et l'endettement
des agents, et que les crédits accordés servent effectivement à demander des biens de consommation et des
moyens de production. Or les grands pays industriels
restent encore, durant l'entre-deux-guerres, fidèles en
grande partie à l'idée que la monnaie doit être gagée par
un stock métallique. On hésite donc à aller encore plus
loin dans la création monétaire, de peur d'une perte de

confiance dans la devise nationale et d'une baisse incontrôlable de sa valeur. D'autre part, de nombreux crédits ont servi, aux États-Unis en particulier, à financer
la spéculation boursière, sans effets positifs sur l'activité.
S'il survient alors une restriction brutale des crédits,
comme cela se produit fin 1929 après la crise financière,
la surproduction latente devient effective.

### La crise mondiale

La diminution brutale de la demande provoque une
baisse des prix et des profits industriels, puis une réduction des investissements et de l'emploi, entraînant une
nouvelle baisse de la demande, et généralisant la contraction de l'activité et des échanges internationaux : la crise
s'étend à tous les secteurs et à tous les pays. Ainsi, entre
1929 et 1932, la production manufacturière baisse dans
le monde d'environ 11 % (et de près de 20 % aux États-
Unis, de 16 % en Allemagne, mais seulement de 6 %
en Grande-Bretagne et de 9,5 % en France). Les prix de
gros, pour une base 100 en 1913, s'effondrent aux États-
Unis, passant de l'indice 141 en 1929 à 74 en 1932, en
Grande-Bretagne de 135 à 92, en France de 627 à 405,
et en Allemagne de 129 à 87.

---

#### « X-CRISE »

En 1931, de jeunes polytechniciens (Jules Moch, Jacques
Rueff, Alfred Sauvy, Louis Vallon...) fondent le groupe
X-CRISE, destiné à étudier la nature d'une crise économique « surprenante ». En 1933, ce groupe devient le Centre polytechnique d'études économiques, lequel anime
une réflexion annonçant l'observation des faits économiques qui verra le jour après la guerre.

Aux États-Unis, on compte 8 millions de chômeurs en 1931 (contre 1,5 en 1929) et 12,8 millions en 1933 ; en Grande-Bretagne, entre 3 et 4 millions de personnes sont sans emploi en 1933, et, en Allemagne, près de 6 millions. Le chômage commencera à régresser à partir de 1933, mais augmentera de nouveau en 1938, atteignant environ 10 % de la population active en Grande-Bretagne et 17 % aux États-Unis en 1939.

Le volume du commerce mondial, qui avait atteint l'indice 104 en 1926-1929, pour une base 100 en 1913, tombe à 76 en 1931-1935, cette baisse affectant plus particulièrement les produits primaires : les agriculteurs et le tiers-monde souffrent encore plus de la crise que les secteurs et les pays industriels.

# La France dans la crise

## Un choc moins brutal

*La crise touche en réalité la France dès 1930, mais n'est réellement perçue que quelque temps après, et durera pour le moins jusqu'en 1935.*

### Une crise tardive en France ?

Contrairement à une idée souvent admise, selon laquelle la France ne serait véritablement touchée par la crise qu'à partir de 1931 ou 1932, celle-ci connaît des difficultés dès 1930. En effet, l'indice général de la production industrielle (base 100 en 1913), qui passe de 127 en 1928 à 139,5 en 1929, plafonne à 140 en 1930. Mais certaines branches stratégiques sont déjà en recul : c'est le cas du textile (indice 99 en 1928, 92 en 1929, 89 en 1930) et de la métallurgie (indice 129 en 1929 et 125 en 1930) ; il en est de même pour la sidérurgie et l'automobile, dont l'indice de la production perd 3 ou 4 points en 1930 par rapport à 1929. Puis, en 1931, la baisse de la production industrielle est quasi générale : par rapport à 1929, l'indice global perd 14 points, les baisses les plus sensibles concernant encore le textile et la métallurgie (- 20 points); le bâtiment, également fort utilisateur de main-d'œuvre et qui avait connu un grand essor en 1930 (indice 191), revient à l'indice 101 en 1931.

Ainsi, on assiste bien en France à un phénomène de baisse de l'activité parallèle à celui des autres pays, bien que sa propagation soit plus lente et son ampleur plus réduite. Mais il persistera plus longtemps. La progression de la crise pourrait nous être indiquée par celle du chômage. Or il n'existe pas en 1930 de statistiques systématiques permettant de le mesurer avec précision. Dans ces conditions, l'information la plus fiable concernant la situation de l'emploi est constituée par les réponses aux recensements effectués en mars de chaque année. D'après cet indicateur, le chômage ne prend de l'ampleur qu'à partir de 1931 (453 000 sans-emploi, contre environ 290 000 en 1929 et 1930) ; il touche environ 600 000 personnes, de 1932 à 1934, près de 900 000 en 1935 et 1936, et encore environ 650 000 en 1937-1938.

Il faut cependant tenir compte du fait que ces réponses ne rendent pas compte du chômage partiel, qui est souvent plus fréquent que le licenciement brutal, mais dont l'ampleur est très mal connue. A. Sauvy propose quelques estimations : plus de 40 % des salariés seraient touchés par le chômage partiel en mai 1935, 12 % en décembre 1936, et 20 % en mai 1938.

Dans un premier temps tout au moins, les entreprises ont préféré réduire le temps de travail plutôt que de comprimer les effectifs, alors que parallèlement la forte croissance de l'activité du bâtiment créait des emplois. Mais dès 1931 la progression des sans-emploi devient une réalité, qui prend de l'ampleur au cours des années suivantes. Cependant, le chômage total ne représentait qu'un peu plus de 2 % de la population active en 1931, de 4 % en 1936 et de 3 % en 1938. Si l'on cumule chômage total et chômage partiel, c'est donc bien en 1935-1936 que le problème est le plus grave.

## *Le mécanisme et les effets de la crise*

En tout cas, la France connaît dès avant 1929 des difficultés dues au rétablissement du franc (voir p. 99). En premier lieu, les industries traditionnelles de qualité stagnent dès 1928 à cause de leurs difficultés à exporter, et diverses branches plafonnent depuis 1926. Les problèmes vont s'aggraver avec le ralentissement du volume des échanges internationaux et la baisse des prix mondiaux. De plus, les exportateurs français sont désavantagés par les dévaluations de la livre sterling (septembre 1931) et du dollar (avril 1933), qui vont renforcer la compétitivité des produits britanniques et américains.

Ainsi, la baisse des revenus distribués dans les premières branches affectées par le ralentissement des exportations a entraîné celle de la demande de biens de consommation, puis celle de biens d'équipement : tous les secteurs et toutes les catégories sociales sont finalement concernés par la crise, y compris les agriculteurs, dont les revenus baissent en volume de 16 % de 1930 à 1932 et de 17 % de 1932 à 1934 ; pour une base 100 en 1929, ils sont descendus à 41 en 1935.

Les **profits** industriels sont particulièrement atteints : les revenus des patrons de l'industrie et du commerce se réduisent de 23 % entre 1930 et 1932; l'indice du cours des valeurs françaises passe de 548 en février 1929 à 172 en novembre 1934, et les dividendes distribués baissent de 46 % entre mai 1930 et mai 1933 (mais d'une façon très inégale selon les secteurs) : la baisse est nulle dans les grands services publics (eau, gaz, électricité), de 33 % pour les entreprises « cartellisées » ou protégées de la concurrence étrangère (sucrerie, construction navale, houillère...), mais atteint 70 % dans les autres secteurs. Dans le textile, les profits disparaissent, et parfois le chiffre d'affaires ne couvre même qu'une partie des coûts. Ainsi les revenus non distribués des sociétés, permettant l'autofinancement, passent de 7,4 milliards de francs en 1928 à 2 milliards en 1934 et 1935. L'effondrement des profits provoque alors un blocage de l'investissement privé : l'indice de l'investissement global passe ainsi de 153 en 1929 à 98 en 1934-1938. Cette dégradation de la rentabilité du capital s'explique aussi en partie par la rigidité des coûts salariaux.

Les **salaires** nominaux baissent en effet moins vite que les prix, en raison de la rapidité de la propagation de la crise et de la résistance du monde du travail. C'est ainsi que les salaires horaires se maintiennent en 1931, et ne baissent que de 7 points de 1932 à 1935, alors que les prix à la consommation perdent 24 points de 1930 à 1935. En conséquence, le pouvoir d'achat du salaire hebdomadaire augmente de 18,5 % et celui des salaires moyens des fonctionnaires de 17 % entre 1930 et 1935. Cela amène A. Sauvy à s'étonner du « contraste entre l'impression de misère que ressent l'opinion à ce moment et la situation réelle ». Il ne faut cependant pas oublier que si les fonctionnaires, les employés de certains services ou une partie des ouvriers qualifiés ne subissent pas la crise, la plupart des salariés vivent dans l'angoisse du chômage, même s'ils ont conservé leur emploi ; et si moins de 5 % des actifs se retrouvent sans emploi, beaucoup sont victimes du chômage partiel, qui réduit les salaires effectivement perçus.

On comprend, dans ces conditions, le mécontentement des ouvriers, et le fait que malgré la hausse du pouvoir d'achat du salaire horaire la demande intérieure globale n'a pas été suffisante pour porter la consommation intérieure à un niveau permettant d'éviter la baisse des prix, des profits et de l'activité.

**Évolution des rémunérations salariales
dans les entreprises de plus de cent ouvriers**

| Base 100 en 1930 | Prix à la consommation | Salaires horaires | Nbre d'heures de travail | Salaires nominaux perçus | Salaires réels perçus |
|---|---|---|---|---|---|
| 1930 | 100 | 100 | 100 | 100 | 100 |
| 1931 | 97,2 | 100 | 88,4 | 88,4 | 90,3 |
| 1932 | 89,2 | 98,7 | 74,2 | 72,3 | 80,0 |
| 1933 | 85,2 | 95,3 | 75,7 | 71,1 | 79,5 |
| 1934 | 82,5 | 95,3 | 72,6 | 68,8 | 80,3 |
| 1935 | 76,0 | 93,1 | 70,0 | 65,3 | 81,9 |

Source : J. Neré, *la IIIᵉ République (1914-1940)*, A. Colin, p. 199, et A. Sauvy, *Histoire économique de la France entre les deux guerres*, vol. III, p. 282.

# La droite « éclairée » aux affaires
## (1929-1932)

## Le monde politique face à la crise

*Les politiques de relance menées par André Tardieu sont mal comprises et trop timides.*

### Tardieu au pouvoir

Après le retrait de Poincaré en juillet 1929 et un ministère Briand qui dure quelques mois, André Tardieu devient président du Conseil.

Représentant une « droite moderniste » qui s'intéresse aux questions économiques et sociales, il reprend à son compte des propositions radicales, telles que la gratuité de l'enseignement secondaire, le développement des assurances sociales et des allocations familiales. Il

---

### Tous contre Tardieu

L'opposition à André Tardieu s'explique par le fait qu'il veut renforcer le pouvoir de l'exécutif aux dépens du Parlement, pour dépasser le clivage droite-gauche. Cela provoque de violentes critiques de la part de la classe politique traditionnelle : les radicaux dénoncent son autoritarisme et refusent que leur programme soit appliqué par un autre ; les socialistes lui reprochent son attirance pour le pouvoir personnel et ses rapports avec les ligues d'extrême droite, qu'il aide financièrement ; une partie de la droite classique le trouve au contraire trop audacieux et non conformiste. Il est desservi de plus par son agressivité, ses éclats de langage et son individualisme. On comprend ainsi qu'il n'ait pu obtenir le soutien nécessaire pour mener à bien une politique économique et sociale qui aurait peut-être permis de lutter plus efficacement contre la dépression et qui annonce le keynésianisme.

cherche à mettre en place les conditions d'une reprise de l'activité : début de la construction de la ligne Maginot (destinée à défendre le pays mais aussi à créer de nombreux emplois), plan de développement de la production de matériel industriel et de mécanisation de l'agriculture, construction d'écoles et d'hôpitaux ; il poursuit la politique d'amélioration du réseau routier et d'électrification qu'il avait menée en tant que ministre des Travaux publics dans le gouvernement Poincaré.

Pourtant, ces projets ne seront que très partiellement réalisés : en décembre 1930, il n'obtient que 3 milliards de crédits au lieu de 17 milliards demandés, et l'« affaire Oustric », qui avait éclaté le mois précédent, fournit au Parlement l'occasion de renverser le cabinet Tardieu ( des personnalités du gouvernement, dont le garde des Sceaux Raoul Péret, étant compromises dans la banqueroute frauduleuse du banquier Oustric).

### Laval et Tardieu

Après quelques mois d'un gouvernement de centre gauche animé par Théodore Steeg, Gaston Doumergue appelle Pierre Laval à la présidence du Conseil fin janvier 1931. Tardieu y devient ministre de l'Agriculture, puis y redevient président du Conseil en février 1932, après l'opposition du Sénat à la loi Laval sur le scrutin uninominal à un tour, destiné à obliger les radicaux à choisir leur camp, qui provoque le départ de P. Laval.

Entre-temps, Paul Doumer avait été élu président de la République (mai 1931). Malgré le vote de lois sociales (gratuité de la classe de sixième et retraite du combattant en mars-avril 1930, assurances sociales en juillet 1930, allocations familiales en mars 1932) et une politique de grands travaux (ligne Maginot, barrage de

Kembs, grand canal d'Alsace), la situation du monde du travail ne s'améliore pas sensiblement alors que des mesures fiscales avantagent les revenus de la propriété foncière, mobilière et industrielle.

L'immobilisme politique et l'insuffisance de la relance économique expliquent l'échec de la droite aux élections de mai 1932.

---

# Le centre gauche au pouvoir
## (1932-1936)

---

### Pression de gauche et péril de droite

*La gauche, victorieuse en 1932, laisse la responsabilité politique aux modérés et aux radicaux, qui doivent faire face à l'agitation d'extrême droite.*

Les 1er et 8 mai 1932, Tardieu et l'Union nationale perdent les élections : la droite n'obtient que 230 sièges alors que l'Union des gauches en a 335. Cette Union ne constitue cependant qu'un simple accord de désistement au second tour, qui bénéficie surtout aux radicaux : bien qu'ils recueillent moins de voix que la SFIO, ils ont davantage d'élus.

### Le ministère Herriot (mai-décembre 1932)

Le nouveau président de la République, Albert Lebrun (qui succède à Paul Doumer, assassiné par un déséquilibré entre les deux tours des élections, le 6 mai 1932), nomme alors Édouard Herriot président du Conseil. Il constitue un gouvernement composé de radicaux, de centristes et d'hommes d'affaires.

Herriot doit faire face à des difficultés insurmontables : contraint de chercher le soutien des socialistes alors qu'il mène une politique impopulaire pourtant critiquée par la droite, il est confronté aux exigences américaines de remboursement de la dette de guerre, que la France avait toujours voulu lier (sans succès) aux paiements des « réparations ». Voulant honorer l'échéance de décembre 1932 pour ne pas se couper des États-Unis, il engage sa responsabilité ministérielle et est renversé par la Chambre le 14 décembre.

---

**Les conférences internationales de 1932**

À Genève se tient en janvier-février la conférence du désarmement, qui n'aboutit pas, la France refusant de faire les concessions que la Grande-Bretagne, en particulier, lui demande, à un moment où l'Allemagne connaît la montée du nazisme. En revanche, la conférence de Lausanne (juin-juillet) règle la question des réparations. La crise mondiale provoquant l'arrêt des crédits anglo-saxons (qui avaient permis à la France de recevoir environ 20 milliards de francs), pousse en effet à mettre un point final aux paiements de l'Allemagne : sa dette est ramenée à 3 milliards de marks, payables après un moratoire de trois ans ; elle obtient de plus le droit de se réarmer.

---

### *Les radicaux et les « affaires »* (1932-1934)

De décembre 1932 à février 1934 vont se succéder cinq ministères à dominante radicale : celui de Joseph Paul-Boncour (18 décembre 1932-28 janvier 1933), qui avait fondé l'Union socialiste républicaine en 1931, après avoir été avant la guerre avocat des syndicalistes ; celui d'Édouard Daladier (28 janvier-24 octobre 1933), qui tente de rétablir l'équilibre budgétaire, mais se heurte à l'hostilité générale face aux augmentations d'impôts ; celui d'Albert

Sarraut (octobre-novembre 1933), échouant pour les mêmes raisons que ses prédécesseurs ; celui de Camille Chautemps (novembre 1933-janvier 1934), qui préfère démissionner face à l'agitation d'extrême droite ; celui, enfin, constitué de nouveau par Daladier le 30 janvier 1934, qui sera confronté à l'émeute du 6 février. L'agitation antiparlementaire va en effet gagner la rue, alors qu'à la Chambre les gouvernements radicaux résistent, grâce au soutien des socialistes, aux violentes attaques de l'extrême droite et du parti communiste.

---

### L'affaire Stavisky

Elle éclate fin décembre 1933, après les affaires Hanau et Oustric : on découvre une nouvelle escroquerie effectuée par Alexandre Stavisky, juif d'origine russe, déjà impliqué dans des affaires louches.

Il s'agit cette fois de faux bons de caisse, prétendument émis par le Crédit municipal de Bayonne, et permettant à Stavisky de détourner environ 200 millions de francs. Sont également impliqués le député-maire de la ville, le ministre des Colonies, Dalimier, qui avait recommandé l'achat de ces bons, le conseiller Prince, chargé des affaires financières au ministère de la Justice, et le procureur de la République Pressard, beau-frère du président du Conseil, Camille Chautemps. L'affaire rebondit quand Stavisky, qui avait pris la fuite, est retrouvé mort dans un chalet de montagne, le 9 janvier 1934, officiellement « suicidé ».

Pour la gauche, il s'agit d'un assassinat, destiné à couvrir le conseiller Prince et à masquer les rapports entre Stavisky et le préfet de police Chiappe, favorable à l'extrême-droite. Celle-ci, dans une violente campagne antiparlementaire et antiradicale, accuse Chautemps et le gouvernement de corruption, de compromission avec la « juiverie cosmopolite » et la franc-maçonnerie, et d'être responsable de la décadence française et de l'incurie du pouvoir politique.

## *Le 6 février 1934*

Deux nouveaux éléments vont mettre le feu aux poudres :
d'une part, l'implication du garde des Sceaux Raynaldy
dans un nouveau scandale (l'affaire Sacazan), le contraignant
à démissionner et entraînant la chute du gouvernement
Chautemps le 27 janvier ; d'autre part, la décision de
Daladier, nouveau président du Conseil, de déplacer le
préfet de police de Paris, Jean Chiappe, que les socialistes
accusent de complaisance pour les manifestants d'extrême
droite, et d'intolérance à l'égard de ceux de gauche. Les
ligues antiparlementaires se déchaînent et appellent à une
nouvelle manifestation, le 6 février, devant le Palais-Bourbon. Ce n'est pas la première du genre : déjà le 7 janvier,
l'Action française a manifesté devant la Chambre des
députés aux cris de « À bas les voleurs ! » ; le 10, ce fut le
tour des Camelots du roi ; puis, durant la seconde quinzaine
de janvier, les manifestations étaient devenues quasi quotidiennes, place de la Concorde, boulevard Saint-Germain
ou sur les Grands Boulevards.

Mais celle du 6 février reçoit l'appui des conseillers
municipaux de Paris, proches des ligues, des ministres
de droite que Daladier avait appelés dans son gouvernement pour en élargir la légitimité, mais qui démissionnent pour se solidariser avec Chiappe, et de l'Union
nationale des anciens combattants. Parallèlement, le parti
communiste décide également de manifester contre le
« régime du profit et du scandale », et pour demander
des sanctions contre Chiappe.

Aussi, le 6 février au soir, alors que Daladier, grâce
au vote des socialistes, obtient la confiance de la Chambre des députés, les manifestants se massent place de la
Concorde et se heurtent aux forces de l'ordre qui tiennent
le pont : des projectiles sont lancés sur les policiers et les

### Édouard Daladier (1884-1970)

Proche de É. Herriot, député radical-socialiste du Vaucluse de 1919 à 1940, puis de 1946 à 1958, il est plusieurs fois ministre (des Colonies, des Travaux publics, de la Guerre) et trois fois président du Conseil. Contraint de démissionner après le 6 février 1934, il milite pour le rapprochement avec les socialistes et participe au gouvernement de Front populaire. De nouveau président du Conseil en avril 1938, dans une alternative de centre droit, il signe les accords de Munich (septembre 1938) mais s'oppose à la politique de Hitler l'année suivante et déclare la guerre à l'Allemagne le 3 septembre 1939. Arrêté et emprisonné par le gouvernement de Vichy en septembre 1940, il est déporté en Allemagne de 1943 à 1945.

Après la guerre, il sera président du parti radical en 1957, s'opposera à la Constitution de 1958, et sera remplacé alors par Félix Gaillard.

gardes mobiles, des ligueurs tailladent les jambes des chevaux de ces derniers avec des lames de rasoir, des coups de feu éclatent. L'émeute fera une vingtaine de morts et environ deux mille blessés. Les choses auraient encore été plus graves si le colonel de La Rocque n'avait finalement donné l'ordre à ses Croix-de-Feu de ne pas engager le combat du côté du boulevard Saint-Germain moins bien protégé par la police.

### Le ministère Doumergue (février-novembre 1934)

Le lendemain, l'ensemble de la presse attaque le « gouvernement d'assassins » ; la justice et la police renâclent à appliquer des mesures répressives, et de nombreux députés et ministres radicaux lâchent Daladier. Celui-ci, qui ne veut ni faire appel à l'armée ni gouverner avec les seuls socialistes, démissionne dans la journée. Il est

### Gaston Doumergue (1863-1937)

Avocat et député radical-socialiste de Nîmes, sa ville natale, à partir de 1893, il devient ministre des Colonies (1902-1905), du Commerce (1906-1909), et président du Conseil (décembre 1913-juin 1914). Il participe à divers ministères de guerre, puis il est élu président du Sénat (février 1923) et président de la République (juin 1924). Représentant le centre gauche démocratique, il se fait apprécier par sa prudence, sa diplomatie et son sens de l'arbitrage dans un contexte politique difficile. Retiré des affaires en 1931, il est rappelé après le 6 février 1934 pour former un gouvernement d'Union nationale qui deviendra vite impopulaire et échouera sur le projet de réformes institutionnelles. G. Doumergue se retirera alors définitivement des affaires.

remplacé par l'ancien président de la République, Gaston Doumergue, avec à ses côtés André Tardieu, garant du retour de la droite au pouvoir. Aussi, malgré de nouveaux incidents épars, le 7 février au soir, faisant encore des morts et des blessés, les ligues et la presse changent-elles d'attitude et le calme revient-il vite.

Le retour rapide au calme, après les émeutes des 6 et 7 février 1934, montre que ces événements n'entrent pas dans une stratégie de coup d'État fasciste, comme en Italie ou en Allemagne ; ils sont plutôt le reflet d'un mécontentement général provoqué par les conséquences de la crise, par l'indignation face à la spéculation financière et l'affairisme des gouvernements, exploité certes par des organisations proches de la pensée fasciste, mais très divisées et sans véritable assise populaire.

Mais le gouvernement Doumergue va bientôt devoir faire face à d'autres difficultés :

– la mobilisation de la gauche, qui organise une grève générale le 12 février pour protester contre l'agitation

d'extrême droite, prolongée par la création d'un Comité de vigilance des intellectuels antifascistes (3 mars), et par la conclusion d'un pacte d'unité d'action entre le parti socialiste et le parti communiste (27 juillet) ;
— l'hostilité provoquée par les décrets-lois qui l'autorisent à mener une politique économique déflationniste, marquée par une réduction des salaires des fonctionnaires et des pensions (pour suivre la baisse des prix) et une augmentation des impôts, afin de réduire le déficit budgétaire ; mais l'objectif recherché ne sera pas atteint, et la crise économique ne sera pas résorbée pour autant ;
— l'opposition à son projet de réforme des institutions, prévoyant le renforcement des compétences du président de la République (lui permettant de dissoudre la Chambre des députés sans avis conforme du Sénat), et la suppression de l'initiative des députés en matière de dépenses publiques ; la gauche et les radicaux, dont les ministres démissionnent le 6 novembre, dénoncent alors ces manœuvres jugées anti-

### La politique extérieure (1932-1936)

Après l'échec des conférences de 1932, la France cherche à reconstituer une alliance contre l'Allemagne. Ainsi, après la signature par E. Herriot d'un pacte de non-agression avec l'Union soviétique en novembre 1932, P. Laval va-t-il à Moscou conclure un pacte d'assistance mutuelle (mai 1935). D'autre part, Louis Barthou tente un rapprochement avec l'Italie et la Pologne. Mais celle-ci signe un pacte avec l'Allemagne (janvier 1934) et Barthou lui-même est assassiné en même temps que le roi de Yougoslavie par des séparatistes croates soutenus par Mussolini. Pourtant, en janvier 1935, Laval négocie à Rome un accord de concertation en cas de menace sur l'intégrité autrichienne, et, en avril 1935, la France, l'Italie et la Grande-Bretagne s'entendent à Stresa pour réaffirmer leur fidélité au pacte de Locarno, qui garantit les frontières européennes.

démocratiques, et Doumergue se démet de ses fonctions le 8 novembre.

### Gouverner au centre (novembre 1934-mai 1936)

C'est Pierre-Étienne Flandin, hostile à la gauche comme à l'extrême droite, qui devient président du Conseil le 8 novembre 1934. Il est confronté au développement de la crise en France, qui se matérialise par la baisse des prix et des revenus, et qu'il explique par la surproduction, en particulier de produits alimentaires. Flandin propose ainsi de limiter la production pour soutenir les cours ; mais cela provoque de vives oppositions et dégrade la position concurentielle de la France, confrontée à la forte réduction des prix mondiaux et aux dévaluations britanniques et américaines. En conséquence, le déficit extérieur français se creuse, l'or se retire, le franc est attaqué. Flandin demande alors l'autorisation de gouverner par décrets-lois, mais le Parlement lui refuse la confiance : il est renversé le 31 mai 1935.

Après un éphémère gouvernement présidé par Ferdinand Bouisson (et comprenant Caillaux et Pétain), Pierre Laval revient au pouvoir le 7 juin 1935. Il obtient, lui, le droit de recourir aux décrets-lois, et va, par leur intermédiaire, prendre le contrepied de la politique économique pratiquée par Flandin : il impose la réduction de 10 % des dépenses publiques (y compris des traitements des fonctionnaires), des loyers, de l'intérêt des dettes, réduit le prix de l'électricité, du gaz et du charbon, et invite le secteur privé à faire de même ; il procède en outre à des augmentations sélectives d'impôts, afin de faire partager par tous les sacrifices. Il s'agit d'une politique déflationniste cohérente, allant plus loin que celle de G. Doumergue, et visant à rétablir l'équilibre budgétaire et extérieur (grâce à des prix français plus compétitifs) et à rétablir la confiance dans le franc. Or on tend alors à l'étranger à relancer l'activité par la dévaluation et le déficit public, qui entraînent une reprise que ne connaît pas la France, où le chômage se développe.

Laval est ainsi attaqué par la gauche et les radicaux, alors que sa politique extérieure de rapprochement avec l'Union soviétique provoque l'hostilité de la droite, et que de graves incidents éclatent dans le pays (comme à Limoges entre Croix-de-Feu et militants de gauche). En janvier 1936, la pression de la gauche devient encore plus forte : elle obtient du Parlement la dissolution des ligues paramilitaires alors qu'est publié le 12 le programme de Rassemblement populaire ; puis Herriot et les radicaux quittent le gouvernement et Laval démissionne le 22 janvier.

Albert Sarraut accepte alors de former un gouvernement centriste de « concentration républicaine » (comprenant Mandel, Flandin, Chautemps et de nombreux radicaux), qui se contente de gérer les affaires courantes en attendant les élections d'avril ; il sera incapable de réagir en mars à l'occupation par l'Allemagne de la rive gauche du Rhin.

### Hitler au pouvoir

Né en Autriche en 1889, Hitler est attiré par l'Allemagne et les idées nationalistes, pangermanistes, antisémites, antidémocratiques et antimarxistes. Combattant dans l'armée allemande et gravement blessé durant la Première Guerre mondiale, il devient encore plus décidé à rétablir la puissance et le prestige de l'Allemagne. Pour ce faire, il combat la République de Weimar, adhère en 1919 au parti ouvrier allemand qu'il transforme en parti national-socialiste des travailleurs allemands et dont il prend la tête. Il s'agit pour lui de créer un grand parti populaire et révolutionnaire, organisé militairement : il crée en 1921 les Sections d'assaut (SA) dirigées par Ernst Röhm. Le parti nazi regroupe des militants socialistes déçus par la trahison des directions acceptant l'effort de guerre et par l'échec des mouvements de

1919, des anciens combattants ayant souffert de la guerre et humiliés par la capitulation de 1918, mais aussi et surtout des partisans d'une lutte prioritaire contre le bolchevisme.

Après l'échec de sa tentative de coup d'État de novembre 1923, Hitler rédige en prison « Mein Kampf », ouvrage où il précise sa pensée et son programme : recréer un grand Reich dans des frontières agrandies aux territoires peuplés d'« aryens », et assurant un « espace vital » à une Allemagne purifiée de la présence juive, cause de la défaite, débarrassée du marxisme diviseur de la nation, du capitalisme source d'injustice sociale, et du parlementarisme paralysant le pouvoir politique. Guidé par un Führer à la volonté inébranlable, le peuple allemand saura retrouver la prospérité et la paix. Hitler tire aussi les leçons de son échec : il développe une propagande orchestrée par Goebbels et Speer, fonde les SS en 1925, se rapproche des milieux industriels, qui lui accordent une aide financière, et tout en lançant ses troupes contre les militants de gauche joue le jeu électoral : en 1928, il recueille déjà 800 000 voix, et l'effet de la crise de 1929 permet à son parti de connaître une ascension spectaculaire : en 1930, il obtient 5,4 millions de voix et 107 sièges de députés, en juillet 1932, 13,7 millions de voix et 230 députés, et, en novembre 1932, encore 11,7 millions de voix et 196 députés.

Le parti nazi étant devenu la première force politique allemande, le maréchal von Hindenburg, chef de l'État, nomme Hitler chancelier du Reich le 30 janvier 1933, sous la pression de la droite désireuse d'assurer l'ordre. Hitler va alors rapidement consolider son pouvoir : il dissout le Parlement, fait incendier le Reichstag pour accuser les communistes, mène une campagne violente qui lui permet d'obtenir le 5 mars 44 % des voix, met les communistes hors la loi, et obtient du Parlement les pleins pouvoirs pour quatre ans (23 mars). Le 30 juin 1934, il fait assassiner Röhm et les SA, ainsi que d'autres adversaires politiques. À la mort de Hindenburg, (2 août 1934), il cumule les fonctions de chancelier et de président du Reich, avec le titre de Reichsführer, ratifié par un plébiscite où il obtient 88 % de votes favorables.

Parallèlement, il met en œuvre le réarmement de l'Allemagne, tente un coup de force en Autriche (en faisant assassiner le chancelier Dollfuss le 25 juillet 1934), mais y renonce en raison de l'opposition italienne, puis réoccupe la Rhénanie (7 mars 1936). En quelques années, il est devenu le maître incontesté de l'Allemagne et a effacé les clauses du traité de Versailles.

# Le Front populaire (1936)

## « L'union fait la force »

*Après la victoire électorale de la gauche, la mobilisation populaire obtient du pouvoir politique et du patronat une série de mesures sociales « historiques ».*

Après le 6 février 1934, la gauche française, de la base au sommet des appareils politiques, prend conscience que le fascisme n'est pas nécessairement « pour les autres » et que les mouvement d'extrême droite constituent un réel danger pour la démocratie politique et économique.

### Les 9 et 12 février 1934

Dès le 9 février, le parti communiste (dont un certain nombre de militants de l'ARAC, Association républicaine des anciens combattants, s'étaient retrouvés dans la rue trois jours plus tôt au côté des ligueurs pour vilipender les « pourris » du Parlement) appelle à manifester « contre le fascisme et les fusilleurs ». Mais les communistes ne seront pas seuls, du côté de la République et de Belleville, pour affronter la police dans de violents combats qui feront plusieurs morts et de nombreux blessés : de jeunes socialistes et anarchistes se retrouvent à leurs côtés, réalisant sur le terrain le premier pas vers le « Front commun contre le fascisme » que réclamait depuis l'arrivée d'Hitler au pouvoir le député radical Gaston Bergery. Puis, le 12 février, la CGT organise une grève générale, à laquelle se joint la CGTU, procommuniste, alors que la SFIO invite à défiler, et que le parti communiste se joint à la manifestation.

## *Le revirement du parti communiste*

Les efforts unitaires d'intellectuels pacifistes proches du PC, comme Romain Rolland ou Henri Barbusse, qui avaient créé dès 1932 un comité « Amsterdam-Pleyel » pour dénoncer le danger hitlérien, mais qui étaient restés très isolés, vont finir par être couronnés de succès : brutalement, en juin 1934, le parti communiste rompt avec sa stratégie « classe contre classe », qui faisait de la SFIO le parti des « sociaux-traîtres » ou des « sociaux-fascistes » et l'ennemi prioritaire des classes populaires. Fin juin, Maurice Thorez appelle en effet à l'unité d'action avec les socialistes, et les deux formations concluent le 27 juillet un pacte par lequel elles s'engagent à éviter de se critiquer ouvertement, à lutter conjointement contre le fascisme, la menace de guerre et les décrets-lois préparés par le gouvernement Doumergue. Puis, en octobre, le PC va encore plus loin en proposant un vaste rassemblement populaire réalisant « l'alliance des classes moyennes et de la classe ouvrière », ce qui signifie politiquement un rapprochement avec le parti radical.

La rapidité de cette volte-face du PC s'explique peut-être par le changement d'analyse des dirigeants de l'Union soviétique, qui se rendent compte du danger qu'aurait fait courir à leur pays l'extension de régimes fascistes en Europe. Mais elle provient aussi des sentiments unitaires de la base, du profond désir de certains dirigeants d'éviter une évolution « à l'allemande », provoquée en partie par les divisions de la gauche, et du déclin que connaît le parti communiste depuis plusieurs années : le nombre de ses adhérents est passé de près de 120 000 en 1921 à environ 40 000 en 1933 et celui de ses électeurs d'environ un million en 1928 à moins de 800 000 en 1932.

Quoi qu'il en soit, la réintégration du parti communiste dans la vie politique française se confirme en 1935. Après la signature à Moscou du pacte d'assistance franco-soviétique le 2 mai, une manifestation unitaire a lieu le 14 juillet : elle rassemble une foule innombrable répondant aux appels de la SFIO, du parti communiste, du parti radical-socialiste, de la CGT, de la CGTU, mais aussi d'une multitude d'organisations, tels le Comité de vigilance des intellectuels antifascistes, la Ligue des droits de l'homme, le Front social, etc.

### L'union réalisée

Puis le 10 janvier 1936 est publié le programme du « Rassemblement populaire », suffisamment vague et ambigu pour ne heurter aucun signataire : on s'entend sur le principe de la défense des libertés, des droits syndicaux, de la laïcité, et sur la dissolution des ligues ; mais, sur le plan économique, on ne prévoit guère que la nationalisation des industries d'armement, la transformation du statut de la Banque de France pour la soustraire à l'influence des « 200 familles », et une série de mesures conjoncturelles de relance : grands travaux, fonds de chômage, retraite des vieux travailleurs, réduction du temps de travail sans baisse de salaire, création d'un Office des céréales pour stabiliser les prix... Tout cela n'a rien de révolutionnaire, et a pour objet de permettre des désistements au second tour, après que chaque parti affrontant le premier avec son propre programme. Les slogans « le pain, la paix, la liberté » ou « ni déflation, ni dévaluation » laissent en suspens les solutions à apporter pour sortir de la crise.

Le dernier acte du rapprochement est scellé en mars 1936, avec la réunification syndicale : la CGT et la

CGTU reconstituent une CGT unique au congrès de Toulouse, qui réaffirme le principe de l'indépendance syndicale prévue par la charte d'Amiens de 1906, et interdit l'organisation en tendances. Les conditions sont désormais réunies pour la victoire électorale de la gauche.

---

### L'attentat contre Léon Blum

Le 13 février 1936, la voiture de Léon Blum se trouve mêlée au cortège funèbre de Jacques Bainville, membre de l'Action française. Les sympathisants de ce mouvement, dont le chef, Charles Maurras, appelle à « fusiller, mais dans le dos », ce « juif allemand » et « détritus humain » qu'est à ses yeux L. Blum, le blessent au visage et tentent de le lyncher. Il est sauvé par l'intervention d'ouvriers travaillant sur un chantier voisin. À la suite de cet attentat, l'Action française est dissoute, et une grande manifestation de protestation a lieu du Panthéon à la Bastille le 16 février, renforçant la solidarité des partis et forces de gauche.

---

### *La victoire électorale*

Les 26 avril et 3 mai 1936, la France vote. Au premier tour, le nombre d'élus est relativement faible : 174 sièges sur 618 sont pourvus. Mais la gauche obtient déjà une victoire au nombre de voix, avec 5,4 millions contre 4,2 à la droite. Par rapport à 1932, celle-ci ne perd que 70 000 voix, mais la gauche en gagne 300 000 ; c'est surtout le parti communiste qui progresse (puisqu'il reçoit 1,5 million de suffrages contre 780 000 en 1932), alors que la SFIO et les petits partis socialistes en obtiennent près de 2 millions (mais la SFIO, avec 1,950 million de voix, en perd 30 000) ; le parti radical perd environ 360 000 voix (1,955 million contre 2,315 millions en 1932). Au second tour, les accords de désistement sont respectés et le report des voix de gauche s'effectue parfaitement : la gauche a finalement 376 élus : 147 SFIO, 106 radicaux, 72 communistes, 51 divers gauche (USR, radicaux indépendants, communistes dissidents...) ; la droite n'en a que 222.

Mais socialistes et communistes n'ont pas la majorité absolue : le groupe radical détient la clé du jeu politique. S'il se solidarise avec les partis « marxistes », la France peut être « gouvernée à gauche » ; s'il s'en éloigne, la Chambre de Front populaire peut basculer à droite ; les deux cas de figure vont de fait se rencontrer successivement.

### La pression populaire

Dès le 11 mai 1936 éclate dans le pays un mouvement de grèves qui va connaître une extension considérable. Parti des usines d'aviation (Breguet au Havre, Latécoère à Toulouse, Bloch, futur Dassault, à Courbevoie), il gagne rapidement tout le pays et tous les secteurs, et prend ainsi l'aspect d'une grève générale à laquelle participent près de 2 millions de salariés (sauf ceux des services publics). Bien que de petites organisations d'extrême gauche aient pu pousser à leur déclenchement, ces grèves sont généralement spontanées, car aucun mot d'ordre n'est lancé de la part des grandes centrales syndicales. Il s'agit en fait d'un mouvement qui exprime à la fois le désir de « fêter » la victoire du Front populaire, d'obtenir des mesures concrètes permettant de sortir de la crise économique, d'en finir avec la politique déflationniste mise en œuvre par les précédents pouvoirs, et d'imposer un véritable gouvernement de gauche, afin de ne pas connaître de nouveau la frustration qui a suivi la victoire électorale de la gauche en 1932.

Bien que les usines soient souvent occupées, aucun incident grave ne se produit, les ouvriers prenant soin de leur outil de travail et organisant leur vie à l'intérieur des entreprises.

Le président Albert Lebrun va alors confier le 4 juin la responsabilité des affaires à Léon Blum, qui remplace enfin Albert Sarraut. Le 5 juin, le nouveau gouvernement est formé et obtient le lendemain la confiance des députés (avec 384 voix contre 210).

### Les accords Matignon et les lois de l'été 1936

Léon Blum convoque immédiatement une réunion tripartite, avec les représentants des syndicats, du patronat et du gouvernement. Dans la nuit du 7 au 8 juin sont signés les célèbres accords Matignon : ils prévoient des augmentations de salaires allant de 7 à 15 %, le développement des conventions collectives par branches d'activité, la reconnaissance de l'exercice du droit syndical, l'élection des délégués du personnel, avec comme contrepartie l'arrêt des grèves. À Marcel Pivert qui avait déclaré en avril que « tout est possible », Maurice Thorez répond le 11 juin qu'« il faut savoir terminer une grève » et appelle à la reprise du travail. Elle ne se produit que progressivement, mais tout sera « rentré dans l'ordre » début juillet.

Entre-temps ont été votées les 20 et 22 juin les lois sur les congés payés (deux semaines par an) et sur la réduction à 40 heures de la durée hebdomadaire du travail, qui constituent une vraie révolution dans les conditions de vie des travailleurs, et dont on espère une baisse du chômage. Puis le 2 juillet l'âge de la scolarité obligatoire est porté à 14 ans ; le 21 juillet est votée une première tranche de « grands travaux » (un milliard de francs durant le reste de l'année) ; le 24 juillet est décidée la réforme de la Banque de France, donnant le droit de vote aux 40 000 actionnaires et créant un conseil général de 20 membres avec une majorité nommée par le gouvernement ; le 11 août, la loi permettant la nationalisation des industries de guerre est adoptée, et le 15 août l'Office national interprofessionnel du blé est créé, afin de fixer annuellement le prix du blé et de permettre l'achat par des coopératives départementales de l'excédent éventuel.

Le printemps et l'été 1936 auront laissé au patronat et à la droite le souvenir de la « plus grande peur de leur histoire » et alimenteront les rancœurs contre la gauche jusqu'en 1944. Ces quelques mois auront certes apporté aux salariés des avancées historiques sur le plan du droit du travail, mais le retour rapide du centre droit au pouvoir donnera bien des regrets à ceux qui avaient espéré que la victoire électorale et ce mouvement populaire sans précédent permettraient de « changer la vie ».

---

**Les ministres du gouvernement de Front populaire**

Parmi les personnalités les plus en vue du gouvernement, on peut citer Édouard Daladier (radical, ministre de la Défense nationale et vice-président du Conseil), Camille Chautemps (radical), Paul Faure (SFIO), tous deux ministres d'État, Roger Salengro (SFIO, à l'Intérieur), Vincent Auriol (SFIO, aux Finances), Pierre Cot (radical, ministre de l'Air), Jean Zay (radical, à l'Éducation nationale), Charles Spinasse (SFIO, ministre de l'Économie nationale), Max Dormoy, Irène Joliot-Curie, Paul Ramadier, Léo Lagrange, respectivement sous-secrétaires d'État à la présidence du Conseil, à la Recherche scientifique, aux Travaux publics et à l'Organisation des loisirs et des sports.

# Comment sortir de la crise ?

## Libéralisme ou interventionnisme ?

*N'osant prendre des mesures radicales ni rompre avec le mythe de l'orthodoxie financière, les autorités économiques françaises vont hésiter entre une politique déflationniste d'ajustement « par le bas » et la relance par la consommation.*

Face à la crise, deux attitudes sont possibles : on peut chercher à réduire les coûts et les charges pour restaurer les profits et l'incitation à produire, en faisant confiance aux mécanismes de l'économie libérale et en espérant un regain d'optimisme des entrepreneurs privés ; on peut au contraire chercher à relancer l'activité par un surcroît de dépenses publiques financées par le déficit budgétaire ; on peut aussi accroître la demande intérieure par des hausses de salaires ; mais celles-ci provoquent une élévation des coûts si des gains de productivité de même ampleur ne sont pas réalisés. La France va en fait expérimenter ces diverses politiques.

### La crise ? Quelle crise ?

Dans un premier temps, les Français ne prennent pas conscience de la réalité de la crise ; et quand la Grande-Bretagne dévalue la livre le 21 septembre 1931 la tendance est à se réjouir de ce que l'on considère comme une perte d'influence de ce pays, à s'enorgueillir de la bonne tenue du franc et du succès de l'Exposition coloniale qui attire sur la France le regard du monde. Le 22 septembre 1931, on peut lire dans *le Figaro* que « la crise anglaise accentue le prestige du franc », et dans *le Temps* que « la France est devenue l'un des deux piliers qui soutiennent présentement l'économie mondiale ». Mais ce patriotisme économique se double d'une grave erreur de pronostic : tout le monde s'attend à ce que l'avantage procuré aux exportateurs britanniques par la dévaluation soit détruit par l'inflation qu'elle ne manquera pas de provoquer.

Pourtant, la crise mondiale et les mesures d'austérité prises en Grande-Bretagne font baisser les prix anglais par rapport aux prix français. En voulant défendre avec les autres pays du « bloc or » (Suisse, Belgique, Italie, Pays-Bas) la valeur or de sa devise, la France perd sans combattre la bataille de la compétitivité internationale. Personne ne propose de s'aligner sur la dévaluation britannique pour éviter la chute des exportations ou de relancer la demande intérieure par une action volontariste de l'État (sauf l'extrême gauche) : on se contente de dénoncer la surabondance de marchandises ou la « finance internationale ». Et si les gouvernements Laval et Tardieu mettent en œuvre quelques programmes de grands travaux destinés explicitement à lutter contre le chômage, ces mesures restent timides, nécessitent des artifices de présentation pour que le budget de l'État apparaisse en équilibre : on fait appel à des emprunts publics et l'on ne veut ni accroître les impôts à l'approche des élections ni parler ouvertement de déficit budgétaire de relance. D'ailleurs, la situation s'améliore au second semestre de 1932 : la production reprend dans l'ensemble des branches, le chômage régresse, les salaires horaires augmentent légèrement, les exportations reprennent, de même que les importations de matières premières industrielles.

## La rechute de 1933

Mais la dévaluation du dollar, le 19 avril 1933, fait grimper de 25 à 30 % les prix français et ceux du « bloc or », et provoque un nouveau choc mondial : la crise rebondit en France au second semestre de 1933.

Pourtant, et bien que Paul Reynaud insiste sur l'écart dangereux entre les prix français et anglo-saxons, les autorités économiques s'accrochent au mythe des vertus du franc fort et de l'équilibre budgétaire (qui n'est pourtant pas réalisé). Ainsi, en 1935, les exportations françaises en volume ont baissé de 44 % par rapport à 1929, et les importations de 22 % ; en valeur, la baisse est bien plus forte, compte tenu des prix français élevés (- 82 % et - 56 % pour les produits manufacturés) ; au total, la production nationale a baissé en 1935 de près de 30 % par rapport à 1929.

C'est dans ce contexte qu'interviennent les mesures déflationnistes du gouvernement Laval. Mais paradoxalement il s'agit moins de faire baisser les prix français pour les aligner sur les prix étrangers que de réduire les dépenses publiques pour éviter le déficit budgétaire... et ainsi mieux défendre le franc contre le risque d'une dévaluation qui amputerait le pouvoir d'achat des Français. Il s'agit aussi de faire baisser des rémunérations nominales qui ont moins reculé que les prix intérieurs pour permettre de réduire les coûts et de relancer la production.

## La reprise de 1935-1936

Une reprise de l'activité va bien avoir lieu de l'été 1935 au printemps de 1936 : en un an, la production industrielle augmente de 11,5 % et l'emploi de 1,6 % ; mais cela n'est pas le fruit de la politique déflationniste, car, contrairement au but recherché, les prix de gros augmentent de 19 % de juillet 1935 à mai 1936 et les prix de détail de 7 %.

La reprise s'explique par une certaine relance de la demande intérieure, qui provient principalement de l'accroissement du déficit budgétaire de l'État, et de l'accroissement de la monnaie émise par la Banque de France : ainsi le déficit passe-t-il d'environ 5 milliards de francs de 1930 à 1932 à 11,5 milliards en 1933, 8,9 milliards en 1934 et 10,4 milliards en 1935 ; parallèlement, les crédits à l'économie accordés par la Banque de France passent de 7 milliards en moyenne annuelle de 1930 à 1934 à 11,2 milliards de 1935 à 1939.

Cependant, cette reprise, qui n'est pas véritablement perçue par le pays, reste fragile : les prix français excèdent encore d'environ 12 % les prix britanniques, de 18 % les prix américains, et le déficit extérieur s'est accru de mai 1935 à mai 1936. Rien ne permet d'affirmer que cette amélioration se serait poursuivie sans l'arrivée au pouvoir du Front populaire.

### La logique « Front populaire »

Dès l'été 1936, les milieux conservateurs considèrent que la politique suivie par le Front populaire est une catastrophe économique pour la France, à cause en particulier de la hausse des salaires, de la réduction de la journée de travail et des congés payés, réduisant le volume de la production nationale, augmentant les coûts de production et développant le goût des loisirs, sinon de la paresse, au sein de la classe ouvrière.

En réalité, s'il est vrai que la loi des « 40 heures » ne se traduit pas par une embauche massive pour compenser la baisse du nombre d'heures travaillées, le nombre des chômeurs passe de 820 000 en 1936 à 600 000 en 1938, ce qui, compte tenu de l'arrivée de nouveaux demandeurs d'emploi, correspond à la création d'environ 300 000 emplois. D'autre part, le chômage partiel, qui touchait 35 % des salariés en mai 1936, ne frappe que 27 % d'entre eux en septembre et 12 % en décembre de la même année. En outre, la réduction du temps de travail est de nature à favoriser la productivité de l'heure travaillée et dans certains cas une meilleure formation ; de plus, elle crée de nouvelles activités culturelles et de loisirs, toutes choses qui, à terme, constituent des conditions de développement économique.

L'effet de ces mesures est différent suivant les entreprises : celles qui bénéficient d'un surcroît de demande (privée ou publique) et celles qui peuvent compenser la hausse des coûts par des gains de productivité voient leur situation s'améliorer alors que d'autres (les petites entreprises ne pouvant investir) ont du mal à supporter le poids des hausses de salaires.

Or l'évolution de la productivité est mal connue : d'après A. Sauvy, elle aurait baissé dans les mines, les chemins de fer, les sucreries, mais aurait augmenté de 2 % dans la métallurgie, de 5 % dans les industries textiles, de 11 % dans les industries chimiques si l'on compare les années 1937-1938 à 1935-1936. Mais ces résultats globaux ne nous renseignent pas sur la diversité des situations, manifestement fort disparates. L'effet sur l'activité de la « relance par la consommation » est elle aussi difficile à saisir. Il n'en reste pas moins que la reprise est bien réelle en 1936-1937 (voir p. 172).

# Du Front populaire à la guerre
## (1936-1939)

### Le temps des désillusions

*Dès l'automne 1936, le gouvernement Blum connaît des difficultés qu'il ne saura surmonter ; il laisse le pouvoir à un centre droit hésitant et inefficace face au péril extérieur.*

La première difficulté que rencontre le gouvernement de Front populaire est la violente campagne que mène l'extrême droite, et qui prend des dimensions d'attaques personnelles antisémites et de calomnies haineuses.

### Les attaques de la droite

Alors que les ligues, dissoutes en juin 1936, se transforment en partis politiques (les Croix-de-Feu deviennent le Parti social français, Jacques Doriot, ancien communiste, crée le Parti populaire français, fasciste), la presse d'extrême droite se déchaîne dès l'arrivée de Léon Blum au pouvoir.

---

#### La campagne antisémite

Tandis que Xavier Vallat s'indigne à l'Assemblée que la France soit « gouvernée par un juif », Charles Maurras écrit dans *l'Action française* que « le cabinet Blum pose la question nationale », et dans ce même journal Léon Daudet fulmine contre Blum « le gentle youtre », « l'hébreu radiophonique », et contre le « cabinet crétins-talmud »; Henri Béraud dénonce dans *Gringoire* la France-dépotoir accueillant une « tourbe de plus en plus fétide », aux « tristes puanteurs slaves », qui charrie « la semence d'Abraham »; le 25 décembre 1936, il publie un article dressant la liste de tous les juifs membres du gouvernement ou des cabinets ministériels, qui composent la « tribu » de Léon Blum.

---

Si celui-ci est une cible privilégiée, Jean Zay (ministre de l'Éducation nationale) est dénoncé pour avoir écrit à l'âge de 20 ans un texte insultant le drapeau national, Pierre Cot (ministre de l'Air) est accusé de « dévergondage cérébral » et d'avoir voulu livrer aux Russes le secret du « canon de 23 », et surtout Roger Salengro (ministre de l'Intérieur) est attaqué avec acharnement pour avoir « déserté » en 1915 et avoir fourni des renseignements à l'Allemagne. Bien que lavé de ces accusations, R. Salengro se suicide le 17 novembre 1936.

La guerre civile d'Espagne fournit une autre occasion à l'extrême droite pour attaquer le gouvernement : dans *l'Écho de Paris,* le général de Castelnau qualifie le « Frente Popular » de « Frente Crapular » ; d'une façon générale, la droite met l'accent sur les désordres et les massacres qui se produisent en Espagne pour en attribuer la responsabilité à la gauche et prédire le même sort à la France.

Un autre élément va fournir des arguments à la droite : la politique économique et la dévaluation.

### Les difficultés économiques

La logique de la politique économique suivie par le gouvernement Léon Blum est claire et conforme au programme de la SFIO (bien qu'elle soit imposée par les travailleurs en grève) : face à une crise de sous-consommation, il faut augmenter les salaires et accroître les dépenses publiques pour créer un surcroît de demande relançant l'activité et l'emploi.

Cependant, dès le mois de juin l'inquiétude des milieux financiers se traduit par une fuite des capitaux (Léon Blum se refusant à instaurer le contrôle des changes) : la couverture métallique de la monnaie tombe à 50 % en septembre, et les achats de bons du Trésor

---

**La guerre d'Espagne (1936-1939)**

Après l'abdication du roi Alphonse XIII, la république est proclamée en juin 1931. Face à l'agitation sociale, des organisations fascisantes se constituent, telle la Phalange de Primo de Rivera. Si la droite l'emporte aux élections de 1934, les troubles sociaux provoqués par la misère populaire prennent de l'ampleur, et se poursuivent après la victoire du « Frente Popular » en 1936. Le général Franco prend alors en juillet la tête d'un *pronunciamiento* militaire, soutenu par la droite, la hiérarchie catholique et les classes privilégiées. La résistance républicaine s'organise, animée par les communistes, les socialistes et les anarchistes. La guerre civile fera rage pendant trois ans, marquée par de terribles combats et d'innombrables atrocités ; elle fera environ un million de victimes. Grâce aux aides allemande et italienne, les nationalistes franquistes finissent par écraser les républicains renforcés par les Brigades internationales. La guerre d'Espagne suscite en France de violentes polémiques entre ceux qui souhaitent une aide active aux républicains, ceux qui la refusent par peur d'une généralisation du conflit (ce sera l'attitude du gouvernement de Front populaire) et ceux qui dénoncent « l'agression communiste ».

---

sont insuffisants. De plus, la hausse des prix intérieurs, qui se produit malgré une reprise de la production, gêne les exportateurs français : le déficit des échanges extérieurs atteint 600 millions de francs en août et 700 millions en septembre. Aussi, pour lutter contre la sortie des capitaux et pour relancer les exportations, Léon Blum et son ministre des Finances, Vincent Auriol, décident-ils de dévaluer le franc le 27 septembre 1936 (alors qu'ils déclaraient deux mois plus tôt que tout danger de dévaluation était écarté).

De fait, la dévaluation ne résout pas les problèmes : le déficit extérieur atteint un milliard de francs en

---

**La dévaluation de septembre 1936**

Le franc Auriol (défini par un poids d'or pouvant fluctuer entre 42 et 49 mg) se substitue au franc Poincaré de 1928 (un franc valant alors 65,5 mg d'or), ce qui représente une dévaluation comprise entre 25 et 35 %. *L'Action française* accueille cette mesure par un slogan déjà utilisé en 1934, « À bas les voleurs ! », alors que dans *l'Humanité* Jacques Duclos condamne la dévaluation, considérant que « ce sont les riches qui doivent payer ! », et que la solution consiste en une réforme de la fiscalité permettant d'accroître les ressources de l'État.

---

novembre 1936 et deux milliards en février 1937 ; la production intérieure s'essouffle à l'automne ; l'indice des prix des 34 articles passe de 451 en avril 1936 à 580 en avril 1937, ce qui provoque un tassement du pouvoir d'achat des salariés (le salaire réel passant de 100 en avril 1936 à 93 en mars 1937) ; de plus, les chefs d'entreprise et les milieux d'affaires refusent la nouvelle négociation nationale envisagée en novembre par le gouvernement afin de trouver une solution à l'agitation sociale qui reprend. Refusant de remettre en cause le libéralisme économique, mais dépassant en même temps les limites acceptables par le patronat et les forces conservatrices, le gouvernement Léon Blum n'est plus qu'un ministère en sursis quand il fait voter le 31 décembre 1936 la loi sur l'« arbitrage obligatoire » pour régler les conflits du travail.

### De « la pause » au départ de Léon Blum

Puis, le 13 février 1937, Léon Blum affirme la nécessité d'une « pause », et fait adopter le 5 mars une série de mesures destinées à rassurer les détenteurs de capitaux : (rétablissement du marché libre de l'or, création d'un comité de stabilisation des changes, réduction de 6 milliards des dépenses publiques, lancement d'un emprunt de défense nationale (qui rapportera 8 milliards de francs en quelques jours). Si les milieux financiers sont satisfaits, les socialistes le sont moins, et les communistes accusent le gouvernement de « capituler devant les trusts » et le « mur d'argent ».

Quelques jours plus tard, une réunion du parti social français à Clichy, qui provoque une contre-manifestation de militants communistes et socialistes, tourne à l'affrontement avec la police : elle fait cinq morts et de nombreux blessés, et achève d'éloigner le gouvernement de son soutien populaire, tout en inquiétant de nouveau la droite et les modérés. Le 18 mars, la CGT appelle à une grève générale. La panique financière reprend, l'activité se ralentit et le chômage partiel augmente. Le parti radical se montre de plus en plus critique à l'égard du gouvernement, et Édouard Daladier lui-même, pourtant vice-président du Conseil, propose le 6 juin un programme de remplacement pour relancer la production dans l'ordre.

Face à cette situation inextricable, Léon Blum et Vincent Auriol déposent le 15 juin un projet de loi accordant au gouvernement les pleins pouvoirs en matière financière afin de « briser l'offensive habilement préparée depuis des semaines [...] contre l'épargne, la monnaie et le crédit ». La Chambre des députés vote la confiance, mais le Sénat s'y oppose le 20 juin. Le lendemain, 21 juin 1937, Léon Blum démissionne.

### Les cabinets Chautemps (juin 1937-mars1938)

La majorité de la Chambre restant de gauche, et les radicaux n'ayant pas dénoncé explicitement le « rassemblement populaire », Albert Lebrun appelle à la prési-

dence du Conseil le radical Camille Chautemps, au pouvoir du temps de l'affaire Stavisky. Le Front populaire
existe donc toujours en théorie : Léon Blum est vice-président du Conseil, et plusieurs ministres socialistes font
partie du gouvernement (dont Marx Dormoy, qui
démantèle l'organisation d'extrême droite la Cagoule,
auteur de plusieurs attentats meurtriers en septembre-
décembre 1937).

---

### La Cagoule

Après la dissolution des ligues en 1936, se constitue un
« comité secret d'action révolutionnaire » clandestin
(CSAR) appelé la Cagoule par ses adversaires. Il commet
plusieurs assassinats (dont ceux des frères Rosselli, antifascistes italiens en exil), et des attentats (contre les sièges
de la Confédération générale du patronat français et de
l'Union nationale interprofessionnelle) en essayant de les
faire attribuer au parti communiste, selon les méthodes
nazies. Mais cette organisation est démantelée par le
ministre de l'Intérieur Marx Dormoy, fin 1937.

---

Mais l'opposition grandit entre les socialistes, soucieux de ménager les syndicats, et les radicaux (dont le
ministre des Finances Georges Bonnet), qui désirent normaliser la situation économique et sociale.

Face à la poursuite des grèves et manifestations souvent violentes et après que le gouvernement a pris le
21 décembre 1937 deux décrets limitant l'application
des 40 heures, C. Chautemps « rend la liberté » au parti
communiste, qui réclame au contraire l'application du
programme de 1936 (13 janvier 1938). Les ministres
SFIO se retirent alors, et C. Chautemps forme un
nouveau gouvernement, composé essentiellement de

radicaux et de quelques socialistes indépendants (tels Ramadier et Frossard) ; il obtient toutefois un vote de confiance de la part des députés socialistes et communistes, qui ne veulent pas prendre l'initiative d'une rupture définitive avec les radicaux.

Mais la situation économique s'est dégradée depuis un an : le déficit des échanges extérieurs atteint 4 milliards de francs fin 1937, la spéculation contre le franc et les sorties d'or se poursuivent, le déficit budgétaire se creuse ; cela pousse Georges Bonnet à réduire les dépenses publiques, à augmenter les impôts et les tarifs publics au grand dam de la gauche. Le 9 mars 1938, alors que le franc tend à s'effondrer (la livre sterling valant alors plus de 150 francs), le gouvernement Chautemps annonce son intention de demander à la Chambre les pleins pouvoirs en matière économique pour appliquer une politique d'austérité : les députés socialistes prévenant qu'ils ne voteront pas la confiance, C. Chautemps démissionne. Avant qu'un nouveau gouvernement ne soit formé, les troupes allemandes envahissent l'Autriche (11 mars 1938).

### Le retour de Léon Blum (mars-avril 1938)

Devant la menace extérieure, Léon Blum propose le 12 mars de constituer un gouvernement de très large union nationale, mais se heurte à l'hostilité résolue de l'opposition parlementaire de droite.

Blum en revient pourtant à la formule et au programme du Front populaire. Alors qu'éclatent grèves et manifestations, il demande les pleins pouvoirs pour appliquer une politique de relance : accroissement de la masse monétaire, impôt sur le capital (jusqu'à 17 %), contrôle des opérations de Bourse et contrôle des changes, ce qui va plus loin que les mesures de juin 1936, alors que le parti radical est à la limite de la rupture. Il vote cependant les pleins pouvoirs, sachant que le Sénat s'y opposera. Le 7 avril, effectivement, le Sénat refuse même de discuter le projet, à l'instigation de Joseph Caillaux qui anime les attaques contre le gouvernement. Léon Blum démissionne une seconde fois, mettant ainsi un terme à l'expérience de gauche.

### Le nouveau ministère Daladier

Le 12 avril 1938, Édouard Daladier forme un gouvernement de « concentration », ne comprenant plus de socialistes, et orienté au centre droit, avec l'entrée de « modérés » (tels que Paul Reynaud ou Georges Mandel) ; il obtient toutefois un vote de confiance quasi unanime de la part des députés. Pour le nouveau président du Conseil, il s'agit de rétablir la situation financière et de « remettre la France au travail », pour permettre en particulier le réarmement du pays. C'est ainsi qu'il décide le 5 mai une nouvelle dévaluation qui officialise la perte de valeur du franc, rétablit la capacité concurrentielle des produits français et favorise le retour des capitaux. Puis, après la signature des accords de Munich, le 29 septembre, violemment attaqués par le parti communiste (qui sera seul à ne pas les ratifier à l'Assemblée), les radicaux quittent le Comité national du rassemblement populaire le 12 novembre, signant ainsi l'acte de décès officiel du Front populaire ; et le 13 novembre sont décidés les « décrets Reynaud », permettant de porter la durée du travail à 48 heures (mais prévoyant la rémunération des « heures supplémentaires »).

Pour s'opposer à cette politique économique, la gauche organise une grève générale le 30 novembre

---

**Les accords de Munich (septembre 1938)**

Après le réarmement de l'Allemagne et l'occupation de la rive gauche du Rhin, Hitler poursuit sa politique de « coup de force ». Le 12 mars 1938, les troupes allemandes pénètrent en Autriche, sans que l'Europe réagisse. Puis Hitler réclame l'annexion de la province tchèque des Sudètes, à forte population allemande. Pour tenter de régler le problème, une conférence internationale se tient à Munich la nuit du 29 au 30 septembre 1938. Elle réunit Hitler, Mussolini, Chamberlain et Daladier, et se termine par la capitulation franco-britannique : pour sauver la paix, Français et Anglais reconnaissent les droits allemands sur les Sudètes, sans aucune contrepartie. On se contente d'espérer que les prétentions d'Hitler s'arrêteront là. Mais, ainsi, la France trahit ses engagements pris à l'égard de la Tchécoslovaquie.

---

1938. Elle n'est que partiellement suivie et provoque une vive répression (révocations dans la fonction publique, licenciements dans le secteur privé) qui fait définitivement passer socialistes et communistes dans l'opposition : le renversement des alliances politiques est devenu réalité.

En mars 1939, Daladier obtient les pleins pouvoirs grâce au vote de la droite ; puis il soutient la candidature d'Albert Lebrun, qui est réélu président de la République en avril, et fait passer en juin une modification de la loi électorale, destinée à affaiblir le parti socialiste, par le retour au scrutin proportionnel (27 juin).

Alors que les Français règlent leurs comptes, les uns voulant liquider les séquelles du Front populaire, et les autres en maintenir les acquis, et que monte en France une vague d'antisémitisme et d'anticommunisme, Hitler annexe les Sudètes en mars, sans que les « antimunichoix » (que l'on rencontre plutôt à gauche mais aussi à droite) aient de réelle solution à apporter.

Majoritairement, la France redoute la guerre, et la popularité de Daladier s'explique autant par son désir de retarder l'échéance que par ses alliances politiques et ses orientations économiques et sociales. Le nouveau coup de force hitlérien, le 1er septembre 1939 (l'invasion de la Pologne), amènera pourtant Daladier à déclarer la guerre à l'Allemagne deux jours plus tard.

# Une reprise ambiguë

## L'économie française à l'approche de la guerre (1936-1939)

*Amorcée fin 1935, la reprise se poursuit en 1936 et en 1937, puis en 1939, après une nouvelle récession en 1938.*

L'arrivée au pouvoir du Front populaire n'a pas cassé la reprise commencée un an auparavant, malgré les grèves et la baisse d'activité de l'été 1936. Pour une base 100 en 1929, l'indice général de la production industrielle, qui avait baissé jusqu'à 72 en 1935, remonte à 78 en 1936 et à 82 en 1937 ; puis il redescend à 76 en 1938, avant d'atteindre 87 pour les sept premiers mois de 1939.

### Vers la sortie de la crise

L'amélioration de la situation de l'économie française en 1936-1937 s'explique en partie par les mêmes causes que celles qui avaient joué en 1935 (reprise de la demande intérieure) : la hausse des rémunérations salariales accroît en effet le pouvoir d'achat des ménages, et en particulier des plus défavorisés, dont la propension à consommer (part de la consommation dans le revenu) est la plus élevée ; et si parallèlement la hausse des prix des biens de consommation est très forte (60 % en rythme annuel de septembre à décembre 1936), et réduit progressivement le pouvoir d'achat des salaires, la réduction du chômage partiel évoqué plus haut signifie que le nombre d'heures travaillées et donc le montant des salaires distribués s'accroissent ; de plus, la hausse prix permet aux entreprises fabriquant les biens de consommation les plus demandés de restaurer leurs marges de profit.

Mais d'autre part un fait nouveau fondamental intervient : il s'agit de la dévaluation du franc, qui rétablit la compétitivité des produits français. C'est ainsi que le rapport des prix de détail français et britanniques, égal à 1,15 en septembre 1936, est de 0,9 à la fin de l'année : pour la première fois depuis 1931, les prix français descendent en dessous de ceux de leurs concurrents britanniques.

Cette dévaluation s'explique surtout par la fuite des capitaux et les sorties d'or (qui ruinent l'économie française et épuisent les réserves de la Banque de France), et par le refus du gouvernement de Front populaire d'instaurer le contrôle des changes qui aurait pu empêcher la spéculation contre le franc. Cette dévaluation qui met fin au « bloc or » le 1er octobre 1936, en définissant le poids d'or du franc entre 43 et 49 milligrammes d'or (soit une dévaluation comprise entre 25 et 35 %), stimule rapidement les exportations et l'activité : la production augmente de 12 % en trois mois et presque toutes les branches sont concernées ; le chômage régresse d'une façon spectaculaire, le nombre de sans-emploi diminuant d'environ 160 000 en un trimestre.

Mais si l'activité continue à être soutenue en 1937, en particulier au déficit du budget de l'État (le solde du budget définitif s'établissant à − 24 milliards de francs), et si le chômage total continue à régresser, les entreprises supportent le coût de la réduction à 40 heures de la durée hebdomadaire du travail, et le solde extérieur se dégrade : les exportations de produits manufacturés diminuent en volume, ainsi que les importations de matières premières ; en revanche, les exportations de matières premières et les importations de produits fabriqués augmentent. Tout cela provoque de nouvelles sorties d'or et de nouvelles baisses de l'encaisse de la Banque de France. Cette spéculation contre le franc sera l'une des causes principales du discrédit du Front populaire.

## La chute et le redressement

Quand Léon Blum cède la place à Camille Chautemps, en juin 1937, et alors que le franc est de nouveau dévalué (le 30), Paul Reynaud peut déclarer : « Nous avons oublié le rendement. Nous avons élevé à la fois le coût de la vie et les prix de revient. » Il semble en effet que la réduction de la durée du travail ait limité la production de bon nombre d'entreprises et réduit leurs commandes, affectant ainsi l'activité intérieure. D'autre part, la reprise des mouvements de grève et de l'agitation réduit également la production, mais crée surtout un climat de radicalisation politique. Les syndicats, nous l'avons vu, tentent de maintenir les acquis sociaux et Léon Blum propose un retour à la logique du Front populaire, proposant même d'aller plus loin dans l'interventionnisme de l'État. Au contraire, les milieux industriels et financiers n'attendent plus qu'une chose : un retour sans ambiguïté au libéralisme économique intégral, et les radicaux se font les champions de la défense du franc et du retour au réalisme économique.

La fin du Front populaire (quand Édouard Daladier prend la tête du gouvernement et promulgue ses décrets-lois de novembre 1938 autorisant le travail au-delà des 40 heures légales) contribue à rétablir l'optimisme des chefs d'entreprise ; d'autre part, l'établissement d'un budget prévoyant 28 milliards de déficit va permettre un soutien substantiel de la demande intérieure (ce qui est pourtant peu « orthodoxe »). Aussi la reprise va-t-elle de nouveau se faire sentir dès l'automne 1938 : d'octobre 1938 à juin 1939, la production industrielle augmente d'environ 20 %, ce qui représente un rythme annuel de 27 % ! Le chômage total redescend en juin 1939 au niveau de celui de 1932, et le chômage partiel se réduit également, alors qu'augmente la durée moyenne du travail (39,2 heures en octobre 1938, 41,9 heures en juillet-août 1939).

### Le bilan

À la veille de la guerre, l'économie française a donc retrouvé un rythme de croissance élevé. Bien que dans l'industrie la production par personne active ne dépasse guère en 1938 le niveau de 1929, la production par heure de travail est, suivant les estimations, entre 20 et 30 % supérieure à celle de 1929, ce qui signifie que la productivité a fortement augmenté (à partir de 1936). Celle-ci a été particulièrement forte dans les industries textiles, l'agriculture et les industries alimentaires, mais aussi dans des branches telles que le caoutchouc, le papier, le gaz et l'électricité. Mais la population active reste encore de 10 % inférieure à celle de 1929, et la production industrielle, durant l'été 1939, équivaut à peu près à celle de 1928, et est inférieure de plus de 10 points au maximum de 1929. Si l'on regarde de plus près l'évolution des différentes branches, seules l'énergie (gaz, électricité) et une industrie relativement secondaire comme celle du papier ont une production de près de 40 % supérieure à celle de 1929 ; en revanche, la métallurgie et la sidérurgie sont loin d'avoir retrouvé le niveau de 1929, malgré la vive reprise de 1937 et 1939 et la mise en œuvre d'un programme d'armement, sollicitant particulièrement ces secteurs.

D'autre part, le commerce extérieur français reste déficitaire malgré une amélioration à partir de la fin de 1938 (le déficit de la balance commerciale passant de 11,8 à 8,7 milliards de francs). Ainsi, en 1937, le taux de couverture des importations par les exportations est tombé à 56 %, et ne revient qu'à 66 % en 1938. Cela traduit le fait que la part de la France dans les exportations de produits manufacturés des grands pays industriels passe de plus de 11 % en 1929 à moins de 6 % en 1937, cette même part baissant de 15,5 % à moins de 7 % pour les produits textiles, et de près de 12 % à 6,5 % pour les automobiles.

La crise a donc fait perdre à la France sa place dans le concert des nations industrielles, son redressement s'effectuant en partie grâce aux exportations de produits primaires. Certes, les rentrées de capitaux fin 1938 (8 milliards de francs) et en 1939 (17 milliards) et la reconstitution de l'encaisse-or de la Banque de France (qui reçoit 248 tonnes d'or en 1939) montrent que la confiance est revenue parmi les milieux financiers, mais cela ne constitue pas nécessairement les signes d'une prospérité retrouvée. On ne peut certes savoir ce qui serait advenu de la vive reprise de 1939 si la guerre n'avait éclaté à la fin de l'été.

# La France et son empire

## De la conquête à l'organisation

*Après avoir conquis quelques territoires complémentaires, la France cherche durant les années 30 à faire de son empire un remède à la crise.*

Pour l'essentiel, la conquête coloniale est terminée en 1914 et la guerre n'a pas provoqué de soulèvements majeurs. Il ne se produit que quelques troubles ou agitations à Madagascar (1915) et en Algérie (dans les Aurès en 1916), et des intrigues de palais en Indochine. Lyautey étend même la présence française au Maroc, et des contingents de soldats sénégalais, algériens et marocains combattent avec héroïsme sur le front allemand.

### De 1918 à 1930

Le traité de Versailles et les décisions de la SDN permettent à la France de récupérer la partie du Congo cédée à l'Allemagne en 1911, d'exercer sa tutelle sur le Cameroun et le Togo, d'une part, le Liban et la Syrie (anciennement à la Turquie) d'autre part. Malgré la cession à l'Italie d'une partie du Sahara, l'empire colonial français comprend environ 12 millions de kilomètres carrés et atteint ses dimensions maximales. Cependant, il se produit dans l'empire un début de contestation, face à laquelle les autorités françaises, sans véritable doctrine concernant la nature des relations à mettre en œuvre avec les colonies, vont renforcer l'administration directe des territoires, malgré ceux qui préconisent le développement des droits politiques des indigènes pour aller dans le sens de l'« assimilation ».

---

**Les débuts du nationalisme**

La guerre et la montée de nouvelles puissances et de nouvelles idéologies contribuent à modifier les rapports entre métropole et colonies : les « élites » européanisées des colonies développent les idées nationalistes, conformes aux principes de la SDN et soutenues aussi bien par les États-Unis que par l'Union soviétique, où se tient à Bakou en 1920 le premier « congrès des peuples opprimés », appelant à la révolte des colonisés.

---

En **Algérie**, on permet aux populations locales d'accéder à toutes les fonctions (mais non à celles qui permettent l'exercice d'un pouvoir), on proclame l'égalité fiscale, on facilite la naturalisation (loi de février 1919). Mais cela reste insuffisant pour empêcher la création d'un mouvement nationaliste, l'Étoile nord-africaine de Messali Hadj (1924).

Au **Maroc**, Lyautey poursuit la conquête et cherche à mettre en valeur le territoire ; mais il doit faire face à un grave soulèvement en 1925, la guerre du Rif, menée par Abd el-Krim, qui provoque son départ.

En **Tunisie**, des troubles nationalistes se produisent en 1920-1921, en liaison avec la montée du mouvement religieux Destour ; mais la France n'accorde qu'un « Grand Conseil » sans pouvoir, et développe l'administration directe.

En **Indochine**, un parti national vietnamien déclenche des grèves et des manifestations. En réponse, la France admet les Annamites dans l'administration (1926) et une minorité indigène au « Grand Conseil des intérêts économiques et financiers », créé en 1928.

Au **Proche-Orient,** les Français séparent le Liban chrétien de la Syrie musulmane et gèrent difficilement une situation locale très complexe, en raison de la multitude d'ethnies et de religions ; une grave insurrection (djebel Druze) est écrasée en 1925.

En **Afrique noire**, et en **Océanie**, la France impose en 1928 une législation tarifaire pénalisant l'importation des produits étrangers.

### La mode exotique et les expositions coloniales

Durant l'entre-deux-guerres, les vêtements, les crèmes et les parfums orientaux sont à la mode, et la colonisation suscite également réflexions et témoignages : Albert Sarrault publie *la Mise en valeur des colonies françaises* en 1923, *Grandeur et servitude coloniales* en 1931 ; André Gide écrit *Voyage au Congo* en 1927 et *Retour du Tchad* en 1928 ; André Maurois publie un *Lyautey* en 1934 ; Julien Duvivier tourne *la Bandera* en 1935 et *Pépé le Moko* en 1937.

L'intérêt des Français pour leurs colonies se manifeste en particulier à l'occasion de l'Exposition coloniale de Marseille en 1922 (pour laquelle fut construit un gigantesque monument en forme d'arc de triomphe et dédié « aux héros de l'armée d'Orient et des terres lointaines ») et surtout lors de l'Exposition coloniale internationale de Paris, qui se tient dans le bois de Vincennes de mai à septembre 1931. Regroupant de très nombreux pavillons sur 110 hectares et suscitant diverses reconstitutions (dont le clou est celle du temple d'Angkor Vat), elle reçoit 33 millions de visiteurs, dont les personnalités les plus célèbres de l'époque.

### L'effet de la crise mondiale

Pour lutter contre les effets de la crise de 1929, la France resserre ses liens économiques avec les colonies. L'effondrement des cours mondiaux des produits bruts permet à la métropole d'accroître ses importations de matières premières industrielles (minerais non ferreux du Maroc, de Tunisie ou d'Indochine, laquelle fournit également du caoutchouc, de l'étain et même du charbon, coton du Soudan...) et alimentaires (café, cacao, bananes, riz, oléagineux, vin...). Les difficultés pour exporter vers le reste du monde incitent d'autre part la France à accroître ses exportations vers ses colonies où les produits français entrent sans supporter de droits de douane. Ainsi, la part de commerce avec l'Empire, qui représentait 12 % du total du commerce extérieur français en 1913, passe à 16 % en 1929 et à 27 % en 1938. Mais, sur le plan interne, aucune mesure ne prend en compte les aspirations des populations indigènes.

Pourtant, en **Algérie**, où les colons sont plus d'un million sur environ 7,2 millions d'habitants en 1939, et où l'extension de la vigne se fait au détriment des cultures vivrières et pose des problèmes d'exportation (le vin représentant plus de 50 % des exportations), le sort des populations indigènes tend à se dégrader. L'hostilité au système colonial y est donc active, mais certains, tel Ferhat Abbas, souhaitent l'accession des musulmans à la citoyenneté française. Sous le Front populaire, un projet Blum-Viollette envisage ainsi l'assimilation de 25 000 Algériens, mais on revient dès 1937 à une politique répressive, ruinant le possible rapprochement entre les deux communautés.

En **Tunisie**, où l'on compte un peu plus de 100 000 Français en 1936, les difficultés sont grandes à partir de 1933 : la concentration des terres au profit des grandes sociétés françaises a pris de vastes proportions, mais les produits se vendent mal, l'équipement du pays est très insuffisant, et la population des campagnes vit dans des conditions misérables. L'opposition se scinde alors en deux tendances : le Vieux Destour, plus religieux, veut rompre avec la France, et le Néo-Destour de Bourguiba souhaite une démocratie laïque coopérant avec l'ancienne métropole. Mais, comme en Algérie, les concessions accordées par le Front populaire sont vite remises en cause : après l'émeute d'avril 1938, les libertés sont restreintes et Bourguiba est emprisonné.

Au **Maroc**, l'action de Lyautey, de 1912 à 1925, et celle des colons et administrateurs français (moins de 200 000 personnes en 1939) ont permis de mieux respecter les traditions locales et de mettre en valeur le pays (routes et chemins de fer, port de Casablanca, construction de Rabat, exploitation du phosphate et du manganèse, accroissement de la productivité agricole, centrales électriques...). Pourtant, la prospérité n'est pas générale, la crise rend plus difficiles les exportations agricoles, et un « Comité d'action marocaine », créé en 1934, s'oppose à l'administration directe par la France et revendique le retour au strict protectorat.

En **Indochine,** de grandes entreprises françaises ont développé la plantation d'hévéas pour le caoutchouc (Michelin), les mines de charbon et d'étain, des industries textiles et mécaniques, mais aussi la production de riz. Parallèlement, la France a construit 30 000 kilomètres de routes, un réseau de voies ferrées et des ports (Haiphong, Saigon...), dotant l'Indochine d'une infrastructure efficace. Mais ici, comme dans les autres pays, l'effondrement des prix mondiaux devient dramatique après 1930 : les cours du riz et du caoutchouc s'effondrent de près de 80 %, et le commerce extérieur diminue d'environ 70 % entre 1926 et 1933. Cela va ruiner aussi bien la paysannerie que les salariés des grandes firmes capitalistes, et rendre insupportable la fiscalité coloniale.

Éclatent alors en 1931-1932 des insurrections meurtrières, des troubles et des grèves, certaines organisées
par le Parti national vietnamien et le Parti communiste
indochinois fondé par Hô Chi Minh en 1930. La réponse
du gouverneur Robin sera de mener une sévère répression (plusieurs milliers d'arrestations et treize condamnations à mort, emprisonnement d'Hô Chi Minh...), et
de veiller à mieux garantir les intérêts des gros exportateurs (baisse des impôts pour les producteurs de caoutchouc, aide aux propriétaires des plantations de riz...). Si
la situation semble redevenue « normale » à la veille de
la Seconde Guerre mondiale, les problèmes de fond sont
loin d'être résolus.

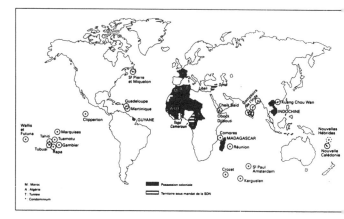

L'empire colonial en 1930

### Les autres colonies

Le reste de l'empire ne connaît que peu de changement : on ne peut guère noter que le développement de la culture de l'arachide au Sénégal, de celle du café, de la banane et du cacao autour du golfe de Guinée, quelques projets ayant échoué ici et là (chemin de fer Congo-Océan, coton au Niger...). D'une façon générale, en Afrique-Équatoriale française (AEF), en Afrique-Occidentale française (AOF), aux Caraïbes et dans le Pacifique, les possessions françaises sont surtout caractérisées par l'immobilisme économique et politique.

# Les sciences physico-mathématiques

## La France en pointe

*La pensée scientifique française, très féconde à la fin du XIXᵉ et au début du XXᵉ siècle, avec en particulier Henri Poincaré, Pierre et Marie Curie, s'illustre durant l'entre-deux-guerres en mathématiques, en physique et en recherche atomique, malgré la disparition pendant la Grande Guerre de nombreux jeunes savants.*

### Les mathématiques

Émile **Picard** (1856-1941) effectue dès les années 1880 des recherches de très haut niveau sur les fonctions analytiques uniformes, les équations différentielles et intégrales, et en donne des applications géométriques.

Paul **Painlevé** (1863-1933, ministre de la Guerre, puis président du Conseil en 1917, animateur du Cartel des gauches en 1924) étudie les équations différentielles et les fonctions abéliennes, défend le principe du vol aérien et crée un cours de mécanique de l'avion (1909). C'est la raison pour laquelle il est chargé pendant la guerre de mettre au point les applications militaires de ces découvertes.

Jacques **Hadamard** (1865-1963) anime au Collège de France un célèbre séminaire. Il étudie les fonctions analytiques et la propagation des ondes et résout le problème de la répartition des nombres premiers.

Élie **Cartan** (1869-1951), père de la géométrie moderne, étudie plus particulièrement la théorie des groupes et celle des espaces généralisés. En 1922, il découvre, avant Einstein, l'espace à parallélisme absolu.

Émile **Borel** (1871-1956) travaille sur les fonctions de variables réelles. Son traité sur le calcul des probabilités contribue à structurer rigoureusement cette discipline. Il est député et ministre de la Marine du cabinet Painlevé, en 1925.

René **Baire** (1874-1932) développe, au même titre que H. Poincaré, E. Borel et H. Lebesgue, la théorie des fonctions de variables réelles et complexes et publie des *Leçons sur les fonctions discontinues.*

Henri **Lebesgue** (1875-1941) introduit une généralisation décisive du concept d'intégrale, qui permet la solution d'innombrables problèmes.

Paul **Montel** (1876-1975) développe la théorie des fonctions de variables complexes, celle des familles normales de fonctions et jette les bases de la géométrie des polynômes. Il effectue également des travaux dans le domaine de la mécanique et de la résistance des matériaux.

Maurice **Fréchet** (1878-1973) fonde la théorie des espaces « abstraits » et approfondit le calcul différentiel, celui des intégrales et des probabilités ; il définit les « fonctionnelles » à valeurs réelles, et étudie leur continuité, leur convergence, leur dérivabilité.

Arnaud **Denjoy** (1884-1974) étudie la théorie des fonctions et celle des figures d'ensembles quelconques de points. Il imagine en 1923 le principe de la totalisation dans la recherche des primitives des fonctions, étudie les nombres transfinis et dépasse la méthode d'intégration de Lebesgue.

Paul **Lévy** (1886-1971) effectue des recherches sur la mécanique, les probabilités et le calcul fonctionnel, ce dernier domaine étant aussi celui de Gaston **Julia** (1893-1978), travaillant également sur l'itération des fractions rationnelles et la théorie des nombres.

Ces trois derniers chercheurs sont les plus actifs après 1918.

## La physique

Critiquant Marcelin Berthelot, Pierre **Duhem** (1861-1916) est à l'origine d'une branche nouvelle de la thermodynamique en mettant en évidence les processus irréversibles à travers le concept de génération d'entropie. Bien que sa théorie ait été refusée en 1884 par d'illustres scientifiques (dont Gabriel Lippmann et Émile Picard), il fut reconnu en Amérique et en Allemagne.

Édouard **Branly** (1844-1940) a permis le développement de la télégraphie sans fil grâce à ses diverses découvertes (dont le cohéreur à limaille, datant de 1890).

Jean **Perrin** (1870-1942) étudie dès 1895 les rayons cathodiques et démontre qu'ils constituent des trajectoires de corpuscules d'électricité négative. Il travaille ensuite sur les rayons X, confirme l'hypothèse atomique par des travaux expérimentaux et imagine la représentation de l'atome comme microsystème solaire. Après la Première Guerre mondiale, il mène des recherches sur le rôle de la lumière dans les réactions chimiques et le rayonnement solaire. Il est à l'origine du Centre national de la recherche scientifique et du palais de la Découverte, et participe en 1936 au gouvernement de Léon Blum. Il a écrit plusieurs ouvrages dont *les Atomes* (1921), *Grains de matière et de lumière* (1935).

Paul **Langevin** (1872-1946) étudie l'ionisation des gaz, le magnétisme et l'orientation moléculaire, la relativité et l'inertie de l'énergie, ainsi que les ultrasons : durant la Première Guerre mondiale, il met au point l'appareillage nécessaire à la détection des sous-marins à l'aide d'ondes ultrasonores.

**Maurice de Broglie** (1875-1960), d'abord astronome et élève de Langevin, effectue avant la guerre des recherches dans le domaine de la physique moléculaire (ionisation des gaz) et met au point la méthode du « cristal tournant » pour étudier les spectres des rayons X et la structure atomique des cristaux. En 1921, il découvre l'effet photoélectrique nucléaire permettant de mieux comprendre la structure de l'atome.

Son frère, **Louis de Broglie** (1892-1987), après avoir soutenu en 1924 une thèse intitulée « Recherches sur la théorie des quanta », obtient le prix Nobel de physique en 1929 : il met en évidence la nature ondulatoire des électrons, découverte fondamentale permettant le développement de la « nouvelle mécanique des quanta » (qui est confirmée empiriquement peu de temps après par les Américains Clinton J. Davisson et Lester H. Germer). Il travaille ensuite sur le noyau atomique et publie de nombreux livres avant et après la Seconde Guerre mondiale.

Jean **Becquerel** (1878-1953) découvre la polarisation rotatoire paramagnétique. Il est le fils d'Henri Becquerel, qui avait mis en évidence la radioactivité de l'uranium en 1896.

Fernand **Holweck** (1890-1941) travaille avec les Curie et découvre en 1920 la continuité entre les rayons ultraviolets et les rayons X et met au point une pompe à vide moléculaire. Il est mis à mort par les Allemands durant l'Occupation. Pierre **Lejay** (1898-1958), qui est jésuite, élabore avec F. Holweck un pendule à lame oscillante pour mesurer le champ de pesanteur (1930). Il étudie l'ozone de l'atmosphère, les radiations solaires et l'ionosphère.

## La chimie au début du siècle

Charles **Moureu** (1863-1929) découvre les anti oxygènes, qui jouent un rôle d'inhibiteur dans l'oxydation, travaille sur les dérivés de l'acétylène et les propriétés des gaz d'eaux minérales.

Paul **Sabatier** (1854-1941), collaborateur de M. Berthelot dès 1878, travaille sur la catalyse, découvre les propriétés du nickel, effectue la synthèse d'un certain nombre d'hydrocarbures, notamment du méthane, et réussit à produire des aldéhydes et carbures éthyléniques.

Victor **Grignard** (1871-1935) découvre en 1901 des dérivés organomagnésiens mixtes qui permettent d'effectuer de nombreuses synthèses en chimie organique. Il obtient avec P. Sabatier le prix Nobel de chimie en 1912, et rédige un volumineux traité de chimie organique publié seulement en 1950.

## L'astronomie et l'astrophysique

Benjamin **Baillaud** (1848-1934) est l'un des promoteurs de la réalisation de la carte du ciel (1887) et du Bureau international de l'heure (1910) ; il est, en 1919, le premier président de l'Union astronomique internationale, dont son fils Jules **Baillaud** (1876-1960) préside de 1935 à 1952 la commission de la carte du ciel ; il dirige aussi l'observatoire du pic du Midi de 1937 à 1952 ; son frère René **Baillaud** (1885-1977) dirige celui de Besançon (de 1928 à 1956), tout en effectuant des recherches sur la chronométrie.

Alfred **Pérot** (1863-1925), astronome à l'observatoire de Meudon en 1908, réalise avec C. Fabry un interféromètre à lames semi-argentées pour étudier la structure fine des raies spectrales qui permet de définir la valeur du mètre international au moyen des longueurs d'onde. Il effectue également des recherches en astrophysique et sur la luminescence des gaz.

Charles **Fabry** (1867-1945) étudie avec A. Pérot les interférences à ondes multiples, la métrologie, la spectroscopie et la physique céleste. Il découvre et analyse l'ozone de la haute atmosphère et vérifie le principe de Doppler-Fizeau appliqué à l'optique.

Bernard **Lyot** (1897-1952), astronome à l'observatoire de Meudon en 1920, étudie la polarisation de la lumière provenant des planètes. À partir de 1930, il travaille sur la couronne solaire, et met au point le *coronographe*, qui permit de la photographier et d'étudier son spectre (1931-1939). Après 1945, il étudiera les émissions d'hydrogène dans la chromosphère solaire, et les éruptions solaires.

### La physique nucléaire

Les chercheurs français occupent dans ce domaine une place exceptionnelle qui explique que la France pourra mener une politique nucléaire civile et militaire autonome.

Irène **Joliot-Curie** (1897-1956), fille de Pierre et Marie Curie, est infirmière radiographe durant la Première Guerrre mondiale, utilisant ainsi les nouvelles techniques mises au point par sa mère. Elle travaille ensuite sur les rayons alpha du polonium, la radioactivité naturelle et artificielle, la physique nucléaire, et obtient avec son mari, Frédéric Joliot, le prix Nobel de chimie en 1935. Dès avant la guerre, elle contribue à la découverte de la fission de l'atome d'uranium, à la suite de bombardements du noyau de cet atome par des neutrons lents. Secrétaire d'État à la Recherche scientifique en 1936, professeur à la faculté des sciences de Paris en 1937, elle sera nommée directrice de l'Institut du radium en 1946, et contribuera à créer la première pile atomique française (1948). Elle milite en outre pour améliorer la condition féminine.

**Frédéric Joliot-Curie** (1900-1958) travaille à l'Institut du radium de Marie Curie et épouse sa fille Irène en 1926. Il étudie avec elle la structure de l'atome et prépare ainsi la découverte du neutron par l'Anglais James Chadwick, en 1932. Puis ils mettent en évidence la radioactivité artificielle en 1934, en créant des isotopes qui se désagrègent en émettant des électrons positifs ou négatifs. Ils obtiennent pour cela le prix Nobel l'année suivante. Puis Frédéric Joliot-Curie étudie avec Hans Halban, Lev Kowarski et Francis Perrin les conséquences de la réaction en chaîne de la fission de l'atome et cherche à mettre au point une pile atomique à uranium et à eau lourde (1939-1940). Avant l'occupation allemande, il parvient à faire passer en Grande-Bretagne le résultat de ses recherches. Puis il devient en 1945 directeur du Centre national de la recherche scientifique et haut-commissaire à l'Énergie atomique de 1946 à 1950. À la mort de sa femme, il achève la réalisation du centre de physique nucléaire d'Orsay, qu'elle avait entreprise. Parallèlement à cette œuvre scientifique considérable, F. Joliot-Curie participe aux grands événements politiques de son époque : membre du parti socialiste en 1934, il soutient le Front populaire, rejoint le parti communiste pendant la guerre et préside le Front national, l'une des principales organisations de résistance. C'est d'ailleurs à cause de son engagement politique qu'il est destitué de ses fonctions de haut-commissaire en 1950.

Francis **Perrin** (né en 1901) est le fils de Jean Perrin. Il étudie d'abord la dispersion diélectrique des solutions de grosses molécules, la diffusion de la lumière par des milieux opalescents, la matérialisation du rayonnement ; puis il travaille en 1939 avec l'équipe de F. Joliot-Curie sur les effets énergétiques de la fission atomique et les seuils critiques nécessaires. Membre de l'Assemblée consultative d'Alger en 1944, il sera haut-commissaire à l'Énergie atomique en 1951.

## Les sciences médicales

### Les fils de Pasteur

*La recherche médicale française continue à être active durant l'entre-deux-guerres, plus particulièrement dans le domaine de la physiologie, de la vaccination et de l'étude clinique et pathologique.*

### La physiologie

Charles **Richet** (1850-1935) travaille dès 1880 sur la chaleur animale, les sérums, puis sur les phénomènes « supranormaux », relevant du « métapsychisme ». Il publie de nombreux ouvrages dans ces domaines avant et après la Première Guerre mondiale, et reçoit le prix Nobel de médecine en 1913.

Paul **Portier** (1866-1962) enseigne la physiologie comparée à Paris, et celle des animaux marins à l'Institut océanographique de Monaco. Il avait découvert en 1902 avec Charles Richet le phénomène de l'anaphylaxie (hypersensibilité d'un être à la seconde introduction d'une substance dans son organisme).

## La vaccination

Albert **Calmette** (1863-1933), qui fonde l'Institut bactériologique de Saigon (1891) et l'institut Pasteur de Lille (1896), effectue des recherches sur les sérums antivenimeux et antipesteux. Il réussit surtout, en collaboration avec Camille **Guérin** (1872-1961), microbiologiste qui travaille avec lui à Lille et à Paris sur les maladies infectieuses, à mettre au point en 1923 le BCG, vaccin contre la tuberculose qui porte leur nom (Bacille Calmette Guérin) et qui est rapidement utilisé dans le monde entier.

Pierre **Lépine** (1901-1989), fils de Jean Lépine, fut à partir de 1927 l'élève de Constantin **Levaditi** (1874-1953) à l'Institut Pasteur de Paris. Ils y travaillent sur les affections à tréponèmes, les virus neurotropes et l'utilisation du bismuth dans le traitement de la syphilis. Pierre Lépine prolonge ses recherches sur les virus et leur rôle dans l'encéphalite, la rage, la poliomyélite, et mettra au point un vaccin contre cette maladie (en 1954). Il développe l'usage de l'ultracentrifugation et du microscope électronique dans l'étude des lésions cellulaires.

## Clinique et pathologie médicales

Charles **Achard** (1860-1944), professeur de clinique médicale à la faculté de médecine de Paris avant la Première Guerre mondiale, travaille sur les kystes congénitaux, le colibacille, les leucocytes et les plaquettes, le choc anaphylactique et la glycolyse.

Fernand **Widal** (1862-1929), professeur de clinique médicale à la faculté de Paris, laisse une œuvre importante en biologie. Il spécifie le bacille d'Eberth et effectue avec André **Chantemesse** (1851-1919) la première vaccination antityphoïdique d'animaux de laboratoire. Il découvre le sérodiagnostic de la thyphoïde, le cytodiagnostic des épanchements pleuraux et du liquide céphalorachidien avec Paul **Ravaux** (1872-1934), qui travaille aussi sur la syphilis, le paludisme et l'amibiase, et Jean **Sicard** (1873-1929). Ce dernier, professeur de pathologie à la faculté de Paris, met également au point le traitement des varices par des injections sclérosantes, celui des algies par alcoolisation nerveuse et les injections d'huile iodée opaque à la radiographie. Fernand Widal travaille aussi sur la pathologie rénale et la déchloration avec son élève André Lemierre ; il précise le rôle de la rétention d'urée et développe la clinique des néphrites.

André **Lemierre** (1875-1956) étudie ensuite les staphyloccocies malignes, les septicémies à anaérobies, et avec J.-P. Reilly la clinique des syndromes malins des maladies infectieuses.

James Paul **Reilly** (1887-1974) travaille également sur les septicémies, la pathologie rénale, ainsi que sur la fièvre typhoïde .

### De grands chirurgiens

Alexis **Carrel** (1873-1944) est l'un des fondateurs de la chirurgie moderne, mettant au point la technique de la suture des vaisseaux sanguins et de la conservation des tissus *in vitro* et expérimentant la transplantation d'organe. Médecin major durant la Première Guerre mondiale, il a également imaginé le traitement des blessures par irrigation continue d'hypochlorite de soude (solution de Dakin). Mais c'est surtout aux États-Unis qu'il trouve un milieu favorable pour poursuivre ses recherches. Revenu en France, il crée durant l'Occupation la Fondation française pour l'étude des problèmes humains.

Thierry de **Martel** (1876-1940) travaille d'abord dans le service de Paul **Segond**  (1851-1914), professeur de clinique chirurgicale à Paris et fondateur de l'enseignement de la gynécologie. Puis il développe cette spécialité, met au point une nouvelle technique de trépanation et crée avec Clovis **Vincent** (1879-1948) la neurochirurgie française. Ce dernier étudie en particulier les tumeurs de l'hypophyse, les abcès du cerveau, l'œdème cérébral...

### La neuropsychiatrie

Joseph-Jules **Babinski** (1857-1932), qui a décrit plusieurs signes cliniques d'affection neurologique (« signe de Babinski »), et Pierre **Marie** (1853-1940), qui a travaillé sur l'aphasie et l'ataxie cérébelleuse, font figure de précurseurs en neurologie.

Jean **Lépine** (1876-1967), professeur de clinique neurologique et psychiatrique à la faculté de Lyon à partir de 1911, étudie le rôle des chocs sur les maladies mentales. Il prolonge la réflexion entreprise au XIXe siècle par Philippe **Pinel** (1745-1826), qui avait obtenu que les aliénés soient suivis par des médecins, et ne soient plus attachés, et celle de Jean **Esquirol** (1772-1840), son élève, qui continua son œuvre en luttant contre les mauvais traitements infligés aux aliénés, et enseigna la clinique des maladies mentales. L'un et l'autre peuvent être considérés comme les fondateurs de la psychiatrie moderne.

### La parasitologie

Alphonse **Laveran** (1845-1922), médecin militaire, découvre l'hématozoaire du paludisme lors de son séjour en Algérie en 1878. Il quitte l'armée en 1897 pour se consacrer entièrement à l'étude des protozoaires pathogènes et entre à l'Institut Pasteur. Il obtient le prix Nobel de médecine en 1907 et laisse de nombreux ouvrages, en particulier sur le paludisme et les fièvres.

### La chimiothérapie

Ernest **Fourneau** (1872-1949), chef de laboratoire à l'Institut Pasteur à partir de 1911, est à l'origine du développement de la chimiothérapie. Il utilise des dérivés de l'arsenic pour soigner la syphilis, le pian, les trypanosomiases, travaille sur l'usage des sulfamides, les anesthésiques, le traitement du paludisme.

Jacques **Tréfouel** (1897-1977), qui sera directeur de l'Institut Pasteur de 1940 à 1964, se consacre plus particulièrement à la chimiothérapie antibactérienne et à l'étude de l'action des sulfamides en ce domaine.

### La pharmacologie

Guillaume **Valette** (1902-1982), professeur à la faculté de pharmacie de Paris en 1938, étudie la circulation lymphatique et développe la pharmacodynamie. Dans ce domaine, il travaille sur l'action des anesthésiques locaux, sur la pénétration cutanée des hydrocarbures, des alcools et des esters, sur la détoxication de l'histamine, sur la tachyphylaxie..., et d'une façon générale sur la biochimie médicamenteuse.

### L'endocrinologie

Robert **Courrier** (né en 1895), professeur au Collège de France, travailla sur l'action et le métabolisme de la progestérone et de l'œstradiol, qu'il appela « folliculine ».

# Les sciences sociales

## De nouveaux humanistes

*La philosophie, la sociologie et l'histoire connaissent durant l'entre-deux-guerres un renouveau incarné par quelques personnalités exceptionnelles.*

### La philosophie

Pierre **Teilhard de Chardin** (1881-1955), ordonné prêtre en 1911, enseigne la géologie et la paléontologie à l'Institut catholique de Paris de 1920 à 1923. Puis il effectue de nombreux séjours d'étude en Chine, en Indonésie, en Afrique. Il mène parallèlement une réflexion philosophique sur l'unité fondamentale entre Dieu, l'homme et la nature, la science moderne permettant de mieux comprendre l'harmonie de l'univers. Dans ses divers écrits *le Milieu divin,* 1927, *le Phénomène humain,* 1938-1940, *le Cœur de la matière,* 1950, *le Christique,* 1955...), se développe un nouvel humanisme reposant sur l'idée d'une évolution consciente du monde permise par le progrès de la pensée ; cette marche vers une « ultra-humanité » supérieure réalise en cela le projet du Christ ressuscité dans une action cosmique ayant pour achèvement la réconciliation de l'homme et de Dieu.

Simone **Weil** (1909-1943), agrégée de philosophie et élève d'Alain, travaille comme ouvrière chez Renault, combat aux côtés des républicains espagnols et laisse une œuvre majeure tournée vers l'étude de l'aliénation ouvrière, la défense de la justice sociale, l'analyse du nazisme comme maladie, et la réflexion sur le divin. Elle a écrit en particulier *la Pesanteur et la Grâce, la Connaissance surnaturelle, Lettre à un religieux, la Condition ouvrière.*

Émile Chartier, dit **Alain** (1868-1951), marque l'entre-deux-guerres par son enseignement et ses écrits, qui témoignent d'un humanisme cartésien dénonçant les forces qui écrasent la liberté et la responsabilité de l'individu et condamnant la guerre et les régimes autoritaires. Il publia notamment ses *Propos* (1908-1919), son *Système des beaux-arts* (1920), ses *Propos sur le bonheur* (1928), *les Dieux* (1947).

### La sociologie

Lucien **Lévy-Bruhl** (1857-1939, d'abord philosophe, subit l'influence de Durkheim et écrit *l'Idée de responsabilité* (1885) il étudie la morale des peuples primitifs : *la Mentalité primitive* (1922)...

Maurice **Halbwachs** (1877-1945), tout en adoptant une définition des classes sociales proche de celle de Marx, cherche à prolonger les recherches de Durkheim sur les représentations collectives débouchant sur la psychosociologie ; il introduit les instruments statistiques dans l'étude des phénomènes sociaux. Il meurt en déportation au camp de Buchenwald. Il laisse de nombreux ouvrages dont *la Théorie de l'homme moyen* (1919), *les Cadres sociaux de la mémoire* (1925), *les Causes du suicide* (1930), *Esquisse d'une psychologie des classes sociales* (1938), *Psychologie collective* (1942).

### L'histoire

Marc **Bloch** (1866-1944) et Lucien **Febvre** (1878-1956) créent en 1929 la revue des *Annales* (Économies, Sociétés, Civilisations), qui permet un renouveau de la vision de l'histoire, conçue comme une discipline totale qui englobe les diverses dimensions de la réalité sociale (économie, politique, religion, science...), fondant ainsi ce que l'on appellera l'« école des *Annales* ». M. Bloch publie en particulier *la Société féodale* (1938-1940), avant d'entrer dans la Résistance et d'être fusillé en 1944. L. Febvre [influencé par Paul **Mantoux** (1877-1956), auteur en particulier de *la Révolution industrielle anglaise au XVIIIᵉ siècle* en 1906], publie plusieurs ouvrages sur le XVIᵉ siècle et participe en 1933 à l'élaboration de l'*Encyclopédie française.*

# La littérature

## France, terre des lettres

*La richesse des lettres françaises se retrouve dans l'entre-deux-guerres avec des auteurs de sensibilités très diverses, bien difficiles à regrouper. Certains ont toutefois en commun leur foi humaniste, d'autres leur conviction nationaliste, d'autres un non-conformisme militant.*

### Les inclassables

Le plus ancien est Paul **Claudel** (1868-1955), d'abord influencé par la lecture de Rimbaud et de Mallarmé, mais aussi par la religion chrétienne. À l'âge de 21 ans, il écrit *Tête d'or,* puis se lance dans une carrière diplomatique qui le conduit de 1893 à 1914 aux États-Unis, en Chine, puis à Prague et à Francfort. Après la guerre, il est ambassadeur de France à Tokyo puis à Washington et à Bruxelles. Cela ne l'empêche pas d'écrire un nombre important de romans, de pièces de théâtre et de poésies dont *l'Échange* (1893), *l'Art poétique* (1903-1904), *l'Annonce faite à Marie* (1912), et surtout *le Soulier de satin* (1929), qui fait du renoncement à l'amour impossible la condition de la réconciliation avec Dieu. Le déchirement intérieur de l'auteur engendre ainsi une œuvre conciliant le drame poétique et le respect rigoureux du catholicisme traditionnel.

André **Gide** (1869-1951) publie dès les années 1890 plusieurs ouvrages dont *les Nourritures terrestres* (1897), où il fait l'apologie de la jouissance de la vie. Puis il écrit *l'Immoraliste* (1902), histoire d'un jeune puritain découvrant les plaisirs, *la Porte étroite* (1909) et *les Caves du Vatican* (1914). Mais c'est après la guerre que Gide connaît la célébrité, avec *la Symphonie pastorale* (1919), *Si le grain ne meurt* (1920-1924), récit autobiographique qui heurte le public en raison des mœurs dévoilées par l'auteur, et *les Faux-Monnayeurs* (1925). Puis, après un séjour en Afrique, il s'attaque aux compagnies commerciales coloniales, et critique l'expérience soviétique après avoir fait état de sa sympathie pour la Révolution russe. Après la Seconde Guerre mondiale, il publiera encore *Thésée* (1946) ainsi que ses correspondances avec Francis Jammes (1948) et Paul Claudel (1949). En apurant le style littéraire, il fait du roman l'expression d'une nouvelle forme d'humanisme contemporain.

Marcel **Proust** (1871-1922) mène d'abord une vie mondaine, et publie dès 1896 un premier recueil d'essais, *les Plaisirs et les Jours*. En 1905, il débute la rédaction de *À la recherche du temps perdu* ; il en publie le premier volume, *Du côté de chez Swann*, en 1913, puis le deuxième, *À l'ombre des jeunes filles en fleurs*, en 1918, grâce auquel il obtient le prix Goncourt l'année suivante. Proust devient alors célèbre, mais, solitaire et malade depuis déjà de longues années, il rédige fébrilement *le Côté de Guermantes* (1920) et *Sodome et Gomorrhe* (1922), publié après sa mort. L'œuvre de Marcel Proust marque son époque par sa description de l'atmosphère intérieure d'êtres tourmentés, par son art de la peinture du quotidien et sa façon de rendre compte de l'angoisse du temps qui passe.

Paul **Valéry** (1871-1945) est d'abord influencé par Stéphane Mallarmé puis par André Gide et publie des poèmes dans la Revue *la Conque* dès les années 1891-1892. Il rompt avec le genre poétique, s'intéresse aux mathématiques, décrit l'économie allemande. Il revient ensuite à la poésie, avec *la Jeune Parque* (1917), *Charmes* (1922), et publie une série de cinq volumes intitulés *Variété* (1924-1944), regroupant des études variées sur la littérature, la philosophie, la poésie et l'esthétique, où il exprime un sens remarquable de la critique et une maîtrise exceptionnelle de la langue française. Sans être véritablement un philosophe – « mon système est de n'avoir pas de système », disait-il –, Paul Valéry réfléchit sur l'homme idéal capable d'aller jusqu'au bout des potentialités que renferme l'être humain.

Sidonie Gabrielle **Colette** (1873-1954) exprime la sensibilité féminine sous toutes ses formes, en peignant le quotidien, la nature et le monde animal. On peut citer notamment la série des *Claudine* (1900-1903), publiée sous le nom de son premier mari, Henri Gauthier Villars (dit Willy), *l'Ingénue libertine* (1909), *Mitsou* (1919), *le Blé en herbe* (1923), *Sido* (1930), *la Chatte* (1933), *le Fanal bleu* (1949). Elle fut aussi actrice dès avant 1914, journaliste et critique dramatique.

L'œuvre majeure de Roger **Martin du Gard** (1881-1958), *les Thibault,* où s'exprime tout son talent de narrateur et son sens de l'observation de la société française, est constituée d'une suite de romans racontant l'histoire d'une famille au début du XX<sup>e</sup> siècle et pendant la Première Guerre mondiale. Ce « nouveau Balzac » obtient le prix Nobel de littérature en 1937.

André **Maurois** (1885-1967), de son vrai nom Émile Herzog, est l'élève du philosophe Alain, puis devient interprète auprès de l'armée britannique durant la Grande Guerre ; cela lui inspirera des romans, tels *les Silences du colonel Bramble* (1918), et des biographies historiques, comme *la Vie de Disraëli* (1927). Il prolonge le premier genre avec *Climats* (1928), *le Cercle de famille* (1932), et le second avec *Lyautey* (1931) et *Chateaubriand* (1938). Après 1945, il poursuivra son œuvre romanesque (*les Roses de septembre,* 1956), écrira divers essais (*Retour en France,* 1947, *Alain,* 1949), tout en enrichissant ses recherches biographiques avec *À la recherche de Marcel Proust* (1949), *Olympio ou la Vie de Victor Hugo* (1954), *Prométhée ou la Vie de Balzac* (1965). D'autre part, ses nouvelles ont été réunies dans *Pour piano seul* (1960). Son œuvre se caractérise surtout par la qualité du style, la facilité de l'écriture, le sens de la description et la subtilité de l'ironie.

François **Mauriac** (1885-1970) illustre le déchirement de l'écrivain chrétien confronté aux tentations de la vie et à la difficulté d'être face à la famille et à la société : *le Baiser au lépreux* (1922), *Genitrix* (1924), *le Désert de l'amour* (1925), *Thérèse Desqueroux* (1927), *le Nœud de vipères* (1932), *la Vie de Jésus* (1936), etc. Après la Seconde Guerre mondiale, il reviendra au théâtre avec *les Mal-Aimés* (1945), donnera des essais critiques (*Rencontre avec Barrès,* 1945, *Du côté de chez Proust,* 1947), écrira de nouveaux romans (*le Sagouin,* 1951) et récits autobiographiques

(*Mémoires intérieurs,* 1959) ; dans ses articles du *Figaro* et de *l'Express,* il prend parti pour la décolonisation et poursuit la publication de son *Journal* et de son *Bloc-Notes* (1950-1961). Il reçoit le prix Nobel de littérature en 1952.

D'origine suisse, Frédéric Sausez, dit Blaise **Cendrars** (1887-1961), écrit d'abord des poésies alors qu'il parcourt le monde, puis s'engage dans la Légion pendant la Première Guerre mondiale, durant laquelle il est amputé d'un bras. Il se consacre ensuite à une production romanesque consacrée à l'aventure au XXᵉ siècle (*l'Or,* 1925, *Rhum,* 1930, *la Vie dangereuse,* 1938, *Bourlinguer...*). Son style original et non conformiste, reflet de la vie agitée qu'il mena au début du siècle, influença les premiers auteurs « surréalistes ».

**Maurice Genevoix** (1890-1980) décrit d'abord l'héroïsme et les souffrances des soldats de la Première Guerre mondiale, durant laquelle il est grièvement blessé (*Sous Verdun,* 1916...), puis dans plusieurs ouvrages rassemblés en 1950 sous le titre *Ceux de 14.* Il décrit également la vie campagnarde (*Raboliot,* prix Goncourt 1925), et plus récemment *la Forêt perdue* (1967), *les Bestiaires* (1971), *Bestiaire sans oubli* (1971)... Son dernier ouvrage, *30 000 jours*, paraîtra en 1980.

**Henry Millon de Montherlant** (1895-1972) est blessé durant la Première Guerre mondiale, et en racontera ses souvenirs dans *le Songe* (1922) et *Chant funèbre pour les morts de Verdun* (1924). Puis il décrit dans divers romans ses expériences et ses voyages en Espagne et en Afrique du Nord. Dans les années 30, il publie deux de ses œuvres majeures : *les Célibataires* (1934) et *les Jeunes Filles* (1936-1939), où s'exprime son sens de l'étude de mœurs et de sentiments. Puis il défend les valeurs traditionnelles

dans *Équinoxe de septembre* (1938) et *Solstice de juin* (1941)
et écrit durant la Seconde Guerre mondiale plusieurs
pièces de théâtre, dont *la Reine morte* (1942) ; puis viendront
après la guerre *le Maître de Santiago* (1948), *Malatesta*
(1950), *Port-Royal* (1954), *Don Juan* (1958), *le Cardinal
d'Espagne* (1960), qui en font un maître du théâtre dramatique dépeignant des passions violentes et excessives.

Marcel **Pagnol** (1895-1974) est le peintre incomparable
de la Provence traditionnelle et du vieux Marseille. Il
connaît le succès avec *Topaze* (1928), *Marius* (1929), *Fanny*
(1931), et un film, *César* (1936). Il porte lui-même au
cinéma trois romans de Giono, *Angèle* (1934), *Regain*
(1937), *la Femme du boulanger* (1939), puis tourne en
1940 *la Fille du puisatier*, et après la guerre *Manon des
sources* (1953) et *les Lettres de mon moulin* (1954). Il écrira
encore plusieurs récits sur son enfance, dont *la Gloire de
mon père* (1957), *le Château de ma mère* (1958), *le Temps des
secrets* (1960)...

Antoine de **Saint-Exupéry** (1900-1944) raconte ses es-
périences de pionnier de l'aviation civile dans *Courrier
Sud* (1929), *Vol de nuit* (1931), *Terre des hommes* (1939)...
où s'expriment son humanisme et son idéal de grandeur
et de solidarité entre les hommes. Son sens poétique
s'exprime également dans son célèbre *Petit Prince* (1943).
Il meurt au cours d'une mission aérienne en 1944.

Marcel **Aymé** (1902-1967) laisse une œuvre romanesque
et théâtrale à la fois fraîche, satirique, gaillarde et non
conformiste, où il introduit le fantastique au cœur d'un
récit réaliste : *la Jument verte* (1933), *le Passe-muraille*
(1943), *la Tête des autres* (1952) sont ses œuvres les plus
célèbres. Il a également écrit pour les enfants les tendres
*Contes du chat perché* (1934).

Raymond **Radiguet** (1903-1923), est l'auteur du *Diable au corps* et du *Bal du comte d'Orgel*, deux romans qui expriment à la fois la « fureur de vivre » des jeunes artistes qu'il fréquenta juste après la guerre et la qualité de l'analyse psychologique de l'auteur.

---

### Un poète d'exception : Jean Cocteau

Ayant écrit avant 1914 des recueils poétiques (*la Lampe d'Aladin*, 1909, *le Prince frivole,* 1910), Jean **Cocteau** (1889-1963) fréquente le milieu dadaïste, Picasso et des musiciens tels Darius Milhaud et Erik Satie. Il donne avec eux des spectacles « originaux » (*Parade*, 1917, *Le Bœuf sur le toit*, 1920...), tout en composant des poèmes d'un genre nouveau (*Poésies*, 1920, *Plain-Chant*, 1923). Puis il aborde le roman avec *le Potomak* (1919), *les Enfants terribles* (1929), le théâtre avec *Roméo et Juliette* (1926), *Œdipe roi* (1928), *la Machine infernale* (1934), et le cinéma avec *le Sang d'un poète* (1931), *l'Éternel retour* (1943)... Après la guerre, il reviendra à la poésie avec *Clair-obscur* (1955), poursuivra sa création théâtrale avec *l'Aigle à deux têtes* (1946), et tournera pour le cinéma *la Belle et la Bête* (1946), *Ruy Blas* (1947), *les Parents terribles* (1949), *Orphée* (1950). L'œuvre de Jean Cocteau est d'une richesse et d'une diversité remarquables mais trouve son unité dans un sens poétique exceptionnel et une recherche permanente de la création originale.

---

### *Les romanciers humanistes*

Privilégiant le genre romanesque, ils critiquent l'absurdité des guerres, l'intolérance et le totalitarisme, et prêchent la réconciliation entre les hommes.

Romain **Rolland** (1846-1944) compose avant 1914 divers drames historiques et récits biographiques (tels

*Danton,* 1901, *Haendel,* 1910, *Tolstoï,* 1911... et un roman en dix volumes, *Jean-Christophe,* 1904-1912. Il y exprime déjà son attirance pour les personnages hors du commun vouant leur vie à l'art ou à la quête de l'absolu. Durant la guerre, il défend des idées humanistes et pacifistes (*Aux peuples assassinés,* 1917). Il revient ensuite au roman, fonde la revue *Europe,* s'intéresse à la pensée hindoue, publie une série d'ouvrages sur Beethoven (1929-1944), et son *Voyage intérieur* (1943). Parallèlement, il se rapproche du parti communiste et milite contre la montée du fascisme en Europe.

L'œuvre de Georges **Bernanos** (1888-1948) est fortement marquée par le christianisme et l'angoisse religieuse (*Sous le soleil de Satan,* 1926, le *Journal d'un curé de campagne,* 1936, qui lui valent le grand prix de l'Académie française, ou les *Dialogues des carmélites* (publiés après sa mort). D'abord royaliste, il critique ensuite le traditionalisme catholique et condamne le franquisme (*les Grands Cimetières sous la lune,* 1938). Puis, dénonçant le gouvernement de Vichy il part vivre au Brésil. Après la guerre, il exprimera son inquiétude face au danger que fait courir à l'humanité « l'affreux néant du confort » (*la France contre les robots,* 1947...).

Louis Farigoule, devenu Jules **Romains** (1885-1972), défend le principe de l'« unanimisme », selon lequel l'écrivain se doit de décrire le caractère unique qui se dégage de toute collectivité significative. Après 1918, il écrit des pièces satiriques, tel *Knock ou le Triomphe de la médecine* (1923), *le Dictateur* (1926) ainsi que des poèmes ; en 1932, il commence à rédiger *les Hommes de bonne volonté* (27 volumes jusqu'en 1947), qui décrivent le drame de l'impuissance humaine, mais aussi les vertus de la solidarité. Il en écrira la suite après la Seconde Guerre mondiale, qu'il vivra en exil.

Georges **Duhamel** (1884-1966) rapporte son expérience de médecin militaire durant la guerre dans *Civilisation* (1918), pour lequel il obtient le prix Goncourt. Il écrit ensuite deux longues séries (*Vie et aventures de Salavin*, 1920-1932, et *Chronique des Pasquier*, 1933-1945). Après 1945, il donnera encore *le Cri des profondeurs* (1951) et *les Compagnons de l'Apocalypse* (1957), qui expriment un humanisme généreux et son inquiétude face au progrès technique.

Profondément marqué par sa participation à la guerre de 1914, Jean **Giono** (1895-1970) décrit la souffrance et la détresse des soldats du front, dans *le Grand Troupeau* (1931) et *Jean le Bleu* (1932). Il donnera ensuite *Regain*

---

### Un auteur engagé : Malraux

Attiré par l'Orient et l'idéal révolutionnaire, André Malraux (1901-1976) est en Chine lors des événements de 1926. Ils lui inspirent notamment *la Tentation de l'Occident* (1926) et *la Condition humaine* (1933), qui lui valut le prix Goncourt. Puis il dénonce les camps de concentration allemands *(le Temps du mépris,* 1935), participe au côté des républicains à la guerre d'Espagne, qu'il raconte dans *l'Espoir* (1937). En 1939-1940, il combat dans les chars, est fait prisonnier, s'évade et relate ces faits dans *les Noyers de l'Altenburg* (1943). Chef de maquis, il commande la brigade Alsace-Lorraine et devient en 1945 ministre de l'Information du général De Gaulle. Il s'intéresse ensuite surtout à l'art, écrivant *les Voix du silence* (1951), *la Métamorphose des dieux* (1957). Ministre des Affaires culturelles en 1959, il poursuivra une œuvre littéraire inspirée par des dialogues avec Mao Tsétoung, Nehru, De Gaulle (les *Antimémoires,* 1967).

(1930), *le Chant du monde* (1934), *Que ma joie demeure* (1935), hymnes au retour à la vie pastorale, qu'il fait sienne dans sa retraite du *Cantadour*, en Provence près de Manosque, qui constitue aussi un lieu de rencontre. Parallèlement, Giono milite pour le pacifisme intégral (*Refus d'obéissance,* 1937) et signe en mars 1938 un manifeste (avec Alain, André Breton, Simone Weil) pour protester contre « l'enrôlement anticipé ». Il continue à écrire durant la guerre (*l'Eau vive,* 1943), et sera emprisonné à la Libération, pour ses interviews à la revue collaborationniste *la Gerbe.* Après la guerre, il publiera : *Un roi sans divertissement* (1947), *le Hussard sur le toit* (1951), *le Bonheur fou* (1957), *les Deux Cavaliers de l'orage* (1965).

### La réaction nationaliste

D'autres auteurs, nationalistes et xénophobes, dénoncent le progressisme social et le déclin de la France, qu'ils attribuent volontiers à la « corruption juive », comme leurs prédécesseurs de la fin du XIX$^e$ siècle.

Édouard **Drumont** (1844-1917) fait figure de précurseur de l'antisémitisme virulent : *La France juive, essai d'histoire contemporaine* (1886).

Maurice **Barrès** (1862-1923) dénonce la « décadence » française et le déclin des valeurs chrétiennes traditionnelles. Député boulangiste de Nancy en 1889, il publie *Du sang, de la volupté et de la mort* (1894), *l'Appel au soldat* (1900), *la Colline inspirée* (1913). Il publie une *Chronique de la Grande Guerre* (1920-1924), *Un jardin d'Oronte* (1922). Son culte de la patrie, de la terre ancestrale et de la rédemption guerrière lui vaut d'être « jugé » et « condamné » en 1921 par les surréalistes, pour « crime contre la sûreté de l'esprit ».

Charles **Maurras** (1868-1952) dirige à partir de 1908 avec Léon Daudet le journal monarchiste *l'Action française* , tout en exaltant le nationalisme et en dénonçant la déchéance de la France : *le Chemin du paradis* (1895), *l'Avenir de l'intelligence* (1905)... Dans les années 1930, il menace de mort les parlementaires hostiles à l'Italie fasciste. Il soutient le gouvernement de Vichy et sera pour cela condamné à la prison à vie en 1945.

Robert **Brasillach** (1909-1945) collabore à *l'Action française* dans les années 30 en tant que critique littéraire. Il écrit un roman, *le Voleur d'étincelles* (1932), devient rédacteur en chef du journal d'extrême droite et antisémite *Je suis partout,* et défend une politique active de collaboration. Il sera pour cela fusillé en 1945.

Pierre **Drieu La Rochelle** (1893-1945), héros de la Première Guerre mondiale, évolue ensuite vers le fascisme et dirige la *Nouvelle Revue française* pro-allemande durant l'Occupation. Il écrit des nouvelles, *la Comédie de Charleroi,* 1924, des romans, *l'Homme couvert de femmes,* 1926..., et des textes politiques (*Socialisme fasciste,* 1934...). Il se suicide à la fin de la guerre.

Louis-Ferdinand Destouches, dit **Céline** (1894-1961), publie en 1932 *Voyage au bout de la nuit,* roman au style volontiers grossier, racontant l'histoire d'un médecin des pauvres à travers l'horreur de la guerre et de la misère ouvrière. Il reçoit le prix Renaudot et la gauche le salue pour sa critique sociale. Pourtant *Mort à crédit* (1936) est qualifié d'« abject, monstrueux, ignoble » par *le Figaro,* et son pamphlet antisémite, *Bagatelles pour un massacre* (1937), le fait condamner par la gauche : il y déclare préférer « douze Hitler plutôt qu'un Blum omnipotent ». Durant la guerre, il publie *les Beaux Draps* (1941),

*Guignol's Band* (1943), et regrette que l'on s'éloigne des
« bases racistes communautaires ». Il quittera Paris en
1944, sera amnistié, et publiera encore *D'un château l'autre*
(1957), *Nord* (1960), récits de ses années d'exil, et *Rigodon*
(1961).

## Le dadaïsme et le surréalisme

**Max Jacob** (1876-1944) partage au début du siècle la
vie de bohème menée à Montmartre par les peintres
cubistes. Adepte du « rêve éveillé » avant les surréalistes, il écrit des romans mystiques, et des poèmes en
prose. Durant l'entre-deux-guerres, il produit de nombreux ouvrages, dont *la Défense de Tartuffe* (1919), *l'Art
poétique* (1922), *Visions infernales* (1924)... L'œuvre de
M. Jacob, converti au catholicisme en 1921 après des
« apparitions », oscille entre le réalisme, le fantastique
et les préoccupations religieuses. Il laisse aussi des peintures des rues de Paris et de la vie théâtrale. Arrêté par
les Allemands en 1944, il meurt au camp de Drancy
d'une congestion pulmonaire.

Guillaume **Apollinaire** (1880-1918) écrit au début du
siècle de nombreux poèmes (*Alcools*, 1913) et des essais
sur la peinture (*les Peintres cubistes,* 1913) faisant de lui
un écrivain et un poète d'avant-garde qui marquera toute
une génération d'artistes. C'est chez lui qu'André
Breton, Louis Aragon et les futurs « surréalistes » se
rencontrent vers la fin de la guerre.

Durant celle-ci, le groupe **dada** est fondé à Zurich et à
New York par des écrivains et des artistes (Tristan Tzara,
le sculpteur Hans Arp, le peintre Francis Picabia...). Ils
protestent à leur manière contre l'absurdité de leur époque, en poussant à l'extrême le non-conformisme et le

goût du scandale : la provocation consiste à proposer des poèmes sans paroles, à rejeter toute peinture figurative, à réaliser des « œuvres d'art » aux formes extravagantes.

Tristan **Tzara** (1896-1963), d'origine roumaine, désire détruire la morale et l'art traditionnels avec *la Première Aventure céleste de Monsieur Antipyrine* (1916), *Sept Manifestes dada* (1924), *le Cœur à gaz* (1938)... Il donnera après la Seconde Guerre mondiale des écrits moins provocants et davantage tournés vers un nouvel humanisme constructif.

Mais, dès le début des années 1920, ceux qui l'avaient rejoint après la publication du *Manifeste dada* de 1918 (André Breton, Louis Aragon, Philippe Soupault...) s'éloignent du dadaïsme pour vivre l'expérience « **surréaliste** » avec Paul Éluard, Robert Desnos, Benjamin Péret : il s'agit d'un ensemble de pratiques originales (écriture « automatique », rêve éveillé, sommeil hypnotique, le « cadavre exquis », où l'on participe à la création d'une phrase sans en connaître le début...), pour trouver de nouvelles formes d'expression et de perception du réel.

Eugène Grindel dit Paul **Eluard** (1895-1952) écrit durant la Première Guerre mondiale un manifeste pacifiste, puis fréquente le groupe dadaïste avant de participer à la fondation du mouvement surréaliste. Il publie alors *Mourir de ne pas mourir* (1924), *Ralentir, travaux,* avec André Breton et René Char (1930), *la Vie immédiate* (1932). Puis il rejette le surréalisme « intégral » en voulant mettre la poésie au service d'un idéal de révolte et de fraternité humaine. Il soutient ainsi les républicains espagnols puis la Résistance durant la guerre. Il publiera ensuite *Poésie ininterrompue* (1946) et *Première Anthologie vivante de la poésie du passé* (1951)...

Robert **Desnos** (1900-1945) contribue, avec René Crevel, à utiliser l'hypnose pour libérer l'imagination poétique des interdits de la morale. Sa *Liberté ou l'Amour* (1927) sera d'ailleurs censurée. Puis il s'éloigne des surréalistes et fait état d'un humanisme optimiste dans des recueils de poèmes (*Corps et biens*, 1930, *Fortunes*, 1942...). Il mourra en déportation.

André **Breton** (1896-1966) écrit d'abord des poèmes (*Clair de terre*, 1923...) et fait des essais d'« écriture automatique ». Il publie en 1924 le *Manifeste du surréalisme*, qui se veut une recherche d'un « vivre autrement ». A. Breton écrit alors des romans non conformistes (*les Vases communicants*, 1932), des essais (*le Surréalisme et la peinture*, 1928), des séries d'articles (*les Pas perdus*, 1924), et devient membre du parti communiste pour faire du surréalisme un mouvement révolutionnaire. Puis il quitte le parti pour conserver son autonomie et exclut de son groupe tous ceux qui à ses yeux s'éloignent du surréalisme : Louis Aragon, Philippe Soupault, Antonin Artaud, Robert Desnos, Raymond Queneau, Jacques Prévert, Georges Bataille. Toutefois, le groupe surréaliste connaît un nouveau dynamisme au milieu des années 1930 avec Paul Eluard, les œuvres de Pablo Picasso et de Salvador Dali, le cinéma de Luis Buñuel...

Louis **Aragon** (1897-1982) fonde en 1919 avec A. Breton et P. Soupault la revue surréaliste *Littérature,* et publie durant les années 1920 divers romans et recueils poétiques. Après un voyage en URSS (1930), il adhère au marxisme, publie *Front rouge,* qui lui vaudra d'être accusé d'appel au meurtre politique, et entreprend une œuvre engagée politiquement avec *les Beaux Quartiers* (1936), *les Voyageurs de l'impériale* (1942). Comme

P. Eluard, il fait aussi de la poésie une arme de la résistance à l'Allemagne durant l'Occupation (*le Crève-cœur,* 1941, *le musée Grévin* 1943, *la Diane française,* 1945), mais compose également des poèmes d'inspiration amoureuse (*les Yeux d'Elsa,* 1942). Après la guerre, il restera « compagnon de route » du parti communiste, dirigera la revue *les Lettres françaises* et publiera (*les Yeux et la Mémoire,* 1954), *la Semaine sainte.*

# La peinture du premier XXᵉ siècle

## Au-delà du figuratif

*L'influence du fauvisme persiste au début du XXᵉ siècle. Parallèlement, Braque et Picasso sont à l'origine du cubisme, alors que le dadaïsme et le surréalisme trouvent une expression picturale. Certains restent cependant en marge de ces écoles.*

### Les derniers « fauves »

Maurice de **Vlaminck** (1876-1958) et son ami André **Derain** (1880-1954) peignent ensemble à Chatou avant 1914. Le premier évolue vers un semi-réalisme avec ses paysages de la région parisienne et ses ports qui ne sont pas sans rappeler les toiles des premiers impressionnistes (*Voilier sur la Seine...*). Le second, influencé par Cézanne et Picasso, peint les bords de Seine et la Tamise, avant de connaître une période « gothique » durant laquelle il atténue ses couleurs et précise le contour de ses œuvres. Puis il peint la Provence.

Georges **Rouault** (1871-1958) étudie la peinture sur verre et devient l'élève de Gustave Moreau. Il en conservera un sens exceptionnel de la couleur dans ses portraits, à la fois sombres et lumineux, de clowns, de prostituées ou de juges, et dans ses aquarelles et vitraux inspirés par les thèmes religieux (comme son inoubliable *Flagellation du Christ* réalisée pour la chapelle d'Assy).

Henri **Matisse** (1869-1954) se rapproche du cubisme avant 1914 (*le Peintre et son modèle,* 1912). Mais il reste fidèle à la pureté des formes qu'il admire chez Renoir et qui marque ses œuvres de l'après-guerre (*Fenêtre à Nice,* suite d'*Odalisques*). Ses voyages à Tahiti renforcent chez lui le sens de la couleur alors qu'il accentue le dépouillement de ses formes (*Grand intérieur rouge,* 1948...). Parallèlement, il réalise des eaux-fortes et des lithographies, peint des vitraux. Son œuvre est une synthèse originale de l'impressionnisme, du fauvisme et du cubisme.

Othon **Friesz** (1879-1949) est d'abord influencé par l'impressionnisme avant de venir au fauvisme et d'en atténuer les couleurs. Il laisse de nombreuses peintures de bord de mer, des paysages, des portraits et des nus, le carton de la tapisserie *la Paix* pour la SDN (1935), et *la Seine,* réalisée avec R. Dufy pour le palais de Chaillot (1937).

### Le cubisme

Il naît au début du siècle dans le milieu des artistes et poètes qui fréquentent le « Bateau-Lavoir », maison qui accueille Picasso, Van Dongen, Juan Gris, Apollinaire, Max Jacob... Le terme « cubisme », dû à Matisse et Louis Vauxcelles, s'explique par les formes géométriques (trapèzes, cônes, sphères...), utilisées par Braque et Picasso.

Georges **Braque** (1882-1963), élève de C. Lhuillier, est d'abord marqué par le fauvisme. Mais sa vision des *Demoiselles d'Avignon* de Picasso, en 1907, décide de son

---

### Les Espagnols à Paris

Pablo **Picasso** (1881-1973) est le plus illustre d'entre eux. Après ses périodes « bleue » (1901-1904) et « rose » (1904-1905), il expose à Paris ses *Demoiselles d'Avignon* (1907), qui sont à l'origine du cubisme. Puis il s'oriente vers le surréalisme dans les années 20, accentue la décomposition des visages et des modèles (*La femme qui pleure*, 1937), tout en dénonçant les horreurs de la guerre (*Guernica*, 1937). Il réalise parallèlement des sculptures et des gravures, des lithographies et des céramiques.

Salvador **Dalí** (1904-1989) est à la fin des années 20 l'une des âmes du surréalisme parisien, prônant les « associations délirantes » et affirmant l'effet créateur du rêve et de la « paranoïa critique ».

Juan **Gris** (1887-1927) utilise la méthode du collage et prône la mathématique picturale, alors que Joan **Miró** (1893-1983), qui fréquente les milieux dadaïste et surréaliste parisiens, mêle les influences fauviste, cubiste et surréaliste.

---

évolution vers le cubisme. Il abandonne les paysages pour les natures mortes (*le Violon et la Cruche,* 1910), où le réalisme et la perspective laissent la place à une stylisation très poussée des formes, avec l'utilisation de matières brutes (bois, sable, métaux) ou d'objets ordinaires (journal, tissu). Dans les années 1920-1940, il peint des « guéridons », des «guitares » puis des « Ateliers » (1949-1956) et des « Oiseaux », dont celui qui décore un plafond du Louvre (1952-1953).

Fernand **Léger** (1881-1955) se rapproche du cubisme vers 1910 (*les Fumeurs,* 1911). Après la guerre, il trouve son originalité avec des oppositions de couleurs dans des compositions d'objets quotidiens et de personnages mécaniques : *les Hommes dans la ville* (1919), *Nature morte aux clés* (1930)... Puis il peint aux États-Unis des plongeurs et des accrobates, et après la guerre il réalise une mosaïque pour la façade de Notre-Dame d'Assy, en Haute-Savoie (1946).

Le cubisme s'illustre aussi avec Albert **Gleizes** (1881-1953), qui pousse à son terme le refus du figuratif, Jean **Metzinger** (1883-1956), Robert **Delaunay** (1885-1941), Jacques **Villon** (1875-1963), qui pratique la gravure en couleurs, et réalise des compositions d'objets géométriques, Louis **Marcoussis** (1883-1941) et Roger de **La Fresnaye** (1885-1925), qui esquisse cependant un retour vers le réalisme.

### La peinture « surréaliste »

Ses premiers représentants sont Hans **Arp** (1887-1966), à l'origine du dadaïsme, qui compose des toiles abstraites faites de taches de couleurs (*Danseuses,* 1925...) et des sculptures originales, Max **Ernst** (1891-1976), d'origine allemande, lié au groupe dada, dont les œuvres prolongent les formes du cubisme et représentent des objets du monde industriel (fer, tuyaux, engrenages...) et des êtres hybrides (*l'Éléphant Célèbes,* 1921, *la Femme 100 têtes,* 1929...) ; et Francis **Picabia** (1879-1953), d'abord impressionniste, puis cubiste, qui évolue vers l'abstraction et la représentation de la machine *(l'Enfant carburateur).*

Amedeo **Modigliani** (1884-1920) s'installe à Paris en 1906, où il vit dans la misère et la maladie entre Montmartre et Montparnasse. Il peint de nombreuses toiles entre 1915 et 1920 : portraits et nus aux formes allongées et aux couleurs vives, dans un style apuré proche de celui des « primitifs » italiens.

Citons aussi Marcel **Duchamp** (1887-1968), au cubisme futuriste, André **Masson** (1896-1963), qui se tournera vers l'abstraction tourmentée et influencera après 1945 l'« action painting » américain, Yves **Tanguy** (1900-1955) appliquant à la peinture « la création automatique » suscitée par le rêve.

### En marge des écoles

Maurice **Utrillo** (1883-1955), séduit par l'impressionnisme de Pissarro et de Sisley, peint au début du siècle le vieux Montmartre durant ses époques blanche, rouge et bleue (*Place Saint-Pierre*, *Rue du Mont-Cenis*...). Il composera ensuite un nombre considérable de tableaux dans un style tantôt proche de l'art figuratif, tantôt « naïf », mais aux teintes toujours lumineuses.

Raoul **Dufy** (1877-1953) se mêle au fauvisme après une période impressionniste. Puis il affirme au début des années 20 un style léger, dépouillé, stylisé et aux couleurs claires (*Bateaux à Trouville*...) dans des toiles, des lithographies, des aquarelles et de nombreux décors de théâtre. Son œuvre majeure est *la Fée Électricité* (mesurant 600 m$^2$), composée pour l'Exposition universelle de 1937.

Kess **Van Dongen** (1877-1968), d'origine néerlandaise, peint des paysages, la vie parisienne, des natures mortes et des nus à l'aide de tons agressifs. Il devient durant les années 20 le peintre du « Tout-Paris ».

Marcel **Gromaire** (1892-1971), influencé par le cubisme constructif (*la Guerre*, *les Lignes de la main*...), décore en 1937 le palais de la Découverte et collabore avec Jean Lurçat à la rénovation de la tapisserie.

Albert **Marquet** (1875-1947), élève de Gustave Moreau, participe au fauvisme du début du siècle et peint surtout Paris et ses quais dans un style semi-figuratif aux couleurs chaudes.

Pierre **Bonnard** (1867-1947), membre des nabis vers 1890, réalise des lithographies *(la Revue blanche)* et peint la vie parisienne avant 1914. Puis il évolue vers des thèmes plus intimistes *(la Toilette,* 1922, *le Corsage rouge,* 1925...) rappelant Degas ou Renoir et réalise un *Saint François de Sales* pour l'autel de l'église d'Assy.

François **Desnoyer** (1894-1972) compose des paysages aux couleurs et à la construction géométrique *(le Pont transbordeur à Marseille...),* des peintures murales, des cartons de tapisserie.

Charles **Dufresne** (1876-1938) peint dans un style moderne des thèmes antiques et religieux *(l'Enlèvement des Sabines, la Crucifixion).*

André **Dunoyer de Segonzac** (1884-1974) réalise des nombreux dessins, aquarelles, gravures et portraits (André Gide, Colette...) et peintures de paysages *(la Marne à Champigny,* 1927, *Méditerranée,* 1934...) qui allient un sens aigu de la composition et de la finesse des traits à la richesse de la couleur.

Marie **Laurencin** (1885-1956) compose des tableaux et des lithographies d'une grande poésie, au dessin subtil et aux couleurs douces *(Femme à la colombe,* 1919)...

# La sculpture et l'architecture

## L'art moderne

*Fortement marquées par les conceptions modernistes qui apparaissent au début du siècle, ces deux arts connaissent aussi des synthèses réussies avec la tradition.*

### La sculpture

Alors que Picasso applique son cubisme à la sculpture, Hans **Arp** représente le courant dadaïste et surréaliste avec des œuvres abstraites, comme le sont les sculptures en fil de fer et les mobiles de l'Américain Alexandre **Calder** (1898-1976) ; de même, Jacques **Lipchitz** (1891-1973) réalise des compositions de formes sans lien avec le réel et l'Italien Alberto **Giacometti** (1901-1966) représente des personnages d'une très grande minceur.

Le cubisme est aussi pratiqué par Raymond **Duchamp-Villon** (1876-1918) dans ses statues et ses bustes, et par Ossip **Zadkine** (1890-1967), d'origine russe, dont les bronzes et les sculptures taillées directement dans la pierre ou le bois, aux creux et aux vides originaux, témoignent également de l'influence surréaliste (*les Ménades,* 1932...).

Henri **Laurens** (1885-1954) illustre aussi la sculpture abstraite et réalise des « papiers collés » et compositions en bois et fer peints.

Parallèlement, la sculpture plus traditionnelle trouve un illustre continuateur avec Antoine **Bourdelle** (1861-1929), influencé par Rodin mais aussi par l'Antiquité et l'art roman. La plus grande partie de son œuvre immense (neuf cents sculptures, plusieurs milliers de dessins, de pastels et de peintures) est réalisée avant 1914 (*Héraclès archer, Tête d'Apollon,* bustes et bas-reliefs). Il eut de nombreux élèves, dont Emmanuel **Auricoste** (né en 1908) et Charles **Malfray** (1887-1940). L'inspiration et le style de Charles **Despiau** (1874-1946), collaborateur de Rodin, sont également proches de celui de Bourdelle, avec qui il expose. Il compose lui aussi plusieurs milliers de dessins, portraits, statues et bas-reliefs.

---

### La tapisserie : Jean Lurçat (1892-1970)

Il compose d'abord des peintures surréalistes, puis se consacre à la tapisserie. Après *les Illusions d'Icare* (1936), il compose *Soleil de minuit, l'Eau et le Feu, l'Apocalypse...*

---

### *L'architecture*

D'origine suisse, Édouard Jeanneret-Gris, dit **Le Corbusier** (1887-1965), bouleverse les traditions architecturales. Il imagine des structures aérées avec terrasses, montées sur des potences en béton, construit des villas et réalise le Palais des Nations à Genève. Il crée en 1942 l'Assemblée des constructeurs pour une rénovation architecturale (ASCORAL), puis conçoit des ensembles d'habitation à Marseille (*Cité radieuse,* 1947), le centre d'études des dominicains d'Évreux (1957)... alliant le béton, la pierre et le bois.

Les frères **Perret**, Auguste (1874-1954), Gustave (1876-1952) et Claude (1880-1960), collaborateur de Le Corbusier, sont à l'origine de l'utilisation du béton armé dans l'architecture contemporaine dès les premières années du siècle. Après la Seconde Guerre mondiale, Auguste Perret concevra encore les reconstructions du

Havre et du Vieux-Port de Marseille. On peut aussi évoquer les innovations de Georges **Pingusson** (1894-1978), les réalisations de Robert **Mallet-Stevens** (1886-1945), caractéristiques de l'art décoratif de l'entre-deux-guerres, celles de Marcel **Lods** (1891-1978) et d'André **Lurçat** (1894-1970) concernant des ensembles sociaux. Jean **Prouvé** (1901-1984) utilise des menuiseries métalliques et des matériaux préfabriqués. Pierre **Chareau** (1883-1950) imagine de nouvelles structures intérieures (« maison de verre », 1931, « mobilier rationnel », 1932...).

# La musique et la danse

## Des arts devenant populaires

*La nouvelle expression musicale qui apparaît au début du siècle se prolonge durant l'entre-deux-guerres avec, en particulier, le groupe des Six ; parallèlement, l'influence des rythmes étrangers transforme l'art chorégraphique comme les danses populaires.*

### La musique

Les maîtres du piano que sont Claude **Debussy** (1862-1918) et Maurice **Ravel** (1875-1937) dominent la création musicale française du début du siècle. L'essentiel de leur œuvre est antérieur à 1914, bien que les pièces de Ravel les plus célèbres soient postérieures (*la Valse,* 1919, *l'Enfant et les Sortilèges,* 1925, *le Boléro,* 1928). Debussy, influencé par Chopin, cultive le rêve, la nuance et la contemplation alors que Ravel, tout en partageant « son impressionnisme », évoque davantage Liszt et cherche à construire une musique plus « logique ». Son contemporain Paul **Dukas** (1865-1935) avait composé son célèbre *Apprenti sorcier* dès 1897 et son poème chorégraphique *la Péri* en 1912.

Plus « modernes » sont les membres du groupe des Six. Influencés par l'originalité d'Erik Satie , ces jeunes musiciens prennent l'habitude de se fréquenter régulièrement dès 1917 et trouvent dans le poète Jean Cocteau leur porte-parole : Arthur **Honegger** (1892-1955), d'origine suisse, compose des symphonies, un oratorio (*le Roi David,* 1924), collabore avec P. Claudel (*Jeanne d'Arc au bûcher,* 1935) ; Darius **Milhaud** (1892-1974), inspiré par le lyrisme méditerranéen, compose le ballet *le Bœuf sur le toit* en 1919, des opéras (*le Pauvre Matelot,* avec un texte de J. Cocteau, en 1926, *Christophe Colomb,* sur un texte de P. Claudel, en 1928...). Georges **Auric** (1899-1983) crée *les Fâcheux* (1924), compose des sonates pour piano et des musiques de film (dont ceux de J. Cocteau) ; Francis **Poulenc** (1899-1963) laisse des mélodies, sa *Messe a cappella* (1937), de nombreuses pièces de musique de chambre, son *Dialogue des carmélites* (texte de G. Bernanos,

---

### *Parade*, d'Erik Satie

Erik **Satie** (1866-1925), ami de Claude Debussy, compose relativement peu, mais exerce une grande influence par son style direct et dépouillé : les *Gymnopédies* (1888), *Sarabandes* (1887), *le Fils des étoiles* (1891) avaient remporté peu de succès. En revanche, *Parade*, créé en 1916, sera un événement : il s'agit d'un spectacle-ballet « total » tenant du cirque et du théâtre, imaginé par Jean Cocteau avec des décors réalisés par Picasso, et dont l'un des interprètes est Léonide Massine. La musique de Satie sera alors révélée au grand public comme au monde des compositeurs.

1956) et *la Voix humaine* (texte de J. Cocteau, 1959).
Louis **Durey** (1888-1979) et Germaine **Tailleferre**
(1892) sont les deux autres membres du groupe.

Henri **Sauguet** (1901-1989), marqué par Satie, compose
*les Forains* (1945)... ; Jacques **Ibert** (1890-1962) réalise
des opéras-comiques (*le Roi d'Yvetot,* 1928) ; Georges
**Migot** (1891-1976) écrit pour le piano (*le Zodiaque,*
1931) et des pièces religieuses (*Sermon sur la montagne,*
1936) ; **Roland-Manuel** (1891-1966), très lié au groupe
des Six, est l'auteur d'opéras-comiques (*le Diable amoureux,* 1932).

Igor **Stravinski** (1882-1971), né en Russie, devient français avant d'émigrer aux États-Unis. Il connaît la célébrité dès 1910 avec *l'Oiseau de feu,* puis *Petrouchka* (1911)
et *le Sacre du printemps* (1913), musiques pour les Ballets
russes de Serge de Diaghilev. Durant l'entre-deux-
guerres, il connaît sa période « néoclassique » (*Pulcinella,*
1919...), où il s'inspire de nombreux compositeurs du
passé tout en devenant le plus illustre représentant de la
« musique moderne » antiromantique. Après 1950, il
entrera dans sa « phase sérielle », réalisant alors des
œuvres austères et religieuses.

### La « danse de société »

Dès la fin du XIXᵉ siècle, elle connaît en France l'influence de diverses danses étrangères provenant surtout
du continent américain : boston et cake-walk des Noirs
américains vers 1900, tango dans les années 1910. Dès
la fin de la guerre viennent à la mode le fox-trot nord-
américain, puis la samba brésilienne, le « black bottom »
afro-américain au milieu des années 20, et le charleston
popularisé par la Revue nègre de Joséphine **Baker** en

1926. Puis suivront vers 1930 le one-step d'origine américaine et la rumba cubaine. On est bien loin de la valse ou des danses « académiques » du XIXᵉ siècle : dans les bals publics ou les fêtes privées, la danse suit l'évolution de la mode vestimentaire qui libère l'expression corporelle, et celle des rythmes influencés par le jazz ou les comédies musicales américaines.

### Les Ballets russes

Serge de **Diaghilev** fonde en 1909 les Ballets russes, première compagnie moderne de ballets, qui débuta au théâtre du Châtelet à Paris. Il attire de grands danseurs russes (Karsavina, Nijinski, Fokine...), suscite avant et après la Première Guerre mondiale l'intérêt de grands compositeurs (Ravel, Stravinski, Poulenc, Milhaud), de peintres (Picasso, Matisse, Utrillo, Braque) et de chorégraphes (Massine, Balanchine, Lifar). À la mort de Diaghilev en 1929, la troupe des Ballets de Monte-Carlo de René Blum et W. de Basil prend la relève et attire de nouveaux talents (Toumarova, Lichine...).

L'influence des Ballets russes sur la chorégraphie française est considérable, de par son esprit, son organisation et la qualité de ses interprètes renouvelant l'esthétique de la danse : le meilleur exemple est celui de Serge **Lifar**, devenant en 1929 chorégraphe et premier danseur à l'Opéra de Paris, côtoyant Suzane Lorcia, Lycette Darsonval, Yvette Chauviré.

# Les spectacles

## Du théâtre au cinéma

*Alors que le théâtre renouvelle son répertoire, le cinéma en pleine expansion connaît la révolution du « parlant », et le music-hall popularise les vedettes de la chanson.*

### *Vers un nouveau théâtre*

Après le renouveau théâtral initié dès la fin du XIXᵉ siècle par André **Antoine** (1858-1943) et Paul **Fort** (1871-1960), Jacques **Copeau** (1879-1949) ouvre en 1913 le théâtre du Vieux-Colombier pour redonner à l'auteur dramatique toute sa place, et éliminer les préoccupations mercantiles ; on y jouera aussi bien Molière et Shakespeare que les pièces de Paul Claudel. J. Copeau créera aussi en province le théâtre de plein air.

---

**A. Artaud : la poésie et le théâtre**

Antonin **Artaud** (1896-1948) participe au courant surréaliste durant les années 20, mais, victime de graves troubles nerveux, il connaît l'internement psychiatrique durant la Seconde Guerre mondiale. Il avait auparavant publié des poèmes (l'*Ombilic des limbes*, 1925, le *Pèse-Nerfs*, 1927), et connu une expérience d'acteur aux côtés de Louis Jouvet et de Georges Pitoëff (le *Manifeste du théâtre de la cruauté*, 1932, et le *Théâtre et son double*, 1938...). Il laisse également *Van Gogh, le suicidé de la société*, et *Vie et mort de Satan-le-Feu*.

---

De grands metteurs en scène se révèlent alors, tels Charles **Dullin** (1885-1949), Gaston **Baty** (1885-1952), ou Louis **Jouvet** (1887-1951), qui travaille avec J. Copeau avant de diriger en 1927 la Comédie des Champs-Élysées. Jouvet s'illustre en tant qu'interprète dans les

pièces de Jules Romains (*Knock,* 1923...), de Jean Giraudoux (*la Folle de Chaillot,* 1945), et par ses qualités
d'acteur de cinéma (*la Kermesse héroïque,* 1935, *Drôle de
drame,* 1937, *Entrée des artistes,* 1938).

Durant ces années, Georges **Pitoëff** (1884-1939) et
sa femme Ludmilla (1895-1951) sont d'exceptionnels
acteurs dramatiques au sein de leur troupe, qui interprètent des œuvres de Tchekhov, Claudel, Pirandello,
Anouilh... au Vieux-Colombier, à la Comédie des
Champs-Élysées ou aux Mathurins.

---

**Jean Giraudoux : le théâtre, le roman et le cinéma**

Jean **Giraudoux** (1882-1944) publie après la guerre de
nombreux romans (*Siegfried et le Limousin,* 1922, *Bella,*
1926, *Combat avec l'ange,* 1934), et s'affirme dans le
genre théâtral avec en particulier *Intermezzo* (1933), *La
guerre de Troie n'aura pas lieu* (1935), *Électre* (1937).
Durant la guerre, il collabore à plusieurs films (*la Du-
chesse de Langeais* et *les Anges du péché*) et écrit des
pièces de théâtre (*Sodome et Gomorrhe...*) dont certaines
ne seront jouées qu'après sa mort (*la Folle de Chaillot*). Il
laisse une œuvre subtile, alerte, surprenante, à la fois
romantique et légère.

---

### Le cinéma

Lancé à la fin du XIX$^e$ siècle par G. Méliès, C. Pathé et
L. Gaumont, ce nouvel art connaît un essor rapide au
début des années 1900. Les réalisateurs trouvent alors
leur inspiration dans le roman sentimental ou les
« courses poursuites », les scènes bibliques (*la Vie du
Christ,* 1906), les évocations historiques (*l'Assassinat du
duc de Guise,* 1908), les séries policières à épisodes : les
*Nick Carter* de Jasset, les *Rocambole* de Pathé, les *Fantomas*

(1913-1914) de Louis **Feuillade**, précédant ses *Judex* (1917-1918), alors qu'Alfred Machin tourne *Maudite soit la guerre*. De même les grands artistes de théâtre, telle Sarah **Bernhardt**, sont sollicités pour porter à l'écran les pièces à succès.

Après la guerre, de nouveaux metteurs en scène s'affirment : Germaine **Dulac** tourne *la Fête espagnole* (1919), Louis **Delluc**, auteur d'un premier essai sur le cinéma, réalise *Fièvre* (1921), *la Femme de nulle part* (1922) ; Marcel **L'Herbier** produit *Eldorado* (1922), *l'Inhumaine* (1923), puis *l'Argent*, tandis qu'Abel **Gance** donne plusieurs chefs-d'œuvre (*J'accuse*, 1919, *la Roue*, 1924, *Napoléon*, 1927). Jacques de **Baroncelli** porte à l'écran plusieurs romans (*Ramuntcho*, 1919, *le Père Goriot*, 1922, *Pêcheur d'Islande*, 1924). Jacques **Feyder** tourne *l'Atlantide* (1921), *Crainquebille* (1923), Jean **Renoir** *Fille de l'eau* (1924), *Nana* (1926), *la Petite Marchande d'allumettes* (1928), René **Clair** *Entr'acte* (1924), le *Voyage imaginaire,* (1925), *la Tour,* (1928). En 1924, Jean **Epstein** réalise *la Belle Nivernaise,* Maurice **Tourneur** *l'Île des navires perdus,* Raymond **Bernard** *le Miracle des loups.*

Après des débuts difficiles, dus à la mauvaise qualité des films et à la réticence des réalisateurs et des interprètes, le cinéma parlant se développe à partir de 1929-1930, d'abord aux États-Unis. Il faut attendre le milieu des années 30 pour assister à l'essor véritable du « parlant » en France. Il trouve alors ses maîtres avec Jean **Renoir** (*le Crime de Monsieur Lange,* 1935, *les Bas-Fonds,* 1936, *la Grande Illusion,* 1937, *la Bête humaine,* 1938, *la Règle du jeu,* 1939) et Jacques **Feyder** (*le Grand Jeu,* 1934, *Pension Mimosa,* 1935, *la Kermesse héroïque,* 1936 ; ils sont rejoints par René **Clair** (*Sous les toits de Paris,* 1930, *À nous la liberté* et *le Million,* 1931, *Quatorze Juillet,* 1933,

*Fantôme à vendre,* 1935), Marcel **Carné** qui utilise les talents de scénariste de Jacques **Prévert** (*Drôle de drame,* 1937, *Quai des brumes,* 1938, *Le jour se lève,*1939...) et Julien **Duvivier** (*Maria Chapdelaine,* 1934, *la Bandera,* 1935, *Pépé le Moko,* 1936, *Carnet de bal,* 1937, *la Fin du jour,* 1939). D'autre part, Marcel **Pagnol** porte à l'écran des œuvres de Giono (*Angèle,* 1934, *Regain,* 1937, *la Femme du boulanger,* 1938). Ce nouvel art permet l'éclosion de grands interprètes dont certains, comme Louis **Jouvet,** viennent du théâtre : Jean **Gabin, Raimu,** Pierre **Fresnay** , **Fernandel, Carette,** Jean-Pierre **Aumont, Arletty,** Michèle **Morgan,** Michel Simon, Jean-Louis **Barrault,** Françoise **Rosay,** Charles **Dullin** sont parmi les plus célèbres.

---

### Sacha Guitry : du théâtre au cinéma

Sacha **Guitry** (1885-1957), fils de l'acteur Lucien Guitry (1860-1925), écrit et interprète de nombreuses pièces de théâtre où s'expriment son esprit brillant et son goût pour la fantaisie : *Chez les Zoaques* (1906), *Jean de La Fontaine* (1916), *Mon père avait raison* (1919), *le Mot de Cambronne* (1936), etc. Il s'intéresse ensuite davantage au cinéma, tournant en particulier *le Roman d'un tricheur* (1935), *les Perles de la Couronne* (1937), *Remontons les Champs-Élysées* (1938), puis *Si Versailles m'était conté* (1953), *Napoléon* (1954). Son maniement exceptionnel de la langue française, ses bons mots et sa vie privée mouvementée ont fait de lui une personnalité de premier plan du Tout-Paris durant près de cinquante ans.

---

## Le music-hall

Aux Folies-Bergère, à Bobino, au Casino de Paris, à l'Olympia, qui ont ouvert leurs portes à la fin du siècle précédent, se produisent les artistes de la chanson de variétés ou meneurs de revues qui connaissent la popularité durant l'entre-deux-guerres, grâce aussi au rôle croissant de la radio : dès 1911, **Mistinguett** et Maurice **Chevalier** animent la revue des Folies-Bergère, puis en 1918, la revue *Pa-ri-ki-ri* montée par Jean-Charles, qui compose des chansons à succès et d'autres revues pour l'Olympia et le Moulin-Rouge. Henri **Alibert**, **Fréhel**, **Georgius** et Georges **Milton**, Joséphine **Baker**, Lucienne **Boyer**, **Damia**, Marie Dubas, Yvonne **Printemps** sont parmi les interprètes les plus célèbres avec **Fernandel**, Tino **Rossi**, **Charles** (Trenet) **et Johnny** (Hess), **Pills et Tabet**, **Mireille**, **Édith Piaf**, Ray **Ventura** et ses Collégiens ; en 1937, Charles **Trenet** commence à chanter seul sur la scène d'un nouveau music-hall parisien : l'ABC.

# De nouvelles relations entre les hommes

## La révolution du quotidien

*Les rapports entre les hommes se modifient grâce au progrès technique appliqué aux transports et à la transmission du son et des images. De même, les relations sportives deviennent un fait de société.*

### L'automobile

Les inventeurs français ont joué un rôle important dans l'histoire de l'automobile : Nicolas **Cugnot** (1725-1804) avait le premier mis au point en 1763 un tricycle à vapeur ; un siècle plus tard, Étienne **Lenoir** (1822-1900) invente le moteur à explosion (1860), Eugène **Beau de Rochas** (1815-1893) conçoit le principe du moteur à quatre temps avec compression (1862) et Joseph **Ravel** (1832-1908) utilise le carburant liquide (1868) ; puis Amédée **Bollée** (1844-1917) fabrique la première véritable automobile à vapeur, *l' Obéissante*. Après les expériences de Gottlieb Daimler et de Carl Benz sur le moteur à explosion fonctionnant à l'essence (1885-1886), Léon **Serpollet** (1858-1907), Armand **Peugeot** (1849-1915) perfectionnent les chaudières (1887), René **Panhard** (1841-1908) et Émile **Levassor** (1844-1897) mettent au point un nouveau système de changement de vitesse et les frères **Michelin** le pneu démontable (1891) ; puis Albert **de Dion** (1856-1946) invente le pont arrière suspendu (1894) et Louis **Renault** (1877-1944) le changement de vitesse à prise directe (1898).

C'est durant ces années 1890 qu'apparaît la production en série de véhicules automobiles : Armand Peugeot construit 29 voitures à essence en 1892 et 2 300 en 1908. Louis Renault, qui construit seul sa première voiture en 1898, munie d'un moteur De Dion-Bouton, monte avec son frère Marcel une usine à Boulogne-Billancourt en 1899. Travaillant pour l'armée durant la Première Guerre mondiale (il fabrique des chars et des pièces pour avions), il développe sa production automobile durant l'entre-deux-guerres, étant l'un des premiers à avoir appliqué les principes du « taylorisme » dans ses ateliers. De même, les usines Peugeot, installées à Sochaux en 1912, après avoir participé à l'effort de guerre, lancent de multiples modèles et atteignent une production de 48 000 véhicules en 1939.

Parallèlement, André **Citroën** (1878-1935) construit 10 000 voitures par an dès 1921, 400 par jour en 1928, et lance en 1934 la première « traction avant ». Sa popularité vient en partie des grandes expéditions qu'il organise en Afrique et en Asie : Croisière noire de Colomb-Béchar à Tananarive en 1924, Croisière jaune de Beyrouth à Pékin. De même, l'Italien Henri **Pigozzi** crée en France la société SIMCA (1934) et lance dès 1935 de petites voitures économiques, comme la Simca 5. Sa production dépassera les 20 000 véhicules par an en 1938.

### Les pionniers français de l'aviation

L'histoire de l'aviation commence en 1890 avec le premier « vol » d'un appareil à moteur effectué par Clément **Ader** (1841-1925) sur son *Éole,* qu'il soulève à 20 cm du sol. Puis, après les expériences réussies aux États-Unis par les frères Wright en 1903, le Brésilien Santos-Dumont effectue un vol de 220 mètres au-dessus du parc de Bagatelle. Paul **Cornu** (1881-1944) réalise ensuite un vol en hélicoptère à Lisieux, en 1907 ; Henri **Farman** (1873-1958) parcourt un kilomètre en circuit fermé à Issy-les-Moulineaux, en 1908 ; il créera en 1919 l'une des premières compagnies aériennes de passagers. Louis **Blériot** (1872-1936) réussit la première traversée de la Manche en 1909 ; Henri **Fabre** (1882) vole en hydravion au-dessus de l'étang de Berre en 1910 ; la même année, Léon **Morane** (1885-1918) dépasse les 100 km/h, et en 1911 Pierre **Prier** (1886-1950) relie sans escale Londres et Paris. Puis Roland **Garros** (1888-1918) réalise en 1913 la première traversée de la Méditerranée. Il perfectionnera de façon définitive durant la guerre le tir à travers l'hélice, mis au point par Raymond **Saulnier** (1881-1964), mais sera tué au combat.

Le 8 mai 1927, François **Coli** (1881-1927) disparaît à bord de *l'Oiseau blanc* avec l'as de la chasse aérienne française Charles **Nungesser** (1892-1927), en tentant la première liaison Paris-New York sans escale ; elle sera réussie dans le sens New York-Paris en mai 1927 par l'Américain Charles **Lindbergh**. Puis Dieudonné **Costes** (1892-1973) et Maurice **Bellonte** (1896-1984) réalisent la première traversée de l'Atlantique Nord dans le sens Paris-New York (septembre 1930). La même année, Jean **Mermoz** (1901-1936) effectue la première liaison aéropostale entre Toulouse, Buenos Aires et Santiago du Chili (il disparaîtra dans l'Atlantique Sud en décembre 1936). En 1933, le regroupement de petites compagnies privées avait permis la création d'Air France. Cette évolution est le fruit des recherches de nombreux constructeurs, en particulier de Louis **Breguet** (1880-1955).

### La radio et la télévision

Après les expériences de « télégraphe sans fil » du général Ferrié au début du siècle, le véritable essor de la radio date de novembre 1921 : le ministère des PTT réalise alors à partir de l'émetteur de la tour Eiffel les premières émissions régulières. L'année suivante, une firme privée monte la chaîne Radiola, diffusant musique et information, et animée par le populaire Marcel Laporte, dit Radiolo. En 1923, l'État se réserve le monopole de l'émission des signaux radioélectriques et organise en 1926 le réseau d'exploitation de la radiodiffusion. En 1939, les services de radiodiffusion deviennent une administration détachée des PTT. L'amélioration des techniques, surtout à partir de 1930, permet de standardiser la production de récepteurs, mis à la portée du grand public : la France comptera environ 3 millions de postes en 1939.

Si l'Anglais John Baird « invente » la télévision en 1928, les Français Constantin Senlecq et Édouard Belin en avaient été les précurseurs. Puis René **Barthélemy** (1889-1954) effectue à l'École supérieure d'électricité de Malakoff une démonstration publique de télévision, qui constitue une première en France (1931) ; il organise une autre séance au Grand Palais en octobre 1932. Vivement intéressé, le ministre des PTT Georges Mandel le charge en 1935 de mettre en place dans la région parisienne un système de prise de vues et de diffusion qui sera réalisé en quelques mois. Collaborant avec Henri de **France** (1911-1986), qui met au point un appareil de 120 lignes de définition (et plus tard la télévision en 819 lignes, puis le procédé SECAM de télévision en couleurs), R. Barthélemy réussit à synchroniser le son et l'image, et invente l'isoscope, tube de prises de vues perfectionné pour les caméras de télévision.

À la fin des années 1930, la télévision commence à être produite en série et à attirer les artistes de la chanson et du spectacle.

### Le sport

Son essor est favorisé par l'action de quelques pionniers, tel le baron Pierre de **Coubertin** (1863-1937). Défenseur du sport à l'école, et croyant aux vertus pacificatrices du sport, il fait revivre les jeux Olympiques et sera président du Comité international olympique de 1896 à 1925. Les premiers Jeux modernes ont lieu à Athènes en 1896, et seront suivis de ceux de Paris (1900). Paris organise de nouveau les Jeux en 1924, et Chamonix les premiers jeux Olympiques d'hiver la même année.

D'autre part, des étudiants anglais introduisent au Havre dès 1872 le **rugby** et le **football** (qui connaît sa première Coupe de France en 1918, et un championnat professionnel en 1932).

Le **cyclisme** avait connu un intérêt précoce dès la fin du second Empire grâce à l'apparition d'une industrie du cycle, celle de Pierre et Ernest Michaux. En 1868, une première course officielle avait lieu dans le parc de Saint-Cloud. Puis les champions cyclistes entrent dans la légende avec le Tour de France, créé en 1903 par Henri Desgrange.

Le **tennis,** qui ne sera longtemps pratiqué que par une élite réduite, connaît cependant quelques champions d'exception : les célèbres « mousquetaires » Jean Borotra, Henri Cochet, René Lacoste, Jacques Brugnon remportent six fois la coupe Davis entre 1927 et 1932.

# 1939-1945

# Chronologie

## 1939

**5 avril : Albert Lebrun réélu président de la République.**
22 avril : Nouveaux décrets-lois Reynaud.

27 juin : Adoption de la représentation proportionnelle.

29 juillet : Prorogation de la Chambre des députés.

10-21 août : Négociations militaires entre l'URSS, la France et la Grande-Bretagne.

**23 août : Pacte germano-soviétique.**

1er sept. : L'Allemagne envahit la Pologne. Mobilisation générale en France.

**3 sept. : Déclaration de la guerre de la Grande-Bretagne et de la France à l'Allemagne.**

6-30 sept. : Offensive française en Sarre.

17 sept. : L'URSS envahit la Pologne.

26 sept. : Dissolution du PCF.

28 sept. : L'Allemagne et l'URSS se partagent la Pologne.

30 nov. : L'URSS envahit la Finlande.

## 1940

20 janv. : Vote de la déchéance des députés communistes.

20 mars : Démission de Daladier.

22 mars : Gouvernement Reynaud.

28 mars : La France et la Grande-Bretagne s'engagent à ne pas signer de paix séparée.

9 avril : L'Allemagne envahit le Danemark et la Norvège.

10 mai : L'Allemagne attaque la Belgique et les Pays-Bas.

13 mai : Les blindés allemands percent les lignes françaises dans les Ardennes.

15 mai : Capitulation néerlandaise.

18 mai : Pétain vice-président du Conseil.

19 mai : Weygand, généralissime, remplace Gamelin.

20 mai : Les troupes franco-britanniques sont encerclées dans les Flandres.

26 mai-2 juin : Évacuation franco-britannique à Dunkerque.

27 mai : Capitulation belge.

5 juin : De Gaulle sous-secrétaire d'État à la Guerre.

6-10 juin : Déroute de l'armée française.

10 juin : Le gouvernement quitte Paris. L'Italie entre en guerre.

**14 juin : Les troupes allemandes à Paris.**

15 juin : Le gouvernement à Bordeaux.

16 juin : Démission de Reynaud.

**Gouvernement Pétain.**

17 juin : Appel pathétique de Pétain demandant l'armistice.

**18 juin** : Depuis Londres, De Gaulle appelle à la résistance.
**22 juin** : Signature de l'armistice à Rethondes.
**23 juin** : Entrée de Laval au gouvernement.
**29 juin** : Le gouvernement à Vichy.
**3 juillet** : Mers el-Kébir.
**10 juillet** : L'Assemblée nationale donne les pleins pouvoirs à Pétain.
**12 juillet** : Laval dauphin officiel.
**30 juillet** : Création des Chantiers de jeunesse.
**26-31 août** : Ralliement de l'A.-E.F. et de l'Océanie à la France libre.
**29 août** : Création de la Légion française des combattants.
**23-25 sept.** : Échec gaulliste devant Dakar.
**3 oct.** : Premier statut des juifs.
**24 oct.** : Entrevue Hitler-Pétain à Montoire.
**27 oct.** : De Gaulle institue le Conseil de défense de l'Empire.
**14 nov.** : Accords de compensations entre la France et l'Allemagne.
**13 déc.** : Arrestation de Laval.
**25 déc.** : Rencontre Hitler-Darlan.

## 1941
**9-10 février** : Darlan vice-président du Conseil ; il devient dauphin.
**26 févr.** : Accords Murphy-Weygand ; Rommel en Libye.
**2 mars** : Prise de Koufra par Leclerc.

**14 mars** : Les Français libres en Érythrée.
**29 mars** : Xavier Vallat commissaire aux questions juives.
**13 mai** : Rencontre Hitler-Darlan.
**15 mai** : Création du Front national de la Résistance.
**22 juin** : l'Allemagne envahit l'URSS.
**7 juillet** : Création de la Légion des volontaires français contre le bolchevisme.
**26 juillet** : Assassinat de Marx Dormoy.
**10-14 août** : Churchill et Roosevelt signent la charte de l'Atlantique.
**27 août** : Attentat contre Laval et Déat.
**22-23 oct.** : Exécution de 98 otages.
**1er déc.** : Rencontre Pétain-Göring.
**7 déc.** : Attaque japonaise à Pearl Harbour.
**12 déc.** : 750 personnalités juives françaises sont arrêtées.

## 1942
**1er janv.** : Jean Moulin parachuté en France.
**19 févr.** : Début du procès de Riom.
**15 avril** : Suspension du procès de Riom.
**17 avril** : Démission de Darlan.
**18 avril** : Laval chef du gouvernement.
**6 mai** : Darquier de Pellepoix commissaire aux questions juives.

27 mai : Les Français libres de Kœnig arrêtent l'Afrikacorps à Bir Hakeim.

29 mai : Port de l'étoile jaune imposé aux juifs.

16 juin : « Relève » des prisonniers décidée.

22 juin : Discours de Laval souhaitant la victoire de l'Allemagne.

16-17 juillet : Rafle du Vel'd'hiv'.

3 nov. : Rommel battu à El-Alamein.

**8 nov. : Débarquement allié en Afrique du Nord.**
10 nov. : Darlan ordonne le ralliement de l'armée française d'Afrique.

12 nov. : Invasion de la zone libre.

16 nov. : Darlan démis de ses fonctions.

17 nov. : Laval reçoit les pleins pouvoirs.

19 nov. : L'armée française reprend la lutte en Tunisie.

27 nov. : Sabordage de la flotte à Toulon.
Tribut quotidien porté à 500 millions de francs.

24 déc. : Assassinat de Darlan.

26 déc. : Giraud commandant civil et militaire en Afrique du Nord.

## 1943
12 janvier : Le PCF se rallie à la France combattante.

13 janvier : Hitler décrète la « guerre totale ».

Jonction Montgomery-Leclerc à Tripoli. Tout le Fezzan est aux mains des Français.

30 janvier : Création de la Milice.

**2 févr. : Capitulation allemande à Stalingrad.**

5 avril : Daladier, Reynaud, Gamelin, Mandel, Blum livrés aux Allemands.

19 avril-16 mai : Soulèvement du ghetto de Varsovie.

29 avril : Rencontre Hitler-Laval.

7 mai : Prise de Tunis et de Bizerte.

3 juin : Création du Comité français de libération nationale (CFLN).

21 juin : Jean Moulin arrêté à Calluire.

**10 juillet : Débarquement allié en Sicile.**
8 août : Bidault président du CNR.

13 sept. : Débarquement français en Corse.

17 sept. : Création à Alger d'une Assemblée consultative.

8 nov. : Démission de Giraud qui cesse de faire partie du CFLN.

22 nov. : Débarquement en Italie du corps expéditionnaire français commandé par le général Juin.

29 nov. : Conférence de Téhéran.

29 déc. : Création des FFI.

## 1944
1er janvier : J. Darnand secrétaire général au maintien de l'ordre.
**30 janvier : Discours de De Gaulle à Brazzaville.**

3 févr. : Bollaert et Brossolette arrêtés.

15 mars : Publication du programme du CNR.

16 mars : Déat au gouvernement

26 mars : Écrasement du maquis des Glières.

9 avril : Massacre d'Ascq.

De Gaulle chef des armées de la France combattante.

26 avril : Pétain acclamé à Paris.

15 mai : Les troupes françaises enfoncent le front à Monte Cassino, ouvrant la route de Rome aux Alliés.

**4 juin : Prise de Rome par les Alliés.**

**6 juin : Débarquement des Alliés en Normandie.**

9-10 juin : Massacres à Tulle et à Oradour par la division SS Das Reich.

17 juin : Débarquement français dans l'île d'Elbe.

20 juin : Assassinat de Jean Zay.

28 juin : Henriot abattu par la Résistance.

7 juill. : Georges Mandel assassiné.

9 juill. : Prise de Caen.

27 juill. : Écrasement du maquis du Vercors.

31 juill. : Prise d'Avranches.

5-17 août : Percée alliée vers Chartres et Orléans.

**15 août : Débarquement franco-américain en Provence.**
Départ du dernier convoi de déportés.

**18-25 août : Libération de Paris par la 2e DB de Leclerc et les FFI.**

20 août : Pétain conduit à Belfort par les Allemands.

Les maquis de Haute-Vienne s'emparent de Limoges.

22 août : Les FFI s'emparent de Tarbes, Toulouse, Pau et contrôlent la Haute-Savoie puis Grenoble.

2 sept. : Premier Conseil des ministres du gouvernement provisoire à Paris.

4 sept. : Patton franchit la Meuse.

12 oct. Libération de Bordeaux par les troupes françaises.

4 nov. : Lancement de l'emprunt dit « de la Libération ».

15 nov. : Nationalisation de Renault.

23 nov. : Entrée de Leclerc dans Strasbourg.

2 déc. : Patton pénètre en Sarre.

26 déc. : Ordonnance sur « l'indignité nationale »

29 déc. : Le gouvernement décide de mobiliser 200 000 hommes.

## 1945

3 janvier : Rétablissement de la gratuité de l'enseignement secondaire.

4 janv. : Échec de la contre-offensive allemande à Bastogne.

12 janv. : Dernière grande offensive soviétique vers l'Allemagne.

19 janv. : Brasillach condamné à mort.

27 janv. : Maurras condamné à la détention perpétuelle.

Libération d'Auschwitz
par l'Armée rouge.

2 févr. : De Lattre à Colmar.

3 févr. : Raid aérien sur Berlin
faisant 22 000 morts.

**4-11 févr. : Conférence de Yalta.**
13-14 févr. : Dresde détruite par
les bombardements alliés
(250 000 morts).

22 févr. : Création des comités
d'entreprise. Doriot tué en Allemagne.

23 févr. : Premières livraisons de
ravitaillement par les Américains.

10 mars : Bombardement de
Tokyo (100 000 morts).

11 mars : Manifestation CGT à
Paris.

19 mars : La 1$^{re}$ armée française
entre en Allemagne.

31 mars : Offensive française
dans les Alpes.

12 avril : Truman succède
à Roosevelt.

18 avril : Premier retour des
survivants de Buchenwald.

22 avril : Prise de Stuttgart
par les Français.

26 avril : Pétain emprisonné
à Montrouge.

**30 avril : Suicide de Hitler.**

4 mai : Capitulation des armées
allemandes du Nord.

5 mai : Leclerc à Berchtesgaden.
**8 mai : Capitulation
de l'Allemagne.
6 et 8 août : Hiroshima
et Nagasaki.**
2 sept. : Signature de la capitulation du Japon.

# Les causes de la guerre

## Pacifisme démocratique et bellicisme germanique

*La Seconde Guerre mondiale trouve sa source dans le désir allemand d'effacer la défaite de 1918 et dans l'idéologie nazie, mais elle résulte aussi du laissez-faire des démocraties.*

Autant les responsabilités de la Première Guerre mondiale sont manifestement partagées, autant celles de la Seconde Guerre mondiale sont incontestablement unilatérales. Les grands pays démocratiques qui vont être entraînés dans ce conflit ont en effet jusqu'au bout cherché à l'éviter et n'ont engagé les hostilités que sous la contrainte. Ce pacifisme des démocraties ne peut-être considéré en lui-même comme une cause de la guerre. Il a en revanche grandement favorisé les desseins d'Adolf Hitler en le laissant mener à sa guise et à son rythme une politique intérieure et extérieure ayant pour but de reconstituer une grande Allemagne dominant une Europe soumise.

### Le pacifisme anglais

Durant l'entre-deux guerres, la Grande-Bretagne, qui a elle aussi souffert de la crise, désire surtout maintenir le rôle financier de la place de Londres et celui de la livre sterling ainsi que l'intégrité de son Empire, non directement menacé par l'Allemagne. À l'abri de l'expansionnisme allemand, dans son île protégée par une flotte et une aviation puissantes, elle a longtemps ménagé l'Allemagne, qu'elle défendit contre les prétentions françaises de lui faire payer durement le coût de sa défaite de 1918 : les Britanniques préféraient jouer la carte des complémentarités économiques.

---

**L'isolationnisme américain**

Les États-Unis restent neutres jusqu'à l'agression japonaise de Pearl Harbour, malgré la sympathie qu'éprou-
vent la majorité des Américains pour la Grande-Bretagne
et la France.

L'isolationnisme américain est facile à comprendre : les
affaires européennes paraissent lointaines pour un peuple
qui a laissé vingt ans plus tôt plusieurs dizaines de milliers
des siens sur les champs de bataille du nord de la France
et dont le Sénat a refusé d'entériner le traité de Versailles,
pour ne pas avoir à garantir les nouvelles frontières de
l'Europe.

D'autre part, les séquelles de la crise de 1929 sont encore
présentes et le souci principal des Américains est de retrouver la prospérité des années 1920, plutôt que de
risquer de se trouver entraînés dans de nouvelles
épreuves.

---

## Le pacifisme français

La France, quant à elle, garde encore profondément ancré
dans sa chair à la fin des années 1930 le souvenir sanglant
des tranchées de 1914-1918. « Tout, mais plus jamais
cela » pourrait être, avec « l'Allemagne paiera », les
phrases résumant l'état d'esprit de la grande majorité des
Français durant l'entre-deux-guerres. Après avoir refusé
toute idée de paix négociée durant la Première Guerre
mondiale et le principe même d'une réconciliation avec
l'Allemagne, une fois la paix revenue, la France a cherché
à imposer à son nouvel ennemi héréditaire des réparations financières lui permettant de financer le remboursement de sa dette extérieure contractée envers ses alliés
et à le conditionner au rythme du règlement des « réparations ». Cela ayant échoué, en raison des difficultés

économiques et financières allemandes et de l'hostilité anglo-américaine, les Français en gardèrent rancune à leurs anciens alliés et firent du rétablissement (partiel) du franc le symbole de leur redressement et l'un de leurs objectifs prioritaires.

Le second axe de la politique française fut l'établissement d'un système défensif à l'égard de l'Allemagne reposant sur deux moyens principaux : d'une part, des alliances militaires à l'Est (Union soviétique et Pologne-Tchécoslovaquie) qui allaient se révéler caduques au fil du temps, la France « abandonnant » la Tchécoslovaquie, l'URSS signant le fameux pacte germano-soviétique, alors que l'alliance polonaise devait entraîner la France dans la guerre ; d'autre part, la construction de la ligne Maginot, ouvrage d'art impressionnant par sa dimension et sa longueur, mais non prolongée au-delà des Ardennes et enfermant l'armée française dans une stratégie purement défensive, entretenant le mythe de frontières inviolables.

### « L'esprit de 36 »

Pourtant, la France avait connu, surtout depuis 1934, une forte mobilisation « antifasciste » qui s'était en particulier exprimée à travers la victoire du Front populaire ; mais la gauche ne sut pas oser le soutien aux républicains espagnols (alors que les nationalistes recevaient l'aide de l'Allemagne et de l'Italie) ni proposer une politique dynamique face au danger nazi, estimant avoir accompli son devoir en arrêtant sa montée en France. Bien que la gauche n'ait pas « désarmé » la France, comme cela lui a été reproché, il est certain que les grèves et la réduction de la durée du travail dans l'industrie furent, pendant ces années, un désavantage face à la militarisation allemande ; il fallut attendre 1938-1939 pour que soit mise en œuvre une véritable politique d'armement. Mais si Daladier fut l'un de ses instigateurs, il ne chercha pas à l'inscrire dans une stratégie susceptible de contrecarrer l'expansionnisme hitlérien, puisqu'il fut l'un des signataires des accords de Munich, et que sa hantise de la guerre l'amena à espérer qu'un renforcement de la défense française suffirait à décourager l'Allemagne.

Quel contraste au total entre les Français débonnaires et joyeux de l'été 1936, durant lequel les ouvriers dansent dans les usines occupées au son de l'accordéon, et les Allemands fascinés par Hitler, qui défilent au pas cadencé des marches militaires et vibrent à ses discours fanatiques ! De plus, ceux qui en France dénoncent le Front populaire ou s'en inquiètent le font par peur du « bolchevisme » ou des troubles sociaux et non pour exiger une attitude plus ferme à l'égard de l'Allemagne nazie : l'extrême droite salue en Hitler le défenseur de l'Occident anticommuniste et antisémite ; une partie de la droite rêve du retour à la vieille France des traditions patriotique et terrienne, et une autre rêve d'une nouvelle efficacité économique exigeant la paix sociale et extérieure ; aussi la France des couches moyennes, peu politisée, relativement épargnée par la crise, ne pense-t-elle qu'à conserver le confort financier et matériel que lui a procuré la croissance des années 1920, et sera-t-elle profondément reconnaissante au maréchal Pétain d'avoir eu le « courage » de signer l'armistice avec l'Allemagne, permettant d'arrêter les combats et de retrouver une vie quasi normale.

On comprend ainsi pourquoi les démocraties occidentales et surtout la France ont laissé impunément l'Allemagne se réarmer, occuper la rive gauche du Rhin, annexer l'Autriche et les Sudètes après avoir accepté l'humiliation de la conférence de Munich ; elles ont fait mine de croire à la « bonne foi » du Führer dans l'espoir vain que de nouvelles concessions finiraient par satisfaire Hitler et éviteraient un nouvel embrasement européen.

---

**L'explication marxiste du fascisme et du nazisme**

Pour les marxistes, ces régimes s'analysent comme une solution aux contradictions du capitalisme : la grande bourgeoisie menacée par la combativité de la classe ouvrière soutient une dictature militaire, utilisant la violence pour empêcher toute revendication populaire, et substituant à la lutte des classes les vertus mystificatrices du patriotisme. Dans ces conditions, la rentabilité des grandes entreprises concentrées se trouve améliorée, grâce aux commandes publiques et à la baisse des coûts salariaux ; cette politique s'effectue donc aussi au détriment des petits entrepreneurs et des artisans (éliminés par la concurrence et l'insuffisance de la demande salariale), dont le mécontentement est canalisé par la lutte idéologique et l'invention de « boucs émissaires ».

---

### Le bellicisme allemand

Le premier élément permettant de comprendre cette agressivité germanique est le sentiment d'humiliation éprouvé par le peuple allemand au souvenir de la défaite de 1918. Particulièrement fort chez les anciens combattants (dont Hitler lui-même fait partie), il est très largement répandu dans un pays qui accepte volontiers l'idée que la défaite n'était pas inéluctable et l'interprétation hitlérienne de l'issue de la Première Guerre mondiale : l'armée allemande n'a pas été vaincue mais trahie par les responsables politiques défaitistes, refusant de combattre jusqu'au bout ; il fallait puiser dans les forces profondes d'un Reich invincible depuis que le pangermanisme de Bismarck et l'industrialisation rapide de la fin du XIX$^e$ siècle avaient fait de l'Allemagne un grand pays industriel, discipliné et puissamment armé.

La capitulation sans conditions de l'Allemagne était donc injuste et inacceptable, de même que les concessions territoriales, les réparations financières et la démilitarisation du pays : le « diktat » du traité de Versailles devait être effacé, et l'honneur allemand rétabli, fût-ce au risque d'un conflit ouvert avec les anciens vainqueurs. Les exigences françaises de paiement des « réparations » et l'occupation de la Ruhr étaient jugées inadmissibles et ne pouvaient qu'exacerber le désir d'une revanche sur la France.

Cependant, si la prospérité était revenue en Allemagne par des moyens « ordinaires », l'audience de Hitler se serait certainement limitée à quelques franges marginales de l'armée et de la population, comme cela fut le cas lors du putsch raté de 1923. Mais l'« hyperinflation » et l'effondrement de la monnaie allemande en 1923-1924 provoquèrent de nouvelles rancœurs, et la crise de 1929 suscita la montée d'une idéologie radicale et totalitaire.

### L'idéologie nazie

L'idéologie nationale-socialiste constitue en elle-même une cause directe de la guerre à partir du moment où elle était partagée par une partie notable – et même majoritaire – des populations allemande, tchécoslovaque et autrichienne. Elle repose, comme nous l'avons déjà évoqué (voir p. 149), sur le mythe de la régénérescence de l'Allemagne aryenne, se débarrassant des éléments

« impurs » (juifs « cosmopolites », communistes, francs-
maçons, Tsiganes...), et retrouvant à travers l'identité raciale et nationale une unité compromise jusqu'alors par les partis et syndicats marxisants prônant
l'internationalisme et la lutte de classes.

L'origine de cette pensée se trouve chez un certain
nombre d'idéologues français de la fin du XIXᵉ et du
début du XXᵉ siècle, considérant qu'une telle purifica-
tion et une telle résurrection ne pouvaient se faire que
par la violence et la guerre nationaliste, servant à la fois
de cérémonie rituelle associant le sang et la terre, et
engendrant une nouvelle fraternité à travers les épreuves
du combat.

### Les racines françaises de l'idéologie nazie

C'est en France, à la fin du XIXᵉ siècle, que l'on trouve
paradoxalement les premiers idéologues du nationalisme
raciste, avec des auteurs tels que Gustave le Bon, Georges
Vacher de Lapouge, Joseph de Gobineau, Édouard Drumont, rejoints durant l'entre-deux guerres par un certain
nombre d'écrivains attirés par les idées antidémocratiques et antisémites (voir p. 207 et *Histoire de France des
origines à 1914*).

Le slogan mis en avant par Hitler, « ein Reich, ein
Volk, ein Führer » (un empire, un peuple, un chef),
illustre les trois dimensions de cette unité à retrouver :
un espace agrandi, retrouvant une étendue comparable à
celle du Saint Empire romain germanique, en renouant
s'il le faut avec les exploits guerriers des chevaliers Teu-
toniques ; un peuple-race rassemblé au-dessus des frontières imposées par le traité de Versailles, qui avait

dispersé des minorités allemandes dans des États hostiles ; un guide menant son peuple vers un destin glorieux et prospère, représentant l'autorité rassurante du père d'une famille unie par les seuls liens du sang.

On touche là à un aspect fondamental de cette idéologie : elle exprime en des termes politiques des pulsions agressives relevant de la vie inconsciente, et propose une solution unique aux frustrations de toute sorte que connaissent bon nombre d'Allemands durant les années 30. La grande force de l'idéologie hitlérienne fut en effet de mêler d'une façon presque indissociable les registres économique, politique et psychologique : le nazisme constitue ainsi une organisation économique luttant efficacement contre le chômage et assurant la reprise industrielle ; une explication des difficultés et des échecs allemands, imputables aux parasites impurs ; mais aussi un moyen de réconciliation avec un père tyrannique, dont l'adoration se substitue au désir parricide refoulé.

Tout se passe ainsi comme si l'adhésion à la mythologie nazie constituait une « psychanalyse à l'envers » permettant à l'individu de fuir la « vraie solution » de ses problèmes en adhérant à une machine aliénante l'amenant à détruire ou à dominer les objets désignés de son malheur (tout ce qui n'est pas aryen et nazi), au lieu de se réconcilier avec lui-même et le reste de ses semblables.

De ce point de vue, le « passage à l'acte » représenté par l'usage de la violence devient un élément indispensable de la « thérapeutique » nazie. Toutefois, la paranoïa hitlérienne n'a pu prendre la forme d'une guerre engageant toutes les forces du pays que dans la mesure où elle correspondait aux besoins objectifs d'un système économique spécifique, le capitalisme en crise.

---

**L'interprétation psychanalytique de l'hitlérisme**

Wilheim Reich a montré que tous les traits pathologiques de la régression morbide liée à l'incapacité d'atteindre la maturité psychoaffective se retrouvent dans l'univers symbolique du nazisme : sadisme (par le traitement infligé aux non-aryens), masochisme (par l'adhésion à une guerre apportant nécessairement son cortège de souffrances), analité refoulée (s'exprimant par le mythe maniaque de l'ordre, le culte de l'uniforme, l'attrait pour la couleur noire, la condamnation morale de l'enrichissement individuel...), et refus d'une sexualité libérée (par la mise en place d'une société totalement dominée par les hommes, les femmes redevenant de simples instruments de procréation et devant se contenter d'assurer les tâches quotidiennes de la vie domestique).

---

## Une économie de guerre

L'organisation économique de l'Allemagne mise en place à partir de 1933 conduit doublement à la guerre. D'une part, la reprise de l'activité et la baisse du chômage reposent largement sur les commandes publiques aux grandes entreprises des secteurs sidérurgique et mécanique et des biens d'équipement. Certes, il ne suffit pas d'avoir produit des armes pour nécessairement s'en servir. Mais cela incite à le faire, au moins au détriment des nations plus faibles. D'autre part, le modèle économique repose sur le contrôle des coûts salariaux, permis par une politique dirigiste et par la mise hors la loi des organisations politiques et syndicales. Ainsi le pouvoir d'achat de la classe ouvrière stagne durant les années 1930, réduisant la demande intérieure de biens de consommation, et créant par là même des difficultés pour les entreprises de ce secteur. L'objectif de l'« espace vital » (« Lebensraum ») à atteindre n'est donc pas une simple référence à une grande Allemagne mythique : il s'agit aussi de mettre la main sur des territoires pouvant apporter des matières premières alimentaires ou industrielles, fabriquer des biens complémentaires à ceux de l'industrie allemande, et imposer les produits allemands aux populations soumises.

# La « drôle de guerre » et la débâcle
## (été 1939 - été 1940)

### De l'attentisme à l'effondrement français

*Ayant choisi une stratégie défensive, les responsables politiques et militaires français seront incapables de résister à l'offensive allemande de mai-juin 1940.*

Après Munich, Édouard **Daladier** a reçu le soutien de fait de tous les milieux pacifistes.

D'ailleurs, à l'instigation de Georges Bonnet, ministre des Affaires étrangères qui veut rapprocher la France et l'Allemagne, « l'Esprit nouveau » inauguré par les accords de Munich se prolonge par la signature d'un pacte de non-agression entre les deux pays que Ribbentrop vient parapher à Paris le 6 décembre 1938. Les seuls opposants déclarés aux accords de Munich sont finalement les communistes, les syndicalistes de la CGT et une partie des socialistes. Mais Léon Blum lui-même est hésitant : il reconnaît durant l'automne 1938 éprouver un sentiment « partagé entre un lâche soulagement et la honte », et, le 4 octobre 1938, seuls les 73 députés communistes et un député socialiste refusent la confiance au gouvernement Daladier. Le nombre et l'audience des antimunichois restent donc bien limités à la fin de 1938. Il faut attendre le printemps 1939 pour que les mentalités commencent à évoluer.

---

### L'ère Daladier

Durant les derniers mois de paix, la popularité dont jouit le président du Conseil est grande : il a su éviter la guerre, au grand soulagement de la France presque entière, et peut se féliciter, en décembre 1938, d'avoir refusé de « sacrifier encore un ou deux millions de paysans français ». Il a aussi mis fin à l'inquiétude de la bourgeoisie et des classes moyennes en rompant avec la SFIO et le parti communiste, et en réprimant la grève générale du 30 novembre 1938. Il confie en novembre 1938 le ministère des Finances à Paul Reynaud, qui mène une politique libérale, réduit les dépenses publiques, accorde de nombreuses dérogations à la loi sur les 40 heures et diminue le tarif des heures supplémentaires... Daladier reconnaît explicitement, en janvier 1939, que le parti radical recherche désormais l'alliance avec les classes moyennes et non plus avec le prolétariat.

---

### La « drôle de paix »

Après avoir occupé militairement la rive gauche du Rhin en 1936, après avoir occupé l'Autriche et proclamé son rattachement au Reich (l'« Anschluss », mars 1938), après avoir, par les accords de Munich, obtenu le droit d'annexer les provinces tchèques des Sudètes peuplées à plus de 50 % par les Allemands, Hitler donne l'ordre à la Wehrmacht de pénétrer en Bohême, alors que les Slovaques se placent « sous la protection » de l'Allemagne (15-16 mars 1939). Ainsi, la Bohême et la Moravie deviennent un protectorat allemand sans qu'une nouvelle fois la France et la Grande-Bretagne réagissent.

Hitler émet aussitôt des prétentions sur une partie de la Pologne. Revendiquant le « couloir de Dantzig », qui coupe en deux le territoire du Reich, les nazis y provoquent des incidents faisant monter la tension entre les deux pays, et conduisant Londres à garantir les frontières de la Pologne (31 mars 1939), déjà liée militairement à la France. La seule manière de menacer effectivement le Reich étant de conclure une alliance avec l'Union soviétique, de façon à prendre l'Allemagne entre deux feux, s'ouvrent à Leningrad le 10 août des négociations entre la France, la Grande-Bretagne et l'URSS. Cependant, l'épineux problème de la traversée de la Pologne par les troupes soviétiques conduit à la suspension des négociations. Pendant ce temps, Hitler propose à l'Union soviétique un pacte de non-agression, assorti d'un traité de commerce : il est signé le 23 août par Ribbentrop. De plus, une clause secrète prévoit le partage de la Pologne.

La nouvelle de ce pacte germano-soviétique fait l'effet d'une bombe : c'est un « coup de poignard dans le dos » des communistes pour qui la résistance au nazisme reposait à l'intérieur par le maintien de l'union de la gauche et à l'extérieur par le rapprochement avec la « patrie du socialisme ». Le désarroi est complet à gauche, et l'inquiétude générale. Pourtant, le 25 août, la Grande-Bretagne conclut un traité d'alliance avec la Pologne. Or, le 1er septembre, l'armée allemande pénètre en Pologne.

### La « drôle de guerre » (septembre 1939- mars 1940)

Devant ce nouveau coup de force, le gouvernement français décrète la mobilisation générale. Le lendemain, 2 septembre 1939, les Chambres votent un crédit extraordinaire de 70 milliards de francs pour faire face à la nouvelle « situation internationale ». Cependant, le mot « guerre » n'est toujours pas prononcé : Georges Bonnet s'efforce encore d'éviter le conflit et l'on espère que la « médiation italienne » permettra de trouver une solution acceptable par tous. Mais le préalable du retrait de l'armée allemande amène Mussolini à cesser sa mission de conciliation. Le 3 septembre à 11 heures, la Grande-Bretagne se déclare en guerre avec l'Allemagne et le même jour à 17 heures, c'est au tour de la France.

Pourtant, se refusant à toute grande offensive, les Alliés se contentent d'assister de loin à l'écrasement de la Pologne, envahie de plus à l'est par les Soviétiques le 17 septembre. Varsovie tombe le 28 septembre et la Pologne est partagée par ses vainqueurs. De plus, l'URSS s'engage à vendre à l'Allemagne du pétrole et des métaux.

---

### Le partage de la Pologne

Le 28 septembre 1939, l'Allemagne et l'URSS s'entendent sur le dépeçage de l'État polonais : l'Allemagne annexe le corridor de Dantzig, la Posnanie et la Silésie polonaise, et forme un « gouvernement général » placé sous administration allemande directe, avec, en particulier, les régions de Varsovie et de Cracovie. L'URSS s'approprie toute la Pologne orientale, où la population ukrainienne et blanc-russienne est élevée, effaçant ainsi les effets de la guerre russo-polonaise de 1920. Cependant, le général Sikorski constitue en France un gouvernement polonais en exil et organise une armée qui combattra en mai-juin 1940, puis rejoindra la Grande-Bretagne.

---

Le Reich peut désormais concentrer tous ses efforts vers l'Ouest, Hitler prévoyant d'attaquer le 12 novembre. Mais les difficultés rencontrées en Pologne jusqu'à l'entrée en guerre de l'Union soviétique, les mauvaises conditions atmosphériques et la forte opposition de son haut état-major considérant que l'Allemagne n'est pas prête pour lancer une grande offensive amènent Hitler à différer l'opération.

Pendant ce temps, les Français se contentent d'un « coup de main » en Sarre (où ils pénètrent le 6 septembre), que le général Gamelin refuse de poursuivre : l'armée française abandonne ses positions le 30 septembre, comme si l'on espérait que la fin de la guerre en Pologne ramènerait la paix, Hitler ayant obtenu ce qu'il voulait en Europe centrale, et les démocraties ayant montré qu'elles étaient prêtes à accepter la guerre si elles étaient directement menacées.

On en revient ainsi à la stratégie défensive qu'a faite sienne le haut état-major français : éviter à tout prix les massacres et les grandes offensives de la Première Guerre mondiale : se retrancher derrière la ligne Maginot, qui s'étend de l'Alsace aux Ardennes, prolongée ensuite par la Belgique neutre (si d'aventure celle-ci est envahie, la 7e armée française est prête à se porter au nord selon le « plan Bréda ») ; compter sur le temps favorable aux Alliés, permettant l'envoi de renforts britanniques, l'essoufflement progressif de l'Allemagne encerclée par les Empires français et britannique, la production accélérée de matériel de guerre en France et en Grande-Bretagne, et l'arrivée d'armes américaines (après le vote aux États-Unis d'une nouvelle « loi de neutralité » le 3 novembre 1939).

Le seul nouvel acte de guerre notable de cette fin d'année est, le 30 novembre, l'invasion de la Finlande par l'Armée rouge. Le conflit se terminera par la signature d'un traité de paix le 12 mars 1940.

### *La reprise des combats*

La guerre russo-finlandaise, géographiquement limitée, a cependant pour effet de relancer l'anticommunisme en France ainsi que l'hostilité envers l'Union soviétique, alliée de fait à l'Allemagne, et de susciter une polémique sur la stratégie militaire à adopter. Il est question d'attaquer Bakou, fournissant du pétrole au Reich, et de soutenir la Finlande. Mais la guerre s'y termine avant que ces projets ne soient mis à exécution.

---

**Le gouvernement de guerre**

Le 13 septembre 1939, Édouard Daladier remplace le « pacifiste » Georges Bonnet aux Affaires Étrangères et s'appuie sur Paul Reynaud, qui organise une « économie libérale de guerre » : il s'agit d'assurer le financement de dépenses publiques élevées (700 millions par jour de septembre 1939 à avril 1940) sans remettre en cause l'initiative privée. Pour cela, il accroît les impôts, ponctionne les salaires à la source, lance des emprunts, contrôle les prix, mais limite les mesures dirigistes et ménage les profits pour inciter les entreprises à accroître la production. En outre, les députés communistes « pacifistes » sont déchus le 20 janvier 1940 et condamnés à la prison le 3 avril : après avoir réclamé « l'union contre l'agression hitlérienne », et voté les crédits militaires, le PC a en effet condamné la « guerre impérialiste », accepté le partage de la Pologne, et Maurice Thorez a rejoint l'URSS le 4 octobre.

---

Daladier doit alors faire face aux critiques de ceux qui veulent mettre un terme à cette « drôle de guerre », comme à celles des partisans d'une politique militaire plus active. De plus, la lassitude gagne une armée cantonnée dans un attentisme démobilisateur, alors que les salariés de l'arrière supportent les rigueurs d'une politique d'austérité visant à freiner l'inflation. Estimant ne plus avoir la confiance de l'Assemblée (où l'on dénombre 300 abstentionnistes le 19 mars, après une séance durant laquelle il subit de vives attaques), Daladier démissionne le lendemain. Le « belliciste » Paul **Reynaud** forme alors un gouvernement élargi et relativement ambigu qui obtient de justesse la confiance des députés le 22 mars : il comprend des socialistes mais aussi des personnalités de droite et conserve Daladier à la Défense nationale. Il s'agit en fait d'une fausse nouvelle « union nationale », tant les positions des membres du gouvernement sont différentes, ou peu explicites. En fait, personne ne semble avoir les idées claires sur la politique à tenir, sauf, apparemment, le président du Conseil.

En effet, Paul Reynaud veut passer à l'offensive en Scandinavie et sur le Caucase, estimant que le temps ne travaille pas nécessairement pour les Alliés. Mais si la France et la Grande-Bretagne s'engagent le 28 mars à ne pas signer de paix séparée avec l'Allemagne, les Britanniques ne veulent pas engager d'opérations militaires contre l'URSS. Ils acceptent en revanche une attaque au nord pour empêcher la Suède de continuer à fournir du fer au Reich. Cependant, les Allemands, informés, devancent les Alliés en envahissant le Danemark et la Norvège le 9 avril : c'est le début de la « guerre périphérique ». Elle fait rage sur mer, (où la flotte britannique affronte la Kriegsmarine), et dans les airs, avant que les Franco-Britanniques ne parviennent à prendre difficilement le port stratégique de Narvik, au nord de la Norvège (27 mai). Cela permet à Paul Reynaud d'annoncer que « la route du fer est coupée ». Mais ces premiers combats montrent déjà les points forts des Allemands :

leur rapidité d'action et l'efficacité de leur aviation, alors
que la suprématie maritime des Alliés est loin d'être
aussi nette qu'on le supposait. De plus, l'évolution de la
situation militaire en France amène le retrait des Alliés
quelques jours après la prise de Narvik.

---

### Une crise ministérielle mal venue

Alors qu'Édouard Daladier, ministre de la Défense nationale, soutient le général Gamelin, chef des armées françaises, P. Reynaud le rend responsable des difficultés
rencontrées en Norvège et présente sa démission au président de la République Albert Lebrun, le 9 mai. L'attaque
allemande du lendemain amène Reynaud à revenir sur sa
décision, mais cette crise révèle la division des responsables politiques français, leur opposition de personnes, et
explique en partie l'incapacité à organiser efficacement
la résistance à l'invasion allemande.

---

### La « guerre éclair »

Entre-temps, en effet, l'armée allemande a déclenché sa
grande attaque à l'Ouest. À l'aube du 10 mai, les aérodromes néerlandais et belges sont bombardés, puis les
deux pays sont envahis (l'armée néerlandaise capitulera
en rase campagne le 15 mai, et la Belgique le 28 mai).
Après avoir franchi le canal Albert dès le 10 mai et pris
le camp retranché de Liège, les troupes allemandes sont
sur la Meuse, près de Dinant, le 12 au soir, tandis que
plus au nord le groupe d'armées Billotte combat à Tir-
lemont en application du plan « Dyle-Breda » déclenché
dès le matin du 10 mai par le général Gamelin : il s'agit
d'arrêter l'avance allemande là où on la croit massive,
c'est-à-dire en Belgique. Aussi la surprise est-elle totale

quand les Allemands passent à l'offensive plus au sud, dans la région des Ardennes. Dix divisions allemandes, dont sept blindées, franchissent la Meuse le 13 mai : les blindés de Schmidt vers Dinant, ceux de Rheinhardt vers Monthermé, et ceux de Guderian vers Sedan. En trois jours, la percée allemande a permis de disloquer le front français. Pourtant, au prix de combats acharnés, une nouvelle ligne de défense parvient à être rétablie le 25 mai. Elle part du sud de Sedan (Le Chesne - Stonne - Beaumont), passe par l'Aisne et rejoint la Somme jusqu'à Amiens (après la contre-attaque des blindés de De Gaulle à Montcornet). Mais pendant ce temps, les armées allemandes ont contourné et encerclé quelque 45 divisions alliées en Flandre, repliées sur l'Escaut, Lille et Dunkerque, cela après la prise d'Anvers le 17 mai, l'abandon de Bruxelles le 18, et au sud l'occupation d'Arras le 23, de Boulogne le 24 et de Calais le 25. La capitulation belge du 28 mai amène les Franco-Britanniques à se replier sur Dunkerque, où 200 000 Anglais et 130 000 Français environ seront évacués dans des conditions dramatiques dans les jours suivants, grâce à l'intervention de la marine et de l'aviation alliées. Le 4 juin, Dunkerque est prise à son tour, les Allemands faisant 50 000 prisonniers, et récupérant un matériel de guerre important (artillerie, munitions, véhicules...), après avoir coulé 200 bateaux et abattu une centaine d'avions alliés.

## La débâcle

Dès le 5 juin, la Wehrmacht reprend l'offensive en direction des lignes françaises sur la Somme, défendant Paris et la basse Seine. Malgré une vive résistance qui dure cinq jours, les Allemands atteignent Rouen le 9 juin, et attaquent le même jour sur l'Aisne. Après deux

## Les raisons de la percée allemande

Cette première avancée allemande a trois explications :
d'une part, l'efficacité de la tactique allemande consistant
à combiner une attaque massive de blindés et de bombardements aériens surprenant un ennemi statique ; d'autre
part, la réussite du plan allemand faisant croire aux Alliés
que leur offensive principale se situait plus au nord,
comme en 1914, et attirant en Belgique les armées de
réserve franco-britanniques ; enfin, la faiblesse des défenses alliées à l'extrémité nord-ouest de la ligne Maginot : partant du sud de Belfort, elle s'arrêtait près de
Montmédy, à l'entrée des Ardennes. Mais le maréchal
Pétain n'avait-il pas déclaré, quelques années plus tôt,
que ce secteur n'était pas dangereux, car, à partir de
Montmédy, « il y a la forêt des Ardennes qui devient
infranchissable moyennant quelques aménagements » ?

jours de violents combats à Rethel, les Français sont
débordés et l'armée allemande atteint la Marne vers
Épernay le 11 juin. Les blindés de Guderian s'engouf-
frent alors dans la brèche vers Chalons, Langres et
Belfort, pour encercler les armées françaises de l'Est entre
la ligne Maginot et la Meuse. Le 12 juin, le général
**Weygand** donne l'ordre de retraite générale. Mais celui-
ci intervient trop tard : Paris, déclarée « ville ouverte »,
est occupée le 14 juin, Orléans le 17, Le Mans le 18,
Rennes et Nantes le 19, Brest et Lyon le 20, La Rochelle
le 22. La résistance est devenue de plus en plus localisée :
quelques unités combattent encore dans les Vosges, les
cadets de Saumur se battent héroïquement sur la Loire,
le général Orly interdit l'accès des Alpes aux Italiens
(entrés en guerre le 10 juin) et aux Allemands. Mais, le
16 juin, le général Rommel peut faire 240 km sans
rencontrer la moindre opposition.

Quand l'armistice entrera en vigueur, le 25 juin, 1 400 000 soldats français auront été faits prisonniers, et l'avancée des armées allemandes leur aura permis d'atteindre une ligne passant par Bordeaux, Angoulême, Clermont-Ferrand, Saint-Étienne, Tournon, Aix-les-Bains.

---

### L'exode

Fuyant l'avance des armées allemandes par peur des combats et des exactions, de nombreux Français du Nord et des Belges se précipitent sur les routes, emportant ce qu'ils peuvent sur des équipages de fortune. Ils se joignent aux deux millions d'habitants de la région parisienne qui quittent la capitale du 10 au 14 juin. Au total, six à huit millions de personnes se seront déplacées dans toute la France entre le 10 mai et le 22 juin, dans des conditions difficiles, et parfois mitraillées par l'aviation allemande, puis italienne.

---

## L'armistice

La nomination du maréchal **Pétain** comme vice-président du Conseil (18 mai) ainsi que le remplacement du général Gamelin, manifestement peu compétent, par le général Weygand à la tête des armées (19 mai) ne suffisent pas pour redonner une stratégie à l'armée française, débordée de toute part : les héros de 1914-1918, âgés et eux aussi dépassés par les événements, sont désemparés, à l'image du pouvoir politique, malgré le désir de Paul Raynaud de poursuivre la résistance (il a ainsi appelé au gouvernement Baudouin, Bouthillier et De Gaulle, nommé sous-secrétaire d'État à la Défense nationale le 5 juin).

Mais la gravité de la situation a accentué les dissensions au sein du gouvernement, qui quitte Paris le 10 juin pour gagner la Touraine. Le 12 juin, le Conseil des ministres qui se tient à Cangey voit s'affronter partisans de l'armistice (dont Pétain et Weygand...) et adversaires (Reynaud, Jeanneney, Mandel...). Replié à Bordeaux le 15 juin, le gouvernement continue à se déchirer, et le 16 juin Reynaud démissionne ; il est remplacé le lendemain par Pétain, qui s'enquiert des conditions d'un armistice. Le même jour, il prononce un discours radiodiffusé, appelant « le cœur serré » à « cesser le combat ». Le lendemain, 18 juin, le général **De Gaulle**, depuis Londres, lance son appel à poursuivre la résistance, et, le 21 juin, vingt-six députés et un sénateur hostiles à l'armistice s'embarquent à bord du *Massilia* pour rejoindre le Maroc.

Le 22 juin, le général Huntziger, à la tête des plénipotentiaires français, signe à Rethondes la convention d'Armistice franco-allemande, dans le wagon même où les Allemands avaient capitulé en novembre 1918. Les conditions sont dures : la France est désarmée (seule subsiste une « armée d'armistice » de cent mille hommes en zone non occupée), la flotte désarmée ; elle est coupée en deux par une stricte « ligne de démarcation » (passant par Nantua, Dole, Chalon-sur-Saône, Poitiers, Angoulême et Bayonne) ; elle assure les frais d'entretien des troupes d'occupation allemandes (ce qui conduira au paiement de lourdes indemnités de guerre : d'abord 400 millions de francs par jour, puis 500 en 1942) ; elle ne récupère pas ses deux millions de soldats prisonniers en Allemagne ; elle accepte de livrer au Reich les réfugiés antinazis se trouvant en France. Même l'honneur n'est plus sauf.

## *Les causes de la défaite*

Si la France apparaît prise de court et mal préparée en 1940, cela provient en partie des heures de travail perdues depuis 1936, qui ont affaibli le potentiel productif du pays, alors qu'il augmentait en Allemagne. En effet, en 1939, la production industrielle est en Allemagne 15 % plus élevée qu'en 1929, et celle de l'acier a augmenté de 50 % ; la croissance la plus spectaculaire est celle des biens d'équipement, qui atteignent en 1939 l'indice 256, pour une base 100 en 1928. Cela a été permis par une politique industrielle volontariste et autoritaire, s'appuyant sur des grands groupes industriels et sur les industries d'armement : les investissements publics passent de 3,1 milliards de marks en 1933 à 21 en 1938, dont 15,5 dans le secteur de l'armement.

Cependant, le rapport de force militaire est relativement équilibré : en septembre 1939, l'Allemagne dispose de 103 divisions (dont 59 en Pologne et 44 à l'ouest), la France de 94 divisions (82 au nord, 3 sur les Alpes, 9 en Afrique du Nord), et la Grande-Bretagne a envoyé 4 divisions sur le continent. La France possède trois fois plus de pièces d'artillerie que l'Allemagne, mais trois fois moins de canons antichars et deux fois moins d'avions de combat. En mai 1940, l'Allemagne engage 136 divisions (dont 10 de chars de combat) contre 94 françaises, 11 britanniques, 20 belges, 8 néerlandaises et 2 polonaises ; les Allemands disposent de 2 600 chars et les Alliés de 2 300 ; ils possèdent 1 300 chasseurs et 1 360 bombardiers, mais les Français n'ont que 750 chasseurs et 150 bombardiers, auxquels s'ajoutent 430 avions britanniques basés en France. Mis à part le domaine aérien, l'infériorité de l'armement français est loin d'être évidente, d'autant plus que la qualité du matériel (y compris celle de ses chars) est souvent supérieure à celle du matériel allemand.

D'autre part, la combativité de l'armée française ne saurait non plus être mise globalement en cause, dans la mesure où, malgré l'inaction décourageante de l'hiver 1939-1940, les soldats français font preuve de détermination dans de multiples occasions (sur la Meuse, dans l'Aisne, sur la Somme, à Saumur...) et ont cent mille tués au combat. En outre, plus de mille avions allemands sont abattus par la chasse et la DCA françaises.

S'il est vrai que « l'esprit de 1936 » manifestait plus un désir de mieux vivre que de préparer la guerre, le refus des milieux conservateurs de permettre un plus équitable partage des richesses et l'hostilité à une véritable politique de relance (comme celle que proposait Léon Blum en avril 1938) n'étaient pas de nature à stimuler « l'ardeur au travail » et le dynamisme productif.

Par ailleurs, l'attitude de ceux qui refusaient de s'opposer vigoureusement aux régimes fascistes pour ne pas « faire le jeu des communistes » contribue aussi à expliquer l'absence d'une politique plus déterminée face à l'Allemagne nazie. Enfin, et peut-être surtout, la responsabilité ultime de la débâcle incombe aux hautes autorités civiles et militaires, ne croyant pas à la possibilité d'une guerre de mouvement, sous-estimant l'efficacité des divisions blindées et de l'aviation, et incapables de prévoir et de répondre rapidement à l'offensive concentrée des troupes allemandes, ni d'organiser le regroupement des forces françaises pour contenir la première percée de la Wehrmacht.

# La « Révolution nationale »

## « Maréchal, nous voilà ! »

*En juillet 1940, le maréchal Pétain en finit avec la IIIᵉ République et engage la France dans la voie d'une dictature fascisante ayant pour devise : « Travail, famille, patrie. »*

L'armistice du 22 juin 1940 ne signifie pas pour autant le retour à la paix, puisque aucun traité n'est signé et que l'armée allemance occupe la moitié du territoire français ; il permet cependant l'arrêt des combats et laisse espérer la reprise d'une vie « normale ». Cela explique le crédit, sinon la grande popularité, dont bénéficie le maréchal **Pétain**, qui, à 84 ans, devient président du Conseil. Peu suspect de sympathie pour l'Allemagne, le « héros de Verdun » dit aux Français ce que la grande majorité d'entre eux désire entendre : la guerre est perdue, la résistance est vaine, l'heure est venue de reconstruire la France et de panser les plaies de ce conflit désastreux. Pour cela, il convient de respecter une stricte neutralité dans la guerre entre l'Allemagne et la Grande-Bretagne, qui n'est plus celle de la France, d'honorer les dispositions de la convention d'armistice, afin d'obtenir une « paix honorable » ; celle-ci doit permettre le retour des prisonniers français et la reconstitution d'un pouvoir politique et administratif indépendant de l'occupant allemand, afin d'éviter une issue « à la polonaise ».

## Pétain au pouvoir

Aussi le maréchal Pétain entreprend-il de mettre en place une nouveau régime permettant un « redressement intellectuel et moral » ; il faut en finir avec « l'esprit de

---

### Philippe Pétain (1856-1951)

Saint-Cyrien d'origine paysanne, il enseigne à l'École de guerre de 1901 à 1910 et devient général de brigade en août 1914 et divisionnaire en septembre. Après s'être illustré durant la bataille de la Marne, le mois suivant, puis en Artois en mai 1915, il commande en 1916 l'armée française qui lutte héroïquement à Verdun. En 1917, promu commandant en chef en remplacement de Nivelle, il réussit à rétablir le moral des troupes par des mesures humanitaires. Maréchal de France en 1918, il combat victorieusement la révolte marocaine dans le Rif en 1925. Inspecteur de la défense aérienne du territoire de 1931 à 1934, il devient ministre de la Guerre du gouvernement Doumergue en 1934, puis ambassadeur en Espagne en 1939.

Il sera enlevé par les Allemands le 20 août 1944 et conduit à Sigmaringen, puis réussira à gagner la Suisse en avril 1945, et se présentera ensuite spontanément devant la justice française : son procès devant la Haute Cour, du 23 juillet au 14 août 1945, se conclura par sa condamnation à mort, commuée en détention à vie. Il sera emprisonné au fort du Pourtalet, puis à l'île d'Yeu.

---

jouissance qui l'a emporté sur l'esprit de sacrifice » et qui, à ses yeux, explique la défaite. Pour cela, à l'instigation de Pierre Laval, entré au gouvernement le 23 juin, le Parlement est convoqué par radio à Vichy, en zone libre, le 2 juillet 1940. Sur près de 900 députés et sénateurs, 660 d'entre eux répondent à cet appel (mais certains n'ont pas reçu l'information, d'autres sont partis pour Casablanca, et 45 élus communistes ont été destitués).

Réunies séparément, les deux Chambres votent le 9 juillet le principe d'une révision constitutionnelle. Le lendemain, elles tiennent séance commune dans la grande salle du casino de Vichy et adoptent à une écrasante majorité (560 pour, 80 contre et 20 abstentions) un texte qui « accorde tous pouvoirs au gouvernement de la République, sous l'autorité et la signature du maréchal Pétain » ; il obtient les « pleins pouvoirs exécutifs et législatifs » pour donner « une nouvelle Constitution à l'État français (qui) devra garantir les droits du travail, de la famille et de la patrie ».

---

### Les 80 républicains

Seuls 58 députés et 22 sénateurs votent le 10 juillet 1940 contre l'acte de décès de la IIIe République : s'ils sont majoritairement de gauche (36 parlementaires socialistes, 12 députés radicaux, 14 sénateurs de la gauche démocratique), 88 socialistes sur 149 et la majorité des radicaux acceptent de donner les pleins pouvoirs au maréchal Pétain. Parmi ces opposants, 31 seront arrêtés et 10 déportés. Ainsi, la majorité importante des élus du Front populaire a cédé face à la pression exercée par Laval, à la personnalité de Pétain, au découragement et à la solution de facilité. En acceptant de se saborder, la classe politique a ainsi le sentiment de payer sa faute de n'avoir pas su préparer la France aux épreuves qu'elle allait subir.

---

Les 11 et 12 juillet, le maréchal Pétain promulgue quatre actes constitutionnels lui donnant tous les pouvoirs. Il devient « chef de l'État », mais aussi chef du gouvernement, a le droit de légiférer sans le contrôle d'une Assemblée, et détient une partie du pouvoir judiciaire : il s'agit d'une véritable dictature personnelle sans aucune instance de contre-pouvoir. Il subsiste cependant un gouvernement, qui tiendra un conseil restreint, où

---

**Le gouvernement de Vichy (juillet 1940)**

Aux côtés de Philippe **Pétain**, chef de l'État français et président du Conseil, on trouve Pierre **Laval**, vice-président, devenant « dauphin officiel » le 12 juillet, le général **Weygand** à la Défense nationale, Charles Frémicourt à la Justice, qui sera remplacé par Raphaël Alibert, Paul Baudoin aux Affaires étrangères, Yves Bouthillier aux Finances, le général Colson à la Guerre, l'amiral **Darlan** à la Marine, le général Pujo à l'Air, Albert Rivaud à l'Éducation nationale, Albert Chichery à l'Agriculture et au Ravitaillement, Adrien Marquet à l'Intérieur, Jean Ybarnegaray aux Anciens combattants, ces deux derniers étant particulièrement représentatifs de l'extrême droite antiparlementaire des années 1930.

---

seront prises les décisions importantes. Pour l'heure, Pierre Laval y joue le rôle d'une sorte de Premier ministre-dauphin.

### Un « fascisme à la française » ?

Cependant, la nature exacte de ce régime est difficile à cerner. Par certains côtés, il s'apparente à ceux d'Allemagne et d'Italie : pouvoir personnel d'un « guide » charismatique cherchant à régénérer un pays en crise ; suppression de toute vie démocratique, des partis politiques et des syndicats ouvriers ; anticommunisme virulent, substituant les valeurs nationalistes et patriotiques à la lutte des classes ; mythe du retour au passé enraciné dans la terre des ancêtres ; corporatisme créant de nouvelles solidarités par métier, et renforcement des unités de vie collective « naturelle » (famille, village, entreprise...) ; idéologie de l'inégalité naturelle entre les hommes, culte de la hiérarchie et de l'obéissance ; dirigisme de l'État qui renforce le pouvoir administratif, stimule l'activité des entreprises privées, suscite un état d'esprit « moderniste » tourné vers l'efficacité ; lutte contre les francs-maçons et antisémitisme avec la promulgation du « statut des juifs », les excluant de la fonction publique et d'une série d'autres activités ; création d'une milice s'apparentant par ses méthodes et son idéologie à la Gestapo hitlérienne.

Toutefois, il n'est pas créé de parti unique contrôlant l'appareil d'État civil et militaire ; la Légion des combattants, la Légion des volontaires français, la Milice restent relativement marginales par le nombre de leurs recrues et par le rôle qu'elles jouent ; les Chantiers de jeunesse, créés pour occuper les classes d'âge ne pouvant servir sous les drapeaux et les « éduquer sainement », vont, quant à elles, devenir des lieux d'opposition au régime. D'autre part, l'antisémitisme de Vichy est en partie dû aux circonstances : obéir aux demandes allemandes (mais aussi les devancer) pour établir un « contre-feu » permettant de mieux protéger la population « française » ; de même, les thèmes corporatistes et l'attrait pour la vie des champs révèlent surtout la nostalgie de la société préindustrielle « plus humaine », bien éloignée d'une société allemande militarisée, aux grandes entreprises industrielles.

Par ailleurs, les « vrais fascistes » français, admirateurs de l'Allemagne nazie, resteront le plus souvent hors du gouvernement et résideront plutôt à Paris occupé qu'à Vichy. Enfin, la politique de collaboration, tout au moins jusqu'en 1944, peut aussi s'analyser comme une tentative pour éviter aux Français de subir une oppression trop dure de la part d'un vainqueur disposant de tous les moyens pour imposer sa loi.

Il n'en reste pas moins que la plupart des décisions prises par les gouvernements du maréchal Pétain et de Pierre Laval correspondent à l'objectif explicite d'établir un « ordre nouveau » supprimant les institutions démocratiques et « l'héritage de 1936 », pour permettre la conservation des privilèges détenus par une « élite » économique et administrative, tout en s'accommodant de l'hégémonie européenne de l'Allemagne nazie.

# La France hors la guerre
## (juillet-décembre 1940)

### À la recherche de la collaboration

*La France de Vichy devenue « neutre », seules la Grande-Bretagne et une poignée de « Français libres » combattent encore l'Allemagne nazie.*

Dès la signature de l'armistice, le 22 juin 1940, le gouvernement du maréchal Pétain cherche à établir des relations « normales » avec l'Allemagne de façon à alléger le poids de la défaite et à mettre résolument la France en dehors du conflit qui se poursuit entre le Reich et la Grande-Bretagne.

### À la recherche de la paix

Aux yeux de Pétain, de Weygand et des partisans convaincus du rapprochement avec l'Allemagne comme Laval et Marquet, la résistance britannique ne saurait durer ; le repli en Grande-Bretagne ou en Afrique du Nord, permettant de continuer la guerre en s'appuyant sur les empires français et britannique, n'est que pure illusion, tant la supériorité allemande paraît écrasante et

---

**La bataille d'Angleterre**

À partir du 22 juin 1940, la Grande-Bretagne, où Winston **Churchill** est devenu Premier ministre le 10 mai, se retrouve seule face au Reich. Le 22 juillet, elle répond clairement par lord Halifax qu'elle ne traitera pas avec l'Allemagne. Hitler décide alors de procéder à un débarquement, prévu pour le 15 septembre et préparé par une intense guerre aérienne, qui commence le 13 août et se poursuivra jusqu'en octobre. Mais les fautes tactiques de l'aviation allemande, l'héroïsme des pilotes de la Royal Air Force, la détermination de Churchill et le civisme du peuple britannique obligent Hitler à abandonner son projet d'invasion ; de plus, le général **Franco** refuse de laisser l'armée allemande attaquer Gibraltar.

---

définitive. Mieux vaut en revanche collaborer avec les vainqueurs « dans le cadre d'une activité constructive du nouvel ordre européen », comme le dira explicitement le 30 octobre 1940 le maréchal Pétain, plutôt que d'entraîner la France dans des combats d'arrière-garde qui provoqueraient de nouvelles épreuves et diviseraient le pays, qu'il s'agit de réunir et de convertir à la Révolution nationale. De ce point de vue, l'armistice (bien que proscrit par l'engagement franco-britannique du 28 mars) vaut mieux qu'une capitulation : négocié, il engage les États signataires et constitue le premier pas vers une paix séparée, alors qu'une capitulation constitue un simple constat de défaite militaire ponctuelle, n'engageant en rien l'avenir des rapports entre les deux pays.

Un élément supplémentaire renforce la détermination et l'audience du parti collaborationniste : craignant que contrairement aux dispositions de l'armistice qui prévoyait le désarmement de la flotte française l'Allemagne ne mette la main sur celle-ci pour attaquer la

Grande-Bretagne, Winston **Churchill** déclenche début juillet l'opération Catapult, visant à obtenir le ralliement ou le désarmement effectif de la flotte française. Les choses se passèrent la plupart du temps sans incidents graves, sauf dans la rade de Mers el-Kébir, près d'Oran : l'amiral français Gensoul refusant de répondre à l'ultimatum de l'amiral anglais Somerville, la flotte britannique ouvre le feu le 3 juillet 1940 sur l'escadre française qui ne peut manœuvrer, tuant 1 297 marins et provoquant de gros dégâts. Cette action permet au gouvernement qui s'installe à Vichy de fustiger les défenseurs de la poursuite de la guerre aux côtés de la Grande-Bretagne, en cultivant un sentiment d'anglophobie né au moment de l'épisode de Dunkerque, et de justifier ainsi une politique tranchant dans tous les domaines avec celle de Paul Reynaud. La voie est désormais tracée : il s'agit de se concilier les bonnes grâces de l'Allemagne et de reprendre en main le pays.

---

### Le coût de l'armistice

L'article 18 de la convention d'armistice prévoit que les frais d'entretien des troupes d'occupation allemandes seront à la charge de la France : à partir du 2 septembre 1940, elle verse ainsi à ce titre 400 millions de francs par jour à l'Allemagne. Cette somme sera ramenée à 300 millions de mai 1941 à novembre 1942, puis sera ensuite fixée à 500 millions. De plus, la France doit fournir au Reich 10 000 têtes de bétail et 1 000 tonnes de beurre par semaine, et 700 000 tonnes de charbon par mois, pendant un an. D'autre part, les houillères, les usines d'armement, les aciéries, l'industrie automobile doivent produire en partie pour l'Allemagne.

## *Les débuts de la « Révolution nationale »*

Dès le 30 juillet sont créés les Chantiers de jeunesse et le gouvernement Pétain-Laval promulgue le même jour une loi « francisant » l'Administration, prélude à une épuration progressive des éléments suspects (en quelques mois, 94 préfets seront démis et 104 mis à la retraite alors que maires et conseillers municipaux des communes de plus de 2 000 habitants ne sont plus élus mais nommés, et que les conseils généraux sont remplacés par des « commissions administratives »). Le 8 août sont arrêtés Daladier, Blum, Mandel et Gamelin, jugés responsables de la défaite ; ils seront traduits devant la Cour suprême de justice récemment créée ; d'autre part, le général De Gaulle est condamné à mort par contumace, pour trahison et désertion, par un tribunal militaire.

Le 13 août, les « sociétés secrètes » sont dissoutes, cette mesure visant les francs-maçons, très présents parmi la haute administration et le personnel politique de la IIIᵉ République, alors que le maréchal Pétain annonce le début de la Révolution nationale.

Le 16 août sont créés des « comités provisoires d'organisation » et le 10 septembre un Office central de répartition de la production industrielle, visant à réorganiser une économie nationale touchée par la pénurie, en raison à la fois de l'absence de deux millions de travailleurs, du poids du tribut de guerre (fixé à 400 millions de francs par jour) et des difficultés de circulation causées par la coupure du pays en deux, les destructions des ponts et le manque de ressources énergétiques. Tout en permettant à l'État de contrôler la vie économique, ces organismes sont généralement confiés à des membres du haut patronat qui savent concilier une gestion plus efficace des ressources nationales et leurs intérêts personnels, en ordonnant par exemple la fermeture d'entreprises concurrentes non rentables.

Le 29 août est créée la Légion française des combattants, aux connotations fascisantes, et, le 18 septembre, les écoles normales d'instituteurs, soupçonnées d'inculquer des sentiments trop républicains, sont supprimées.

Puis un « statut des juifs de nationalité française » est promulgué le 3 octobre par Vichy, sans que les Allemands l'aient demandé (ils n'imposeront des mesures antisémites qu'en 1942). Ce statut instaure une discrimination de droit entre citoyens français, fondée sur la religion et la race : les juifs sont exclus des postes de responsabilités dans la fonction publique, la magistrature et l'armée : il leur est interdit d'exercer des fonctions électives et des activités ayant une influence sur la vie culturelle ; leur accès à diverses professions libérales est limité par un numerus clausus. De plus, le 4 octobre 1940,

---

### Le durcissement de l'antisémitisme

Les mesures antijuives de 1940 servent de prélude à l'ordonnance du 26 avril 1941 (donnant le choix entre l'« aryanisation » des entreprises juives ou leur liquidation), et au durcissement du statut des juifs, avec la loi du 2 juin 1941 : la liste des professions totalement interdites aux juifs s'allonge (s'y ajoutent la banque, l'immobilier, la publicité) ; le numerus clausus aggravé est étendu à d'autres activités (durant l'été 1941, une série de décrets fixe par exemple à 2 % le nombre de médecins ou dentistes juifs, et à 3 % le nombre d'élèves du secondaire et d'universitaires israélites). L'antisémitisme de Vichy connaît, il est vrai, certaines limites : Pétain interdit le port de l'étoile jaune en zone libre, et Laval déclare en septembre 1942 au SS Oberg que les juifs ne peuvent être « livrés comme dans un Prisunic, à volonté et au même tarif ».

les juifs étrangers sont soumis au pouvoir préfectoral pouvant ordonner leur internement, et la loi Crémieux de 1871 accordant la nationalité française aux juifs d'Algérie est abrogée le 7 octobre. Le 18 octobre, toute affaire juive doit avoir un administrateur provisoire.

### Montoire

Après l'armistice, les Allemands se soucient fort peu du devenir de la France. La préoccupation de Hitler est alors d'en finir avec la Grande-Bretagne, et la France n'est pour lui qu'une source de produits agricoles et industriels, de main-d'œuvre et d'argent. Le fait de ne pas l'occuper entièrement lui permet de laisser au gouvernement de Vichy suffisamment d'autonomie pour apparaître légitime, de lui confier le soin d'administrer le pays et de défendre les territoires de l'Empire français face aux initiatives britanniques ou gaullistes.

D'ailleurs, après que la France libre a passé un accord de coopération avec Londres le 7 août, et reçu le ralliement de l'Afrique-Équatoriale française les 26-28 août, et de Tahiti le 31 août, une opération militaire menée par De Gaulle contre Dakar échoue (23-25 septembre 1940). Aussi, malgré le ralliement de la Nouvelle-Calédonie le 24 octobre, du Gabon le 9 novembre, et la création par de Gaulle0, à Brazzaville, le 27 octobre d'un Conseil de défense de l'Empire, les Forces françaises libres sont-elles alors bien peu nombreuses à l'automne 1940 (environ 30 000 hommes), et l'essentiel de l'Empire (Afrique du Nord, A.-O.F., Madagascar, Indochine) reste soumis au gouvernement de Vichy.

Mais le danger d'une dissidence reste toujours présent et la défense de Dakar par l'armée « légaliste » montre à Hitler l'intérêt qu'il peut avoir à ménager le régime du maréchal Pétain. Il finit donc par accepter de rencontrer les dirigeants de Vichy, qui recherchent une telle entrevue depuis l'armistice.

Ainsi, le 22 octobre 1940, Hitler en route pour Hendaye, où il rencontrera **Franco**, a une entrevue avec Laval ; deux jours plus tard, il rencontre Pétain à Montoire. Si Pétain refuse l'entrée en guerre de la France contre la Grande-Bretagne et l'occupation de l'Afrique du Nord par les Allemands, il défend le principe d'une collaboration politique d'État à État, dans un message aux Français diffusé le 30 octobre. Pour prouver sa bonne foi et obtenir les bonnes grâces du Reich, Vichy signe même, le 14 novembre, des « accords de compensation », par lesquels il livre à l'Allemagne l'or déposé en France par la Belgique, et lui concède ses participations dans les mines de cuivre yougoslaves, sans véritable contrepartie, puisque les prisonniers français restent en Allemagne et que les trois départements français d'Alsace-Lorraine, annexés par le Reich le 7 août, ne lui sont pas rendus ; au contraire, 150 000 personnes sont expulsées de cette région en novembre-décembre ; de même le Nord et le Pas-de-Calais restent sous le contrôle de l'administration allemande de Belgique (dont ils dépendent depuis le 15 septembre).

### La chute de Laval

Les déboires de cette première étape de la collaboration comme des inimitiés personnelles expliquent le renvoi de Laval, le 13 décembre 1940, après un mois de novembre marqué en particulier par la dissolution de toutes les centrales syndicales, ouvrières et patronales (le 9), par une manifestation patriotique d'étudiants parisiens devant l'Arc de triomphe (le 11), par la déclaration du

cardinal Gerlier, primat des Gaules, affirmant que
« Pétain c'est la France, et la France c'est Pétain » (le
18), et la création d'un réseau de résistance lyonnais,
France-Liberté (le 20).

Pierre Laval a en effet tenté depuis Montoire d'aller
encore plus loin dans le rapprochement franco-allemand,
envisageant même une coopération militaire contre la
Grande-Bretagne, en particulier pour reprendre le Tchad
passé à la dissidence gaulliste ; cela était d'ailleurs en
contradiction avec les engagements pris secrètement en
octobre par le gouvernement de Vichy, par lesquels il
assurait Churchill que la France ne fournirait pas d'appui
à l'Allemagne en Méditerranée, ni n'attaquerait la
Grande-Bretagne ou les territoires ralliés à la France
libre. Laval, très lié avec l'ambassadeur d'Allemagne
Otto Abetz, joue donc une carte personnelle, et envisage
même de profiter du retour des cendres de l'Aiglon aux
Invalides, prévu le 15 décembre, et auquel Pétain doit
assister, pour l'empêcher de regagner Vichy et prendre
le pouvoir avec l'aide des Allemands.

Mais Pétain devance la manœuvre. Le 13 décembre,
il fait arrêter Laval ainsi que Déat à Paris, et reste à
Vichy. L'intervention des autorités allemandes provoque
la libération de Laval, qui déclare : « Je sais maintenant
où aller chercher mes amis : chez les Allemands. »

Alors que Pierre-Étienne Flandin devient le 14 décembre ministre des Affaires Etrangères, l'amiral **Darlan**
occupe désormais la place de Pierre Laval. Le 25 décembre, près de Beauvais, il rencontre Hitler, qui lui fait part
de son vif mécontentement de l'exclusion de Laval, et du
fait que la France ne doit s'attendre à aucun égard de la
part de l'Allemagne.

---

**Les débuts de la Résistance**

Le 25 décembre 1940 est créé à Fort-Lamy, au Tchad, le premier groupe d'aviation autonome de la France libre. Deux jours plus tôt, Jacques Bonsergent avait été le premier Parisien à être fusillé pour avoir porté la main sur un soldat allemand.

---

# Le conflit devient mondial
## (1941-1942)

### Collaboration et Résistance

*L'entrée en guerre de l'URSS et des États-Unis et le débarquement allié en Afrique du Nord donnent une dimension nouvelle à l'action de la France libre et de la Résistance intérieure.*

La fermeté dont fait preuve le régime de Vichy à l'égard de l'Allemagne sur le plan de la politique extérieure ne signifie pas pour autant une remise en cause des orientations générales du gouvernement : collaboration civile avec l'Allemagne et Révolution nationale. Ainsi, après la réconciliation officielle entre Pétain et Laval, le 18 janvier 1941, le 22 est créé à Vichy un Conseil national pour la France, et le 27 les membres du gouvernement doivent prêter un serment de fidélité au maréchal Pétain. Le 28, le groupe de résistants du musée de l'Homme est arrêté. Le 1er février, Marcel Déat fonde le Rassemblement national populaire (RNP), collaborationniste, et le 7 reparaît à Paris le journal d'extrême droite *Je suis partout,* dirigé par Robert Brasillach.

---

### Le Conseil national

Annoncé le 24 janvier 1941, il vise à constituer, selon les termes employés par Pétain lui-même, un « circuit continu entre l'autorité de l'État et la confiance du peuple ». Il s'agit en fait d'une assemblée consultative réunissant des personnalités et des notables choisis par le gouvernement : le physicien Louis de Broglie, le pianiste Alfred Cortot, d'anciens ministres (G. Bonnet, L. Amoureux, Germain-Martin), Mgr Beaussart, le pasteur Boegner, des président de chambres de commerce... Une commission élabore un projet de Constitution prévoyant la création d'une Chambre de 200 membres choisis par le chef de l'État, et une seconde de 300 membres, à moitié désignés par lui, à moitié composée d'élus d'assemblées provinciales, d'anciens combattants, de pères de familles nombreuses, d'associations professionnelles ou corporatives... Expression du patriarcat élitiste du régime, elle ne sera jamais appliquée car elle était conditionnée au retour de la paix.

---

## *Le gouvernement Darlan*

Le 9 février, Flandin démissionne, et le 25 Darlan devient vice-président du Conseil, ministre des Affaires étrangères, de l'Intérieur, de la Marine et de l'Information. Le général Huntziger est ministre de la Guerre, Joseph Barthélemy ministre de la Justice, Yves Bouthillier ministre de l'Économie et des Finances.

L'intolérance et la répression s'accentuent alors : le 1er mars, le gouvernement instaure le corporatisme et interdit les augmentations de salaires ; le 29 mars, Xavier Vallat, virulent antisémite, est nommé commissaire général aux questions juives ; le 12 avril, le divorce est réglementé ; le 18 avril, la France se retire de la Société des Nations ; après une ordonnance allemande sur les juifs vivant en zone occupée (8 mai), et une nouvelle rencontre Darlan-Hitler (13 mai), un millier de juifs étrangers sont arrêtés à Paris par la police française et déportés en Allemagne ; le 28 mai, la conclusion des Protocoles de Paris permet l'abaissement de l'indemnité journalière versée à l'Allemagne et un passage plus facile de la ligne de démarcation ; mais, en échange, l'État français autorise l'Allemagne à utiliser ses aéroports de Syrie et des bases navales en Tunisie et au Sénégal. Pourtant, si le gouvernement de Vichy publie le 2 juin le deuxième « statut des juifs » (voir p. 275) officialisant l'antisémitisme d'État, le Conseil des ministres refuse d'entériner les Protocoles de Paris (3-6 juin).

Mais après l'invasion de l'URSS par l'Allemagne, le 22 juin, Doriot, chef du parti populaire français, crée une Légion des volontaires français contre le bolchevisme (LVF), le 7 juillet, et reçoit le soutien des dirigeants du RNP, Déat et Deloncle. En outre, le 14 août, sont créées les cours spéciales de justice et un serment de fidélité au maréchal Pétain est imposé aux fonctionnaires, militaires et magistrats. Le 15 août, la gratuité de l'enseignement secondaire est supprimée ; le 21 août, 5 000 juifs sont internés au camp de Drancy, en attendant d'être déportés ; le même jour, Fabien abat au métro Barbès un soldat allemand, ce qui provoque le lendemain la promulgation d'une ordonnance sur les otages. Puis, le 27 août, Laval et Déat sont blessés par balles au siège de la LVF ; le 29, plusieurs résistants sont fusillés, dont d'Estienne d'Orves, puis 10 otages le 16 septembre.

Le 4 octobre est instituée la Charte du travail, qui crée des syndicats uniques obligatoires. Ce même mois verra se poursuivre la répression intérieure : le 16, Paul Reynaud, Édouard Daladier, Léon Blum et le général

### L'URSS dans la guerre (1941-1943)

Fort de ses succès en Europe du Sud et en Libye, Hitler déclenche le 22 juin 1941 le plan « Barberousse » d'invasion de l'Union soviétique : 145 divisions allemandes, 3 300 chars et 2 000 avions, complétés par 50 divisions alliées (italiennes, finlandaises, roumaines et hongroises), sont engagés dans une nouvelle « guerre éclair » qui doit repousser vers l'Oural les frontières orientales du Reich et lui assurer les ressources minières, énergétiques et agricoles de la Russie européenne.

Manifestement surprise, Staline ne croyant pas à une attaque si rapide, l'Armée rouge est submergée malgré une vive résistance. Pratiquant une guerre totale, la Wehrmacht assiège Leningrad le 8 septembre, prend Kiev le 19, Odessa le 16 octobre, occupe la Crimée le 30, atteint Rostov, sur le Don, le 20 novembre, puis concentre ses efforts vers Moscou : le 5 décembre 1941, elle n'en est qu'à 22 km, mais une vive contre-attaque soviétique arrête l'armée allemande.

Après un terrible hiver (mis à profit par les Soviétiques pour réorganiser leur armée et déplacer plus à l'est les usines d'armement), les Allemands reprennent l'offensive en Ukraine début juin 1942, prennent Sébastopol le 21 juin, Voronej le 7 juillet, Rostov le 23 juillet, et pénètrent dans le Caucase en août. Début septembre, l'armée de von Paulus atteint Stalingrad. Mais la ville est défendue pied à pied, et le 19 novembre s'amorce une nouvelle contre-attaque soviétique qui aboutit à l'encerclement de l'armée allemande autour de Stalingrad : von Paulus capitule le 2 février 1943.

Entre-temps, la Wehrmacht avait dû évacuer le Causase (fin décembre) et l'Armée rouge avait dégagé Leningrad (12-18 janvier 1943). Désormais, l'offensive sera soviétique, malgré de dangereuses contre-attaques allemandes (vers Kharkov en mars, vers Koursk en juillet), et se poursuivra sans relâche jusqu'à l'entrée à Berlin de l'Armée rouge, le 24 avril 1945.

## La guerre en Europe du Sud-Est (1940-1941)

Après la signature du pacte Allemagne-Italie-Japon du 27 septembre 1940, l'Allemagne envahit la Roumanie (7 octobre), et l'Italie attaque la Grèce (28 octobre). Mais les Britanniques répliquent en débarquant le 31 octobre en Crète, alors que l'armée grecque de Papaghos résiste aux Italiens, qui doivent reculer en Albanie.

Face à ce revers italien, et après un débarquement britannique en Grèce (7 mars 1941), la Wehrmacht envahit la Yougoslavie le 6 avril 1941, puis la Grèce, qui capitule le 21 avril non sans avoir résisté. Le 20 mai, les Allemands envahissent la Crète, que les Britanniques évacuent le 29.

## Les FFL en Afrique et au Levant (1941)

Le 10 février 1941, les Forces françaises libres du colonel Leclerc parties du Tchad attaquent Koufra, qui est prise aux Italiens le 2 mars.

Les FFL y jurent de poursuivre le combat jusqu'à ce que le drapeau français flotte sur Metz et Strasbourg. Le 8 juin 1941, les FFL des généraux Catroux, Kœnig et Legentilhomme et des troupes britanniques pénètrent en Syrie et au Liban, contrôlés par l'armée de Vichy, pour contrer l'autorisation donnée aux Allemands d'y utiliser les aérodromes français.

À Damas, les 35 000 hommes de l'armée vichyste du Levant combattent avec détermination durant un mois. Un armistice est finalement conclu le 14 juillet entre les FFL et le haut-commissaire de Vichy, Dentz, qui évacue Damas après avoir subi de lourdes pertes. L'indépendance de la Syrie sera proclamée par la France libre le 27 septembre, et celle du Liban le 27 novembre.

Gamelin sont condamnés à la réclusion perpétuelle en forteresse, par le Conseil de justice politique (mais parallèlement se poursuit l'instruction de leur procès par la cour de Riom) ; les 22 et 23, une centaines d'otages sont exécutés par les Allemands (dont 27 à Chateaubriant), ce qui pousse le général De Gaulle à demander la suspension des attentats effectués par la Résistance. Celle-ci, qui a bénéficié de la création du Conseil national de la Résistance, à Londres, le 24 septembre, s'étend avec la naissance à Grenoble du mouvement Combat, le 4 novembre, alors que le lendemain le maréchal Pétain transmet un message d'encouragement à la LVF. Le 12 décembre, jour où est constitué officiellement le Service d'ordre légionnaire, préfigurant la Milice, 750 personnalités juives sont arrêtées à Paris. Trois jours plus tard, le dirigeant communiste Gabriel Péri et 100 otages sont fusillés par les Allemands.

Avec l'entrée en guerre des États-Unis, attaqués à Pearl Harbor par le Japon le 7 décembre, la guerre est désormais mondiale en cette fin d'année 1941. Cette nouvelle dimension du conflit (l'Allemagne et l'Italie ayant de plus déclaré la guerre aux États-Unis le 11 décembre) et la résistance soviétique devant Moscou donnent tort à ceux qui croyaient à une victoire définitive de l'Allemagne quelques mois plus tôt, et redonne confiance aux résistants de l'intérieur comme aux divisions des Français libres qui combattaient jusque-là aux côtés des seuls Britanniques.

### 1942 : La collaboration à visage découvert

Ces événements pourraient infléchir l'orientation de la politique de collaboration suivie par le gouvernement de Vichy, d'autant plus que l'entrevue Pétain-Göring

---

**La charte de l'Atlantique**

Du 9 au 12 août 1941, Churchill et Roosevelt se rencontrent au large de Terre-Neuve. Bien que les États-Unis ne soient pas en guerre, Roosevelt promet d'aider la Grande-Bretagne, et les deux pays s'engagent à favoriser l'avènement d'un « meilleur avenir pour le monde ». Ils déclarent espérer qu'après « la destruction définitive du national-socialisme et de sa tyrannie » pourra « s'ériger un état de paix où chacun pourra vivre paisiblement dans ses propres frontières, où tous les hommes de tous les pays pourront passer toute leur vie à l'abri de la peur et du besoin ».

---

du 1er décembre 1941, à Saint-Florentin, s'est soldée par un amer constat : l'Allemagne n'est nullement décidée à traiter d'égal à égal avec l'État français, et Göring a violemment critiqué le manque de coopération des Français (Weygand s'étant opposé aux Protocoles de Paris). Pétain déplore ainsi que « s'il y a en haut un vainqueur et en bas un vaincu, il n'y a plus de collaboration, il y a [...] un diktat ».

## *Le retour de Laval*

Pourtant, après avoir assuré aux États-Unis (le 27 février 1942) que la flotte française ne tomberait pas aux mains de l'Allemagne, le maréchal Pétain rencontre Laval dans la forêt de Randan le 26 mars, prélude au retour de l'ancien dauphin du chef de l'État. Il a lieu le 18 avril, lendemain de la démission de Darlan : un acte constitutionnel crée la fonction de chef du gouvernement, qui est exercée par Pierre Laval, également ministre de l'Intérieur, des Affaires étrangères et de l'Information. Il s'entoure de secrétaires d'État acquis au rapprochement avec l'Allemagne, tels Fernand de Brinon, Jacques Benoist-Méchin et Paul Marion.

Il s'agit donc bien d'un nouvel élan dans la politique de collaboration, d'autant plus qu'ont lieu fin mars les premières « déportations raciales » de juifs à destination d'Auschwitz, et que début avril la Gestapo s'installe officiellement en zone occupée, sans que les autorités de Vichy ne s'y opposent. Puis, après la nomination de Darquier de Pellepoix, fasciste notoire, à la tête du commissariat général aux questions juives, le 6 mai, le port de l'étoile jaune est imposé aux juifs de la zone occupée le 28 mai, et les 16 et 17 juillet a lieu la grande rafle des juifs parisiens rassemblés au Vélodrome d'hiver : Laval avait négocié l'arrestation par la police française de 13 000 juifs étrangers résidant à Paris, et de 27 000 juifs étrangers de la zone libre, extradés vers la zone occupée, contre la promesse allemande de ne pas inquiéter les juifs français ; il estime ainsi avoir sauvé 75 000 juifs parisiens.

Parallèlement, Pierre Laval négocie le 16 juin le principe de la « relève », selon lequel des Français iront travailler en Allemagne en échange de la libération de prisonniers de guerre. Le 22 juin, il l'annonce au pays, dans un discours radiodiffusé où il déclare : « Je souhaite la victoire de l'Allemagne parce que sans elle le bolchevisme s'installerait partout. » D'ailleurs, le 1er juillet, il autorise l'entrée de voitures de radiogoniométrie allemandes en zone libre pour détecter les émetteurs clandestins de la Résistance, et le 28 juillet un accord aéronautique franco-allemand est signé. En août, alors qu'arrivent les premiers soldats français libérés au titre de la relève (le 11), et que 5 000 juifs de la zone libre sont arrêtés (le 15), un débarquement anglo-canadien échoue à Dieppe (le 18) ; les Alliés perdent 3 000 hommes dans cette opération destinée à éprouver la défense allemande. À la fin du mois, de nouvelles rafles de juifs ont lieu en zone occupée. Le 4 septembre entre en vigueur la loi sur « l'utilisation et l'orientation de la main-d'œuvre », mobilisant les hommes de 21 à 35 ans au service de l'Allemagne. Le 2 octobre, Édouard Herriot est arrêté.

## La guerre en Afrique et ses conséquences

Puis la fin de l'année va être marquée par le début de l'offensive alliée en Afrique du Nord : alors que les Britanniques déclenchent début novembre une contre-

---

### La campagne de Libye (1940-1942)

Après des offensives au Soudan et en Somalie, en juillet-août 1940, une armée italienne de 200 000 hommes attaque le 15 septembre l'armée britannique à Sidi-Barani (au nord-ouest de l'Égypte). Mais, après le bombardement de la flotte italienne à Tarente (12 novembre 1940), les Britanniques contre-attaquent en Cyrénaïque à partir du 8 décembre ; ils prennent Benghazi le 6 février 1941 et atteignent El-Agheila le 9. Hitler envoie aussitôt l'Afrika-korps de Rommel, qui, du 28 mars au 29 avril 1941, oblige l'armée britannique à se replier jusqu'au col d'Halfaya, en Égypte. Puis, du 18 novembre au 30 décembre, les Anglais repoussent Rommel vers El-Agheila, mais celui-ci repart de nouveau à l'attaque le 21 janvier 1942, pour atteindre le 10 février Bir-Hakeim, où il est arrêté seize jours par les Français libres de Kœnig. Le 21 juin, Rommel enlève Tobrouk, mais il est arrêté à El-Alamein, près d'Alexandrie, en juillet. Enfin, le 23 octobre 1942, **Montgomery** engage une grande offensive qui lui permet de chasser les Allemands de Libye et d'atteindre le 23 janvier 1943 Tripoli, où il retrouve la division française du général Leclerc qui a conquis la totalité du Fezzan.

attaque en Libye, une armée américaine forte de
100 000 hommes et commandée par le général Eisenhower débarque le 8 novembre au Maroc et en Algérie, et
se heurte à l'armée de Vichy. Mais l'amiral Darlan, qui
n'est plus membre du gouvernement depuis le retour de
Laval en avril, se trouve alors à Alger, en tant que
commandant en chef. À ce titre, il donne l'ordre le
10 novembre de ne plus résister aux Alliés, et se proclame le 15 novembre « haut-commissaire dépositaire de
la souveraineté française en Afrique du Nord », au nom
du maréchal Pétain ; il s'appuie sur un télégramme
secret envoyé par l'amiral Auphan, ministre de la
Marine, qui aurait fait état de « l'accord intime » du chef
de l'État.

En réalité, le gouvernement de Vichy a rompu dès
le 8 novembre ses relations diplomatiques avec les États-
Unis, et Pétain retire à Darlan toutes ses fonctions officielles le 16 novembre, donnant à Laval le lendemain « le
pouvoir de promulguer sous sa seule signature lois et
décrets ». Le désaveu est donc total et peut expliquer
pourquoi Eisenhower reconnaît Darlan comme chef des
Français d'Afrique du Nord (malgré l'hostilité de la
Grande-Bretagne et des Français libres, qui voient en lui
un homme de Vichy), et non le général **Giraud**. Celui-ci,
qui représente la France combattante de 1940, s'était
évadé le 17 avril 1942 de la forteresse de Königstein,
puis avait gagné Gibraltar et était arrivé en Algérie le
9 novembre. Darlan, qui signe avec le général Clark les
accords organisant les rapports entre autorités françaises
et américaines en Afrique (le  22 novembre), nomme
alors Giraud commandant des forces françaises en
Algérie. Après l'assassinat de Darlan (le 24 décembre),
le général Giraud devient haut-commissaire civil et

militaire en Afrique du Nord, puis il deviendra coprési-
dent, avec le général De Gaulle, du Comité français de
libération nationale en mai 1943. Mais, brouillé avec
celui-ci, il se consacrera uniquement à son rôle militaire
de commandant en chef.

### La France libre en 1942

Le 10 mars, Emmanuel d'Astier de La Vigerie et Christian Pineau, chefs de la Résistance intérieure, se rendent
pour la première fois à Londres, et le 28 sont créés les
Francs-Tireurs et Partisans français (FTPF), essentiellement communistes. En juin, les élèves du lycée Buffon,
résistants, sont arrêtés (le 3) ; le 10, les troupes du général Kœnig retardent héroïquement l'Afrikacorps de
Rommel à Bir Hakeim pendant seize jours, permettant
la retraite en bon ordre des Britanniques. En juillet, alors
que la France libre devient la « France combattante », se
tiennent les premières réunions du « Comité général
d'études » de Jean **Moulin**. Le 20 septembre est publié
le premier numéro des *Lettres françaises,* journal d'écrivains résistants (dont François Mauriac, Jean Guéhenno,
Charles Vildrac, Paul Eluard...). En novembre, les premiers maquis se constituent dans la zone sud, que les
Allemands viennent d'occuper.

### La fin de la zone libre

En effet, le débarquement américain pousse les Allemands à renforcer leur mainmise sur la Tunisie et à
franchir la ligne de démarcation pour occuper la zone
sud. Ils font peu de cas des protestations du maréchal
Pétain, élèvent à 500 millions de francs par jour l'indemnité d'occupation et dissolvent l'armée d'armistice
(27 novembre). Le même jour, alors que les forces alle-

mandes pénètrent dans Toulon, l'amiral Laborde donne l'ordre à la flotte française qui y était regroupée de se saborder : 3 cuirassés, 7 croiseurs, 14 torpilleurs, 15 contre-torpilleurs, 4 avisos, 12 sous-marins et 30 autres navires

---

### La guerre du Pacifique (1941-1945)

Déjà en guerre contre la Chine de Tchang Kaï-chek, et ayant imposé la présence de ses troupes au Tonkin français (juillet 1940), puis en Cochinchine (juillet 1941), le Japon a pour projet explicite d'étendre son hégémonie sur l'ensemble du Sud-Est asiatique et du Pacifique.

Face à l'embargo sur les exportations américaines décidé par le président Roosevelt, et après l'arrivée au pouvoir du général Tojo (16 octobre 1941), l'aviation embarquée de l'amiral Yamamoto coule l'escadre américaine à Pearl Harbor (7 décembre 1941).

Puis les Japonais envahissent la Thaïlande, les Philippines, la Malaisie, Singapour, l'Indonésie, la Birmanie (décembre 1941-mai 1942). Mais les Américains réussissent à arrêter l'offensive japonaise dans la mer de Corail (4-8 mai 1942) et aux îles Midway (4-5 juin), puis débarquent à Guadalcanal, au sud des îles Salomon (7 août). Commence alors une longue et meurtrière reconquête du Pacifique par des troupes américaines peu adaptées à ce genre de combat : la bataille de Guadalcanal dure jusqu'en février 1943, et si les îles Aléoutiennes, au nord, sont reprises durant l'été et les îles Gilbert, à l'est, en novembre 1943, la bataille des îles Salomon, au sud, dure d'août 1942 à novembre 1943, et celle de Nouvelle-Guinée de septembre 1942 à juillet 1944.

La prise des îles Mariannes et de Guam (juin-août 1944) permet aux Américains de menacer directement le territoire japonais, alors que leur victoire aéronavale à Leyte (23-26 octobre 1944) leur ouvre la porte des Philippines, où les combats se poursuivront cependant encore durant plusieurs mois. La guerre ne se terminera qu'en août 1945 (voir p. 307).

sont ainsi détruits ; seuls 5 sous-marins gagnent la haute mer. Une nouvelle fois, faute d'unité de commandement (Darlan et Laborde étant en désaccord), de volonté de rejoindre les Alliés et de prévoyance (près de trois semaines séparent le débarquement américain de la décision de sabordage), un énorme potentiel de guerre est gaspillé. De plus, le gouvernement de Vichy n'a plus maintenant de monnaie d'échange à proposer à l'Allemagne.

# Échec au Reich
## (début 1943 - mai 1944)

### Le vent a tourné

*Alors que l'offensive alliée gagne l'Italie, le gouvernement de Vichy accentue sa collaboration avec un occupant durcissant la répression.*

### 1943 : l'espoir renaît

Alors que le 13 janvier Hitler proclame la « guerre totale », Roosevelt, Churchill, De Gaulle et Giraud se rencontrent le lendemain à Casablanca, où ils se fixent comme objectif la capitulation sans conditions de l'Allemagne, de l'Italie et du Japon, et envisagent l'ouverture d'un second front en Europe du Sud.

Puis le 31 janvier se produit un événement majeur : la capitulation de l'armée de von Paulus à Stalingrad (31 janvier 1943) ; elle est suivie en février par le recul des forces italo-allemandes d'Afrique après une dernière contre-offensive de Rommel le 14, mise en échec par les Britanniques de Montgomery. En mars, Rommel est rappelé, mais son successeur, le général von Arnim, doit se replier en Tunisie du Nord devant l'offensive générale des Anglais et de l'armée de Leclerc au sud, et des Américains au centre. Le 3 avril, après un bombardement allié sur Tunis, les forces de l'Axe commencent à quitter la Tunisie, et, après la prise de Tunis le 7 mai et de Bizerte, les Allemands retranchés au cap Bon capitulent le 13 mai. L'Afrique est désormais totalement contrôlée par les Alliés.

### 1943 en France

La fin du mois de janvier est marquée en France par la fusion des mouvements de résistance Combat, Libération et Franc-Tireur, qui constituent le MUR (Mouvements unis de résistance) dirigé par Jean Moulin (26 janvier), alors qu'est créée la Milice française, soumise à l'autorité de Pierre Laval et dont le secrétaire général est Joseph **Darnand,** déjà initiateur du Service d'ordre légionnaire, qui a combattu la Résistance (30 janvier).

Le 16 février, Vichy institue le Service du travail obligatoire (STO) pour les jeunes Français des classes 1940 à 1942, alors qu'est supprimée la ligne de démarcation. Le lendemain, de Brinon devient président de la Légion des volontaires français, reconnue d'utilité publique par le gouvernement. Le 26 mars, Pierre Brossolette coordonne cinq réseaux de résistance du nord de la France.

---

#### Le ghetto de Varsovie

Le 19 avril 1943 éclate l'insurrection du ghetto de Varsovie, occupé par environ 60 000 juifs, que les SS du général Jürgen Stroop se proposaient de déporter, dans le cadre des opérations de « nettoyage » des ghettos polonais. Après quatre semaines de combats acharnés, les derniers résistants tombent aux mains des Allemands le 16 mai, avant d'être exécutés. Plus de 56 000 juifs auront trouvé la mort ; seuls quelques rares survivants ont pu s'échapper par les égouts.

---

Le 4 avril, Reynaud, Daladier, Blum et Mandel sont livrés aux autorités allemandes. Puis, après l'arrestation du général Delestraint, chef de l'Armée secrète, le 9 juin, Jean Moulin, qui avait présidé le 27 mai la première séance du Conseil national de la Résistance, est arrêté à son tour à Calluire le 21 juin ; il mourra le 8 juillet à la suite des tortures qui lui seront infligées.

---

### Jean Moulin et le CNR

Préfet de Chartres en 1940 et mis en disponibilité par le gouvernement de Vichy, Jean Moulin (1899-1943) gagne Londres avant d'être parachuté en Provence le 1er janvier 1942. Représentant le général De Gaulle, il rassemble et organise la Résistance en zone sud, crée l'Armée secrète, et fonde le Conseil national de la résistance, dont il devient le premier président. Celui-ci, regroupant huit mouvements de résistance, se compose de six personnalités politiques et de deux syndicalistes, et tient sa première réunion le 27 mai 1943.

Jean Moulin, dénoncé, est arrêté le 21 juin 1943 à Calluire. Présidé ensuite par Georges Bidault, le CNR tient des réunions de bureau, avec cinq membres permanents, et constitue des commissions d'étude sur les réformes structurelles à entreprendre après la Libération (nationalisations, statut de la presse...), à l'instigation des membres communistes ; il publie pour cela un « programme » le 15 mars 1944.

Le CNR n'a eu finalement qu'une autorité effective limitée sur les organisations de résistance, et disparaît progressivement après la réorganisation du pouvoir en septembre 1944, mais il aura joué un rôle important dans la coordination de la Résistance voulue par De Gaulle.

---

Le 27 août, c'est Albert Lebrun, ancien président de la République, qui est arrêté par la Gestapo, et, le lendemain, c'est Jean Cavaillès, chef du réseau de résistance

Cahors-Asturies. En septembre, après le soulèvement des résistants corses, appuyés par des troupes italiennes ralliées (le 9), le général Giraud décide la reconquête de l'île, réalisée par le général Martin à partir du 13. Le 4 octobre, l'île est libérée. Le 11 novembre, des grèves et des manifestations anti-allemandes se produisent dans le Sud-Est : à Grenoble, les Allemands chargent à la baïonnette et déporteront 450 personnes ; deux jours plus tard, Aimé Requety y fait sauter le polygone d'artillerie allemand.

En décembre, un corps expéditionnaire français, commandé par le général Juin, débarque en Italie. Il comprend un important contingent de musulmans d'Afrique du Nord, et le général De Gaulle prononce à Constantine un discours sur leur intégration dans la communauté française (12 décembre).

---

### Les institutions gaullistes

Le général **De Gaulle**, qui a évincé le 31 juillet 1943 le général Giraud (qui devient commandant en chef des forces françaises) de la coprésidence du Comité français de libération nationale, crée à Alger le 17 septembre une Assemblée consultative provisoire. Elle est composée de membres des mouvements unifiés de résistance et d'hommes politiques ayant joué un rôle durant la IIIe République, afin de doter la France d'une institution démocratique représentative. Sa première session a lieu le 12 novembre 1943. Entre-temps a été rétabli le décret Crémieux naturalisant les juifs d'Algérie (21 octobre).

---

### 1944 : La fascisation du régime

Alors que Philippe Henriot devient le 7 janvier secrétaire d'État à la Propagande, et Marcel Déat ministre du Travail le 17 mars, la Milice assassine à Lyon Victor Basch, président de la Ligue des droits de l'homme (le 10 janvier) ; des cours martiales destinées à juger les « terroristes » sont créées (le 20) ; le 2 février, le Service du travail obligatoire est étendu aux Français de 16 à 60 ans, et le 21 les résistants du groupe Manouchian sont exécutés ; le lendemain, Robert Desnos est arrêté ; puis, le 27 mars, le gouvernement de Vichy permet l'engagement de Français dans la Waffen SS.

Mais, parallèlement, la Résistance s'organise : le 1er février, les Forces françaises de l'intérieur (FFI) rassemblent toutes les organisations de résistance : l'Armée secrète gaulliste, l'Organisation de résistance de l'armée giraudiste, et les Francs-Tireurs et Partisans communistes. Le 13 février, les maquisards du plateau des Glières, en Haute-Savoie, bénéficient d'un important parachutage d'armes, mais sont attaqués par la Milice de Joseph **Darnand** à partir du 20 mars, puis par 12 000 soldats allemands ; le 26 mars, les 500 maquisards du capitaine Anjot sont anéantis. De même, le sabotage d'un train militaire allemand, à Asq, près de Lille, provoque de sanglantes représailles : 26 personnes sont massacrées dans le village voisin le 2 avril.

Durant ce même mois d'avril, alors que le général De Gaulle succède au général Giraud écarté du commandement à la tête des armées de la France combattante (le 9) et que celle-ci accorde le droit de vote aux femmes (le 29), le maréchal Pétain est acclamé par la foule parisienne (le 20). Il est venu dans la capitale pour assister aux obsèques des 641 victimes des bombardements alliés sur les quartiers industriels des Batignolles et de La Chapelle.

Les Parisiens applaudissent-ils le chef d'un gouvernement collaborant avec l'occupant nazi qui multiplie

## La campagne d'Italie (1943-1945)

Dans un premier temps, les Alliés débarquent en Sicile (10 juillet 1943) et, le 16 août, les armées de Patton et de Montgomery contrôlent l'île. Pendant ce temps, alors que Rome est bombardée (le 19 juillet), Mussolini rencontre Hitler à Feltre ; ce dernier le convainc de poursuivre la guerre aux côtés de l'Allemagne ; mais une partie des fascistes veulent la paix (Ciano) et la population s'agite contre Mussolini ; le 25 juillet, le roi charge Pietro Badoglio de constituer un nouveau gouvernement et fait arrêter Mussolini. Puis Montgomery débarque le 3 septembre en Calabre, et Clarkle le 9 à Salerne, fortement défendue par les Allemands. Mais ceux-ci finissent par se replier et par se retrancher sur la ligne Gustav, au nord de Naples, en novembre. Parallèlement, l'Italie signe un armistice avec les Alliés (3 septembre), puis un commando SS délivre Mussolini (le12), qui reconstitue une République fasciste dans le nord de l'Italie (à Salo, le 18 septembre).

Début 1944, l'offensive alliée reprend : le coup de boutoir des Français du général **Juin**, du 14 au 25 janvier, le débarquement américain d'Anzio (au sud de Rome, 22 janvier), puis l'attaque décisive de Juin dans les monts Aurunci (11 mai) permettent de mettre fin à la résistance allemande à Cassino sur la ligne Gustav, qui a duré cinq mois. Rome est prise le 4 juin. Puis les Français prennent Sienne le 3 juillet, les Américains Livourne le 19, et les Anglais Florence le 19 août. Mais les Allemands reconstituent des positions de défense (la ligne gothique) au sud de Bologne, où ils maintiennent leurs positions durant l'hiver 1944-1945.

En avril 1945, les Alliés lanceront l'offensive finale : le 22, ils seront à Bologne, le 26 à Vérone, et le soulèvement italien leur permettra de contrôler Gênes et Milan le 29, Turin le 1er mai, tandis qu'à l'ouest les Français prendront Cuneo et qu'à l'est les Néo-Zélandais feront leur jonction avec les partisans yougoslaves de Tito. Le 2 mai, l'armée allemande d'Italie capitulera sans conditions.

les actes de répression et intensifie les déportations ? Ou bien saluent-ils celui qui se plaint alors d'être « privé de sa liberté », et qui symbolise la France victime, accrochée à son illusoire neutralité ? Les uns et les autres se trouvent peut-être dans la rue ce jour-là. En tout cas, le 16 avril se tient au Vélodrome d'hiver, en présence de Jacques Doriot, un grand rassemblement de membres de la LVF qui ont combattu sur le front russe, et que le général Puaud se propose de réorganiser pour lutter contre la Résistance.

De fait, en ce printemps 1944, le Reich, qui espère pouvoir utiliser de nouvelles « armes secrètes », n'a pas encore perdu la guerre : bien que ses armées reculent en Europe centrale et en Italie, et que la France et l'Allemagne subissent de la part des Alliés de rudes bombardements, l'Italie du Nord (où se constituera la ligne gothique) et la France (défendue par le « mur de l'Atlantique ») sont encore solidement tenues par les troupes allemandes.

L'été 1944 va cependant bouleverser le rapport de force militaire entre les Alliés et le Reich et mettre un terme au gouvernement de Vichy.

# La France libérée et la fin de la guerre
## (juin 1944 - mai 1945)

### Derniers massacres et derniers combats

*Après les débarquements de Normandie et de Provence, les armées allemandes sont contraintes de se replier mais résisteront encore un an ; parallèlement, le général De Gaulle met en place de nouvelles institutions.*

Deux jours après la prise de Rome par les Alliés a lieu sur les plages de Normandie le débarquement qui va changer la face de la guerre.

### Le débarquement de Normandie

Le 6 juin 1944 vers 6 heures du matin commence le bombardement des plages normandes où vont débarquer en quelques jours environ 620 000 soldats américains, anglais, français, canadiens... entre Sainte-Mère-Église et Ouistreham. Ils ont été transportés par plus de 5 000 navires et soutenus par près de 15 000 avions, bombardiers, chasseurs et transporteurs de troupes aéroportées. Les Allemands s'attendaient certes à un débarquement allié, mais ils n'en connaissaient ni le lieu ni la date. Ils l'envisageaient plutôt dans le pas de Calais, plus proche de la Grande-Bretagne, et sont surpris par le moment choisi par **Eisenhower**, compte tenu des mauvaises conditions atmosphériques. Cela explique la quasi-absence de défense aérienne le jour même du débarquement, et l'éloignement de leurs divisions blindées de réserve.

Cependant, les défenses côtières allemandes provoquent de lourdes pertes parmi les troupes de débarquement alliées, en particulier américaines sur les plages d'Utah Beach et de Omaha Beach, au sud du Cotentin

(le 10 juin, les Alliés compteront 15 000 tués et blessés).
Pourtant, dans la soirée du 6 juin, les têtes de pont alliées
sont suffisamment solides pour permettre le débarquement des blin- dés et du matériel lourd, et pour repousser les contre- attaques allemandes dans les jours suivants
(9-10 juin), d'autant plus que Hitler, se refusant à croire
qu'il s'agit bien là de la grande offensive alliée, ne lance
pas toutes ses forces dans la bataille.

---

### Les exécutions sommaires

Après que la Résistance a abattu Philippe Henriot, secrétaire d'État à l'Information, le 28 juin 1944, l'ancien ministre Georges Mandel, arrêté par les Allemands et livré à
la France, est enlevé par des miliciens et assassiné dans
la forêt de Fontainebleau le 8 juillet. Puis Jean Zay, ministre de l'Éducation nationale en 1936, est mitraillé dans
le dos lors de son transfert par la Milice, de Riom vers le
Vaucluse, le 20 juillet.

---

Malgré tout, la progression alliée est difficile. L'objectif prioritaire est de prendre Cherbourg et de réduire
la résistance allemande dans le Cotentin ; l'objectif sera
atteint le 30 juin, par l'armée américaine du général
Bradley, au prix de durs combats qui lui font perdre
22 000 hommes. Pendant ce temps, l'armée de Montgomery, dans la région de Caen, connaît également de
sérieuses difficultés et ne peut prendre la ville. Toutefois,
la progression américaine à l'ouest a permis d'élargir la
zone contrôlée par les Alliés, et d'acheminer un potentiel
de guerre considérable : en deux mois, 2 millions
d'hommes, 500 000 véhicules et 3 millions de tonnes de
matériel sont débarqués dans les ports articiciels
construits en Normandie, bien protégés par les premières

troupes débarquées début juin. Le 1ᵉʳ juillet, l'opération Overlord a définitivement réussi.

---

### Sigmaringen

Après le débarquement, le gouvernement du maréchal Pétain n'a plus guère d'autorité. Laval préside un dernier Conseil des ministres le 17 août ; ensuite, Pétain est emmené par les Allemands à Belfort, puis à Sigmaringen. Rejoint par Laval, Déat, Doriot, Darnand,... Pétain, mi-otage, mi-volontaire, deviendra le chef moral d'un illusoire gouvernement français en exil, d'octobre 1944 à avril 1945. L'approche des troupes françaises provoquera la dispersion de ce gouvernement fantôme, mais Philippe Pétain décidera de se livrer. Il traversera la Suisse le 24 avril pour se rendre en France. Il sera incarcéré le 26 avril 1945 au fort de Montrouge.

---

## *L'action du général De Gaulle*

Après avoir fait transformer par l'Assemblée consultative, le 3 juin 1944 à Alger, le Comité français de libération nationale en Gouvernement provisoire de la République française (GPRF), le général De Gaulle arrive le 14 juin en Normandie, à Courseulles. Il s'agit pour lui de trouver une légitimité que lui contestent les Alliés : Eisenhower avait en effet chargé Montgomery d'administrer la France reconquise, et le général de Gaulle ne fut informé qu'in extremis de la date prévue pour le débarquement ; arrivé à Londres le 4 juin, De Gaulle avait d'ailleurs eu une entrevue très orageuse avec Churchill, les Alliés faisant peu de cas du gouvernement provisoire d'Alger. Aussi le fait de fouler le sol français lui permet-il de prouver sa popularité après un premier contact avec la population, à Isigny et à Bayeux, où il installe François Coulet en tant que commissaire de la République. Il constitue ainsi l'embryon d'un nouveau pouvoir politique gaulliste et obtient que ce soit la trésorerie du gouvernement provisoire, et non les autorités anglo-américaines, qui émette une nouvelle monnaie à partir du mois d'août.

---

**Le maquis du Vercors**

À partir de la mi-juin 1944, de nombreux partisans rejoignent le maquis du Vercors près de Grenoble, où est restaurée le 3 juillet 1944 la « République française », et où sont abolis les décrets de Vichy par le commissaire de la République Yves Farge, membre du Front national, organisation de résistance proche du parti communiste. Toutes les voies d'accès au plateau sont alors « verrouillées », mais, malgré leurs demandes réitérées, les résistants ne bénéficient que de quelques parachutages très insuffisants et manquent cruellement d'armes lourdes.

Aussi, quand les Allemands et la Milice de Darnand donnent l'assaut, le 17 juillet 1944, les maquisards sont-ils rapidement anéantis : le 27 juillet, 650 d'entre eux ont été tués, les survivants seront torturés à mort, les blessés achevés et la population civile martyrisée (on retrouvera des hommes, des femmes et des enfants horriblement mutilés).

---

Pendant ce temps, De Gaulle effectue un voyage aux États-Unis où il rencontre Roosevelt (6-10 juillet). Il revient ensuite en France, où il gagne Paris qui vient d'être libéré : le 25 août, il va de la gare Montparnasse au ministère de la Guerre, puis à l'Hôtel de Ville, où il rend hommage à l'insurrection parisienne, malgré ses divergences avec le Conseil national de la Résistance. Puis, le lendemain, une foule immense l'acclame à l'Arc de triomphe et le long des Champs-Élysées, transformant l'auteur solitaire de l'appel du 18 juin 1940 en chef d'État potentiel de la France libérée.

---

### La libération de Paris (18-25 août 1944)

La prise de Paris ne constitue pas un objectif privilégié pour l'armée alliée, qui envisage de la contourner par le nord et par le sud. Mais, dans la capitale, les différents mouvements de résistance, bien qu'en désaccord avec le type d'action à entreprendre (les communistes de **Rol-Tanguy** souhaitant un soulèvement populaire « dur », les gaullistes de **Chaban-Delmas** et **Parodi** voulant agir en fonction de l'avancée des Alliés), sont favorables à une insurrection armée. Aussi, après la reprise de l'offensive alliée (permettant la prise de Caen le 9 juillet, de Saint-Lô le 19, d'Avranches le 31, puis celles de Rennes le 5 août, du Mans, d'Alençon, de Chartres, de Dreux et d'Orléans, du 9 au 17 août), et après le déclenchement d'une grève générale parisienne le 18, l'insurrection est-elle décrétée le 19 août : la Préfecture de police est occupée par des policiers résistants, des barricades s'élèvent et les FFI attaquent les troupes allemandes ; puis une trève est négociée entre Chaban-Delmas et le général **von Choltitz**, pour éviter à Paris le sort de Varsovie ; mais elle est mal respectée par les SS et certains partisans, et les combats reprennent de plus belle le 22 août.

Le général **Leclerc** obtient alors l'autorisation de foncer vers Paris avec sa « 2e DB », comptant 16 000 hommes, 4 000 véhicules, dont 500 blindés. Ses avant-gardes atteignent Paris le 24 août, et le lendemain son action conjuguée à celle des FFI permet de réduire la résistance allemande, après de brefs mais violents combats. Le général von Choltitz, refusant d'appliquer l'ordre de Hitler de « réduire Paris en cendres », signe une convention de reddition avec Leclerc et Rol-Tanguy dans l'après-midi du 25 août. Cependant, Paris reste encore sous la menace d'une contre-attaque allemande.

Début septembre, il constitue d'ailleurs un gouvernement d'union nationale, comportant deux ministres communistes (à l'Air et à la Santé), qui sera reconnu par les Alliés le 23 octobre 1944. Celui-ci prend une série de décisions dans divers domaines : le 4 novembre, René Pleven, ministre des Finances, lance un emprunt de « Libération nationale » qui aura rapporté 164,5 milliards de francs le 14 janvier, et contribuera à financer les dépenses de reconstruction ; le 15 novembre 1944, le Conseil des ministres décide la nationalisation des usines **Renault** pour fait de collaboration (elle deviendra effective le 16 janvier suivant), et, le 13 décembre 1944, les Houillères nationales sont constituées ; d'autre part, le 29 décembre est prise la décision d'appeler sous les drapeaux 200 000 hommes à la fin de janvier 1945.

Puis le gouvernement provisoire rétablit le 3 janvier 1945 la gratuité de l'enseignement secondaire. Le 22 février sont créés les comités d'entreprise dans les entreprises de plus de cent salariés, qui doivent recevoir une fois par an un bilan social de la part de leur direction ; mais les problèmes sociaux, et ceux, plus quotidiens, du ravitaillement ne sont pas résolus pour autant : le 11 mars, la CGT manifeste à Paris au cri de « nos gosses ont faim ».

Parallèlement, l'écrivain Robert Brasillach est condamné à mort le 19 janvier et exécuté le 6 février ; Charles Maurras est, quant à lui, condamné à la réclusion perpétuelle le 27 janvier 1945.

### La guerre n'est pas finie

Après le débarquement, les Alliés progressent vers le sud de la Normandie en juillet et vers l'Île-de-France durant la première quinzaine d'août, la percée d'Avranches le

31 juillet et l'encerclement de l'armée allemande, à Fa-
laise, écrasée sous les bombes, se révélant décisifs. Le
15 août, la 7ᵉ armée américaine du général Patch et celle
du général **de Lattre de Tassigny** débarquent en Provence, de Saint-Tropez à Saint-Raphaël : quatre cent
mille hommes, 800 navires et 3 600 avions participent
à l'opération, et parviennent assez rapidement à prendre
Toulon et Marseille. Fin août, toute la côte méditerra-
néenne est contrôlée par les Alliés, et la libération de
Paris (le 25) est suivie de celle de la Champagne (Reims,
Épernay, Châlons-sur-Marne sont reprises les 30 et 31).
Le 4 septembre, le général **Patton** franchit la Meuse, les
7 et 8 septembre les Alliés libèrent Bruxelles et Liège,
et le 11 la 1ʳᵉ armée américaine atteint les environs
d'Aix-la-Chapelle.

---

### L'attentat contre Hitler

Depuis le mois de mai 1944, certains hauts officiers de
l'armée allemande (dont Rommel et von Stülpnagel) envisagent de traiter avec les Alliés, et de mettre la main sur
Hitler. Plus radicaux, von Stauffenberg, Beck, Olbricht et
quelques autres pensent que l'élimination physique du
Fürher est une condition préalable à toute démarche de
paix. Aussi mettent-ils au point une conjuration : von
Stauffenberg, qui participe aux réunions d'état-major, parvient à introduire une bombe dans le quartier général de
Hitler, à Rastenburg. Mais la serviette dans laquelle celle-
ci se trouvait est déplacée par hasard, et Hitler échappe
à l'attentat, qui fait quatre morts et sept blessés graves (le
20 juillet 1944). Une répression impitoyable s'abattra sur
les conjurés : 7 000 personnes seront arrêtées, 145 exécutées, et les familles des chefs du complot déportées
dans les camps de concentration.

Mais l'Allemagne n'a pas encore perdu la guerre : aux Pays-Bas, l'offensive alliée est mise en échec au pont d'Arnhem (17 septembre), où les pertes sont lourdes chez les Britanniques, la brigade polonaise et les résistants néerlandais. Parallèlement, la Grande-Bretagne, qui avait subi le bombardement des V1 (« Vengeance 1 »), lancés depuis le Pas-de-Calais à partir du 12 juin, est touchée à partir du 8 septembre par le tir des fusées V2, partant de Poméranie et beaucoup plus meurtrières en raison de leur vitesse élevée (Mach 5), qui les rend difficiles à détecter et à abattre. Et si Bordeaux est libérée par les troupes françaises le 12 octobre, si après de rudes combats les Américains prennent Aix-la-Chapelle le 21 octobre, de Lattre arrête son offensive dans les Vosges en raison de l'importance de ses pertes.

Pourtant, les troupes françaises atteignent le Rhin le 21 novembre, et le général Leclerc entre dans Strasbourg le 23, tenant ainsi le serment de Koufra. Mais les Allemands organisent une ligne de défense des Pays-Bas au Rhin et Hitler décide de déclencher le 16 décembre une grande contre-offensive dans les Ardennes ; près de Saint-Vith, la division SS « Adolf Hitler » inflige de lourdes pertes à l'armée américaine, et exécute les prisonniers ; le 21 décembre, les Allemands encerclent Bastogne, à 150 km de Bruxelles, défendue par près de vingt mille soldats américains, qui perdent quatre mille hommes ; mais l'arrivée des blindés de Patton en provenance de Metz permet de dégager la ville et de mettre fin à la dernière tentative allemande pour renverser le cours de la guerre.

### L'offensive finale

Après l'échec d'une contre-attaque allemande vers Strasbourg, l'essentiel des opérations militaires se déplace désormais vers l'Allemagne même, tandis qu'à l'est les Soviétiques accèdent à la demande britannique d'attaquer massivement sur la Vistule ; le 12 janvier 1945, l'Armée rouge déclenche une grande offensive ; elle occupe Varsovie le 17, libère le camp d'Auschwitz le 27 et entre en Poméranie le 29. Cela permet aux Alliés de bousculer les armées allemandes sur le front de l'Ouest : le 29 janvier, toute la Belgique est libérée et les Allemands sont repoussés derrière le Rhin. La dernière poche allemande dans les Vosges est réduite par **de Lattre**, qui entre dans Colmar le 2 février.

Le 3 février, Berlin est bombardée, et, les 13 et 14, la ville de Dresde est totalement détruite par trois vagues de bombardements alliés qui feront 250 000 morts parmi la population allemande, ceux qui échappent aux bombes étant brûlés vifs dans de terribles incendies. Le 7 mars, l'avant-garde de l'armée américaine prend le pont Ludendorff, l'un des rares à rester utilisable, et pose le pied sur la rive droite du Rhin. Le 19, alors que Hitler décide de pratiquer la politique de la terre brûlée, la 1re armée française pénètre en Allemagne, et le 31 les Français attaquent dans les Alpes ; à l'est, l'Armée rouge atteint l'Autriche le 28 et prend Dantzig le 30.

---

#### La fin de Mussolini

La reprise de l'offensive alliée en Italie du Nord, le 9 avril 1945, permet la capture du Duce par des partisans ; après un procès sommaire, il est abattu avec ses proches fidèles, et leurs cadavres sont exposés, pendus par les pieds, sur la place Loretto de Milan, le 28 avril ; deux jours plus tard, l'armée allemande d'Italie se rend.

Le 16 avril, les Soviétiques déclenchent l'offensive finale sur Berlin, dont ils atteignent les faubourgs le 21 ; le 18 avril, les Américains entrent en Tchécoslovaquie, la résistance allemande cesse dans la Ruhr ainsi que dans la région de Royan ; le 21, la 5ᵉ division blindée française prend Karlsruhe et Stuttgart, et Ulm le 25 ; ce même jour, les Russes et les Américains font leur jonction à Torgen, sur l'Elbe, à 50 km au nord de Leipzig. Le 30 avril, Hitler se suicide dans son bunker, alors que l'Armée rouge investit la ville et que le drapeau soviétique flotte sur le Reichstag.

---

### Hiroshima et Nagasaki

Le 8 mai 1945 ne marque pas la fin des combats, qui se poursuivent encore dans le Pacifique : malgré les bombardements américains, le Japon résiste toujours. Harry **Truman**, qui est devenu président des États-Unis après la mort de Franklin **Roosevelt** le 12 avril, décide alors d'employer l'arme atomique (sur Hiroshima le 6 août, et Nagasaki le 9). Ce n'est qu'après ces bombardements et l'entrée en guerre de l'URSS contre le Japon, le 8 août, que celui-ci capitule enfin le 14. Le 2 septembre 1945, l'acte solennel est signé sur le cuirassé américain *Missouri*, devant le général **MacArthur** et le général **Leclerc**, représentant la France : la Seconde Guerre mondiale est définitivement terminée.

---

Le 2 mai, Berlin capitule, puis le 4 c'est au tour des armées allemandes des Pays-Bas, de l'Allemagne du Nord et du Danemark ; le 5, le général Leclerc est à Berchtesgaden. Enfin, le 7 mai, le général Jodl signe à Reims une première capitulation de l'Allemagne, confirmée le lendemain 8 mai à Berlin par le maréchal **Keitel**, qui paraphe l'acte définitif de la capitulation du Reich.

Celui-ci cesse d'exister le 23 mai après l'arrestation de l'amiral **Doenitz**, qui avait tenté de reconstituer un gouvernement autonome.

## Le bilan de la guerre

### Les pertes humaines

Le nombre des victimes est d'au moins 40 millions dans le monde, dont à peu près la moitié de civils, une dizaine de millions étant morts en déportation : on peut en effet estimer à environ 6 millions le nombre de juifs exterminés durant la guerre et à 4 à 5 millions celui des déportés politiques en Allemagne, la plupart ayant péri dans les camps de la mort. Les principaux d'entre eux sont, de par le nombre de victimes : Auschwitz (entre trois et quatre millions de morts), Treblinka (750 000 morts), Belzec (600 000), Chelmono (300 000), Maïdanek (250 000), ainsi que Sobibor, Bergen-Belsen, Ravensbrück, Terezin, Orianenburg, Buchenwald, Mathausen, Dachau, Dora..., et en France Struthof-Natzwiller (camp d'élimination des « politiques » français) et Schirmeck (camp d'internement pour Alsaciens).

La France compte environ 535 000 tués : 205 000 soldats et 330 000 civils, dont 182 000 déportés. Parmi les 70 000 (pour le moins) « déportés raciaux » à partir de la France (dont 10 000 enfants ou adolescents), et dont 2 500 survécurent à l'enfer des camps de concentration, le nombre de ressortissants français est d'environ 23 000.

Les États-Unis ont perdu 300 000 hommes, la Grande-Bretagne plus de 420 000, l'Italie 450 000, la Pologne environ 5,8 millions, la Tchécoslovaquie 415 000, la Chine entre 6 et 8 millions, le Japon 3 millions. L'URSS est toutefois le pays qui compte le plus de victimes puisqu'elle a perdu sans doute près de 20 millions d'habitants, dont la moitié de civils : les combats y furent en effet particulièrement acharnés, les nazis laissant mourir de faim ou exterminant les nombreux prisonniers russes faits au début du conflit et pratiquant la politique de la terre brûlée, sans la moindre pitié pour les populations civiles : les « Oradour » s'y comptent par centaines.

L'Allemagne a perdu environ 3 250 000 soldats, 600 000 civils tués lors des bombardements, auxquels il faut ajouter environ 1,2 million d'Allemands vivant dans les différents pays d'Europe centrale qui ont disparu, soit environ 5 millions de victimes.

---

### La sauvagerie nazie

Alors que la « solution finale » entre dans sa phase ultime avec la déportation massive des juifs de Hongrie, qui passe en mars 1944 sous le contrôle total du Reich, le débarquement de Normandie s'accompagne de l'intensification des actions de la Résistance ; les armées allemandes qui amorcent leur repli y répondent par la terreur. Ainsi, l'enlèvement d'un officier SS dans la région d'Oradour-sur-Glane provoque le 10 juin 1944 un horrible massacre de la population du village, accusée en outre d'avoir caché des maquisards : 642 hommes, femmes et enfants sont brûlés vifs et mitraillés dans l'église par un détachement de la division SS « Das Reich », qui laissera une traînée sanglante sur son passage. Deux jours auparavant, attaquée par des maquisards alors qu'elle remontait sur le front de Normandie, elle avait pendu 99 otages à Tulle, et également fusillé des otages à Mussidan, Gourdon, Argenton-sur-Creuse...

Le poids économique de la guerre

Pour la France, c'est d'abord celui de la défaite : au pillage direct des ressources nationales en hommes (avec le maintien d'environ deux millions d'actifs prisonniers en Allemagne, remplacés ensuite progressivement par les « appelés » du STO), en denrées agricoles (environ 10 % de la production totale) et en produits industriels (de 30 à 40 % en 1942-1943) s'ajoutent les indemnités monétaires que la France doit verser à son vainqueur : d'abord 20 millions, puis 25 millions de marks par jour (début 1943), avec un cours du mark surévalué de 50 % par rapport au cours du dollar en juin 1940 ; ces paiements représentent près de la moitié des dépenses publiques, environ 20 % du revenu national en 1941 et 1942, 36 % en 1943 et 27 % en 1944.

D'autre part, les destructions de capital productif (66 000 unités d'exploitation totalement détruites, 140 000 partiellement) ont été estimées à près de 400 milliards de francs, celles d'immeubles à plus de 300 milliards ; si l'on veut mesurer le « désinvestisse-ment » total de l'économie française durant la période, il conviendrait d'ajouter le manque à gagner constitué par l'absence d'investissements, évalué à 160 milliards de francs : au total, c'est environ 45 % de la capacité de production qui a disparu. Encore faut-il tenir compte des pertes de matériel militaire, de la destruction de 9 000 ponts, de 4 900 km de voies ferrées, de 115 gares, de 14 500 locomotives, de 80 % des infrastructures por-tuaires, de deux tiers des wagons et des bateaux de mar-chandises, du vol d'œuvres d'art, et de l'impact qualitatif causé par l'absence de recherche et de progrès technique en France durant la guerre.

Quant à l'Allemagne, la guerre lui a coûté environ 650 milliards de marks ; les destructions représentent 50 % des écoles, 40 % de l'infrastructure de transport, 20 % des établissements industriels ; 5 millions de logements ont été détruits et 3,5 endommagés, sur un total de 16 millions.

## La conférence de Yalta

Le 4 février 1945 s'ouvre la conférence qui réunit à Yalta **Roosevelt**, **Staline** et **Churchill**, mais pas de représentants français. Elle fait suite à celle de Téhéran (le 28 novembre 1943), qui avait prévu l'ouverture d'un second front à l'Ouest pour mai 1944. Les Alliés s'entendent sur plusieurs points : l'URSS participera à la première session de l'ONU et s'engage à entrer en guerre contre le Japon après la victoire sur l'Allemagne, en échange d'une zone d'influence dans la région ; la frontière orientale de la Pologne est fixée sur l'ancienne ligne Curzon, mais ce pays gagnera des territoires au nord et à l'ouest. L'URSS accepte que la France obtienne une zone d'occupation en Allemagne ; le montant des réparations que l'Allemagne devra payer est fixé à 20 milliards de dollars, dont la moitié pour l'URSS, et prendra en particulier la forme d'une récupération du potentiel industriel allemand ; les trois pays s'accordent sur la nécessité de restaurer la démocratie dans les pays soumis au Reich, d'aider leur redressement économique, et d'extirper le nazisme d'Allemagne.

En fait, si la conférence de Yalta ne règle pas dans le détail les conditions d'occupation de l'Allemagne et des pays qu'elle dominait, et si elle ne constitue qu'une préparation de la conférence de Potsdam, qui s'ouvrira le 17 juillet 1945, elle entérine de fait le partage de l'Europe et d'une partie du monde en zones d'influence délimitées par la position respective des armées des futurs vainqueurs.

# 1945-1995

# Chronologie

## 1945
8 mai : Fin des hostilités en Europe.

21 oct. : Premier référendum constitutionnel et élection de l'Assemblée constituante.

13 nov. : De Gaulle, chef du gouvernement.

## 1946
20 janvier : Démission du général De Gaulle.

5 mai : Rejet du projet de Constitution.

2 juin : Nouvelles élections législatives.

13 oct. : Adoption de la Constitution de la IV$^e$ République.

10 nov. : Élection de la nouvelle Assemblée nationale.

23 nov. : Bombardement de Haïphong.

16 déc. : Gouvernement Léon Blum.

## 1947
16 janv. : Vincent Auriol élu président de la République.

21 janv. : Cabinet Ramadier.

Févr.-avril : Grandes grèves.

2 mai : Les ministres communistes sont exclus du gouvernement.

Nov. : Robert Schuman remplace Paul Ramadier. Affrontements violents entre grévistes et CRS.

Déc. : Scission syndicale, création de FO et de la FEN.

## 1948
Oct.-nov. : Grèves et heurts sanglants entre ouvriers et CRS.

## 1949
4 avril : Signature du Pacte atlantique.

19 juill. : Indépendance du Laos. Offensive française au Viêt-nam.

8 nov. : Indépendance du Cambodge.

## 1950
Févr. : Loi sur les conventions collectives et création du SMIG.

Mai-sept. : Offensives du Viêt-minh.

## 1951
18 avr. : Création de la CECA.

17 juin : Élections législatives.

12 août : Ministère René Pleven.

## 1952
8 mars-22 déc. Gouvernement Antoine Pinay.

Déc. : Émeutes au Maroc.

## 1953
28 juin (-12 juin 1954) : Gouvernement Joseph Laniel.

Août : Grève générale.

Oct. : Manifestations paysannes.

Déc. : René Coty élu président de la République.

**1954**
7 mai : **Chute de Diên Biên Phu.**

18 juin (- 5 févr. 1955) : **Pierre Mendès France président du Conseil.**

**20-21 juill. : Paix en Indochine.**

31 juil. : Autonomie tunisienne.

30 août : Rejet du projet CED.

Oct. : Création du FLN algérien.

1er nov. : Attentats en Algérie.

**1955**
Janvier : Opérations Véronique dans les Aurès et Aloès en Kabylie.

23 févr. : Ministère Edgar Faure.

Août : Émeutes et répression au Maroc.

**1956**
2 janv. : Élections législatives.

1er févr. (-21 mai 1957) : Gouvernement Guy Mollet.

6 févr. : G. Mollet à Alger.

5 nov. : **Opération de Suez.**

**1957**
Janv. : « Bataille d'Alger ».

25 mars : **Traité de Rome.**

5 nov. : Gouvernement Félix Gaillard.

**1958**
8 févr. : Bombardement de Sakhiet (Tunisie).

13 mai : **Émeute à Alger ; formation d'un Comité de salut public.**

28 mai : **De Gaulle président du Conseil.**

4 juin : De Gaulle à Alger.

28 sept. : Adoption par référendum de la nouvelle Constitution.

23-30 nov. : Élections à l'Assemblée nationale.

21 déc. : **De Gaulle élu président de la République.**

**1959**
8 janv. (-14 avril 1962) : Michel Debré chef du gouvernement.

**1960**
24 janv.-1er févr. : « Semaine des barricades » à Alger.

5 sept. : De Gaulle parle d'une « Algérie algérienne ».

**1961**
8 janv. : **Référendum sur l'autodétermination en Algérie.**

22 avril : Putsch des généraux à Alger.

20 mai : Ouverture des pourparlers d'Évian.

**1962**
Janv.-févr. : Plasticages OAS à Paris ; manifestation de gauche réprimée (huit morts au métro Charonne).

18 mars : **Accords d'Évian.**

14 avril (-10 juil. 1968) : Georges Pompidou Premier ministre.

3 juill. : **Indépendance de l'Algérie.**

22 août : Attentat du Petit-Clamart contre De Gaulle.

10 oct. : Dissolution de l'Assemblée.

28 oct. : Référendum sur l'élection du président de la République au suffrage universel.

18-25 nov. : Élections législatives.

## 1965
30 oct. : Enlèvement de Ben Barka.

**5-19 déc. : De Gaulle premier président de la République élu au suffrage universel.**

## 1967
5-12 mars : Élections législatives et victoire de la droite.

## 1968
3 mai : Affrontements au Quartier latin.

10-11 mai : « Nuit des barricades »

13 mai : Grande manifestation de la gauche.

**26-27 mai : Accords de Grenelle.**

30 mai : Grande manifestation gaulliste aux Champs-Élysées.

**23-30 juin : Élections législatives et triomphe gaulliste.**

10 juillet : Gouvernement Couve de Murville.

## 1969
27 avril : Référendum constitutionnel.

**28 avril : Démission de Charles De Gaulle.**

15 juin : Georges Pompidou élu président de la République.

26 juin (-5 juil. 1972) : Gouvernement Chaban-Delmas.

## 1970
**9 nov. : Mort du général De Gaulle.**

## 1972
5 juill. Pierre Messmer Premier ministre.

## 1973
4-11 mars : Élections législatives.

## 1974
**2 avril : Mort de Georges Pompidou.**

**19 mai : Valéry Giscard d'Estaing élu président de la République.**

27 mai (-25 août 1976) : Gouvernement Chirac.

## 1976
26 août : Raymond Barre Premier ministre.

## 1978
12-19 mars : Élections législatives et victoire de la droite.

## 1979
10 juin : Élections européennes.

## 1981
**10 mai : François Mitterrand élu président de la République.**

22 mai : Pierre Mauroy Premier ministre.

**14-21 juin : « Vague rose » aux élections législatives.**

-0.07

## 1984
17 juill. : Laurent Fabius Premier ministre.

## 1986
16 mars : Élections législatives, remportées par la droite.

18 mars : Jacques Chirac Premier ministre.

## 1988
8 mai : François Mitterrand réélu à la présidence de la République.

5-12 juin : Élections législatives ; la gauche l'emporte.

14 juin : Michel Rocard Premier ministre.

6 nov. : Référendum en Nouvelle-Calédonie.

Déc. : Création du RMI.

## 1989
Élections municipales et européennes.

14 juil. : Fêtes du bicentenaire de la Révolution française.

## 1991
Janv.-févr. : Guerre du Golfe.

15 mai : Édith Cresson Premier ministre.

9-10 déc. : Sommet de Maastricht.

## 1992
2 avr. : Pierre Bérégovoy Premier ministre.

Sept. : Référendum ratifiant le traité de Maastricht.

## 1993
21-28 mars : Déroute de la gauche aux élections législatives.

29 mars : Édouard Balladur Premier ministre.

## 1994
Juin : Élections européennes. Recul du PS.

## 1995
7 mai : Jacques Chirac élu président de la République.

18 mai : Alain Juppé Premier ministre

Juin : Élections municipales.

Juill. : Attentats meurtriers à Paris.

Nov.-déc. : Mouvement social.

## 1996
8 janvier : Mort de François Mitterrand.

# Introduction

La libération du territoire à partir de l'été 1944 a permis aux Français d'être soustraits progressivement au joug de l'occupant nazi. Mais les problèmes du pouvoir, des institutions et de la nature de la société à reconstruire restent posés.

### La IVᵉ République

Si le général De Gaulle jouit d'une légitimité de fait, il s'efface derrière deux Assemblées constituantes parvenant difficilement à mettre en place une constitution qui fonde la IVᵉ république mais provoque le départ du chef de la France libre, hostile au « régime des partis ».

Se pose alors la question de la politique à mener, dans une France où la gauche est majoritaire, et où le parti communiste constitue la première force politique. Écarté du gouvernement en 1947, et renonçant à une stratégie insurrectionnelle, il va s'enfermer dans un ghetto politique, image dans le pays de la guerre froide qui s'installe entre l'Est et l'Ouest. Le PC anime de nombreuses luttes sociales qui se produisent en particulier en 1947-1948 et en 1953, et sera aussi le principal opposant à la politique coloniale de la IVᵉ République.

Celle-ci doit en effet faire face à la guerre d'Indochine qui débute dès 1945 et qui va occuper le devant de la scène politique après le désastre de Diên Biên Phu : c'est Pierre Mendès France qui mettra fin à la guerre et amorcera le règlement du problème tunisien. Mais aussitôt commence le drame algérien, qui hantera la vie politique et divisera les Français jusqu'au retour du général De Gaulle et même au-delà.

## La Vᵉ République « gaullienne »

Revenu au pouvoir sous la pression de l'armée et des Français d'Algérie, celui-ci parvient à régler le conflit dans des conditions douloureuses tout en réformant les institutions. La fin des guerres coloniales, le retour de la paix civile et la stabilisation du pouvoir politique favorisent le développement économique de la France : il avait déjà été amorcé par une reconstruction rapide de l'infrastructure industrielle et des moyens de communication entreprise dès la fin de la Seconde Guerre mondiale, grâce en particulier à la mise en œuvre d'une planification souple, assortie d'une intervention accrue de l'État dans la vie économique. Mais la mauvaise répartition des « fruits de la croissance », l'autoritarisme du pouvoir et l'arrivée à l'âge adulte des classes d'âge nées après la guerre provoquent l'explosion de mai-juin 1968, qui ébranle le régime gaulliste. Un an plus tard, après un échec électoral, le général De Gaulle se retire définitivement de la vie politique.

Son successeur, l'ancien Premier ministre Georges Pompidou, se présente en héritier du Général ; mais privé de celui qui incarnait « une certaine idée de la France », le gaullisme tend à se banaliser au sein d'un monde politique retrouvant le vieux clivage gauche-droite ; son dernier représentant historique, Jacques Chaban-Delmas, est d'ailleurs battu à l'élection présidentielle de 1974 par Valéry Giscard d'Estaing, incarnant une droite libérale à l'image moderniste. Mais parallèlement, la recomposition du parti socialiste autour de François Mitterrand fait de celui-ci un candidat crédible à l'alternance politique. Sa victoire en 1981 suscite une « vague rose » qui amène au pouvoir une surprenante majorité absolue d'élus socialistes.

### *Les deux septennats de François Mitterrand*

Mais cette majorité, après avoir dans un premier temps appliqué un programme conforme aux orientations traditionnelles de la gauche (extension du secteur public, nouveaux avantages sociaux accordés aux salariés, soutien de l'activité par l'État...), en vient assez vite à une politique de « rigueur » – pour lutter contre la « stagflation » et le déficit du commerce extérieur – respectant les contraintes de l'économie de marché et peu différente de celle préconisée par la droite.

La désinflation est réussie en 1986, quand Jacques Chirac devient pour deux ans Premier ministre d'un gouvernement de « cohabitation ». Mais les socialistes, qui voulaient « rompre avec le capitalisme » et « changer la vie », sont devenus entre-temps de bons gestionnaires réalistes et gagnent à nouveau les élections présidentielle et législatives de 1988. Pourtant le chômage reste élevé et apparemment irréductible, les inégalités de revenus, de patrimoine et d'habitat s'aggravent, une « nouvelle pauvreté » fait son apparition et diverses « affaires » agitent l'opinion.

Dès lors le pouvoir ne peut plus guère compter sur les « déçus du socialisme », dont certains sont de plus perturbés par l'adhésion du président Mitterrand et de la direction du Parti socialiste au libéralisme économique préconisé par le traité de Maastricht adopté de justesse par référendum fin 1992.

La lourde défaite de la gauche aux élections législatives de 1993 ne surprend donc personne et la seconde « cohabitation » (1993-1995), durant laquelle Édouard Balladur occupe l'hôtel Matignon, apparaît comme une transition vers l'élection d'un successeur de droite à François Mitterrand, malade et discrédité.

Jacques Chirac l'emporte finalement, après avoir critiqué durant sa campagne la politique économique suivie par son ami et concurrent Édouard Balladur. Mais il renoncera bien vite à changer de politique, plongeant les Français dans l'expectative, alors que la situation de l'emploi ne s'améliore pas. À la recherche d'un second souffle, le Président Chirac décidera deux ans plus tard de dissoudre l'Assemblée nationale élue en 1993, provoquant le retour inattendu de la gauche au pouvoir.

### Les transformations culturelles

Le « déclin des idéologies » qui caractérise la France depuis le millieu des années 1980 peut surprendre au regard des débats qui eurent lieu durant trois quarts de siècle. Mais il va de pair avec l'évolution culturelle d'un pays d'où les anciens motifs de division s'estompent, où l'attrait pour les carrières littéraires, la poésie ou la réflexion philosophique (qui avaient donné à la France des Sartre, Camus, Braudel ou Lacan) fait place à celui de l'enrichissement rapide et des carrières d'entreprise. Le règne des nouvelles techniques n'y est pas étranger : les savants et ingénieurs français y ont pris leur part depuis 1945 (en particulier dans le domaine de l'énergie atomique, de l'aéronautique, des transports, de la chimie et de la médecine). Mais ils ont aussi contribué à créer un monde moderne où le repli de chacun sur soi-même est favorisé par la consommation domestique de sons et d'images se substituant aux grands rassemblements (et affrontements) collectifs d'hier.

Un nouveau modèle de société reste à imaginer et à construire, afin de redonner un idéal aux Français moroses et de maintenir une cohésion sociale menacée par l'aggravation de la « fracture sociale ».

# La Libération et les Constituantes

## Une transition difficile (1944-1946)

*Deux Assemblées constituantes sont nécessaires pour donner une nouvelle Constitution à la France, qui provoque le départ du général De Gaulle ; pendant ce temps débute la guerre d'Indochine.*

### Le gouvernement provisoire (1944-1945)

Le pouvoir revient à ceux qui ont combattu sans compromission l'occupant nazi, et qui arrivent en vainqueurs aux côtés des Alliés, c'est-à-dire les Forces françaises libres et les résistants de l'intérieur.

Le plus prestigieux d'entre eux, qui avait dès le 18 juin 1940 appelé à poursuivre la lutte, qui s'est efforcé de coordonner toutes les forces combattantes et qui a su s'imposer aux dépens des autres dirigeants français en exil, est bien sûr le général De Gaulle. Il a trouvé sa légitimité en refusant d'admettre la défaite de la France et la collaboration avec l'occupant.

Ayant, dès le 3 juin 1944, transformé à Alger le Comité français de libération nationale en Gouvernement provisoire de la République française (GPRF), De Gaulle, après son accueil triomphal à Paris les 25 et 26 août, forme et préside un nouveau gouvernement provisoire, le 5 septembre, remanié quatre jours plus tard.

L'autorité locale revient aux nouveaux préfets nommés par le gouvernement provisoire et chapeautés par des commissaires de la République, mais devant souvent composer avec des comités départementaux de la libération (CDL) nés dans la clandestinité, et avec des comités locaux de libération (CLL), au prix d'inévitables conflits de compétence. Cependant, l'influence des CDL, qui, dans l'esprit des communistes en particulier, devaient exprimer un pouvoir populaire parallèle à celui de l'État, décline rapidement, au fur et à mesure que le pouvoir central se renforce, pour disparaître totalement à la fin de 1945. Le parti communiste, contrôlant le Front national et les FTP, et bien implanté dans d'autres organisations de résistance, accepte même le désarmement des milices et mouvements de résistance décidé le 28 octobre 1944 par le gouvernement provisoire. Il renonce ainsi à toute stratégie insurrectionnelle.

Après l'échec d'une tentative d'unification de différentes branches de la Résistance au début de 1945, la vie politique traditionnelle renaît. Le seul élément nouveau est la création du Mouvement républicain populaire (MRP), fondé les 25-26 novembre 1944 par des chrétiens de gauche résistants, et qui profitera lors des élections à venir de la destructuration des anciens partis socialiste et radical, et du discrédit de la droite après l'épisode de la collaboration. En revanche, le projet de rapprochement entre socialistes et communistes (motion Jules Moch), envisagé à l'occasion du congrès de la SFIO qui se tient du 9 au 12 novembre 1944, n'aboutit pas en raison de l'attitude des communistes, qui proposent des modalités inacceptables pour les socialistes.

### L'Assemblée constituante

La guerre terminée, le gouvernement provisoire peut organiser une consultation démocratique portant sur la réforme des institutions.

Conjointement à l'élection d'une Assemblée, un référendum est proposé aux Français qui ont à répondre à deux questions : l'Assemblée doit-elle être constituante ? Son mandat doit-il être limité à sept mois,

---

**Le gouvernement provisoire de septembre 1944**

Présidé par le général De Gaulle, il comprend 22 ministres, dont Jules Jeanneney, Louis Jacquinot, Pierre Mendès
France, les communistes Charles Tillon et François Billoux, ainsi que Georges Bidault (président du Conseil
national de la Résistance), divers socialistes (tels Robert
Lacoste, François Tanguy-Prigent...), le général Catroux et
des personnalités qui marqueront l'histoire de la IVe République, comme René Pleven, René Capitant, Alexandre
Parodi.

---

temps nécessaire pour élaborer une nouvelle Constitution, devant faire l'objet d'un nouveau référendum ?

Le premier référendum et les élections (au scrutin
proportionnel) ont lieu le 21 octobre 1945, les femmes
votant pour la première fois, en vertu de l'ordonnance
du 21 avril 1944 : la première question du référendum
obtient 96,4 % de oui par rapport aux suffrages exprimés, et la seconde obtient 65,5 % de oui (les radicaux et
les communistes ayant appelé à voter non à celle-ci) ;
l'Assemblée élue devient donc constituante. Elle comprend
une forte majorité de gauche : le parti communiste (qui
obtient 26 % des suffrages exprimés) a 159 élus ; le MRP
(avec près de 24 % des voix) a 150 élus ; la SFIO
(23,3 %) a 146 élus. Le parti radical et les partis de
droite sont les grands perdants : les radicaux (10 % des
suffrages) n'ont que 29 élus (l'UDSR en a autant qu'eux)
et l'ensemble de la droite a environ 16 % des voix et
70 élus.

Élu chef du gouvernement à l'unanimité par l'As-
semblée constituante, le 13 novembre 1945, le général
De Gaulle constitue le 16 un cabinet tripartite (PC,
SFIO et MRP recevant cinq postes chacun), complété par

## L'épuration

Elle prend en premier lieu la forme spontanée d'exécutions sommaires de miliciens, de dénonciateurs, de collaborateurs notoires, n'excluant pas des règlements de comptes personnels pour des faits n'ayant rien à voir avec la guerre. Des excès, des injustices et des jugements hâtifs ont certes lieu, et l'on peut avancer le chiffre d'environ 10 000 exécutions. Mais les souffrances de ceux qui avaient subi la barbarie nazie et celle de ses complices expliquent cette justice expéditive qui frappa parfois des innocents.

Parallèlement, une « épuration légale » est mise en place dès la Libération par l'intermédiaire de cours de justice, qui instruisent jusqu'à la fin de 1948 160 000 dossiers : elles prononceront environ 7 000 condamnations à mort (dont 4 400 par contumace, moins de 800 personnes étant exécutées), 13 200 peines de travaux forcés, 26 200 peines de prison, 40 000 dégradations nationales (privation des droits civiques et politiques) et 73 500 acquittements ou ordonnances de non-lieu.

Certains trouveront ce bilan considérable et dénonceront l'intransigeance des anciens combattants, l'absence d'équité lors de certains procès ou l'interdiction frappant les journaux ayant continué à paraître sous l'occupation. D'autres, au contraire, s'indigneront de la légèreté des sanctions touchant l'administration, la police et les profiteurs de guerre, et de l'impunité dont bénéficieront de nombreux collaborateurs de fait.

### La fin de Pierre Laval

Arrêté en Autriche, livré aux Américains puis aux autorités françaises, il témoigne au procès de Pétain. Laval est ensuite jugé sommairement en octobre 1945 par la Haute Cour de justice. Les conditions de l'instruction sont telles que ses avocats refusent de plaider. Condamné à mort, il tente de s'empoisonner, mais il est sauvé de justesse pour être aussitôt fusillé, au matin du 15 octobre. Son procès, qui aurait pu être celui de la collaboration, ressemble à une exécution sommaire. Le 10 octobre, Joseph Darnand, l'ancien chef de la Milice, avait été également passé par les armes.

six personnalités extérieures. Refusant au parti communiste les ministères clés qu'il sollicite, il confie cependant
à Maurice Thorez le poste de vice-président du Conseil
et le titre de ministre d'État, à Charles Tillon l'Armement et à François Billoux l'Économie. Le socialiste
Adrien Tixier est ministre de l'Intérieur, Jules Moch est
aux Travaux publics, René Pleven aux Finances,
Pierre-Henri Teitgen à la Justice, Georges Bidault aux
Affaires étrangères, Jacques Soustelle aux Colonies,
André Malraux à l'Information.

Mais l'élaboration de la nouvelle Constitution va
être particulièrement difficile, en raison de la divergence
de vues entre les divers partis sur des points fondamen-
taux : certains, dont les proches du général De Gaulle,
veulent deux Chambres, et un président de la République, véritable chef de l'État aux pouvoirs élargis (de
Gaulle précisera sa pensée sur ces points lors du discours
de Bayeux, le 16 juin 1946) ; les socialistes ne veulent
pas d'un Sénat qui leur a laissé de mauvais souvenirs, et
les communistes sont aussi favorables à une Assemblée
unique dotée de tous les pouvoirs ; les uns et les autres
sont de plus hostiles à une Constitution qui permettrait
au général De Gaulle de contrôler le jeu politique.

### Le départ du général De Gaulle

Les divergences deviennent si graves entre la majorité de
l'Assemblée constituante et le général De Gaulle que
celui-ci démissionne le 20 janvier 1946, en dénonçant le
« régime exclusif des partis ». Vincent Auriol est alors
élu président de l'Assemblée constituante, alors que le
23 janvier le PC, la SFIO et le MRP s'entendent sur une
charte de collaboration qui fonde le « tripartisme » : les
trois partis auront chacun un tiers des ministères dans le

# Les débuts de la guerre d'Indochine
## La présence japonaise

L'Indochine est, durant la Seconde Guerre mondiale, le lieu d'opérations militaires liées à la présence japonaise (débarquement au Tonkin en septembre 1940). Cela va provoquer la naissance en 1941 d'un Front de l'indépendance (Viêt-minh), dominé par **Hô Chi Minh** et les communistes, qui vont lutter contre les deux occupants japonais et français, Vô Nguyên Giap organisant la guérilla et fondant en décembre 1944 une armée populaire vietnamienne. Puis, le 9 mars 1945, les Japonais s'attaquent brutalement à l'armée et aux autorités françaises et poussent l'empereur Bao Daï au Viêt-nam et le prince Sihanouk au Cambodge à proclamer leur indépendance (10 et 11 mars 1945). Mais en août, profitant du recul japonais, l'armée du Viêt-minh effectue une offensive générale. Bao Daï abdique le 25, et le 2 septembre est fondée la République démocratique du Viêt-nam indépendant ; Hô Chi Minh constitue alors un gouvernement d'union nationale regroupant toutes les tendances politiques du pays, alors que les dernières résistances japonaises sont vaincues par les Chinois au nord du 16e parallèle et par les Britanniques au sud.

## L'indépendance du 6 mars 1946

Dès que possible, le général De Gaulle envoie des troupes pour rétablir l'hégémonie française : les blindés du général Leclerc entrent à Saïgon le 5 octobre et soumettent le sud de l'Indochine alors que l'amiral Thierry d'Argenlieu est nommé haut-commissaire. Mais Leclerc se rend compte que le Nord, où se trouvent encore des troupes chinoises, pose un tout autre problème. Pour le résoudre, lui-même et l'envoyé du gouvernement Jean Sainteny mènent une double négociation : ils obtiennent le départ des Chinois contre l'abandon des concessions françaises de Chine (22 février 1946) et pressent Hô Chi Minh de conclure la paix. Un accord est signé le 6 mars 1946 par lequel la France reconnaît la République du Viêt-nam comme un « État libre ayant son gouvernement, son armée et ses finances », mais intégré dans une Fédération indochinoise faisant elle-même partie de l'Union française. De plus, un référendum doit régler la question d'une éventuelle réunification des anciennes provinces du Tonkin (au nord), de l'Annam (au centre) et de la Cochinchine (au sud).

### Le sabotage de la paix (mai-décembre 1946)

Mais l'initiative de Thierry d'Argenlieu, non désavouée par De Gaulle, et soutenue par Georges Bidault, ministre des Affaires étrangères, par le MRP, la droite, et même par une partie des socialistes, remet tout en question : refusant ce « nouveau Munich », il crée le 1er juin 1946 une République autonome de Cochinchine. Aussi, après que le 26 juin Georges Bidault est devenu président du Conseil, la conférence de Fontainebleau qui s'ouvre le 6 juillet en présence d'Hô Chi Minh ne peut être qu'un échec.

Au Viêt-nam, à l'intransigeance de Thierry d'Argenlieu répond le début d'une guérilla communiste contre les Français, qui répliquent par un bombardement du port de Haïphong, faisant environ 6 000 morts le 23 novembre 1946. Et, alors qu'Hô Chi Minh demande encore en vain l'ouverture des négociations le 15 décembre, Giap lance le 19 une offensive militaire dans le Tonkin, qui fait 200 morts à Hanoï. La France refuse désormais tout contact avec le Viêt-minh ; le socialiste Léon Blum (devenu entre-temps président du Conseil) envoie des troupes pour réduire l'insurrection, et Hô Chi Minh, qu'il avait côtoyé dans le même parti quand il était jeune étudiant à Paris, appelle à chasser les Français. La guerre d'Indochine a réellement commencé.

gouvernement présidé par le socialiste Félix Gouin (26 janvier-12 juin 1946).

Mais le projet de Constitution, prévoyant une seule véritable Assemblée (et un Conseil de l'Union française sans pouvoir) ainsi que l'élection du président de la République par l'Assemblée nationale, est rejeté par les électeurs lors du référendum du 5 mai 1946 (les non obtenant 53 % des voix).

De nouvelles élections sont donc nécessaires ; elles ont lieu le 2 juin 1946 et confirment globalement les tendances des précédentes.

### Les élections de juin 1946

Le parti communiste obtient environ 26 % des voix et a 153 élus (sur 586), mais il est dépassé par le MRP (28,2 % et 166 élus) ; la SFIO reçoit 21 % des suffrages et a 128 élus, le Rassemblement des gauches républicaines (radicaux plus UDSR) 11,6 % et 52 élus, la droite 13 % et 67 élus. La victoire du MRP permet à l'un de ses membres, Georges Bidault, de devenir président du Conseil (du 23 juin au 28 novembre 1946), sans pour autant remettre en cause la formule du tripartisme.

### La Constitution d'octobre 1946

La seconde Assemblée constituante élabore durant l'été un nouveau texte qui obtient 53,5 % de oui au référendum du 13 octobre 1946, malgré sa condamnation par le général De Gaulle (discours d'Épinal, 22 septembre 1946). Peu différente du premier projet, cette Constitution institue un Conseil de la république purement consultatif, à côté d'une Assemblée nationale élue pour cinq ans, qui ne peut déléguer ses pouvoirs au gouvernement ; à la tête de celui-ci se trouve un président du

Conseil, choisi par le président de la République ; mais il doit obtenir l'investiture par un vote favorable de la majorité absolue de l'Assemblée.

Cette dernière et le Conseil de la République réunis en Parlement élisent pour sept ans le président de la République, sans aucun pouvoir décisionnel.

D'autre part, il est prévu la procédure de la question de confiance, par laquelle le président du Conseil peut engager la responsabilité de son gouvernement devant l'Assemblée, la confiance n'étant refusée que si la majorité absolue de celle-ci vote négativement. Après l'adoption de cette Constitution, la IVᵉ République est née.

### L'Union française

La Constitution de 1946 crée l'Union française, comprenant outre la métropole, l'Algérie, les départements d'outre-mer (Guyane, Guadeloupe, Martinique, Réunion), les territoires d'outre-mer (ex-AEF, une partie de l'AOF, îles d'Océanie...), les territoires associés (Togo, Cameroun), et les États associés (Indochine, Maroc, Tunisie). Deux Assemblées consultatives voient également le jour : le Haut Conseil de l'Union française et l'Assemblée de l'Union française (dont la moitié des membres représente les différents pays d'outre-mer). Mais les décisions importantes seront toujours prises par le gouvernement et l'Assemblée nationale.

# Les débuts de la IVᵉ République

## Du tripartisme à la « troisième force » (1946-1951)

*Après le départ des communistes du gouvernement, l'agitation sociale est à son comble, tandis que la situation s'aggrave en Indochine.*

Après l'adoption de la nouvelle Constitution, lors du référendum du 13 octobre 1946, les nouvelles institutions se mettent en place.

### Les élections (1946-1947)

Le 10 novembre 1946 les Français élisent à la proportionnelle les députés de la nouvelle Assemblée nationale.

---

**Les élections de novembre 1946**

Le parti communiste est de nouveau vainqueur, avec plus de 28 % des suffrages exprimés, lui donnant droit à 182 élus (sur 619). Viennent ensuite le MRP (environ 26 % des voix et 173 députés), la SFIO (moins de 18 % et 102 élus), le RGR (radicaux et UDSR) qui obtient 11 % des voix et a 69 députés, les modérés (13 % des voix et 67 élus)... Une union gaulliste, voulant rester strictement fidèle à la démarche du général, ne recueille que 3 % des suffrages et n'a pas d'élus.

---

Le PC, le MRP et la SFIO, ayant obtenu environ 72 % des voix, peuvent poursuivre leur collaboration ; elle permet aux socialistes Vincent Auriol de présider l'Assemblée et Léon Blum le Conseil des ministres d'un gouvernement socialiste de transition (16 décembre 1946-16 janvier 1947), en attendant les élections suivantes. Le 8 décembre 1946 voit celle du Conseil de la

République, et le 16 janvier 1947 celui-ci et l'Assemblée nationale se réunissent au château de Versailles pour élire Vincent **Auriol** président de la République par 452 voix sur 883 (Champetier de Ribes, MRP et président du Conseil de la République, en a obtenu 242, le radical Glasser 122, et le fils de Georges Clemenceau, représentant les modérés, 60).

En plus des suffrages socialistes et communistes, Vincent Auriol a reçu ceux de certains radicaux qui obtiennent en échange qu'Édouard Herriot soit élu président de l'Assemblée nationale.

C'est le socialiste Paul Ramadier qui est alors chargé par Vincent Auriol de former le premier gouvernement de la IVe République. Il obtient à l'unanimité son investiture personnelle de la part de l'Assemblée nationale le 21 janvier 1947. Mais son gouvernement ne reçoit le 28 janvier que la seule confiance des présidents des groupes de la majorité parlementaire : les problèmes ne vont pas tarder.

### Les premières difficultés

Le retour de la paix, vingt mois plus tôt, n'avait en effet pas suffi à rétablir des conditions de production et de circulation normales des marchandises, et des denrées alimentaires en particulier. La pénurie et l'inflation avaient même conduit Léon Blum à décréter le 2 janvier 1947 une baisse générale des prix de 5 %. Mais d'une façon générale, les prix tendent à augmenter plus vite que les salaires, les épargnants sont ruinés par l'inflation. Et si la France obtient des États-Unis la livraison de 200 000 tonnes de blé en février 1947, la ration quotidienne de pain baisse de 300 à 250 grammes par personne le 1er mai 1947, et une nouvelle baisse des prix de

5 % est décidée le 1er mars, mais ne sera pas véritablement suivie d'effet.

Parallèlement, la question indochinoise divise la majorité : après que le 5 mars 1947 Maurice Thorez a déclaré être favorable au maintien de la souveraineté française en Indochine, les députés communistes s'abstiennent lors du vote sur les crédits militaires pour l'Indochine (22 mars 1947). C'est le début de la rupture entre socialistes et communistes.

Dans ce contexte, une grève se produit dans la presse parisienne du 11 février au 17 mars et une autre éclate le 25 avril aux Usines Renault à l'initiative de minoritaires trotskistes. Elle s'étend rapidement et conduit la CGT, d'abord hostile, à prendre la tête du mouvement. Cela amène le parti communiste à réclamer la fin du blocage des salaires décidé par le gouvernement pour combattre l'inflation. La tension entre socialistes et communistes conduit alors Ramadier à exclure les ministres communistes du gouvernement le 2 mai 1947 ; quelques jours plus tard, alors que débute une nouvelle vague de grèves dans le pays, il déclare que celles-ci ont un « chef d'orchestre clandestin », visant ainsi le parti communiste. Durant l'été, un accord salarial entre le patronat et la CGT, prévoyant le relèvement des salaires de 11 %, ramène le calme (1er août). Mais le 27 du même mois, la ration de pain est encore réduite, passant à 200 grammes par jour.

### Les épreuves de l'automne 1947

Après que les dirigeants du PCF se sont fait rappeler à l'ordre par ceux d'Union soviétique, lors d'une conférence secrète tenue en Pologne en septembre 1947 et réunissant tous les partis communistes européens, les

---

**Le RPF**

Le général De Gaulle déclare le 14 avril 1947 que le système des partis doit céder la place à un autre, « où le pouvoir exécutif procède du pays » et où « tout conflit insoluble doit être tranché par le peuple lui-même ». Il crée le même jour à Strasbourg le Rassemblement du peuple français (RPF). Il reçoit dans les mois qui suivent près d'un million d'adhésions, et remporte les élections municipales d'octobre 1947, avec 40 % de voix dans les villes de plus de 9 000 habitants : il prend ainsi la direction de 13 des plus grandes villes et contrôle 52 préfectures. Cela autorise De Gaulle à réclamer le 27 octobre la dissolution de l'Assemblée nationale et la révision de la Constitution.

---

communistes français vont durcir leur attitude ; renonçant à être un parti de gouvernement, ils s'aligneront d'une façon inconditionnelle sur les positions de l'Union soviétique et s'éloigneront de la SFIO et des partis de centre gauche : on en revient à la stratégie « classe contre classe » des années 1920.

La CGT et le parti communiste orchestrent une série de grèves qui débutent à la mi-octobre, paralysant les transports durant une semaine. La situation des salariés est en effet difficile : en six mois, le prix des produits alimentaires a augmenté de plus de 40 %, et les salaires d'environ 10 % seulement. Le 15 novembre, la grève est générale dans les mines et s'étend à la métallurgie.

Le gouvernement Ramadier démissionne alors le 19 novembre. Robert Schuman (MRP) lui succède le 24, et forme un gouvernement moins à gauche, composé de 11 ministres MRP, 8 socialistes, 6 radicaux, 2 indépendants et 1 UDSR. Face à l'extension des grèves à la fin du mois, aux manifestations tournant parfois à l'émeute, aux actions de commandos et de sabotage, le gouvernement et son ministre de l'Intérieur socialiste Jules Moch font preuve d'une grande fermeté : la police occupe les journaux communistes parisiens le 27 novembre ; le 30, l'Assemblée nationale vote un texte sur la défense de la République et rappelle 80 000 réservistes. La police et les CRS parviennent à réprimer un mouvement qui ressemble parfois à une insurrection. Devant la détermination gouvernementale, et sans doute aussi pour ne pas être débordée sur sa gauche, la CGT appelle le 9 décembre à reprendre le travail. Comme en 1936 et en 1944-1945, le parti communiste français a renoncé à une révolution qui n'entrait pas dans la stratégie de l'Union soviétique mettant en place des régimes communistes prosoviétiques dans les pays d'Europe de l'Est.

## La scission syndicale

La conséquence des événements de l'automne 1947 est le renforcement de l'isolement du PCF et la scission au sein de la CGT. Celle-ci, réunifiée en 1936, avant l'exclusion des communistes en 1939, et sa dissolution par le régime de Vichy en 1940, s'était reconstituée dans la clandestinité. Puis son congrès d'avril 1946 avait vu le contrôle total de la centrale par les communistes. Aussi, après l'échec des grèves de novembre-décembre et devant l'attitude ambiguë du parti communiste, les militants proches du parti socialiste ou anticommunistes quittent-ils la CGT le 19 décembre pour fonder la CGT-Force ouvrière, alors que la Fédération de l'Éducation nationale (FEN) s'en sépare également pour constituer une organisation syndicale autonome.

### La « troisième force » (1947-1951)

Dès le 16 octobre 1947, Léon Blum avait évoqué dans un discours l'idée, reprise par Guy Mollet, d'une « troisième force » pour trouver une solution politique à la rupture avec le parti communiste : elle consiste en un rapprochement entre la SFIO et le MRP, recevant le nécessaire appui de députés du centre droit pour réunir une majorité à l'Assemblée. Coalition hétérogène par certains côtés, elle a cependant comme ciment l'hostilité au RPF du général De Gaulle, et au parti communiste, ainsi que le désir de s'opposer à la politique extérieure de l'Union soviétique, signifiant un rapprochement avec les États-Unis dans le cadre du plan Marshall et du Pacte atlantique.

---

#### Le Pacte atlantique

Le 4 avril 1949 est signé à Washington le pacte de défense des pays constituant l'Organisation du traité de l'Atlantique Nord (OTAN), réunissant les États-Unis, la Grande-Bretagne, la France, le Canada, les pays du Benelux, l'Italie, le Portugal, le Danemark, l'Irlande et la Norvège. Ces pays s'engagent à une assistance mutuelle en cas d'agression contre l'un d'entre eux et à la coordination de leurs forces armées, la fourniture d'armes étant assurée par les États-Unis. Il s'agit de faire poids face au danger d'expansion soviétique à l'ouest du « rideau de fer ».

---

Les désaccords restent toutefois importants, sur le plan de la politique économique, entre une SFIO tenant un langage dirigiste et réformiste, un MRP plus prudent et des radicaux et modérés résolument libéraux. Cependant, quand de nouvelles grèves accompagnées d'affrontement violents avec les CRS, faisant plusieurs morts (à

Merlebach et à Alès), se produisent en octobre-novembre 1948, le socialiste Jules Moch fait intervenir les blindés pour mater les émeutiers.

La cohésion des forces politiques au pouvoir permet finalement à la troisième force de se maintenir malgré sa fragilité apparente. Cela est dû aussi à l'amélioration lente mais progressive de la situation économique, permettant en particulier, fin 1949, de mettre un terme au rationnement et d'enrayer l'hyperinflation d'après-guerre. Puis le 11 février 1950 est votée une loi sur les conventions collectives, prévoyant une négociation directe entre patronat et syndicats sur les salaires, alors qu'est créé le SMIG.

Cela provient aussi de l'habileté manœuvrière des présidents du Conseil de cette période, en particulier celle d'Henri Queuille, se maintenant plus d'un an au pouvoir (de septembre 1948 à octobre 1949), avant d'y revenir quatre mois en 1951, et parvenant à circonvenir les attaques des communistes et des gaullistes ; d'ailleurs, les élections au Conseil de la République de novembre 1948, puis les cantonales de mars 1949 marquent un recul du PC et du RPF.

Henri Queuille trouve même une formule originale pour réduire la représentation des communistes et des gaullistes aux futures élections législatives de juin 1951 : l'Assemblée nationale accepte en effet, le 9 mai 1951, que les listes « apparentées » obtenant la majorité absolue des votants se répartissent la totalité des sièges à pourvoir.

Les élections ont lieu le 17 juin 1951. Le parti communiste reste la première formation politique en nombre de voix (près de 26 %), bien qu'il en perde environ 500 000 par rapport à 1946, devant le RPF

(21,7 %), qui le dépasse toutefois au nombre de sièges (106 contre 95), la SFIO (environ 15 %), qui perd 700 000 voix, mais accroît le nombre de ses élus, les modérés (près de 14 %), le MRP (13,4 %), abandonné par de nombreux électeurs qui ont voté pour le parti gaulliste, et le RGR, regroupement des radicaux et de l'UDSR (10 %). Au total ces quatre derniers partis obtiennent un peu plus de 50 % des suffrages, et, grâce aux apparentements, ont 388 députés sur 627. Mais maintenant la droite devient l'arbitre du jeu politique et le gouvernement constitué par l'UDSR René Pleven le 12 août 1951 ne comprend plus de ministres socialistes. La troisième force cesse donc pratiquement d'exister.

### L'aggravation de la situation en Indochine...

Après le départ d'Indochine du général Leclerc en janvier 1947, la résistance Viêt-minh semble terminée. Hô Chi Minh appelle d'ailleurs en avril à l'ouverture de négociations, et en juillet écarte Giap, jugé trop intransigeant. Mais en octobre l'armée française prend l'offensive contre le maquis viêt-minh au Tonkin et la guérilla continue : le 1er mars 1948, l'attaque du convoi Saïgon-Dalat fait cent cinquante morts. Aussi, pour isoler la résistance communiste, le gouvernement français reconnaît-il l'indépendance du Viêt-nam et le pouvoir de l'empereur Bao Daï, par les accords de la baie d'Along, le 5 juin 1948. De même, le Cambodge obtiendra son indépendance dans le cadre de l'Union française le 8 novembre 1949.

Les attentats et l'action du Viêt-minh reprennent, bien que la France ait renoncé à la colonie de Cochinchine rattachée au Viêt-nam, le 21 mai, et que le Laos soit devenu indépendant à son tour le 19 juillet 1949. Le 16 juillet, après l'attentat meurtrier du 14 à Saïgon, l'armée française reprend l'offensive contre le Viêt-minh. Mais celui-ci, armé par la Chine communiste, contrôle le nord-ouest du Tonkin. En mai 1950, il déclenche une violente attaque des postes militaires français, prend Dông-Khé, que les Français réussissent à reconquérir au prix de lourdes pertes.

Le 25 juin 1950 débute la guerre de Corée : l'armée du Nord, armée par l'URSS et soutenue par la Chine, franchit le 38e parallèle et envahit le Sud. Début juillet, l'armée américaine, sous le drapeau de l'ONU, s'engage dans le conflit et reçoit le soutien de Vincent Auriol et de Guy Mollet.

L'Indochine devient désormais le lieu de la lutte armée entre l'Est et l'Ouest. Aussi, quand les communistes français, dénonçant la « sale guerre », organisent des actions spectaculaires (contre le chargement des bateaux ou le passage des trains transportant du matériel militaire à destination du Viêt-nam), ils apparaissent comme des alliés du communisme international, et leurs protestations n'empêchent pas l'intensification des combats. En septembre 1950, une nouvelle offensive viêt-minh conduit à la perte de Dông-Khé et de Cao-Bang (où les troupes françaises sont écrasées) et à l'évacuation précipitée de Lang-Son : la moitié du Tonkin passe aux mains du Viêt-minh. Puis en décembre, le général **de Lattre de Tassigny** est nommé haut-commissaire en Indochine et commandant en chef de l'armée française.

Il interrompt l'évacuation des civils du Tonkin début janvier 1951, repousse une violente attaque viêt-minh sur Hanoï, et demande expressément des renforts, face à une situation qui reste difficile : en mai, un navire de transport de troupes saute à Saïgon, et le fils du général de Lattre est tué lors de l'offensive viêt-minh du riz. Puis en novembre les Français prennent Hoa-Binh qu'ils défendent en décembre, alors que de Lattre, très malade, quitte l'Indochine ; il meurt le 11 janvier 1952.

### ... et la crise marocaine

Au début de 1951 le général **Juin**, résident général de France au Maroc, s'appuie sur le Glaoui, pacha de Marrakech, traditionaliste favorable aux Français, pour obtenir que le sultan Mohammed ben Youssef condamne les nationalistes modernistes de l'Istiqlal (qui avaient publié leur manifeste en janvier 1944) ; le sultan après un premier refus finit par les désavouer du bout des lèvres le 26 février 1951, après l'intervention du président Vincent Auriol.

# La reconstruction

## Un État actif

*Les premières années de l'immédiat après-guerre sont marquées par la mobilisation des ressources et des énergies afin de remettre en place l'infrastructure économique du pays. Mais les salariés acceptent mal les nouvelles privations.*

Alors que les destructions de la Première Guerre mondiale avaient surtout touché le nord-est du pays, celles causées par la Seconde sont réparties sur l'ensemble du territoire national ; elles concernent les voies de communication et un certain nombre de centres industriels touchés par les bombardements alliés, ainsi que les villes de Normandie. La France manque aussi de main-d'œuvre, de matières premières, d'énergie, de produits alimentaires et souffre du vieillissement de son appareil de production et de nombreux goulets d'étranglement qui bloquent ici et là la reprise de la production : en 1946, celle-ci est encore de 20 % inférieure au niveau de 1938. La France doit donc importer beaucoup et sa balance commerciale est très déficitaire.

### L'extension du secteur public

Face à cette situation difficile, certains comptent sur la reprise des mécanismes spontanés du marché ; d'autres, plus nombreux, évoquant le souvenir de la crise de 1929 et constatant l'ampleur de la tâche à accomplir, souhaitent voir l'État jouer un rôle central dans la reconstruction du pays et dans la stimulation de la croissance. Il s'agit des forces politiques et syndicales de gauche, mais aussi de ceux qui (sans vouloir pour autant rompre avec le capitalisme) estiment indispensable l'extension du rôle de l'État pour sortir d'une crise ou éviter d'y retomber.

Aussi, afin que l'État puisse mener à bien son rôle de « guide » et de « tuteur » de l'économie de marché, un certain nombre de réformes structurelles ont lieu durant les années 1944-1946 : nationalisation de Renault et de Berliet en novembre 1944 ; création des Houillères nationales du Nord-Pas-de-Calais en décembre 1944, englobant en mars 1946 les autres bassins miniers pour constituer les Charbonnages de France ; contrôle public de la Compagnie française des pétroles ; constitution, en mai 1945, de la Société nationale d'étude et de construction de moteurs d'aviation (SNECMA) ; intégration à Air France de diverses compagnies aériennes privées, en mai 1945, et nationalisation de la Compagnie générale transatlantique ; contrôle total de l'État sur la Banque de France et nationalisation de la Société générale, du Crédit lyonnais, de la Banque nationale pour le commerce et l'industrie (BNCI) et du Comptoir national d'escompte en décembre 1945, alors qu'est créé le Conseil national du crédit. De plus, les nationalisations sont étendues à 34 compagnies d'assurances en avril 1946.

S'appuyant sur un secteur public contrôlant les grands moyens de transport, la production d'énergie et une partie du système bancaire, l'État peut ainsi contribuer efficacement à la reconstruction du pays, et favoriser l'investissement dans les secteurs clés de l'économie. Mais il convient aussi de coordonner l'effort de modernisation.

### La planification « à la française »

C'est ainsi que, pour permettre un redressement rapide de l'économie nationale, le général De Gaulle, à l'instigation de Jean Monnet, crée le plan de modernisation et d'équipement par un décret du 3 janvier 1946 (reprenant une proposition déjà émise par Pierre Mendès France). Il doit permettre de développer la production et les échanges extérieurs, d'accroître la productivité, d'assurer le plein emploi et d'élever le niveau de vie. Pour cela, il détermine des objectifs prioritaires, assure la cohérence et la complémentarité des projets d'investissement et cherche à associer dans la définition des buts et le choix des moyens les entreprises privées, les syndicats et le secteur public, travaillant en commun dans de nombreuses commissions. Le plan ou « l'anti-hasard », selon le mot de Pierre Massé, doit réduire l'incertitude des décisions individuelles et constitue une voie moyenne conciliant l'attachement à l'initiative privée et la nécessaire intervention de l'État ; il fixe des objectifs macroéconomiques à long terme et cherche à assurer les conditions du développement, sans se soucier de la rentabilité à court terme comme le font les entreprises privées, qui ne disposent pas de moyens financiers pour entreprendre de vastes programmes d'intérêt collectif, permettant d'atteindre un nouvel équilibre régional.

L'originalité de la planification française est d'être simplement indicative et non impérative : elle vise à informer les entreprises des secteurs où l'investissement public se concentrera, à définir une sorte de nouveau « contrat social », et de sensibiliser les différents milieux économiques et sociaux ; comme le dira le général De Gaulle en 1962, les projets du plan doivent devenir pour chaque Français une « ardente obligation ».

Sont créés parallèlement différents organismes chargés d'en favoriser le financement, tel le Fonds de modernisation et d'équipement, dépendant du Trésor (et qui deviendra le Fonds de développement économique et social).

Placés sous la direction de Jean Monnet (de 1946 à 1951), puis d'Étienne Hirsch (de 1952 à 1958) et de Pierre Massé (de 1959 à 1966), les premiers plans français atteindront l'essentiel de leurs objectifs. Le premier, en particulier, qui devait couvrir la période 1947-1950 mais s'est trouvé prolongé jusqu'en 1952 pour tenir compte du plan Marshall : il vise à moderniser l'économie, à augmenter de 25 % la production par rapport au niveau de 1929 et à rétablir l'équilibre de la balance des paiements. Pour cela, il définit six secteurs de base prioritaires (le charbon, l'électricité, l'acier, le ciment, les transports et le machinisme agricole) auxquels s'ajouteront les carburants et les engrais, l'ensemble des autres branches ne devant se développer que plus lentement tant que l'infrastructure de base n'aura pas été reconstituée.

### Le difficile redressement économique

Mais l'effet de ces réformes ne peut se faire sentir immédiatement. Pour l'heure, les données quantitatives montrent la précarité de la situation économique du pays. La production industrielle, qui, pour une base 100 en 1938, était tombée à l'indice 65 en 1941 et 41 en 1944, n'atteint en 1946 que l'indice 84 et ne retrouve qu'en 1947 son niveau de 1938 ; mais elle atteint l'indice 113 en 1948, 123 en 1949 et 138 en 1951, dépassant ainsi celui de 1929. L'énergie produite, qui était égale à 20 millions de kilowattheures en 1939, et qui était tombée à

14 millions en 1944, remonte à 22,8 millions en 1946 et à près de 38 millions en 1951. La production agricole reprend rapidement, mais sans retrouver, loin s'en faut, le niveau de l'entre-deux-guerres : ainsi, la production de blé passe de 64 millions de quintaux en 1943 à 77 en 1950 (contre 90 en 1929), celle de seigle de 3,4 à 6,1 (contre 9,3 en 1929), celle des légumes secs de 1,2 à 1,6 (contre 2 en 1929), le total des bovins passant lui de 14,5 millions de têtes en 1943 à 15,8 millions en 1950 (retrouvant ainsi l'importance des années 30). Au total la production intérieure augmente de 10 % environ en 1947, de 13 % en 1948, et de près de 8 % en 1949 et 1950.

Les échanges extérieurs de la France sont longs à se rétablir : déjà déficitaires avant la guerre, ils laissent apparaître un solde très négatif avec l'étranger (hors pays de l'Union française) : – 143 milliards de francs en 1946, – 171 en 1947, – 241 en 1948, – 228 en 1949, – 102 en 1950. Le déficit extérieur français provoque une dégradation prononcée du cours du franc à partir de 1948, malgré l'aide internationale (la France a ainsi reçu 2,3 milliards de dollars de prêts entre 1945 et 1947) : le dollar qui valait 119 francs fin 1947 s'échange contre 214 francs en janvier 1948, 263 en octobre et 272 en avril 1949. Fin 1949, le franc ne vaut plus qu'un tiers environ de son équivalent en or de 1945. Mais sa valeur se stabilise en 1950, grâce au retour de la confiance dans l'économie française.

De plus la France bénéficie de crédits consentis par la nouvelle Union européenne des paiements (UEP) qui prend la relève de l'aide américaine accordée dans le cadre du plan Marshall.

---

**L'aide américaine : le plan Marshall**

Le 5 juin 1947 le secrétaire d'État américain, le général Marshall, annonce un plan d'aide économique et financière à l'Europe, pour faciliter son redressement et lui éviter « de graves troubles économiques, sociaux et politiques » ; il s'agit aussi de la détourner du communisme et de l'intégrer davantage aux États-Unis. La France recevra au titre du plan Marshall 2,6 milliards de dollars (ce qui représente environ 1/5 du total de l'aide américaine), de 1948 à 1951, principalement sous forme de dons (à hauteur de 85 %). Elle pourra ainsi financer plus des deux tiers de son déficit extérieur total, et importer une bonne part des produits nécessaires à sa reconstruction et à sa modernisation.

---

### Les prix et les salaires

Cette situation de pénurie qui sévit en France, et les besoins liés à la reconstruction expliquent la forte inflation de ces années d'après-guerre : ainsi, pour une base 100 en 1938, l'indice des prix de gros de 135 articles (dont 23 alimentaires) atteint 264 en 1944, 648 en 1946, 1 712 en 1948 et 2 166 en 1950 ! Durant les années 1946 et 1948 les prix de gros ont augmenté d'environ 70 % et de 50 % en 1947.

Pour une base 100 en 1949, l'indice élargi à 319 produits atteint 108 en 1950 et 138 en 1951. L'évolution est très voisine en ce qui concerne les prix de détail : l'indice de 34 articles de ménage passe de 100 en 1938 à 1 945 en 1950 et à 2 280 en 1951, et pour une base 100 en 1949, il atteint 111 en 1950 et 130 en 1951. Les hausses les plus fortes ont également eu lieu en 1946, 1947 et 1948 (60 % durant ces trois dernières années).

Les salaires horaires ouvriers, quant à eux, augmentent dans des proportions nettement moins importantes :

entre 1938 et 1950, ceux des ouvriers professionnels (France entière) comme ceux des métallurgistes de la région parisienne sont multipliés environ par 10 et le salaire journalier des mineurs par 15. Comme les prix intérieurs ont été multipliés par 20 environ durant cette période, cela signifie que le pouvoir d'achat ouvrier a diminué malgré la pratique des heures supplémentaires rendues nécessaires par le besoin de main-d'œuvre (la France comptait 41,9 millions d'habitants au recensement de 1936 et 40,5 millions seulement en 1946) : certains travaillent jusqu'à 55 heures, et la durée hebdomadaire moyenne du travail est de 45 heures et demie en 1950. On comprend dans ces conditions le mécontentement des salariés face à la politique économique du gouvernement.

### La politique économique

Pourtant, malgré l'inflation et l'insuffisance de l'offre, des hausses importantes de salaires avaient eu lieu durant l'été 1945 (entre 50 et 100 % suivant les branches), contrairement à la politique préconisée par Pierre Mendès France ; parallèlement, on s'efforçait de réduire la masse monétaire en circulation (échanges de billets, « impôts de solidarité » assis sur le capital), sans toutefois y parvenir suffisamment : les conséquences en furent la poursuite de l'inflation et la dévaluation du franc, sans amélioration du pouvoir d'achat des salariés.

Dans ces conditions, le gouvernement convoque en juillet 1946 une conférence du Palais-Royal qui se termine, contrairement à son objectif, par une nouvelle hausse des salaires de 25 %, accompagnée de celle des prix agricoles et des tarifs publics, et finalement par une relance de l'inflation.

Le gouvernement Léon Blum, constitué à l'automne 1946, tente alors de mettre en œuvre une politique déflationniste, en imposant une baisse de 5 % pour les prix relevant des décisions publiques, et en cherchant à l'étendre au reste de l'économie. Mais les tensions inflationnistes sont toujours présentes, et le gouvernement Ramadier ne parvient pas à imposer de nouvelles baisses de prix en février 1947. Au contraire, il foit faire face à des revendications de hausses de salaires et à une succession de grandes grèves : dans la presse en février-mars, chez Renault en avril, provoquant le départ des communistes du gouvernement ; après une hausse des salaires de 11 % négociée en août par la CGT et le CNPF, une nouvelle grève se produit dans les transports en octobre, prélude à la grève générale de novembre-décembre. Elle est marquée par des actions de commandos, de violents affrontements avec la police, des prises d'assaut de lieux publics entretenant un climat de guerre civile. Mais la CGT appelle à la reprise du travail le 9 décembre après l'obtention de hausses de salaires comprises entre 25 et 40 %.

En janvier 1948, le plan Mayer permet un ajustement des prix à la hausse (ceux du charbon, de l'acier et de l'électricité sont multipliés par plus de 2, les tarifs SNCF augmentent de 32 %), les subventions publiques sont réduites, un impôt sur les bénéfices est créé (transformable en souscription à un emprunt public), les billets de 5 000 francs sont retirés de la circulation, et l'on procède à une nouvelle dévaluation. Mais en même temps, on amnistie les détenteurs de capitaux sortis en fraude qui acceptent de les rapatrier. Il s'agit, dans l'esprit du gouvernement, de constituer un nouveau « palier de prix », dont la plupart sont pourtant libérés dans l'industrie (alors que les salaires ne le sont pas). En fait,

## Le rôle de l'INSEE

En liaison avec la fondation des services du plan, l'Institut national de la statistique et des études économiques est créé en 1946 et rattaché au ministère de l'Économie et des Finances. Son rôle est essentiel dans la collecte de l'information, son traitement, sa présentation dans un langage cohérent et systématique, celui de la « comptabilité nationale », alors que l'on ne disposait jusque-là que de données parcellaires et de qualité médiocre. Cela conduira en particulier à la publication annuelle du « Rapport sur les comptes de la nation ». Tous les flux économiques effectués durant l'année précédente y sont présentés : opérations diverses « sur biens et services » (production, consommation, investissement...), opérations de « répartition » entre agents (versements de salaires, d'impôts, de redistribution...), opérations financières faisant varier les créances et dettes des agents. De même un tableau d'échange entre les différentes branches industrielles permet de montrer leur degré d'interdépendance. L'ensemble des informations centralisées par l'INSEE constitue la base indispensable pour toute tentative de prévision de l'avenir et de planification des décisions économiques de l'État. Les « modèles économétriques » élaborés par les services de l'INSEE permettent également de « simuler » les conséquences de l'action sur telle ou telle variable motrice de l'économie (volume des investissements, taux de croissance des salaires...), en extrapolant les données du passé... et moyennant certaines hypothèses sur l'avenir.

Grâce à la publication de statistiques officielles on connaît mieux l'évolution des grands agrégats significatifs : production intérieure, niveau général des prix, masse salariale, profits distribués... Les responsables économiques disposent ainsi de moyens leur permettant de déterminer ou de justifier leur politique, mais les partis d'opposition, les syndicats (voire le grand public) sont également à même de juger de la situation économique du pays et du bien-fondé des orientations de la politique du gouvernement.

les prix restent relativement stables jusqu'en juin 1948. Mais durant l'été, l'éphémère gouvernement André Marie et son ministre des Finances Paul Reynaud acceptent une augmentation des prix agricoles pour tenir compte des hausses de coût de production de fin 1947-début 1948. Cela provoque aussitôt de nouvelles revendications de hausses des salaires : le gouvernement Queuille accorde en octobre 1948 une hausse de 15 %, qui est jugée insuffisante par les syndicats ouvriers. La CGT organise alors la grève des mineurs, en octobre-novembre, ponctuée de nouveaux incidents sanglants, l'armée étant appelée pour réprimer les manifestations. Mais la grève se termine par un échec, le gouvernement ne cédant pas. La paix sociale revient toutefois à partir des années 1949-1950, à cause du découragement ouvrier, mais aussi grâce à la suppression du rationnement, au ralentissement de l'inflation et à l'amélioration des conditions générales de la production.

On peut considérer qu'au début des années 1950 la France a achevé sa reconstruction et a réussi à surmonter la pénurie de l'après-guerre.

---

# Pleven, Pinay, Laniel

## La IVe penche à droite (1951-1954)

*Leurs gouvernements difficilement investis ont à faire face à une vive tension sociale, au problème de la CED, et à l'échec militaire en Indochine.*

### Comment gouverner ?

Après les élections de juin 1951, les socialistes se démarquent du gouvernement : saisissant le prétexte de la défense de la laïcité de l'enseignement, ils combattent vivement la loi Barangé, accordant une modeste subvention aux familles ayant un enfant dans le primaire public ou privé (11 septembre 1951). Ils renversent finalement le cabinet Pleven le 7 janvier 1952, en refusant sa politique financière, et soutiennent un gouvernement Edgar Faure, qui succombe cependant fin février devant l'hostilité de la droite. Celle-ci se réorganise en effet, avec la création du Centre national des indépendants (CNI), réunissant les modérés, le MRP, les radicaux, l'UDSR et une trentaine de députés RPF apportant l'appoint nécessaire pour constituer une majorité parlementaire sans les socialistes.

### Le « miracle » Pinay

Cela permet à Antoine Pinay, l'« homme providentiel », de former un gouvernement engageant une politique économique apparemment couronnée de succès : la hausse des prix qui avait repris en 1951 avec la guerre de Corée se réduit rapidement ; la confiance des épargnants revient en partie grâce à l'amnistie fiscale comme en témoignent le retour des capitaux et le succès de son emprunt indexé sur l'or ; d'autre part, il institue l'échelle mobile des salaires (8 juillet 1952) et fait voter une loi sur l'assurance vieillesse des agriculteurs (10 juillet) ; mais un projet de réforme des allocations familiales provoque l'hostilité du MRP, qui se veut le défenseur des familles, et renverse le cabinet Pinay le 22 décembre 1952.

### La valse des ministères

Constituer un gouvernement est alors un véritable tour de force, tant est difficile de réunir une majorité sur l'ensemble des problèmes à la fois...

Ainsi, si le ministère René Mayer dure de janvier à mai 1953, une longue crise suit sa démission : Guy Mollet, André Diethelm, Paul Reynaud, Georges Bidault, André Marie, Antoine Pinay renoncent à former un gouvernement ou n'obtiennent pas la confiance. Après qu'un état-major de crise a été constitué par Vincent Auriol, c'est finalement Joseph Laniel qui est investi grâce au soutien de la droite et d'anciens députés RPF, le général De Gaulle ayant pris ses distances avec le mouvement le 6 mai 1953, à la suite de son échec aux municipales du 26 avril ; son isolement personnel et ses attaques sans concessions contre la IV<sup>e</sup> République avaient fini par décourager de nombreux électeurs et certains de ses fidèles.

---

### Les principaux gouvernements de la IV<sup>e</sup> République

Dix-huit « vrais » ministères se succèdent de janvier 1947 à mai 1958 ; leurs présidents du Conseil sont : Paul **Ramadier** (socialiste), 22 janv./19 nov. 1947 ; Robert **Schuman** (MRP), 24 nov. 1947/19 juill. 1948 ; André **Marie** (radical), 26 juill./28 août 1948 ; Henri **Queuille** (radical), 11 sept. 1948/6 oct. 1949 ; Georges **Bidault** (MRP), 28 oct. 1949/24 juin 1950 ; René **Pleven** (UDSR), 12 août 1950/28 févr. 1951 ; Henri **Queuille**, 10 mars/ 10 juill. 1951 ; encore René **Pleven**, 12 août 1951/ 7 janv. 1952 ; Edgar **Faure** (radical), 18 janv./29 févr. 1952 ; Antoine **Pinay** (indépendant), 8 mars/23 déc. 1952 ; René **Mayer** (radical), 8 janv./21 mai 1953 ; Joseph **Laniel** (indépendant), 28 juin 1953/12 juin 1954 ; Pierre **Mendès France** (radical-socialiste), 19 juin 1954/ 5 févr. 1955 ; Edgar **Faure**, 23 fév. 1955/24 janv. 1956 ; Guy **Mollet** (socialiste), 1<sup>er</sup> févr. 1956/21 mai 1957 ; Maurice **Bourgès-Maunoury** (radical), 13 juin/30 sept. 1957 ; Félix **Gaillard** (radical), 5 nov. 1957/15 avril 1958 ; et enfin Pierre **Pflimlin** (MRP), 13 mai/28 mai 1958.

### L'agitation sociale

Le gouvernement Laniel profite de l'été pour faire adopter une série de décrets-lois visant à réduire le déficit budgétaire grâce à des hausses de tarifs et à des économies dans le secteur public, et prévoyant le recul de l'âge de la retraite.

Ces décrets-lois provoquent début août 1953 de vives réactions : le 4, la CGT et la CFTC appellent à des débrayages, et le 5 les postiers FO se lancent dans une grève illimitée ; très vite la grève s'étend et les PTT, puis la SNCF et l'EDF sont paralysées. Après l'adoption des premiers décrets, le 9 août, la CGT appelle à la grève générale, qui touche aussi maintenant le secteur privé : environ 4 millions de travailleurs sont en grève après le 15 août, réclamant aussi des augmentations de salaire. Finalement, le gouvernement cède le 21, et la reprise du travail a lieu le 25.

Puis le pouvoir devra faire face à l'automne à une forte agitation paysanne : dès la fin de juillet, les viticulteurs du Midi avaient barré des routes et dressé des barricades ; à la mi-octobre, les agriculteurs manifestent de nouveau, en particulier dans le Centre et dans l'Ouest, pour protester contre la baisse des prix sanctionnant la reprise de la production, alors qu'ils se sont endettés pour moderniser leurs exploitations.

### La CED

Sur le plan de la politique extérieure (et bien que la guerre d'Indochine soit entrée dans une phase dramatique), le débat porte principalement sur la question de la Communauté européenne de défense (CED).

Sa création, envisagée par le plan Pleven du 14 octobre 1950, est entérinée par les accords de Bonn et de

Paris, les 26 et 27 mai 1952, signés par le gouvernement Pinay. Ils prolongent la Communauté européenne du charbon et de l'acier (CECA), créée le 18 avril 1951 entre la France, l'Allemagne, l'Italie et le Benelux.

Mais l'adhésion à la CED, qui implique le réarmement allemand et une perte de souveraineté nationale, ne sera jamais ratifiée par l'Assemblée et provoquera de vifs affrontements : le parti communiste et les gaullistes y sont résolument opposés ; le MRP en est le principal défenseur ; la SFIO est divisée, ainsi que les radicaux et les modérés. Aussi les différents gouvernements hésitent-ils à soumettre le traité au vote des députés, et la question ne sera toujours pas réglée lorsque Pierre Mendès France accédera au pouvoir en juin 1954.

### L'élection de René Coty

En décembre 1953 a lieu l'élection du successeur de Vincent Auriol à la présidence de la République qui entrera en fonctions le 16 janvier 1954. Le problème de la CED est encore au cœur du débat puisque le président du Conseil Joseph Laniel, qui lui est favorable, n'est pas élu alors que la majorité du Congrès lui semblait acquise. Mais il avait de plus contre lui les conséquences des mouvements sociaux de l'été et de l'automne.

C'est finalement au treizième tour de scrutin qu'est élu René Coty, vice-président du Conseil de la République, appartenant à la droite modérée et s'étant surtout abstenu de toute prise de position sur la question de la CED.

**La suite du drame indochinois...**

### Salan et Navarre

Au début de l'année 1952, Salan succède à de Lattre alors que la guérilla s'intensifie du nord au sud ; Hoa-Binh est évacuée en février, puis en octobre l'opération Lorraine, à laquelle participent 30 000 hommes, répond à une offensive de Giap, mais ne parvient pas à réduire les sanctuaires du Viêt-minh. En janvier 1953, celui-ci déclenche une nouvelle offensive en Annam, qui durera jusqu'au 7 mai. Entre-temps, le prince **Sihanouk** proclame l'indépendance totale du Cambodge, et les troupes françaises du Laos doivent reculer en avril devant une invasion viêt-minh appuyée par l'armée « neutraliste » du Pathet Lao. L'espoir réside désormais dans le plan d'action du général Navarre, nouveau commandant en chef (31 mai 1953). Le 20 juillet, il engage l'opération Hirondelle et prend Lang-Son au nord du Tonkin. Mais le 27 juillet est signé à Pan Mun Jom l'armistice en Corée. Désormais, la Chine pourra développer son aide au Viêt-minh.

En octobre a lieu l'opération Monette, au nord du Viêtnam, suivie fin novembre par l'opération Castor : il s'agit d'établir un camp retranché autour d'un aérodrome, à partir duquel pourraient s'effectuer des opérations coupant les axes de progression du Viêt-minh. Le général Navarre ne croit plus à une victoire militaire, mais cherche à stabiliser les opérations en vue d'une paix à la coréenne.

### Diên Biên Phu

Le lieu choisi est Diên Biên Phu, investi par les parachutistes des commandants Bigeard et Bréchignac. Mais alors que début décembre le colonel de Castries entreprend la fortification de Diên Biên Phu, le camp est progressivement encerclé par le Viêt-minh. Si sa défense est plus difficile que prévu, le haut commandement espère toutefois qu'une attaque du Viêt-minh serait l'occasion de lui infliger une défaite décisive.

Mais quand l'offensive du général **Giap** se déclenche le 13 mars 1954, le Viêt-minh prend un à un, après de durs combats, les points d'appui protégeant la citadelle. L'aide aérienne devient de plus en plus délicate et la défense du camp est désespérée. Après le refus des États-Unis d'aider militairement la France, l'assaut final se produit durant les premiers jours de mai, marqué par de terribles corps à corps. Le 7 mai, Diên Biên Phu est tombé.

À l'issue de cette bataille, les Français comptent plus de 1 500 tués, 4 000 blessés graves et environ 12 000 prisonniers ; parmi ceux-ci figurent une majorité de combattants de l'Union française (Maghrébins et surtout Vietnamiens anticommunistes) ; le Viêt-minh a eu environ 8 000 tués et plus de 15 000 blessés.

Le Viêt-minh a désormais la situation militaire bien en main, face à une armée française harcelée et démoralisée.

### ... et la situation au Maroc

Après l'assassinat du syndicaliste tunisien Ferhat Hached, le 5 décembre 1952, une grève de protestation a lieu dans le pays et également au Maroc, à l'appel de l'Istiqlal, le 8 décembre ; elle tourne à l'émeute, des Français sont assassinés et la police ouvre le feu : on dénombre 52 morts à Casablanca. Les dirigeants de l'Istiqlal et ceux du parti communiste sont arrêtés, et les deux partis interdits. Puis, le 16 août 1953, le pacha de Marrakech fait proclamer Mohammed ben Arafa imam, ce qui provoque des émeutes dans les villes du Nord ; il remplace le sultan Mohammed ben Youssef, qui est destitué et exilé en Corse, le 20 août.

# Le gouvernement Mendès France
## (1954-1955)

### Réalisme, pacifisme et modernisme

*En quelques mois, Pierre Mendès France met fin à la guerre d'Indochine, règle la question tunisienne et celle de la CED. Mais il est pris de court par les événements d'Algérie.*

Après les mouvements sociaux de l'été et de l'automne 1953, le gouvernement Laniel ne résiste pas au désastre de Diên Biên Phu, le 7 mai 1954.

### L'homme miracle

Pierre Mendès France, radical « indépendant », est alors investi à la présidence du Conseil le 18 juin, par 419 voix contre 47 et 143 abstentions, malgré l'opposition du MRP et des états-majors politiques. Ayant dès 1950 déclaré que la solution du problème indochinois résidait soit dans le triplement de l'effort de guerre, soit dans la négociation avec Hô Chi Minh, il avait depuis plusieurs mois combattu les divers aspects de la politique suivie par Laniel. Il arrive à la tête du gouvernement avec le désir annoncé d'en finir avec la guerre d'Indochine, et constitue pour ce faire un cabinet restreint, se voulant au-dessus des clivages politiques traditionnels, et composé d'hommes de confiance : François Mitterrand (UDSR), qui avait démissionné en septembre du cabinet Laniel, est ministre de l'Intérieur, le général Koenig et Jacques Chaban-Delmas, gaullistes, sont respectivement à la Défense nationale et aux Travaux publics, le MRP Robert Buron à l'Outre-Mer, le radical Edgar Faure aux Finances... Il s'entoure également de personnalités qui feront carrière durant les années à venir : Michel Jobert, Claude Cheysson, Christian Fouchet, Jean-Jacques Servan Schreiber, Simon Nora...

Précipitant l'ouverture de négociations à Genève, en annonçant le 7 juillet que si la paix n'était pas conclue le 20 il enverrait le contingent en Indochine, il obtient dans la nuit du 20 au 21 juillet la signature de l'armistice, reconnaissant l'indépendance du Viêt-nam, du Laos et du Cambodge. Puis, accélérant les événements, il se rend à Tunis le 31 juillet pour proclamer l'autonomie interne de la Tunisie, désamorçant ainsi un processus conflictuel qui risque de déboucher sur une nouvelle guerre coloniale.

Après avoir obtenu le 10 août des pouvoirs économiques spéciaux, et décidé le 14 que les opposants au contrôle fiscal sont passibles d'emprisonnement (il s'agit de réduire l'agitation antifiscale de l'UDCA de Pierre Poujade), le gouvernement s'attaque au délicat héritage

---

### La paix en Indochine

Après avoir arrêté les pendules à minuit, afin de respecter l'ultimatum de Mendès France, les représentants du Viêt-minh et de la France signent le matin du 21 juillet 1954 les accords de Genève qui mettent fin à la guerre d'Indochine. Ils prévoient la séparation du Viêt-nam en deux États, de part et d'autre du 17e parallèle ; le Nord revient au Viêt-minh procommuniste, qui se retire du Laos et du Cambodge ; le Sud devient un État indépendant qu'évacuera l'armée française ; des élections doivent avoir lieu dans les deux ans, sous contrôle international, pour décider d'une éventuelle réunification. Le 7 août le cessez-le-feu est total en Indochine. Cette guerre aura provoqué du côté français plus de 90 000 morts et coûté 300 milliards de francs environ.

de la CED. Il établit des contacts sans succès avec les
Alliés pour négocier les termes du traité, et cherche
vainement à trouver une cohésion au sein même d'un
Conseil des ministres divisé. Mendès France décide alors
de régler la question en la soumettant à l'Assemblée sans
engager sa responsabilité. Dans un climat houleux, celle-
ci vote le 30 août par 319 voix contre 264 une question
préalable qui revient à refuser de débattre du projet.
L'hypothèque de la CED est désormais levée.

---

### Le poujadisme

Pierre **Poujade**, libraire à Saint-Céré, dans le Lot, fonde
en 1953 l'Union de défense des commerçants et artisans
(UDCA). Il devient le porte-parole des victimes de la restructuration industrielle et de la concentration de la distribution,
mais aussi de l'inflation qui, jusque-là, avait été favorable
au petit commerce. La France des « petits », de la province
et de la tradition se révolte contre l'oppression fiscale de
l'État (qui s'acharnerait sur eux pour mieux épargner les
gros fraudeurs), mais aussi contre la classe politique indif-
férente ou complice, et les « bradeurs d'Empire ».
L'UDCA va en effet prendre parti pour l'Algérie française,
et recevra le soutien de la droite nationaliste ; mais cela
la détournera de son objectif corporatiste initial et se
retournera contre elle. La reprise d'une croissance inflationniste en 1956-1957 et l'arrivée du général de Gaulle
en 1958 la marginaliseront rapidement après son succès
électoral de début 1956.

---

### *Une opposition rancunière*

Ainsi, en guère plus de deux mois, Mendès France a
réussi à mettre fin au problème colonial, à sortir la France
de sa division et à rétablir l'autorité de l'État. Malgré la
rancœur du MRP, dont les ministres ont démissionné le

31 août, et celle des milieux nationalistes qui ne lui pardonnent pas d'avoir « bradé l'Empire », la popularité du président du Conseil est considérable. Pourtant, dès l'automne a lieu une campagne de dénigrement et d'accusations déguisées visant des membres du gouvernement (dont François Mitterrand), laissant entendre qu'ils suivent une politique neutraliste prosoviétique alors que Guy Mollet (favorable à la CED) refuse que la SFIO entre au gouvernement, et qu'au sein même du parti radical les adversaires de la politique nord-africaine de P. Mendès France se mobilisent autour de René Mayer.

Parallèlement, la politique économique du gouvernement, pourtant novatrice, ne reçoit pas l'aide qu'elle pouvait espérer : soutien des cours du lait et de la viande, aide aux cultures industrielles (maïs, colza...), prêts avantageux, dynamisation des entreprises publiques, aménagement du territoire, incitations à la restructuration industrielle, programme de construction de logements sociaux, développement de la recherche scientifique, construction de locaux d'enseignement et recrutement de 12 000 professeurs, amorce d'une politique contractuelle de négociations salariales... En effet, la droite lui reproche son dirigisme excessif, le parti communiste son « néo-capitalisme », et les bouilleurs de cru de préférer le lait au vin !

### La révision constitutionnelle

Pour lutter contre l'instabilité gouvernementale, deux changements interviennent dans la Constitution le 7 décembre 1954 : désormais le président du Conseil et son gouvernement recevront simultanément l'investiture de l'Assemblée (alors que jusque-là le président du Conseil, une fois investi, sollicitait ensuite l'investiture de son

gouvernement, cette double investiture étant source de
bon nombre de crises ministérielles). En outre, la dissolution de l'Assemblée est facilitée par le fait que, si elle
se produit, le président du Conseil continue à assurer
l'exercice du pouvoir. De plus le Conseil de la République retrouve le droit de présenter des projets de loi. Mais
le droit de dissolution n'est pas élargi, et le retour au
scrutin d'arrondissement est refusé.

### Le début de la guerre d'Algérie

Cependant, la situation se détériore en Afrique du Nord :
la solution définitive du problème tunisien est longue à
intervenir, les derniers combattants ne déposant les
armes qu'au début de 1955 ; des troubles se produisent
au Maroc, où une commission d'enquête dénonce la
torture.

Mais c'est en Algérie, à la surprise générale de la
métropole, qui avait oublié la sanglante répression de la
manifestation musulmane de Sétif, le 8 mai 1945, que
se produit brutalement l'irréparable : le Comité révolutionnaire d'unité et d'action de **Ben Bella**, qui a créé en
octobre 1954 le Front de libération nationale (FLN),
organise le 1er novembre une série d'attentats, surtout
en Kabylie et dans les Aurès, qui font 8 morts.

Aussitôt, le gouvernement envoie en Algérie des renforts militaires et prend des mesures répressives : le
Mouvement pour le triomphe des libertés démocratiques
(MTLD) de Messali Hadj est dissous et les indépendan-
tistes sont traqués. Le 12 novembre Pierre Mendès France
proclame sa détermination de rétablir l'ordre et de ne pas
transiger, alors que François Mitterrand, ministre de
l'Intérieur, affirme que « l'Algérie, c'est la France » et
que « les mesures militaires seront développées » ; mais

il ajoute que tout sera fait pour que « le peuple algérien, partie intégrante du peuple français, se sente chez lui comme nous et parmi nous ».

De fait, les forces armées augmentent de 25 000 hommes en trois mois ; en janvier 1955 ont lieu les opérations Véronique dans les Aurès et Aloès en Kabylie ; mais parallèlement, Jacques **Soustelle**, considéré comme libéral, est nommé gouverneur général de l'Algérie. François Mitterrand propose le 5 janvier que l'Algérie soit intégrée à la France, ce qui signifie une modification de son statut voté en septembre 1947 ; celui-ci avait institué une Assemblée algérienne (divisée en deux collèges de 60 membres, l'un élu par 464 000 Français et l'autre par la majorité musulmane), qui envoyait six élus à l'Assemblée de l'Union française. Étaient également prévus la suppression des « communes mixtes », avantageant les Européens, l'institution du droit de vote pour les femmes, une réforme agraire et un plan de scolarisation. Mais les pressions locales et les manipulations électorales réduisirent encore la représentation musulmane et jetèrent dans l'ombre les projets de réforme.

Aussi, l'idée de remettre en cause les privilèges de la communauté française provoque une levée de boucliers parmi ses représentants, rejoints par ceux qui cherchent depuis les accords de Genève ou l'abandon de la CED l'occasion d'abattre le gouvernement.

Leurs attaques répétées aboutissent le 5 février 1955 : la droite, les modérés, le MRP, une partie des radicaux ainsi que le parti communiste conspuent Mendès France à l'Assemblée et le renversent après un débat sur l'Afrique du Nord, par 319 voix contre 273 et 22 abstentions. La dernière chance d'éviter le pire est désormais passée.

### Pierre Mendès-France (1907-1982)

Il représente une personnalité à part dans le monde politique français de par le caractère entier de son engagement, son rayonnement intellectuel et son désir de rénover la société et les institutions en dépassant les clivages politiques traditionnels.

Avocat, il devient le plus jeune député de France en 1932, sous l'étiquette radical-socialiste ; puis il est sous-secrétaire d'État au Trésor dans le cabinet Blum de 1938. Il s'engage ensuite dans l'aviation en 1939, puis quitte la France à bord du *Massilia* en 1940. Arrêté le 31 août à Casablanca, il est condamné en mai 1941 à six ans de prison, mais parvient à s'évader, rejoint Londres et combat dans le groupe d'aviation Lorraine. Commissaire aux Finances à Alger en novembre 1943, il est ensuite ministre de l'Économie du gouvernement provisoire en septembre 1944. Redevenu député de l'Eure en 1948, après son départ provoqué par le rejet de son plan de redressement économique, il donnera l'image d'un pacifiste s'efforçant de régler les conflits coloniaux par la négociation, d'un économiste compétent cherchant à associer l'initiative publique, l'esprit d'entreprise et la justice sociale, d'un démocrate intègre, hostile aux manœuvres des partis politiques et au pouvoir personnel, raison qui le poussera à combattre le général De Gaulle en 1958.

Vice-président du parti radical en 1955, il participe au Front républicain, et au cabinet Mollet de février à mai 1956. Exclu du parti radical en 1959, il adhère au PSA, futur PSU, est élu député de Grenoble en 1967, avant d'être battu en 1968 ; durant les événements de mai il manifeste, par sa présence au meeting du stade Charléty, à Paris, son intérêt pour le mouvement estudiantin. Il se retirera ensuite de la vie politique, mais soutiendra en 1981 la candidature de François Mitterrand.

# Une République condamnée
## (1955-1958)

### L'ombre de l'Algérie

*De crises ministérielles en gouvernements contestés, la IVᵉ République ne parvient pas à résoudre le conflit algérien, qui causera sa perte.*

### Le gouvernement Edgar Faure (1955)

Après deux semaines et demie d'une nouvelle crise ministérielle, Antoine Pinay, Pierre Pflimlin et Christian Pineau échouant dans leur tentative pour former un gouvernement, Edgar Faure obtient l'investiture le 23 février 1955. Rival de Mendès France au sein du parti radical, il constitue un ministère de « très large union nationale », plutôt orienté à droite.

Pendant ce temps, la situation s'aggrave en Algérie, où l'état d'urgence est proclamé le 3 avril et la censure instaurée. Pourtant, quatorze membres de l'ancien

---

**L'agitation poujadiste**

Le lendemain de l'investiture d'Edgar Faure, le 24 février 1955, 20 000 commerçants et artisans parisiens assistent au Vel' d'hiv' à Paris à un meeting de l'UDCA de Pierre Poujade, qui avait déjà réuni 100 000 provinciaux à la porte de Versailles un mois plus tôt. Celui-ci s'en prend violemment aux « bradeurs de l'Empire », à la « bande d'apatrides et de pédérastes » qui gouverne le pays, aux agents du fisc, aux polytechniciens, aux philosophes... mélangeant ainsi pêle-mêle les responsables politiques, les technocrates, les intellectuels et les « métèques de tout poil », dans une dénonciation populiste aux relents de national-socialisme.

---

Mouvement pour le triomphe des libertés démocratiques
sont mis en liberté le 14 mai, et Jacques Soustelle tente
de mener à bien la politique d'intégration qui semble
encore possible. Mais après la grève générale organisée
par le FLN le 5 juillet, le 20 août marque la coupure
entre deux communautés : des commandos attaquent des
postes militaires et des groupes de paysans massacrent
des Européens à Philippeville et dans le Nord constantinois. Le dialogue devient alors impossible : la répression est brutale, faisant officiellement 1 273 morts,
peut-être plusieurs milliers. Des renforts sont envoyés en
Algérie et les réservistes appelés ; Soustelle se convertit
à l'Algérie française et le gouvernement Edgar Faure
affirme sa détermination de rétablir l'ordre ; le 18 octobre il n'obtiendra un vote de confiance de l'Assemblée
que sur l'engagement de mener une ferme politique de
pacification ; parallèlement, les musulmans modérés
s'éloignent de la France : 61 parlementaires musulmans
refusent en septembre l'intégration avec la France, et le
modéré Ferhat **Abbas** rejoint le FLN. Seuls quelques
intellectuels refusent l'engrenage de la guerre, alors que
des soldats du contingent, appuyés par le parti communiste, manifestent contre le départ en Algérie (le 11 septembre et le 8 octobre). Le général De Gaulle, quant à
lui, avait annoncé le 2 juillet 1955 qu'il se retirait du
monde politique, et met le RPF « en sommeil » le
14 septembre.

Ce n'est pourtant pas le problème algérien qui va
provoquer la chute d'Edgar Faure. Ce sera son projet de
réforme de la loi électorale, consistant à revenir au scrutin uninominal à deux tours ; il s'agit en fait d'une
provocation destinée à avancer les élections législatives
afin de prendre de vitesse Mendès France à la popularité

ascendante. Il est effectivement renversé par une majorité absolue de 318 voix contre 218. Mais ce deuxième renversement de gouvernement en dix-huit mois l'autorise à dissoudre la Chambre des députés le 2 décembre 1955.

### Les élections de 1956

Elles ont lieu le 2 janvier dans un climat passionnel opposant quatre forces politiques principales : d'abord le Front républicain de Mendès France (regroupant la SFIO, des radicaux, une partie de l'UDSR suivant F. Mitterrand, la gauche des républicains sociaux (ex-RPF) ; puis les radicaux RGR partisans d'Edgar Faure (lui-même exclu du parti radical) soutenus par le MRP, les modérés, René Pleven et l'autre partie de l'UDSR, ainsi que par la droite gaulliste des républicains sociaux ; ensuite le parti communiste et enfin l'UDCA de Pierre Poujade appelant à « sortir les sortants ».

Le scrutin proportionnel avec apparentement donne l'image de la division de l'électorat français : le Front républicain, après une campagne dynamique orchestrée par *l'Express* de J.-J. Servan-Schreiber, obtient environ 27,2 % des voix et peut compter sur environ 180 députés (95 socialistes, 77 radicaux et UDSR, une dizaine de républicains sociaux) ; il est devancé par le centre droit qui recueille à peu près 32,5 % des suffrages et remporte plus de 200 sièges ; si le parti communiste reste stable (avec environ 25 % des voix et 150 élus), le fait notable est la percée de l'UDCA : recevant plus de 2,5 millions de voix, soit 11,6 % des votants, le groupe poujadiste comptera 52 membres à l'Assemblée nationale, parmi lesquels Jean-Marie Le Pen. Mais si la droite a reçu environ 500 000 suffrages de plus que la gauche, elle ne dispose pas d'une majorité absolue à la Chambre.

---

**Le règlement du problème marocain**

Après les événements tragiques des 17 et 20 août 1955 (émeutes, assassinats de Français, répression sanglante de l'armée), une solution inattendue survient au Maroc : le Glaoui de Marrakech, changeant de position, demande le retour de l'ancien sultan Mohammed ben Youssef. La France y consent, et début novembre le futur Mohammed V est reçu par Vincent Auriol à Saint-Germain. La déclaration de La Celle-Saint-Cloud énonce que le Maroc sera « indépendant dans l'interdépendance librement consentie », donnant satisfaction aux nationalistes de l'Istiqlal. Cela permet à **Mohammed V** d'effectuer un retour triomphal au Maroc, d'y unifier les forces politiques, et d'éviter que ne s'y poursuive l'enchaînement de la violence. La guerre du Maroc n'aura pas lieu.

---

### L'arrivée de Guy Mollet (février 1956)

Alors que l'on attendait le retour de Mendès France, c'est le chef de la SFIO qui est pressenti le 26 janvier par René Coty pour former le gouvernement : bénéficiant d'une certaine estime au MRP (il avait été favorable à la CED) et plus acceptable par les communistes, Guy Mollet est investi le 5 février par 420 voix contre 71 et 83 abstentions. On espère que son gouvernement (comprenant 18 socialistes, 14 radicaux, Mendès France avec le titre ambigu de « ministre sans portefeuille », F. Mitterrand au ministère de la Justice, J. Chaban-Delmas à celui des Anciens Combattants) saura régler le problème algérien.

De fait, Guy Mollet décide de se rendre immédiatement à Alger le 6 février pour proposer l'application du programme mendésiste du Front républicain (élection au collège unique, modernisation économique, réforme agraire) et pour investir sur place le général Catroux nommé ministre-résident à la place de Jacques Soustelle.

Mais il doit affronter un climat insurrectionnel entretenu par le comité de défense de l'Algérie française créé le 14 janvier (Lagaillarde, Ortiz, Biaggi...) : bombardé de pierres, de tomates et d'œufs pourris, assailli par une foule exaltée, mal protégé par l'armée manifestement hostile au gouvernement parisien, Guy Mollet se soumet. Il remplace Catroux par Robert **Lacoste** (qui saura s'attirer les bonnes grâces des militaires et évoluera vers l'« Algérie française »), proclame désormais sa détermination de pacifier l'Algérie, c'est-à-dire de faire la guerre, même si l'objectif final est de permettre, après avoir obtenu un cessez-le-feu, la tenue d'élections libres et l'ouverture de négociations. Mais de telles négociations sont devenues sans objet, comme le montrent les quelques contacts secrets avec le FLN : celui-ci vise l'indépendance, alors que pour la France l'Algérie ne peut qu'être une province française.

---

### L'affaire de Suez

Supportant mal un nouvel affront et soupçonnant l'Égypte de soutenir la rébellion algérienne, le gouvernement Guy Mollet décide d'intervenir aux côtés de la Grande-Bretagne et d'Israël après l'annonce par le colonel **Nasser**, le 20 juillet 1956, de la nationalisation du canal de Suez. Alors que l'armée israélienne attaque les Égyptiens dans le Sinaï, les parachutistes français et britanniques et des troupes débarquées prennent Suez et Port-Saïd le 5 novembre. Mais ils doivent quitter l'Égypte devant les menaces d'intervention soviétique et la condamnation de cette action par les États-Unis. L'armée française subit une nouvelle frustration et cherchera à se venger en Algérie par une intransigeance encore plus grande face au terrorisme : l'affaire de Suez n'est pas étrangère aux formes que prendra la bataille d'Alger deux mois plus tard.

Heureuse de se débarrasser des responsabilités de la politique algérienne, l'Assemblée vote le 12 mars 1956 des pouvoirs spéciaux au gouvernement, par 455 voix contre 76 (essentiellement poujadistes) : G. Mollet et R. Lacoste pourront désormais prendre les décrets nécessaires au maintien de l'ordre en Algérie. Cette préoccupation ne sera cependant pas la seule du gouvernement G. Mollet, qui mettra en œuvre une politique sociale (troisième semaine de congés payés, extension de la protection sociale) et engagera la France dans la voie européenne (signature du traité de Rome le 25 mars 1957).

### La guerre totale

La terrible spirale attentats-répression-guérilla-représailles s'est totalement installée en Algérie où le pouvoir passe de plus en plus aux mains des militaires. Après la découverte des corps mutilés d'une vingtaine de jeunes soldats du contingent, à Palestro, en Kabylie (le 18 mai 1956), et la multiplication de meurtres d'Européens, se produisent les premières exécutions de membres du FLN (19 juin) ; à l'automne une vague de terrorisme fait de nombreux morts dans les lieux publics d'Alger, à laquelle répondent les premières « ratonnades ». A l'initiative des militaires, un avion marocain transportant Ben Bella et des dirigeants du FLN est intercepté (22 octobre), et une opération de représailles contre l'Égypte est déclenchée le 5 novembre. Puis, face à la recrudescence des attentats à Alger, les parachutistes du général **Massu** livrent à partir de la fin janvier 1957 une cruelle « bataille d'Alger » durant laquelle la torture est parfois utilisée pour obtenir les renseignements qui permettront de détruire les réseaux FLN de poseurs de bombes et de rétablir l'ordre public. Ces méthodes provoqueront les critiques du général de Bollardière qui demandera à être relevé de son commandement en Algérie (le 28 mars 1957).

En métropole, la division s'installe dans le monde politique comme dans le pays : le 1er avril, Jacques Soustelle, Georges Bidault et André Morice créent l'Union pour le salut et le renouveau en Algérie française (USRAF) tandis que Jean-Louis Tixier-Vignancour mobilise l'extrême droite sur les mêmes thèmes ; en revanche, Pierre Mendès France, critiquant la politique du gouvernement, démissionne le 22 mai, et Alain Savary, secrétaire d'État aux Affaires tunisiennes et marocaines, fait de même le 25 octobre. D'autres ministres tels François Mitterrand, Gaston Defferre ou Albert Gazier font également part de leur désaccord. Parallèlement, la prolongation du service militaire (qui sera porté à 27 mois en 1957) et le rappel sous les drapeaux de soldats du contingent déjà libérés provoquent partout dans le pays de violentes manifestations et des blocages de convois militaires en partance pour l'Algérie, souvent à l'initiative de la CGT et du parti communiste.

L'opposition à la guerre d'Algérie est toutefois encore minoritaire et reste le fait des communistes, d'un certain nombre d'intellectuels et de quelques journaux tels *l'Express, France-Observateur, le Canard enchaîné* ou *Témoignage chrétien* . Mais la politique algérienne coûte cher : les 200 000 soldats du contingent envoyés en Algérie fin 1956, qui deviendront 400 000 six mois plus tard, réduisent les capacités de production nationale, et donc les rentrées fiscales alors qu'au contraire les dépenses militaires s'élèvent à 300 milliards de francs, qui viennent s'ajouter au surcroît de dépenses civiles et creuser un déficit budgétaire atteignant 1 100 milliards en 1957.

Guy Mollet et son ministre des Finances Paul Ramadier proposent alors de nouveaux impôts. Cela va provoquer la chute du gouvernement : le 21 mai 1957, Guy Mollet est renversé par 250 voix (celles des communistes, des poujadistes et d'une partie des modérés et des radicaux) contre 213.

### La politique dans les autres colonies

Le gouvernement Guy Mollet avait accordé l'indépendance en mars 1956 à la Tunisie et au Maroc. De même en Afrique noire, le ministre de la France d'outre-mer, Gaston Defferre, avait mis en œuvre une politique de nature à désamorcer les conflits, conformément à sa loi-cadre du 23 mars 1956 : elle prévoyait l'élection, dans les différents territoires de l'Union française, d'une Assemblée locale se dotant d'un conseil de gouvernement, présidé par un gouverneur français, mais assisté d'un vice-président local. Ces nouvelles institutions permettent de doter ces pays d'organes de pouvoir disposant d'une autonomie suffisante pour mieux gérer leurs problèmes spécifiques, et de ne pas connaître une « issue algérienne ». Il est vrai que, dans ces pays, la colonisation française n'était pas de même importance qu'en Algérie.

### Bourgès-Maunoury et Félix Gaillard (1957-1958)

Vont alors se succéder deux ministères sans grand relief. Celui du radical Maurice Bourgès-Maunoury (13 juin - 30 septembre 1957), durant lequel commence l'édification de la « ligne Morice », du nom du ministre de la Défense, suivant l'idée du général Vanuxem, commandant de l'Est constantinois : on construira un barrage électrifié de 320 km le long de la frontière algéro-tunisienne ; mais la proposition d'une loi-cadre envisageant des élections en Algérie au collège unique provoque sa chute. Après cinq semaines de crise ministérielle, Félix Gaillard, lui aussi radical, obtient la confiance de l'Assemblée le 5 novembre, par 337 voix contre 173 (celles des communistes, des poujadistes et des mendésistes). Il constitue un gouvernement dans lequel se trouvent Jacques Chaban-Delmas et Pierre Pflimlin, qui fait voter le 31 janvier 1958 la loi-cadre sur l'Algérie, mais dont l'entrée en vigueur est reportée trois mois après la fin des hostilités.

Sur le terrain, la situation a quelque peu évolué : la ligne Morice rend difficiles le ravitaillement en armes, le repli et l'entraînement en Tunisie des combattants FLN ; la répression efficace et le quadrillage du pays par l'armée portent des coups sérieux à la rébellion ; le nombre des attentats et l'audience du FLN se réduisent, comme en témoignent les désertions dans ses rangs et l'importance des troupes musulmanes engagées au sein de l'armée française (près de 100 000 hommes). Mais l'attaque menée à partir de la Tunisie par des éléments de l'Armée de libération (ALN) du FLN le 11 janvier 1958, et les tirs d'armes lourdes et de DCA effectués régulièrement depuis le village tunisien frontalier de Sakhiet Sidi Youssef vont précipiter les événements : le 8 février, un avion français ayant été touché, Robert Lacoste et les militaires obtiennent ce qu'ils réclament depuis longtemps : le droit de poursuite en Tunisie. Une escadrille française bombarde alors Sakhiet, détruit les installations militaires de l'ALN mais fait aussi 70 morts parmi la population civile. La Tunisie saisit alors l'ONU qui condamne la France, celle-ci devant de plus accepter une mission de « bons offices » américains ayant pour objectif d'ouvrir des négociations sur le conflit algérien.

Cette ingérence étrangère est jugée inacceptable par une partie des députés, qui accusent F. Gaillard de manquer de détermination à l'égard des complices de la rébellion, alors que d'autres lui reprochent au contraire de s'être engagé dans une nouvelle escalade : par 321 voix contre 255, l'Assemblée renverse le gouvernement le 15 avril 1958.

### Le 13 mai 1958

Une nouvelle crise ministérielle se produit alors, qui va durer un mois, marquée par des débats houleux à l'Assemblée nationale tandis qu'à Alger la tension monte, surtout après l'annonce le 9 mai de l'exécution de trois soldats français prisonniers du FLN. Le 13 mai, la foule envahit le siège du gouvernement général d'Alger, mal défendu par la police, qui sait que les milieux « activistes » sont soutenus par les militaires ; Félix Gaillard, président du Conseil par intérim, confie alors les pleins pouvoirs civils et militaires au général **Salan**, puis au général **Massu**, qui constitue un Comité de salut public (qui réunira entre autres, à côté de ces deux généraux, Jacques Soustelle et Léon Delbecque).

Pour donner enfin un gouvernement au pays, l'Assemblée nationale investit alors Pierre Pflimlin (MRP) à la présidence du Conseil ; mais sa réputation de libéral indispose encore plus les partisans de l'Algérie française, et le général Massu lance un appel au général De Gaulle, lui demandant de former un gouvernement de salut public. Celui-ci répond dans une conférence de presse, le 19 mai, qu'il est prêt à assumer les responsabilités du pouvoir, alors que les parachutistes envisagent l'envoi de plusieurs régiments à Paris, préparé le 24 mai par un coup de main en Corse ; certaines forces de police (qui ont manifesté le 13 mars devant le Palais-Bourbon) semblent d'ailleurs prêtes à les soutenir. Le 28 mai, une grande manifestation du Comité d'action et de défense républicaine se déroule alors à Paris (à laquelle participent Mendès France, F. Mitterrand et J. Duclos...) pour s'opposer à la fois au projet antirépublicain des « factieux » de l'Algérie française et à l'investiture du général De Gaulle, toujours suspect à leurs yeux de vouloir instituer un régime de pouvoir personnel (bien qu'il ait déclaré qu'à 67 ans il n'avait pas l'intention de commencer une carrière de dictateur et qu'il ait lancé un appel à la discipline et au légalisme des forces armées).

Pourtant, la démission de Pierre Pflimlin, ce même 28 mai, ne laisse pas d'alternative face au risque de coup d'État militaire ou de guerre civile. Ainsi, le 29 mai, le président Coty demande au Parlement d'investir Charles De Gaulle à la présidence du Conseil. Ce sera fait le 1er juin par 329 voix contre 290 grâce aux votes de la droite, de la majorité des radicaux et d'une bonne partie des socialistes. Le lendemain, le gouvernement du général de Gaulle reçoit les pleins pouvoirs pour six mois et obtient de l'Assemblée le droit de mettre en chantier une réforme des institutions.

---

### Le retour du général De Gaulle

Il s'explique par le soutien de forces contradictoires : les généraux et les Français d'Algérie attendent de lui une politique de défense de l'Algérie française ; une partie de la classe politique se contente de se décharger de la responsabilité du problème algérien ; d'autres, et la majorité des Français de la métropole, espèrent surtout qu'il empêchera la guerre civile et l'établissement d'un régime militaire, et saura trouver une solution à un conflit coûteux et meurtrier.

# Les débuts de la V<sup>e</sup> République
## (1958-1962)

### « Vive De Gaulle ! »

*Tout en donnant à la France une nouvelle Constitution, le général De Gaulle met fin à la guerre d'Algérie mais doit faire face à la rébellion des chefs militaires et au terrorisme de l'OAS.*

Afin de manifester son désir de rassembler les Français et de ne pas froisser les susceptibilités des partis politiques qui ont accepté son retour au pouvoir, le général De Gaulle constitue le 2 juin 1958 un gouvernement de large union où ne figurent que deux personnalités favorables à l'Algérie française (les gaullistes Michel Debré et Jacques Soustelle). En font également partie les anciens présidents du Conseil Pierre Pflimlin (qui assure la transition), Guy Mollet (qui fit le voyage de Colombey-les-Deux-Églises, pour convaincre le Général d'accepter la proposition de René Coty) et Antoine Pinay (rassurant la droite et le centre). Le général De Gaulle confie d'autre part le ministère de l'Intérieur au socialiste Jules Moch, nomme un autre socialiste, Max Lejeune, ministre du Sahara, et appelle également trois radicaux et trois MRP, ainsi que diverses personnalités tels Maurice Couve de Murville, Louis Jacquinot, Pierre Sudreau, Edmond Michelet, André Malraux...

### De Gaulle à Alger

Le premier motif qui a poussé le général De Gaulle à revenir au pouvoir était certes de réformer la Constitution afin d'en finir avec le « régime des partis » qu'il avait combattu sans relâche depuis les débuts de la

IVᵉ République. Il en avait fait une condition expresse de son retour, considérant que ce régime était la cause de l'impuissance de la France. Mais s'il confie immédiatement cette tâche à une commission ad hoc, il sait que les Français de métropole attendent de lui qu'il les sorte du guêpier algérien, et que la menace d'une sécession ou d'une rébellion des Français et de l'armée d'Algérie n'a été écartée que grâce à la popularité dont il jouit auprès d'eux.

Ainsi, comme Guy Mollet l'avait fait deux ans plus tôt, il se rend dès le 4 juin à Alger. Il est accueilli par une foule enthousiaste et par de nombreux responsables de l'armée, pour qui il représente à la fois le chef de la France libre (à laquelle avaient adhéré de nombreux Français d'Afrique du Nord), un opposant aux précédents gouvernements et un militaire qui n'a pas condamné les événements du 13 mai. Au balcon du siège du

---

### « Je vous ai compris »

Par ces mots prononcés devant une foule algéroise en délire, le 4 juin 1958, le général De Gaulle achève de conquérir l'adhésion des Français d'Algérie. Mais il ajoute que « dans toute l'Algérie, il n'y a que des Français à part entière, avec les mêmes droits et les mêmes devoirs » devant un « seul et même collège ». Cette dernière idée, dont les Algérois, grisés, ne mesurent pas immédiatement le sens, signifie en fait l'application d'un statut de l'Algérie donnant aux musulmans majoritaires la possibilité d'imposer leurs vues aux Français d'Algérie. D'autre part, la personnalité du Général obscurcit celle des membres du Comité de salut public, relégués au rang de groupe de pression sans légitimité. Et si les Français d'Algérie font crédit au général De Gaulle, celui-ci n'aura de cesse d'affirmer l'autorité du gouvernement métropolitain légal, sans concession à la pression de la rue.

gouvernement général, il prononce le célèbre « Je vous ai compris », interprété par les Français d'Algérie comme une adhésion à l'« Algérie française », ce qui provoque une explosion de joie parmi eux. Mais le général De Gaulle n'évoque pas le statut futur de l'Algérie ni le sort qu'il souhaite réserver à la population musulmane.

Aussi, la politique algérienne qui sera suivie par le gouvernement sera interprétée de différentes façons : les partisans de l'Algérie française parleront de revirement ou de trahison, alors que les fidèles du Général insisteront sur la seconde partie de son discours, mettant en évidence la nécessité d'une égalité réelle entre les deux communautés, refusée par la minorité française, et son engagement de consulter l'ensemble de la population algérienne par voie électorale. De Gaulle se rendra d'ailleurs au mois d'août en Afrique noire et prononcera le

---

### L'indépendance de l'Afrique noire

Amorcée par la loi-cadre Defferre de 1956, l'autonomie des pays d'Afrique noire est renforcée par la Constitution de 1958 qui crée la « Communauté » : les territoires d'outre-mer peuvent en devenir États membres en s'autoadministrant, mais restant liés à la France dans les domaines militaire et économique. Ce sera le cas de tous les pays africains (à l'exception de la Guinée qui choisit l'indépendance). Le 4 juin 1960, une loi constitutionnelle permet aux États de la Communauté de choisir l'indépendance sans rompre avec la France. Ainsi choisiront : le Centrafrique, le Congo-Brazzaville, la Côte-d'Ivoire, le Dahomey, le Gabon, la Haute-Volta, Madagascar, le Mali, la Mauritanie, le Niger, le Sénégal, le Tchad et des territoires sous tutelle (le Cameroun et le Togo). La France, tout en poursuivant la guerre d'Algérie, apparaîtra ainsi aux yeux de la communauté internationale comme défenseur de la décolonisation.

23 un discours à Brazzaville, où il affirmera l'engagement de la France à organiser des référendums dans les anciennes colonies, leur permettant de choisir librement entre la coopération dans la Communauté française ou l'indépendance.

## La nouvelle Constitution

Elle est élaborée en moins de trois mois par un comité d'experts, puis par un groupe réduit de ministres aux côtés de Michel Debré, véritable cheville ouvrière du projet ; un comité consultatif constitutionnel, présidé par Paul Reynaud, et composé de deux tiers de parlementaires et d'un tiers de membres nommés par le gouvernement, est ensuite amené à l'examiner, ainsi que le Conseil d'État. Le 3 septembre, le texte est adopté par le Conseil des ministres. Le lendemain, le général De Gaulle le défend publiquement place de la République.

Ce projet de Constitution prévoit l'élection d'un président de la République, pouvant exercer seul les pleins pouvoirs en cas de crise grave (article 16) ; élu par une assemblée de notables (et non plus par le Parlement), il devient en même temps président du Conseil des ministres ; c'est lui qui nomme le Premier ministre, chef du gouvernement (dont les membres ne peuvent être en même temps parlementaires) et qui ne peut être renversé par le vote négatif d'une majorité absolue de députés qu'après le dépôt d'une motion de censure ; l'Assemblée nationale, quant à elle, est élue pour cinq ans, au scrutin uninominal à deux tours ; d'autre part, le recours au référendum est introduit, le Sénat restauré dans ses anciennes attributions et le Conseil constitutionnel est créé, ainsi qu'une communauté de territoires d'outre-mer rattachés à la France.

Les Français sont appelés à se prononcer sur ce texte le 28 septembre 1958 ; il s'agit en fait davantage de voter pour ou contre l'investiture du général De Gaulle que pour ou contre la nouvelle Constitution ; la position des partis politiques est d'ailleurs conforme à leur attitude du mois de mai : la droite (mis à part les poujadistes), le MRP, la majorité des radicaux et de la SFIO (derrière Guy Mollet et Gaston Defferre) y sont favorables ; le parti communiste, la minorité des radicaux et de la SFIO, P. Mendès France et François Mitterrand y sont hostiles. Mais les Français, las des crises ministérielles et confiants dans la capacité du général De Gaulle à diriger le pays tout en sauvegardant la démocratie, et à mettre un terme au drame algérien, votent massivement en sa faveur : il n'y a que 15,6 % d'abstentions, et les oui représentent 79,25 % des suffrages exprimés.

La V<sup>e</sup> République est née et la France convertie au gaullisme.

## *Les élections de novembre-décembre 1958*

La mise en place des nouvelles institutions se fait durant la fin de l'année. Les élections à l'Assemblée nationale ont lieu les 23 et 30 novembre. Au premier tour, les « modérés », regroupant les partis de droite, obtiennent plus de 22 % des suffrages exprimés en France métropolitaine, devant le nouveau parti gaulliste, l'Union pour la Nouvelle République (UNR), créée le 1<sup>er</sup> octobre, qui recueille 20,4 % des voix, le parti communiste (19,20 %), la SFIO (15,7 %), le MRP (11 %), les radicaux (7,3 %) ; l'extrême droite n'attire que 2,6 % d'électeurs, et l'Union des forces démocratiques (UFD), regroupant le nouveau Parti socialiste autonome (PSA) constitué des opposants de gauche de la SFIO, des

radicaux mendésistes et l'UDSR, est d'entrée marginalisée (avec 1,2 % des voix). À l'issue du second tour,
l'UNR, qui a pris des voix à tous les partis, a 198 élus,
les modérés 133, le MRP 57, les socialistes 44, les radicaux 23, le parti communiste 10 : le nouveau système de
scrutin et le découpage des circonscriptions permettent
à un député UNR d'être élu avec moins de 20 000 voix,
alors qu'il en faut près de 80 000 à un socialiste, et plus
de 350 000 à un communiste.

Mais le verdict des Français est clair : ceux qui se
sont opposés au retour de Charles De Gaulle sont
laminés. P. Mendès France et F. Mitterrand ne retrouvent pas leur siège de député ; il en est de même de
Gaston Defferre, Jules Moch, Edgar Faure... qui font
partie des 400 députés sortants battus. D'autre part,
l'ensemble des 67 élus d'Algérie, y compris les musulmans, sont favorables à l'Algérie française.

---

### De Gaulle président de la République

Le 21 décembre 1958, près de 82 000 grands électeurs
choisissent le président de la République : le général De
Gaulle obtient 78,5 % des voix contre 13,1 % au candidat communiste Georges Marane, maire d'Ivry, et 8,4 %
à Albert Châtelet, doyen de la faculté des sciences, soutenu par une partie de la gauche non communiste, mais
non par la SFIO ayant appelé à voter De Gaulle. Le
triomphe de Charles De Gaulle, premier président de la
Ve République, est maintenant total. Il entre en fonctions
le 8 janvier 1959.

---

### *Que faire de l'Algérie ?*

Le général De Gaulle constitue en janvier 1959 un nouveau ministère avec à sa tête le fidèle Michel **Debré**,
instigateur de la Constitution, et favorable à l'Algérie

française, tout comme Jacques Soustelle qui devient ministre délégué auprès du Premier ministre ; ce gouvernement ne comprend plus de socialistes, alors qu'Antoine Pinay, garant de l'orthodoxie économique, s'occupe des Finances et des Affaires économiques.

---

**Les Premiers ministres du général De Gaulle**

Charles De Gaulle appelle Michel **Debré** à la tête du gouvernement le 8 janvier 1959 ; Georges **Pompidou** lui succédera le 14 avril 1962 ; puis après les événements de mai 1968, c'est Maurice **Couve de Murville** qui deviendra Premier ministre jusqu'au départ du Général, le 28 avril 1969. Il le restera jusqu'à l'élection de Georges Pompidou à la présidence de la République.

---

Ce gouvernement est de nature à rassurer les Français d'Algérie ; mais l'objectif du général De Gaulle quant au devenir de l'Algérie reste peu explicite, peut-être parce que lui-même n'a pas encore définitivement choisi la marche à suivre. Certes, il s'était laissé entraîner à crier (en une seule occasion) « Vive l'Algérie française ! » lors d'un discours prononcé à Mostaganem, et il soumettait tout règlement politique à l'obtention d'un cessez-le-feu après le rétablissement de la situation militaire. Mais il annonce ensuite un ensemble de mesures économiques et sociales (redistribution de terres, scolarisation, aides à l'industrie) destinées à aider la population musulmane (plan de Constantine, 3 octobre 1958), et ordonne le 9 aux officiers d'abandonner les comités de salut public qui s'étaient formés après le 13 mai. De même, il rappelle en France le général Salan, remplacé en Algérie par le général Challe, alors que les responsabilités civiles échappent à l'armée pour être confiées le 23 octobre 1958 au délégué général, Paul **Delouvrier**, un haut fonctionnaire. Il lance également à destination du FLN, qui a créé le 19 septembre un Gouvernement provisoire de la République algérienne (GPRA), un appel à une « paix des braves ». Parallèlement, De Gaulle déclare légitime le désir d'indépendance des peuples africains (10 novembre).

Aussi peut-on penser que le général De Gaulle commence à envisager l'idée d'une indépendance de l'Algérie (sous une forme à préciser), devant l'intransigeance des deux partis : le scrutin au collège unique en Algérie n'a pas permis l'expression ni l'élection des nationalistes musulmans ; d'autre part le FLN n'a pas répondu à ses appels à la paix, alors que les opérations de pacification se succèdent en Algérie sans résultats décisifs (plan Challe, en Oranie, début février 1959, opération Jumelles en Kabylie, fin juillet). De Gaulle y effectue une série de « tournées des popotes », destinée à se concilier les chefs de l'armée, mais sans prolongements politiques ou militaires.

### « L'autodétermination »

La situation va ensuite évoluer rapidement quand le président de la République annonce le 16 septembre 1959 à la télévision qu'il lui paraît « nécessaire que le recours à l'autodétermination soit aujourd'hui proclamé » en Algérie pour permettre « aux hommes et aux femmes d'Algérie de décider de leur sort ». Il envisage ainsi trois possibilités : une « sécession » pure et simple, une « francisation », ou une « indépendance-association » avec la France. La stupeur et l'indignation sont grandes parmi les Français d'Algérie.

---

### La « semaine des barricades »

Après le rappel du général Massu, le 22 janvier 1960, pour avoir critiqué la politique du gouvernement dans une interview accordée à un journal allemand, les « activistes » d'Alger, avec à leur tête le député Paul **Lagaillarde** et Joseph Ortiz, organisent des manifestations qui tournent à l'émeute : c'est la « semaine des barricades » (24 janvier - 1er février 1960) qui fera une vingtaine de morts et environ cent cinquante blessés et durant laquelle les insurgés retranchés et armés tiennent tête aux forces de l'ordre manifestant peu de zèle pour réprimer le mouvement. Mais la détermination du pouvoir et le légalisme de l'armée amènent la reddition des émeutiers, suivie de l'arrestation des meneurs activistes et de la dissolution de leurs organisations.

---

Puis le général De Gaulle effectue début mars 1960 une autre tournée en Algérie, où il déclare que la France y restera. Une amorce de négociation avec le FLN avorte à Melun à la fin du mois de juin, la France exigeant d'abord un cessez-le-feu, alors que le FLN veut obtenir préalablement l'assurance d'une consultation sur l'auto-détermination. Parallèlement, le « réseau Jeanson » d'aide au FLN est démantelé le 24 février, mais les syndicats de gauche ainsi que l'UNEF appellent à la négociation en Algérie (30 juin) ; un groupe d'intellectuels (dont Jean-Paul Sartre, Simone de Beauvoir, Laurent Schwartz) publie le 5 septembre le *manifeste des 121*, proclamant le droit à l'insoumission en Algérie ; cela provoque une prise de position de deux cents intellectuels favorables à l'Algérie française et une manifestation d'anciens combattants à l'Arc de Triomphe (3 octobre).

Les événements vont s'accélérer à la fin de l'année : après que le GPRA (que la France refuse de reconnaître comme représentant unique du peuple algérien) a demandé un référendum sous le contrôle de l'ONU, le général De Gaulle parle d'« Algérie algérienne » (le 5 septembre 1960) et effectue du 9 au 13 décembre un nouveau voyage en Algérie : il est conspué par les Européens, mais applaudi par les musulmans, alors qu'éclatent de violents affrontements avec les forces de l'ordre et entre les deux communautés, faisant plusieurs dizaines de morts et plusieurs centaines de blessés. De retour en France, De Gaulle organise un référendum pour ou contre l'autodétermination en Algérie qui a lieu le 8 janvier 1961 ; l'ampleur des oui (75,3 % des suffrages exprimés et 70 % en Algérie même) représente un grand succès personnel pour le chef de l'État, et montre à quel point la métropole désire en finir avec ce conflit.

## Du putsch à l'indépendance

Refusant le principe d'une consultation dont l'issue ne peut que leur être défavorable, les partisans de l'Algérie française créent l'Organisation armée secrète (OAS), et poussent les militaires à l'action. Ainsi, le 22 avril 1961 un putsch se produit à Alger : quatre généraux (**Salan, Challe, Jouhaud** et **Zeller**) s'emparent du pouvoir et neutralisent les autorités civiles afin de permettre la défense de l'Algérie française. Mais la résolution du gouvernement fera échec à ce *pronunciamiento* : le Premier ministre, Michel Debré, lance à la radio un pathétique appel à la mobilisation de la population parisienne afin de faire échec à un éventuel lancer de parachutistes, et le général De Gaulle, appliquant l'article 16 qui lui donne les pleins pouvoirs, prend des mesures d'urgence en Algérie et demande que « tous les moyens soient employés pour barrer la route, à [...] ce quarteron de généraux en retraite ». La défection d'un grand nombre d'officiers et l'hostilité des soldats du contingent amènent les putschistes à renoncer quatre jours plus tard. Le général Challe se rend le 26 avril, le général Zeller fera de même le 6 mai, les généraux Salan et Jouhaud rejoignent l'OAS clandestine, qui multiplie les attentats en métropole. Ces événements ont pour effet de renforcer la détermination du général De Gaulle d'en finir rapidement avec la question algérienne : le 20 mai s'ouvrent des pourparlers à Évian avec le FLN, qui butent toutefois sur le sort du Sahara, riche en pétrole.

Manifestations et attentats se poursuivent alors. Le 17 octobre 1961 un rassemblement d'Algériens à Paris tourne au drame : la répression fait plusieurs dizaines de morts, des cadavres sont repêchés dans la Seine et l'on compte plus de 10 000 arrestations. Les 18 et 23 janvier 1962 de nombreux plasticages ont lieu à Paris et une bombe éclate au Quai d'Orsay le 24 ; puis le 7 février une autre bombe de l'OAS mutile une fillette de huit ans. Cela provoque une manifestation de la gauche brutalement réprimée : au métro Charonne, huit personnes sont tuées par la police, dont sept membres du parti communiste ; leurs obsèques réunissent une foule immense qui manifeste tout à la fois contre les brutalités policières et l'OAS, mais aussi pour la paix en Algérie.

C'est alors qu'une reprise secrète des négociations aux Rousses (10-19 février 1962) aboutit à une seconde conférence d'Évian qui s'ouvre le 7 mars. La paix finit par être signée le 18 mars 1962, De Gaulle cédant sur le Sahara, rattaché à une Algérie devenant indépendante. Le cessez-le-feu intervient le lendemain, et deux référendums seront organisés pour ratifier les accords d'Évian. Le premier a lieu en métropole le 8 avril ; si l'on compte près de 25 % d'abstentions, les oui représentent plus de 90 % des suffrages exprimés. Le second se déroule en Algérie le 1er juillet, où les oui obtiennent plus de 99,7 % des voix.

---

### Terreur en Algérie

Après la signature des accords d'Évian le 18 mars 1962, l'OAS commet de nombreux attentats. Le 26 mars, elle appelle les Français d'Alger à une manifestation pacifique qui se termine par un massacre faisant 46 morts rue de l'Isly : l'armée, se croyant débordée, a tiré dans la foule. Le 2 mai, l'OAS fait exploser une camionnette piégée qui fait 62 morts parmi des ouvriers musulmans, tire sur les rescapés, et bombarde au mortier les quartiers arabes de Belcourt et Climat de France ; le 8 mai, des hommes de l'OAS mitraillent des musulmans dans la rue. Le 14 mai, c'est au tour du FLN de tirer et de lancer des grenades sur des Européens. Mais parallèlement, plusieurs responsables sont arrêtés : le général Jouhaud est capturé à Oran le 25 mars 1962 et Roger Degueldre, chef des « commandos Delta », le 7 avril à Alger. Le général Salan est pris lui aussi à Alger le 20 avril. Un grave coup est ainsi porté à l'OAS ; mais celle-ci a entre-temps rendu impossible une réconciliation entre les deux communautés.

---

Le 3 juillet 1962, la France reconnaît l'indépendance de l'Algérie. Un million de Français regagneront la métropole après une colonisation qui aura duré 130 ans et une guerre qui aura tué environ trente mille soldats français et plusieurs centaines de milliers de musulmans.

# L'apogée du gaullisme (1962-1966)

## Une certaine idée de la France

*Après avoir renforcé le rôle du président de la Républi-
que, le général De Gaulle impose le silence à la classe
politique ; mais sa réélection au suffrage universel est
plus difficile que prévu.*

Après la signature des accords d'Évian les problèmes politiques traditionnels reprennent leurs droits : le 14 avril
1962, pour affirmer la prééminence du président de la
République, le général De Gaulle remplace Michel Debré,
démissionnaire, par Georges **Pompidou** au poste de Premier ministre. Les radicaux refusent alors de faire partie de
son ministère, qui n'est investi que par 259 voix sur 506 :
de nombreux parlementaires acceptent mal la nomination
à la tête du gouvernement d'un nouveau venu ne bénéficiant que de la seule confiance du général De Gaulle ; puis,
après une déclaration du Général, jugée anti-européenne
par les ministres MRP, ceux-ci démissionnent le 15 mai.

Le problème algérien étant réglé, la classe politique
ne verrait pas d'un mauvais œil le retrait du Général,
comme elle avait obtenu celui de P. Mendès France après
la fin de la guerre d'Indochine. Aussi De Gaulle désire-
t-il imposer l'élection du chef de l'État au suffrage universel afin qu'elle lui donne l'autorité nécessaire pour
mener à sa guise la politique du pays, et conduire à son
terme la réforme des institutions.

### Le référendum du 28 octobre 1962

Pour y parvenir, le général De Gaulle annonce le 12 septembre qu'il recourra à un référendum constitutionnel,
en vertu de l'article 11 de la Constitution. Or, l'article

---

### L'attentat du Petit-Clamart

C'est encore le contrecoup du conflit algérien et l'activisme d'arrière-garde de l'OAS qui vont permettre au chef de l'État de renforcer sa position : le 22 août 1962, un commando dirigé par Bastien-Thiry mitraille la voiture du général De Gaulle au Petit-Clamart, alors qu'il se rend de l'Élysée à Villacoublay. Le Général est miraculeusement indemne, mais en sort déterminé à achever immédiatement la réforme des institutions qu'il estime nécessaire pour doter le pays d'un pouvoir exécutif définitivement dégagé de l'emprise des partis, et qu'il estime être le seul capable de réaliser. Ainsi, une semaine après l'attentat manqué, le général De Gaulle exprime, à l'occasion d'un Conseil des ministres, son intention de modifier la Constitution afin que le président de la République soit élu au suffrage universel.

---

89 stipule qu'une telle révision implique au préalable un vote favorable des deux Assemblées. C'est aussitôt une levée de boucliers de la part des parlementaires, des juristes, du Conseil constitutionnel. Alain Poher parle de « forfaiture », Paul Reynaud s'indigne, Pierre Sudreau, gaulliste fidèle, démissionne du gouvernement que l'Assemblée nationale renverse par une motion de censure le 5 octobre. De Gaulle, refusant de céder en invoquant la souveraineté populaire, dissout l'Assemblée le 10 octobre et annonce que le référendum aura lieu le 28 octobre, et les élections législatives les 18 et 25 novembre.

Seule l'UNR va appeler à voter oui, le parti communiste et les autres partis dénonçant le régime de pouvoir personnel et les atteintes aux principes républicains. Pourtant, après que le général De Gaulle eut fait de la consultation un plébiscite en annonçant qu'il se retirerait en cas de victoire des non, et même de succès médiocre, les oui l'emportent avec près de 62 % des suffrages exprimés. Compte tenu des abstentionnistes (près de 23 % des électeurs), ce n'est pas un triomphe pour le Général.

Néanmoins, une confortable majorité de votants lui a apporté son soutien.

### Les élections de novembre 1962

Les défenseurs du non espèrent renverser la situation en présentant un front commun des socialistes aux indépendants, avec parfois des candidatures uniques ; la SFIO envisage même des désistements au second tour avec le parti communiste, ce qui inquiète cependant le centre et la droite. Mais ils vont être bien déçus au soir du 18 novembre : les partisans du général De Gaulle (UNR et gaullistes de gauche de l'Union démocratique du travail) recueillent au premier tour près de 32 % des suffrages exprimés, et les républicains indépendants du ministre des Finances Valéry **Giscard d'Estaing** plus de 4 %. Même le parti communiste à ses meilleurs moments n'avait pas atteint les 30 %. Celui-ci n'obtient que 21,7 % des voix, la SFIO 12,6 %, les modérés moins de 10 %, le MRP moins de 9 %, les radicaux 7,5 %, l'extrême gauche 2,4 % et l'extrême droite moins de 1 %. À l'issue du second tour du 25 novembre, qui accentue la bipolarisation entre gaullistes et partis de gauche, l'UNR-UDT a 233 élus, la SFIO 66, le parti communiste 41, le MRP et le centre droit 55, le Rassemblement démocratique (radicaux de gauche et UDSR) 39, les républicains indépendants 36,... et le PSU a aussi 2 élus. Les personnalités favorables à l'Algérie française sont battues, de même que Paul Reynaud et Pierre Mendès France ; mais François Mitterrand et Gaston Defferre sont élus.

L'Assemblée nationale comptant 482 députés (compte tenu de 17 représentants de l'outre-mer), il manque à l'UNR 9 sièges pour atteindre la majorité absolue ; mais elle peut compter sur l'appui des 36 républicains indépendants.

Aussi, quand le gouvernement, avec à sa tête Georges Pompidou, reconduit dans ses fonctions de Premier ministre, se présente devant l'Assemblée nationale, sa déclaration de politique générale recueille 268 voix positives. La Vᵉ République a atteint sa forme achevée et la majorité gaulliste peut gouverner à sa guise. La valse des ministères est définitivement terminée.

### En attendant la présidentielle

Débarrassé du cancer algérien et des problèmes institutionnels, le Général peut désormais s'atteler à son grand dessein en attendant l'échéance présidentielle de 1965 : rendre à la France sa place dans le monde, remise en cause par la défaite de 1940 et les conflits coloniaux. Cela implique à ses yeux d'affirmer l'indépendance militaire du pays, de lui donner toute sa place au sein d'une Europe limitant les empiétements à la souveraineté nationale, et de rendre à la France une autorité morale lui permettant de faire entendre sa voix en toute occasion.

C'est ainsi que le général De Gaulle, qui s'est déclaré pour « l'Europe des patries » allant « de l'Atlantique à l'Oural », cherche à sceller la réconciliation franco-allemande : en janvier 1963, après avoir effectué un voyage en Allemagne fédérale, il signe à Paris avec le chancelier Adenauer un traité de coopération entre la France et l'Allemagne, prévoyant des rencontres régulières entre les responsables politiques des deux pays. Quelques jours plus tôt, il s'était opposé à l'entrée de la Grande-

Bretagne dans la Communauté économique européenne, tant que celle-ci, trop alignée économiquement et militairement sur les États-Unis, n'accepterait pas de se plier à l'ensemble des conditions exigées pour adhérer à la CEE.

D'autre part, le président de la République veut se faire le défenseur de la détente avec l'Union soviétique (il avait accueilli Nikita Khrouchtchev en avril 1960). Cela ne signifie pas pour autant un renversement d'alliances, comme le prouve la solidarité que la France manifeste à l'égard de l'Occident lors de la crise de Cuba en octobre 1962. Il s'agit plutôt de lutter contre le « partage du monde » décidé à Yalta en 1944 (conférence à laquelle le général De Gaulle n'avait pas été invité), en affirmant l'indépendance politique de pays susceptibles de faire éclater le monolithisme des deux blocs. C'est ainsi que la France reconnaît en janvier 1964 la Chine communiste, que le général De Gaulle se rend en mars 1964 au Mexique, où il propose au peuple mexicain de marcher « main dans la main » avec le peuple français, et fin septembre en Amérique du Sud. Ce « tiers-mondisme » de la France se poursuivra durant les années suivantes.

Si la politique extérieure et les ambitions planétaires constituent l'essentiel des préoccupations du général de Gaulle, il n'en reste pas moins qu'il s'efforce parallèlement de favoriser le développement économique de la France, grâce à une politique d'industrialisation rapide, de régionalisation et d'incitations publiques, menée de pair avec une tentative de « contrat social », par la « politique des revenus » et la « participation des travailleurs aux fruits de l'expansion ». Mais si la France connaît effectivement durant ces années de paix extérieure et civile une croissance et une modernisation notables, les aspirations du monde du travail restent mal satisfaites, comme en témoigne par exemple la grève des mineurs du printemps 1963 et l'hostilité au « plan de stabilisation » Giscard de l'automne, qui ralentit l'inflation mais aussi les hausses de salaires en 1964.

---

### La France puissance nucléaire autonome

Pour garantir l'indépendance de sa politique extérieure le général De Gaulle avait entrepris dès 1958 de poursuivre et d'accélérer la fabrication de la bombe atomique décidée par le gouvernement Félix Gaillard, afin de doter la France d'une « force de frappe » nucléaire. Une première expérience atomique a lieu le 13 février 1960, à Reggane, dans le Sahara. La France, qui refusera en août 1963 de signer l'accord de Moscou sur l'arrêt des essais nucléaires, après avoir commencé la fabrication en série de la bombe A, peut ainsi mener une politique de dissuasion autonome, l'amenant à prendre ses distances à l'égard des États-Unis et de l'OTAN ; en mars 1959, les forces navales françaises de Méditerranée avaient déjà été soustraites du commandement interallié ; il en sera de même de celles de l'Atlantique en juin 1963 ; la dernière étape sera en mars 1966 le retrait des armées françaises de l'OTAN, suivi du démantèlement des bases militaires de l'organisation situées sur le sol français.

---

### De Gaulle bat Mitterrand (1965)

La campagne présidentielle commence dès octobre 1963 avec le lancement par le journal *l'Express* de l'opération « Monsieur X », consistant à trouver un candidat idéal. Il s'agit en fait de sensibiliser l'opinion à la candidature de Gaston Defferre (qui sera soutenue par la SFIO, lors de son congrès des 1er et 2 février 1964), permettant de rassembler la gauche non communiste et le centre dans une vaste « Fédération démocrate et socialiste ». Mais le

MRP refuse la référence au socialisme et de souscrire aux principes laïcs de la SFIO : le 18 juin 1965 les partis constatent leur désaccord et Gaston Defferre retire sa candidature le 25 juin.

La voie est ouverte à celle de François **Mitterrand** qui se déclare candidat le 9 septembre. Ayant subi le contrecoup de son hostilité au retour du général De Gaulle et de la mystérieuse « affaire des jardins de l'Observatoire » (où il avait été victime d'un « attentat », peut-être monté de toutes pièces, le 16 octobre 1959), l'ancien ministre de l'Intérieur de Pierre Mendès France était redevenu député en novembre 1962 et avait publié un livre, *Le Coup d'État permanent*, qui faisait de lui l'une des personnalités de l'opposition en vue et non mêlées au fiasco de la candidature Defferre.

Dès le lendemain voit le jour la Fédération de la gauche démocrate et socialiste (FGDS), regroupant la SFIO, les radicaux et la Convention des institutions républicaines (fondée en 1964 par la fusion du Club des Jacobins de Charles Hernu et de la Ligue pour le combat républicain de François Mitterrand, qui remplaçait elle-même l'UDSR depuis 1959). François Mitterrand, qui reçoit aussi le soutien du parti communiste, devient ainsi le candidat unique de la gauche.

Le 26 octobre, c'est au tour de Jean **Lecanuet** (devenu président du MRP en mai 1964) d'annoncer sa candidature placée sous le signe du centre et de l'Europe. Il est appuyé par le Centre national des indépendants d'Antoine Pinay et par une partie des radicaux.

Le général De Gaulle, sûr de son fait et voulant apparaître au-dessus des partis, néglige de faire campagne ; il ne se déclare candidat que le 4 novembre, et se limite au thème « moi ou le chaos ». Tout le monde pense en effet que le Général sera élu dès le premier tour malgré le succès des candidats de l'opposition lors des élections municipales des 14 et 21 mars 1965. Or De Gaulle n'obtient le 5 décembre 1965 que 44,6 % des suffrages exprimés contre 31,7 % à Mitterrand, 15,6 % à Lecanuet, 5,2 % au candidat d'extrême droite Tixier-Vignancour, et respectivement 1,7 et 1,1 % aux deux candidats marginaux, le sénateur « libéral » Pierre Marcilhacy et le « Français moyen » Marcel Barbu.

Il faut donc procéder à un second tour, qui a lieu le 19 décembre ; le général De Gaulle l'emporte certes, mais avec seulement 55,2 % des voix, aucun candidat éliminé au premier tour n'ayant appelé à voter pour lui. Avec près de 45 % des voix, François Mitterrand apparaît comme le chef d'une opposition dominée par la gauche.

---

### L'« affaire Ben Barka »

Le 30 novembre 1965, Mehdi Ben Barka, chef de l'opposition marocaine et personnalité tiers-mondiste, est enlevé à Saint-Germain-des-Prés à Paris et ne sera jamais retrouvé. Si la responsabilité en incombe aux services secrets marocains, aidés par Antoine Lopez, chef d'escale à Orly, et correspondant des services secrets français, ce sont des policiers et indicateurs français qui ont réalisé l'opération (Souchon, Voitot, Figon) ; de plus, il est révélé que ceux-ci en avaient averti leurs supérieurs. On apprend ensuite, en janvier 1966, que Ben Barka aurait été conduit dans la villa du truand Boucheseiche, où s'est rendu le général Oufkir, ministre de l'Intérieur du Maroc, et son adjoint le lieutenant-colonel Dlimi. Le 20 janvier un mandat d'arrêt est lancé contre eux. Mais malgré une instruction à rebondissements, et l'arrestation de Dlimi, venu comparaître devant les juges, le procès des ravisseurs qui s'ouvre en septembre 1966 sera ajourné à plusieurs reprises et ne permettra pas de connaître la vérité sur cette affaire et sur la fin de Ben Barka.

## *1966 : la grande politique internationale*

Mais le général De Gaulle n'en est pas moins le premier président de la République française élu au suffrage universel par une nette majorité d'électeurs. Il peut donc poursuivre sa politique intérieure et surtout étrangère, qui est sa première préoccupation et qui de plus ne peut être critiquée par la gauche. C'est ainsi que, lors d'une conférence de presse, il annonce le 21 février que la France, refusant le stockage d'armes nucléaires dans les bases militaires américaines situées en France, a l'intention de se retirer de l'OTAN « sans revenir sur son adhésion à l'Alliance atlantique ». Il s'agit que la France ne soit pas « impliquée automatiquement dans une guerre » en cas de conflit entre l'URSS et les États-Unis. En mars, la France retire les troupes françaises d'Allemagne du

---

### Les voyages de l'été 1966

Du 20 juin au 1er juillet, le général De Gaulle effectue un voyage en Union soviétique où il reçoit un accueil chaleureux et où Leonid Brejnev l'assure des intentions pacifiques de l'URSS. Le 25 août, il se rend en Éthiopie, puis à Djibouti (où des troubles se produisent durant sa présence) et au Cambodge : le 1er septembre, il prononce à Phnom Penh un retentissant discours condamnant l'intervention américaine croissante au Viêt-nam, affirmant le droit des peuples indochinois à disposer d'eux-mêmes. Poursuivant son voyage, le Général gagne ensuite la Nouvelle-Calédonie, où il est accueilli chaleureusement, et la Polynésie où il assiste depuis le croiseur *De Grasse* à la première explosion atomique française dans le Pacifique. Au retour, il s'arrête en Guadeloupe et rentre en France le 12 septembre. Trois jours plus tard, il déclare que la France ne fera pas obstacle à ce que Djibouti se sépare d'elle si les populations le désirent.

commandement atlantique, et dénonce la convention de
1952 : elle ne fait plus partie de l'OTAN, dont le haut
commandement sera transféré en Belgique.

Après les voyages du Général en URSS, au Cambodge et dans le Pacifique durant l'été 1966, la France
apparaît comme le champion de l'indépendance de
toutes les nations, le défenseur de la solution négociée
aux conflits internationaux, et grâce à « sa force de
dissuasion » a gagné une autonomie lui permettant de
devenir l'allié le plus critique des États-Unis.

## L'économie française (1950-1968)

### La prospérité retrouvée

*Durant près de vingt ans, la France connaît un déve-
loppement économique continu, marqué par une forte
croissance industrielle, une amélioration considérable
du niveau de vie de l'ensemble de la population et une
ouverture nouvelle sur l'extérieur.*

Le trait le plus spectaculaire de l'évolution économique
de la France, du début des années 50 à la fin des années
60, est le rythme de croissance du produit national reposant sur la modernisation de l'appareil productif et les
gains de productivité.

### Croissance et industrialisation (1950-1968)

Grâce aux progrès de l'information économique, il est
désormais possible de suivre avec plus de précision
l'évolution des grandeurs économiques caractéristiques.
C'est ainsi qu'après la croissance rapide des années 1947-
1950 le taux de croissance annuel de la production intérieure brute (définie par l'INSEE comme la somme des

valeurs ajoutées par l'ensemble des agents économiques productifs sur le territoire national) est d'environ 5 % par an de 1951 à 1968, ce qui signifie qu'en vingt ans l'ensemble des biens et services disponibles a été multiplié par plus de 2,5.

De plus cette croissance a été régulière (environ 4,7 % de 1951 à 1957, 5 % de 1957 à 1968), même si certaines années sont meilleures que d'autres (voir tableau ci-dessous).

| Évolution de la production intérieure brute de 1947 à 1968 (variation par rapport à l'année précédente) | | | | | | | | |
|---|---|---|---|---|---|---|---|---|
| Année | 1947 | 1948 | 1949 | 1950 | 1951 | 1952 | 1953 | 1954 | 1955 |
| PIB | 9.9 | 13.2 | 7.5 | 7.9 | 6.4 | 2.3 | 3.1 | 5.4 | 6.0 |
| Année | 1956 | 1957 | 1958 | 1959 | 1960 | 1961 | 1962 | 1963 | 1964 |
| PIB | 5.1 | 6.3 | 2.6 | 3.0 | 7.9 | 6.9 | 6.9 | 5.6 | 6.2 |
| Année | 1965 | 1966 | 1967 | 1968 | | | | | |
| PIB | 4.1 | 5.0 | 5.0 | 4.6 | | | | | |

*Source :* D'après J.-J. Carré, P. Dubois, E. Malinvaud, *Abrégé de la croissance française*, Éditions du Seuil, p. 37.

Cet essor productif s'explique principalement par le développement de l'investissement et par la croissance de la productivité du travail : c'est ainsi que les gains de productivité moyens par heure travaillée sont d'environ 4,5 % par an entre 1949 et 1968, alors que la population active totale n'augmente que faiblement jusqu'au début des années 60 (elle passe de 19,3 millions de personnes en 1946 à 19,8 millions en 1962) malgré l'essor démographique (la part des enfants et des retraités augmentant) ; cependant elle croît ensuite d'environ 0,6 % par an. Mais la population au travail est mieux qualifiée, et bénéficie d'un outillage plus important et plus efficace : le taux d'investissement (rapport de la formation de capital au produit national brut) passe d'environ 13 % en 1938 à 18 % en 1949 et à 22 % en 1963 (mais il était de 18 % en 1929) ; parallèlement le capital productif croît annuellement de 3,4 % entre 1949 et 1951, de 2,1 % de 1952 à 1955, de 3,4 % encore de 1956 à 1960 et de 4,4 % de 1956 à 1960 en tenant compte des infrastructures de transport (estimation d'E. Malinvaud) ; si l'on ne tient compte que des investissements en outillage, le rythme de croissance annuel serait d'environ 3,6 % de 1949 à 1951, de 3 % de 1952 à 1955, de 4,5 % de 1956 à 1960, de 5,0 % de 1961 à 1965 et de 6,5 % de 1966 à 1968 (estimations de J. Mairesse). Une accélération des investissements se produit donc à partir du milieu des années 50, conduisant à un doublement de la capacité de production nationale durant cette vingtaine d'années. La croissance est même encore plus rapide en ce qui concerne les investissements en logement et le capital des administrations.

Durant cette même période, la durée annuelle du travail n'a que peu baissé : certes, le nombre de semaines de congés payés passe de deux à trois entre 1954 et 1956, puis de trois à quatre entre 1962 et 1964, mais la durée hebdomadaire moyenne du travail qui était d'environ 44 heures en 1950 atteint 46 heures en 1964 (hors agriculture). Cela revient donc bien à dire que c'est essentiellement la meilleure efficacité de la combinaison productive (capital technique-travail qualifié) qui a permis (comme durant les années 20) ce remarquable essor industriel de la France.

## La Communauté économique européenne

Au lendemain de la Seconde Guerre mondiale, un certain nombre de personnalités, dont en particulier Robert **Schuman** et Jean **Monnet**, défendent l'idée d'un rapprochement entre les différents pays d'Europe, afin de coordonner leurs efforts de développement et d'éviter le retour des antagonismes fratricides.

### Les premières étapes

Le 18 avril 1951, la France, l'Allemagne fédérale, l'Italie, et les pays du Benelux signent à Paris le traité créant la Communauté européenne du charbon et de l'acier (CECA) : il s'agit de créer une sorte de pool commun pour ces deux produits à la base de tout nouvel essor industriel. La CECA est de plus dotée d'une haute autorité présidée par J. Monnet, d'un Conseil des ministres, d'une Assemblée et d'une Cour de justice. La seconde étape de l'intégration européenne aurait dû être la création de la Communauté européenne de défense (CED), dont les Six adoptent le projet le 27 mai 1952. Mais le nouveau refus de l'Assemblée nationale française de la ratifier rend impossible sa réalisation.

L'idée européenne continue pourtant à faire son chemin ; après une réunion des six à Messine en juin 1955, puis à Venise en mai 1956, le traité de Rome est signé le 25 mars 1957. Il institue la Communauté économique européenne reposant sur une élimination progressive des barrières douanières entre les Six et sur la détermination de politiques économiques communes : il ne s'agit donc pas de créer une simple zone de libre-échange, ou « Marché commun », mais également d'harmoniser le développement des pays signataires. De plus, une Communauté européenne de l'énergie atomique voit le jour, avec pour objectif d'accélérer les recherches en matière de production d'énergie nucléaire à des fins d'utilisation civile. Le traité de Rome institue de plus un Parlement et un Conseil des ministres européens, des commissions économiques et une Cour de justice.

### L'Europe en marche

Le 1er janvier 1959, les droits de douane sont réduits de 10 % puis de 50 % le 1er juillet 1962, encore de 10 % le

1er juillet 1963 ; le 1er juillet 1968 les droits de douane frappant les produits industriels et agricoles sont supprimés. Mais l'acceptation par chacun de politiques communes et l'adoption de prix agricoles communs vont se heurter aux divergences d'intérêts des différents pays.

Les négociations concernant la fixation des prix des produits alimentaires seront particulièrement dures. Certes, si les prix du marché s'éloignent des prix indicatifs définis par le Conseil des ministres, le Fonds européen d'orientation et de garantie agricole (FEOGA) verse aux agriculteurs un complément de ressources. Mais ces derniers estiment souvent qu'il est trop bas pour leur permettre de survivre, alors que le Conseil des ministres cherche à en abaisser les montants pour inciter ce secteur à se moderniser, cela pour favoriser la consommation des populations non agricoles et aussi pour éviter la surproduction. Malgré ces difficultés, la vitalité des échanges communautaires et la croissance remarquable des pays membres attirent vers la CEE plusieurs autres nations : le 1er janvier 1973, la Grande-Bretagne, l'Irlande et le Danemark adhèrent à la CEE ; puis c'est au tour de la Grèce le 1er janvier 1981 et enfin de l'Espagne et du Portugal le 1er janvier 1986.

### L'Europe monétaire

Parallèlement, le champ de l'unification européenne s'élargit : après la conférence de La Haye, en décembre 1969, se met progressivement en place une politique monétaire commune par l'intermédiaire du Fonds européen de coopération monétaire. Puis en avril 1972 les accords de Bâle créent le « serpent monétaire européen », qui limite les fluctuations des cours des devises de chaque pays. Mais ce « serpent » ne résistera pas à la crise de 1974 ; il fera place à une nouvelle forme de coopération dans le cadre du Système monétaire européen (SME) ; il devrait permettre à terme de faire de l'écu l'unique monnaie de référence européenne, même si chaque pays conserve une devise propre définie par un certain nombre d'« écus ».

Le 1er janvier 1993, l'unification européenne franchira un nouveau pas avec l'harmonisation des politiques fiscales et la libre circulation des hommes et des capitaux. L'achèvement de l'intégration économique sera alors prévu par le traité de Maastricht (voir p. 503-504).

### *Les transformations structurelles*

Cette croissance s'est accompagnée d'une poursuite de la **concentration industrielle** et de l'augmentation de la taille moyenne des établissements : alors qu'en 1936 près de 40 % des actifs étaient employés dans des entreprises comptant moins de 10 salariés (contre 58 % en 1906), le rapport tombe à 25 % en 1954 et à 20 % en 1966. Mais, durant cette période, la concentration a surtout concerné les entreprises moyennes : si l'on compare la répartition des salariés travaillant dans des entreprises de plus de 10 personnes, on s'aperçoit que le pourcentage de la population employée par les grands établissements (de plus de 500 personnes) est plus faible en 1966 (30 %) qu'en 1926 et 1954 (33 %). De même, la part du chiffre d'affaires réalisé par les 10 plus grandes entreprises industrielles dans le total du chiffre d'affaires industriel reste stable (environ 6 %) entre le milieu des années 50 et le milieu des années 60 ; en revanche, celui des 50 plus grandes firmes augmente légèrement (passant de 14 à 15 % du chiffre d'affaires global).

Au total la France compte en 1969 1 663 000 entreprises (contre 1 764 000 en 1961) qui se répartissent ainsi : 832 000 dans le commerce, 575 000 dans l'industrie, 163 000 dans les services, 63 000 dans les transports...

Le mouvement de concentration est en revanche plus sensible dans **l'agriculture** : le nombre total d'exploitations passe de près de 3 millions en 1929 à 2,1 millions en 1955 et à 1,6 million en 1967 ; celui des exploitations de moins de 10 hectares diminue encore plus vite : on en compte 1,8 million en 1929, 1,1 million en 1955, 680 000 en 1967 ; mais le nombre d'exploitations moyennes (entre 10 et 50 hectares) reste important

(973 000 en 1929, 913 000 en 1955, 785 000 en 1967), et celui des grandes exploitations de plus de 50 hectares est plus élevé en 1967 (109 000) qu'en 1955 (95 000), bien que ces chiffres soient en retrait par rapport à ceux de 1929 (114 000). Accompagnée par l'utilisation de plus en plus systématique des engrais et du machinisme, cette restructuration des campagnes françaises permet une forte croissance de la productivité agricole : généralement inférieurs à 2 % par an avant la Seconde Guerre mondiale, les gains de productivité sont en moyenne annuelle supérieurs à 6 % entre 1949 et 1969. Cela se traduit également par un départ massif de la population agricole vers les villes et les autres secteurs de l'économie : alors que la population rurale représentait encore au début du siècle environ 60 % de la population totale, ce rapport tombe à 50 % vers 1930, et à 30 % durant les années 60. Quant à la population agricole proprement dite, elle passe de 25 % de la population totale au début des années 50 à 15 % en 1968 (et à 10 % en 1975).

Les catégories socio-professionnelles « bénéficiaires » de ce transfert de population active sont celles des **ouvriers et employés** : le nombre des ouvriers passe de 6,5 millions en 1962 à 7,3 millions en 1968 (et à 8 millions en 1975), et celui des employés de 2 millions en 1954 à 3 millions en 1968 (et à 3,8 millions en 1975).

Au total, alors que l'agriculture, l'industrie et les services occupaient durant les années 30 environ 33 % de la population française, 8 % seulement des Français travaillent dans l'agriculture durant les années 80, 34 % dans l'industrie et 58 % dans les services. Ainsi, en 1982, 83 % des actifs sont salariés (ce qui représente près de 18 millions de personnes, dont 4,5 millions dans la fonction publique).

Parallèlement, le revenu des entrepreneurs individuels (petites entreprises) passe de 32,6 % du revenu
national en 1949 à environ 20 % en 1969. Quant au
revenu disponible des ménages (y compris celui des
petits entrepreneurs), il augmente d'environ 11 % par
an de 1949 à 1973 alors que la hausse des prix à la
consommation dans le même temps est de 5 % par an
en moyenne : cela représente donc un gain substantiel
de pouvoir d'achat qui permet de diversifier la demande
des ménages.

C'est ainsi que la part de la consommation de produits alimentaires, qui représentait en 1950 près de la
moitié de leur dépense totale, tombe à environ un tiers
à la fin des années 1960 ; de même, celle des dépenses
d'habillement passe de 15 % à moins de 10 % au bout de
ces vingt années ; en revanche, les dépenses de logement

---

### L'évolution démographique

La population totale de la France passe de 40,3 millions
d'habitants en 1946 à près de 50 millions en 1968. Cela
provient d'un accroissement du taux de natalité (qui passe
de 16 pour mille en 1931-1936 à 20 pour mille de 1946
à 1954, pour se stabiliser autour de 18 pour mille de 1954
à 1968), alors que le taux de mortalité baisse de 15,5 pour
mille durant les années 1930, à 12,5 pour mille de 1946
à 1954 et à moins de 11,5 pour mille de 1954 à 1968.
Cela représente un taux d'accroissement naturel de la
population compris entre 6,5 et 7,5 pour mille durant
l'après-guerre, contre 2 pour mille durant les années 20 et
0,5 pour mille de 1931 à 1936. De plus, l'immigration
nette (constituée de travailleurs étrangers et de rapatriés)
est élevée durant les années 1954-1968 et contribue à
accroître annuellement d'environ 4 pour mille la population vivant en France durant cette période.

augmentent de 11 % à plus de 20 %, celles de santé de 6 % à 13 %, de transport de 5 % à 10 %, et celles de loisirs (culture, hôtels, restaurants...) de 11 % à environ 18 %. Mais si, en 1957, 78 % des ménages français possèdent un poste de radio, moins de 1 sur 4 dispose d'un aspirateur, moins de 1 sur 5 d'un réfrigérateur ou d'une machine à laver.

### Les principes de la politique économique

D'une façon générale, la politique économique suivie durant cette vingtaine d'années fut une application des préceptes keynésiens : on alimente la machine quand une récession menace (en cédant aux revendications syndicales, en acceptant un déficit budgétaire et en accroissant les crédits à l'économie) de façon à soutenir l'activité et à éviter la montée du chômage.

A l'inverse, on cherche à éviter les dérapages inflationnistes quand la croissance de la production est trop vive et se heurte à l'insuffisance de la main-d'œuvre et des matières premières et que des tensions trop fortes sur les coûts apparaissent : c'est le cas durant la guerre de Corée, ou quand les hausses de salaires effectives ou désirées et celles des revenus disponibles semblent trop fortes aux yeux des responsables économiques (grèves de 1953, « surchauffe » de 1962-1964). L'État réduit alors les dépenses publiques, restreint la création monétaire, bloque éventuellement les prix et refuse de céder aux syndicats tout en demandant au patronat du secteur privé d'en faire autant : c'est la politique du « stop and go », pratiquée également dans les autres économies occidentales où l'État est en charge de la surveillance des « grands équilibres » (budget, commerce extérieur, prix, emploi).

## *Le « stop and go » de 1950 à 1957...*

Ainsi, par la loi du 11 février 1950, le gouvernement Pleven rend-il libre la détermination des salaires dans le cadre des conventions collectives, mais fixe un salaire minimum (le SMIG), égal à 74 francs de l'heure en août 1950, ce qui représente une augmentation des salaires de près de 10 %, permettant une relance par la consommation (phase de « go ») ; le SMIG sera de nouveau augmenté en mars et en septembre 1951 alors que les prix de l'énergie et du blé sont également relevés. Mais devant l'inflation qui se développe (alimentée aussi par les effets de la guerre de Corée), le déficit de la balance des paiements et la spéculation contre le franc, on tente de ralentir la machine : hausse du taux d'escompte fin 1951, proposition de nouveaux impôts début 1952, refusée par le Parlement.

Antoine **Pinay**, investi en mars 1952, va alors mettre en place un plan de redressement financier (phase de « stop ») : pas de nouveaux impôts, mais économies budgétaires de 110 milliards de francs, grand emprunt indexé sur l'or lancé en mai (rapportant 428 milliards de francs) et assorti d'une amnistie pour les sorties illicites de capitaux ; il décide également une baisse des prix du charbon et de l'acier, un blocage des autres prix en septembre, et s'il institue le 18 juillet 1952 l'échelle mobile des salaires, indexant le SMIG sur l'indice des prix, il s'oppose à l'indexation des salaires plus élevés.

La hausse des prix est bien arrêtée (grâce aussi à une meilleure situation internationale), mais le déficit budgétaire se creuse (–240 milliards en 1951, –629 en 1952, –697 en 1953) et le solde de la balance commerciale reste négatif (–771 millions de dollars en 1951, –620 en 1952, –340 en 1953). Le gouvernement Laniel et son ministre des Finances Edgar Faure veulent alors réduire les dépenses publiques durant l'été 1953, mais se heurtent aux grandes grèves du mois d'août qui remettent en cause la politique de « stop », sans que les salaires soient relevés pour autant. Mais une prime avait été accordée aux moins bien payés des fonctionnaires, et le SMIG sera relevé en octobre 1953, puis plusieurs fois en 1954 ; les autres salaires bénéficieront également d'augmentations négociées entre patronat et syndicats (souvent à la suite de grèves, comme en 1955), le gouvernement cherchant à ne pas intervenir directement dans la détermination des salaires.

On se retrouve alors dans une phase de « go », de 1954 à 1956, jusqu'à ce que le dérapage des prix et la dépréciation du franc conduisent le gouvernement Gaillard investi en juin 1957 à prendre de nouveau des mesures restrictives : hausse des taux d'intérêt, contrôle du crédit, diminution du déficit public, contingentement des importations, et dévaluations du franc en août et octobre 1957, un dollar s'échangeant alors contre 420 (anciens) francs.

### ... et de 1958 à 1968

Mais les événements de mai 1958 aggravent la situation du franc, et le retour d'Antoine Pinay aux Finances se traduit par un nouveau plan de redressement, essentiellement financier : nouvel emprunt public et nouvelle amnistie pour permettre le rapatriement des capitaux (sans grand succès) ; création du « franc lourd » par simple opération d'écriture : 100 francs valent désormais 1 nouveau franc ; restriction de crédit, économies budgétaires, augmentation des impôts sur les sociétés (passant à 50 % des bénéfices).

## Une économie d'endettement

Depuis la Seconde Guerre mondiale, le secteur bancaire et ses fonctions se sont considérablement transformés en France. La distinction entre banque d'affaires et banque de dépôt disparaît dans les années 60, permettant aux premières d'ouvrir des guichets, de recevoir des dépôts à court terme, et aux secondes de collecter des dépôts à long terme et de financer les investissements.

L'activité bancaire se trouve ainsi stimulée, d'autant plus que la pratique de payer les salaires par virement sur un compte-chèques est institutionnalisée : ainsi le nombre de succursales passe d'environ 5 500 en 1947 à près de 21 000 au milieu des années 80 ; le Crédit agricole, qui constitue un dense réseau de guichets en milieu rural, contribue fortement à collecter l'épargne des campagnes et à y généraliser les pratiques bancaires. La part de la monnaie scripturale (par opposition aux billets et espèces) passe ainsi de 50 % environ de la masse monétaire au lendemain de la guerre à plus de 60 % au début des années 60 et à 80 % durant les années 80.

Mais les banques ne se contentent pas de gérer les dépôts et l'épargne de leurs clients : leur objectif est de prêter les fonds recueillis (afin d'en tirer bénéfice) et elles répondent ainsi au besoin de financement de l'économie. C'est ce qui permet d'expliquer le développement spectaculaire de l'endettement des entreprises et des ménages que l'on observe depuis le milieu des années 50 : entre 1954 et 1974, le total des crédits accordés aux entreprises passe de 43 milliards de francs à 640 (soit une multiplication par 15), et celui aux ménages de 4,3 milliards à 238 (ils sont multipliés par plus de 55). Ainsi, les crédits accordés à l'économie croissent à un rythme annuel compris entre 15 et 20 % alors que le produit intérieur brut n'augmente en valeur que d'environ 10 % par an durant cette période.

En conséquence, la dette des ménages représente 15 semaines de leur revenu disponible en 1973 contre 2 en 1954 ; celle des entreprises passe dans le même temps de l'équivalent de 2,5 années d'autofinancement à 4 années, et leurs charges financières de 22 % de leurs profits en 1960 à 44 % en 1974.

### Endettement et inflation

Mais l'endettement est d'autant plus intéressant que l'inflation allège le poids des remboursements, et que le taux de rentabilité des investissements est supérieur au taux d'intérêt versé aux créanciers. Le taux d'intérêt réel (taux d'intérêt nominal moins taux d'inflation) devient négatif autour de 1974. Mais la remontée des taux d'intérêt qui va suivre va progressivement rendre plus coûteux l'endettement, alors que la conjoncture économique devient mauvaise. On assistera ainsi au début des années 80 à un processus de désendettement de la part des entreprises, alors que les ménages subissent le contrecoup de la hausse des taux d'intérêt réels.

Les entreprises, qui investissent moins, se tourneront alors durant les années 1983-1987 vers le financement par le biais d'obligations ou d'actions, auxquelles les épargnants commencent à s'intéresser ; mais la crise boursière d'octobre 1987 montre les limites de l'évolution vers une « économie de marché de capitaux ». De plus, le besoin de crédits de la part des ménages, pour pallier la stagnation du pouvoir d'achat des salaires et répondre aux sollicitations d'une publicité envahissante, et des entreprises à l'autofinancement insuffisant contribue également au recours accru au crédit bancaire : la croissance de l'endettement reste le pilier sur lequel repose la croissance des économies actuelles.

Il s'agit avant tout de rétablir la confiance dans la monnaie nationale, de financer les dépenses publiques tout en freinant la croissance des liquidités, et de rétablir l'équilibre extérieur : équilibrée en 1955, la balance commerciale affiche un déficit de 800 millions de dollars en 1956 et 950 en 1957 ; en 1958, le déficit se réduit à 300 millions de dollars, mais cela grâce à la baisse des importations, les exportations stagnant depuis 1956. Aussi, pour les stimuler, le franc est-il dévalué de 17,5 % en décembre 1958, 1 dollar valant alors 4,93 francs nouveaux.

Parallèlement, le plan Pinay-Rueff limite à 4 % la hausse annuelle des salaires dans la fonction publique et réduit les subventions aux entreprises nationales. On assiste de fait à une reprise de la croissance peu inflationniste de 1959 à 1962, grâce en particulier à une action dirigiste de l'État, fixant par l'intermédiaire du plan un objectif de croissance élevé : 5,5 % par an.

Mais une nouvelle poussée des prix conduit le ministre des Finances Valéry Giscard d'Estaing à mettre en œuvre en 1963 un nouveau plan de stabilisation : réduction des hausses de salaires, blocage des prix, nouveaux impôts (sur les plus-values foncières et les hauts revenus...), encadrements du crédit, emprunt de 2 milliards, réduction du déficit budgétaire pour 1964 (de 7 à 4,7 milliards de francs).

De fait, l'inflation recule en 1964 mais également les investissements et l'activité. La détérioration du climat social en 1964-1965 conduit à un assouplissement du « stop » qui permet une reprise de la croissance mais dans des conditions de partage des richesses et dans un contexte social morose expliquant l'explosion de mai-juin 1968.

# Un régime en sursis ? (1967-1968)

## « Godillots » et « contestataires »

*Dès 1966, chacun s'organise en vue du « troisième tour » de 1967, que la majorité gaulliste ne remporte que de justesse ; les oppositions au régime se multiplient alors.*

Compte tenu des résultats encourageants pour l'opposition lors de l'élection à la présidence de la République de décembre 1965, les différents partis préparent dès le début de l'année 1966 le « troisième tour » qui se produira en mars 1967, à l'occasion des futures législatives. C'est ainsi que le 5 janvier 1966 le gouvernement de Georges Pompidou (qui reste Premier ministre) est remanié : Michel Debré devient ministre des Finances à la place de Valéry Giscard d'Estaing dont la politique de stabilisation avait été impopulaire (ce dernier, qui en garde rancune au chef de l'État, fonde la Fédération des républicains indépendants en mars, et n'apportera qu'un soutien critique au pouvoir, symbolisé par son « oui, mais... » de janvier 1967) ; Edgar Faure est nommé ministre de l'Agriculture afin de régler le problème paysan, Jean-Marcel Jeanneney ministre des Affaires sociales pour s'attaquer à celui de l'agitation sociale (il aura à répondre au pacte d'unité d'action passé entre la CGT et la CFDT le 10 janvier 1966), et Edgard Pisani, à l'image plus à gauche, ministre de l'Équipement.

Le 2 février, Jean Lecanuet crée le Centre démocrate, qui regroupe essentiellement le MRP et le Centre national des indépendants et paysans ; en mars, la FGDS constitue un « contre-gouvernement » préfigurant celui qu'elle constituerait après la victoire électorale, et par-

vient à réaliser l'unité de candidature dans chaque cir-
conscription ; elle affirme ainsi sa crédibilité, d'autant
plus qu'elle signe le 20 décembre avec le parti communiste un accord de désistement en faveur du candidat le
mieux placé au premier tour des futures législatives.

## Les élections de 1967

Le début de l'année 1967 est marqué par de grands
débats dans le pays : c'est ainsi par exemple que Georges
Pompidou rencontre en public François Mitterrand le
22 février à Nevers et Pierre Mendès France le 27 février
à Grenoble. C'est l'occasion d'un affrontement entre
deux conceptions de la vie politique : la gauche dénonce
le régime de « pouvoir personnel », la mise au pas du
Parlement, la soumission inconditionnelle des « godil-
lots » gaullistes au bon vouloir du Général, et l'accroissement des inégalités sociales ; les gaullistes se font les
défenseurs des nouvelles institutions permettant à la
France d'être gouvernée, de retrouver son indépendance
et sa place dans le monde, de s'engager dans la voie de
la modernisation et de la croissance, face aux nostalgi-
ques du « régime des partis » ayant plongé la France
dans l'anarchie politique et le marasme économique.

Le résultat des élections sera quelque peu décevant
pour les gaullistes : le Comité d'action pour la V$^e$ République constitué à l'instigation du Premier ministre pour
imposer l'unité de candidature au sein de la majorité
sortante n'obtient que 37,7 % des suffrages exprimés au
premier tour du 5 mars 1967, soit moins que l'ensemble
des formations de gauche qui recueillent 43,3 % des voix
(22,4 % pour le parti communiste, 18,7 % pour la
FGDS, 2,2 % pour le PSU), le Centre démocrate recevant 13,4 % des suffrages. Malgré le système électoral

et le vote favorable des Français d'outre-mer, les députés gaullistes (au nombre de 200), qui se regroupent dans l'Union des démocrates pour la V<sup>e</sup> République (UDR), et leurs alliés républicains indépendants (qui ont 44 élus) ne disposent le 12 mars que d'une très étroite majorité absolue de députés : 247 sur 487. La FGDS, en dépit de son résultat décevant du premier tour, a 121 élus (76 SFIO, 24 radicaux, 16 CIR), le parti communiste, gagnant 32 sièges, a 73 élus, le centre démocrate 41, les « non-inscrits » 8.

### L'exercice solitaire du pouvoir

Le général De Gaulle n'entend pas pour autant infléchir sa politique : il maintient Georges Pompidou au poste de Premier ministre d'un gouvernement où le 7 avril entrent Jacques Chirac et Alain Peyrefitte, et obtient du Parlement l'autorisation de légiférer par ordonnances pour réaliser plusieurs réformes en matière économique (26 avril) ; cela provoque la démission d'Edgard Pisani (28 avril) et des manifestations contre les « pouvoirs spéciaux » (17 mai) ; durant l'été, et alors qu'est promulguée l'ordonnance sur l'intéressement des salariés aux bénéfices de leur entreprise, Valéry Giscard d'Estaing critique « l'exercice solitaire du pouvoir » (17 août). Sur le plan de la politique extérieure, le général de Gaulle critique la politique de l'État d'Israël après la guerre des Six Jours (5-10 juin 1967), effectue en juillet un retentissant voyage au Québec et se rend en Pologne au mois de septembre.

Puis au début de l'année 1968, une série de faits marquants se produisent dans le pays : des affrontements ont lieu sur les campus universitaires de Nanterre et de Caen (15 janvier) et dans cette même ville des heurts

## « Vive le Québec libre ! »

Poursuivant son tour du monde et sa politique visant à restaurer la libre parole de la France, le général De Gaulle se rend en juillet 1967 au Canada, et d'abord au Québec ; il y déclare assister à « l'avènement d'un peuple qui dans tous les domaines veut prendre en main ses destinées » avant de prononcer au balcon de l'hôtel de ville de Montréal son fameux « Vive le Québec libre ! Vive le Canada français ! », le 26 juillet. Ovationné par la foule, le Général décide de ne pas rejoindre la capitale fédérale Ottawa où cette déclaration est jugée très sévèrement par la majorité anglophone. Il s'agit bien d'une immixtion dans les affaires intérieures d'un État souverain, qui fera grand bruit, mais qui restera toutefois sans lendemain dans la mesure où les Canadiens français n'envisageront jamais sérieusement une sécession, et où la France s'abstiendra désormais de jeter de l'huile sur le feu.

opposent les grévistes de la SAVIEM aux forces de l'ordre (26 janvier) ; le 11 février, à Bordeaux, des étudiants et des ouvriers de l'usine Dassault manifestent ensemble, le 24 la FGDS et le parti communiste adoptent un programme d'action, et le 26 des enseignants du secondaire font grève alors que se tiennent les premiers meetings des comités d'action lycéens ; le 22 mars, de nouveaux incidents éclatent à Nanterre : à la suite de l'arrestation de manifestants contre la guerre du Viêt-nam, des étudiants occupent les bâtiments administratifs ; à leur tête se trouve Daniel Cohn-Bendit qui constitue le Mouvement du 22 mars (en janvier, il avait interpellé le ministre François Missoffe, lui reprochant d'avoir écrit « 600 pages d'inepties sur la jeunesse ») ; l'université sera fermée, ce qui tendra à déplacer l'agitation vers le Quartier latin.

# Mai-juin 1968

### Psychodrame ou révolution ?

*Après avoir failli être emportés par les « événements »
de 1968, le pouvoir gaulliste et les institutions sortent
renforcés de l'épreuve.*

Les « événements » de 1968 commencent dans l'après-
midi du vendredi 3 mai, à la suite de l'entrée de la police
dans la Sorbonne afin d'appréhender des étudiants d'extrême gauche qui s'y étaient barricadés. Aux yeux de
ceux qui assistent à la scène, cela représente un viol
inacceptable des vieilles franchises universitaires : les
voitures de police sont bombardées de projectiles divers
pris sur les chantiers du Quartier latin. La police, un
moment débordée, réplique en chargeant les regrou-
pements étudiants (matraquant au passage les simples
passants et les consommateurs aux terrasses des cafés) et
en lançant des grenades lacrymogènes qui asphyxient les
automobilistes pris au piège d'un gigantesque embou-
teillage. Les radios relatant en direct l'événement, bon
nombre d'étudiants accourent, alors que des renforts de
police sont envoyés rétablir l'ordre : les affrontements se
poursuivront une bonne partie de la soirée.

Dès le lendemain, la mobilisation estudiantine se
développe : les universités parisiennes se mettent en
grève les unes après les autres, des cortèges se forment
ici et là dans la capitale, ponctués de petits accrochages
avec la police. L'Union nationale des étudiants de France
(UNEF), présidée par Jacques Sauvageot, le Mouvement
du 22 mars de Daniel Cohn-Bendit, la majorité du Syndicat national de l'enseignement supérieur (SNE-Sup.)
organisent tous les soirs de grandes manifestations pour

---

**Des slogans et des images**

Le mois de mai 1968 est celui des formules chocs et des images parlantes : « Libérez nos camarades », « Les flics hors des facs », « CRS = SS », « À bas l'État policier » expriment la révolte face à l'« ordre » et à la « répression ». « Nous sommes tous des Juifs allemands », crié en solidarité avec D. Cohn-Bendit, marque la dimension « internationaliste » et « antifasciste » du mouvement. Le chant de « l'Internationale », de « la Jeune Garde », les slogans « Le pouvoir est dans la rue », « Élections-trahison » en expriment la dimension « révolutionnaire ». Les affiches couvrant les murs du Quartier latin, comme les dessins du journal *Action* publié à partir du 8 mai, illustrent également la condamnation de la brutalité policière, de la répression patronale et culturelle, et font l'éloge de la liberté de parole, de mœurs et de création (« Il est interdit d'interdire »).

---

exiger le retrait des forces de l'ordre du Quartier latin, la réouverture de la Sorbonne et la libération des étudiants emprisonnés. Le mardi 7, plusieurs dizaines de milliers d'étudiants traversent Paris, remontent les Champs-Élysées et chantent « l'Internationale » devant la tombe du Soldat inconnu.

Le vendredi 10, une foule considérable encercle littéralement la Sorbonne, toujours « protégée » par les forces de l'ordre ; cette fois-ci les manifestants ne se dispersent pas et des pourparlers engagés tard dans la soirée avec le préfet de police échouent ; les étudiants dressent alors des barricades pour établir un « camp retranché » qui sera pris d'assaut par la police au cours d'une nuit d'émeute.

Le lendemain la France est en état de choc.

---

**La « nuit des barricades » (10-11 mai 1968)**

Les manifestants dépavent les rues, constituent des barricades, en particulier rue Gay-Lussac. Vers 2 h 30 du matin, ils sont encore plusieurs milliers quand la police reçoit l'ordre d'attaquer : elle est accueillie par des jets de pierres et de cocktails Molotov, incendiant les barricades et plusieurs dizaines de voitures. Les affrontements dureront jusqu'à l'aube, les manifestants les plus durs, casqués, armés de barres de fer, utilisant des couvercles de poubelles comme boucliers, résistent aux charges des CRS, au milieu des flammes et de la fumée des grenades lacrymogènes. Il y aura environ mille blessés et cela permettra à la presse du samedi d'en faire ses gros titres et de publier les photos d'un Quartier latin dévasté. Mais il n'y eut aucun mort.

---

### Le 13 mai et ses suites

Les grandes centrales syndicales décident alors d'appeler pour le lundi 13 mai à une journée de grève générale et à une grande manifestation parisienne de protestation contre les « brutalités policières ».

Bien que le Premier ministre Georges Pompidou, ait déclaré qu'il rouvrirait la Sorbonne, cette manifestation réunit près de 800 000 personnes de la gare de l'Est à Denfert-Rochereau et pose d'autres problèmes que ceux du petit monde des étudiants : les grandes personnalités de la gauche font partie du cortège (François Mitterrand, Pierre Mendès France, Guy Mollet, Waldeck Rochet) et profitent de l'occasion pour dénoncer l'autoritarisme du pouvoir ; mais surtout les plus jeunes des ouvriers qui ont manifesté le 13 mai refusent de reprendre le travail ; à l'instar des étudiants qui occupent la Sorbonne dès le soir du 13 mai, des grèves avec occupations d'usines

éclatent un peu partout dans le pays : d'abord à
Nantes (Sud-Aviation) le 14, puis le lendemain dans
diverses usines Renault, ainsi qu'à la RATP et à la
SNCF ; les syndicats, un instant débordés, prennent le
train en marche et demandent des augmentations de
salaires et l'amélioration des conditions de travail ; à la
fin de la semaine, on dénombre près de 2 millions de
grévistes.

Durant cette même semaine, la contestation a gagné
le monde de la culture avec l'occupation du théâtre de
l'Odéon, le mercredi 15, dont le directeur Jean-Louis
Barrault s'est associé au mouvement ; le lundi 20 ce sont
des journalistes de l'ORTF qui réclament « l'objectivité de l'information ». La France, paralysée par les
grèves et la fermeture de nombreuses pompes à essence,
est traversée par une agitation qui n'épargne même pas
le CNPF, occupé pendant deux heures le 21 mai par un
commando de cadres. Ce même jour on compte environ
10 millions de grévistes.

Si le Parlement amnistie le 22 mai les auteurs d'actes
de violence effectués durant les manifestations, l'agitation ne cesse pas pour autant : les étudiants manifestent
leur solidarité avec Daniel Cohn-Bendit, interdit de
séjour en France, et des écrivains occupent le 23 la
Société des gens de lettres.

Le vendredi 24, de violents affrontements se produisent à Lyon (où un commissaire de police est écrasé par
un camion) et le soir à Paris : alors que le général De
Gaulle annonce à la radio un référendum sur la participation, une nouvelle manifestation partie de la gare de
Lyon tourne à l'émeute : de violents heurts se produisent, le feu est mis à la Bourse et plusieurs commissariats
sont attaqués.

### *Les accords de Grenelle*

Pour sortir de la crise, Georges Pompidou décide de réunir le lendemain 25 mai, rue de Grenelle, les représentants des syndicats ouvriers et patronaux en présence de ceux du gouvernement (le Premier ministre, assisté du ministre des Affaires sociales Jean-Marcel Jeanneney, de Jacques Chirac, secrétaire d'État à l'Emploi, d'Édouard Balladur...). Pendant près de trente heures, jusqu'à l'aube du lundi 27, les négociations se poursuivent et se terminent par un protocole d'accord.

Les concessions importantes faites par le patronat semblent satisfaire les syndicats et Georges Séguy, secrétaire général de la CGT, qui se rend aussitôt à Billancourt les annoncer aux grévistes. La réaction de la base est négative : sous les huées, il doit convenir après coup que ces « accords » sont insuffisants.

---

**Les accords de Grenelle**

Ils prévoient en particulier une forte augmentation du SMIG (environ 35 %), une hausse des autres salaires d'environ 10 % à réaliser en deux fois, la reconnaissance de la section syndicale d'entreprise, la diminution du ticket modérateur de la Sécurité sociale, le paiement à 50 % des heures de grève ; sont également envisagées la réduction d'une heure de la durée hebdomadaire du travail, une meilleure formation du personnel, la revalorisation de la retraite des vieux travailleurs. Pour les éléments « révolutionnaires » qui veulent faire de ce vaste mouvement un instrument de remise en cause du pouvoir capitaliste, comme pour la plupart de ceux qui voudraient obtenir des changements substantiels concernant les conditions de travail et la définition des tâches, il ne s'agit que de quelques avantages « quantitatifs » qui s'évaporeront avec l'inflation. Repoussés par la base qui désavoue les directions syndicales, ils ne seront pas signés, mais un certain nombre de dispositions seront toutefois appliquées (en particulier concernant les augmentations de salaires).

## *La crise politique*

La situation apparaît donc totalement bloquée. Bien plus, ce même 27 mai, une nouvelle manifestation estudiantine suivie d'un grand meeting au stade Charléty a lieu à l'appel de l'UNEF, du PSU de Michel Rocard, et d'une partie de la CFDT ; Pierre Mendès France y assiste. Les propos qui y sont tenus affirment que la solution à la crise est « révolutionnaire ». Il est vrai que plus rien ne fonctionne dans le pays et que, au sein de la haute administration comme dans les ministères, les responsables « préparent leurs valises ». Cependant la classe politique traditionnelle ne veut pas se laisser déborder : le lendemain 28 mai, François Mitterrand donne une conférence de presse durant laquelle il constate la vacance du pouvoir et propose la constitution d'un gouvernement provisoire présidé par P. Mendès France ; il demande l'élection d'un nouveau président de la République et pose aussi sa candidature. De même, le parti communiste, dénonçant « l'anticommunisme » des gauchistes de Charléty, appelle à la formation d'un « gouvernement populaire ».

Le pouvoir de la rue et la détermination ouvrière vont-ils avoir raison du régime et du « plus illustre des Français » ? On peut le penser quand le 29 mai les milieux « bien informés » apprennent que le général De Gaulle a quitté la capitale pour une destination inconnue. On apprendra qu'il s'est rendu en hélicoptère rencontrer à Baden-Baden le général Massu, commandant en chef des forces françaises en Allemagne. On ne saura jamais pour quelle raison. Allait-il s'assurer de la fidélité de l'armée ? Ou bien s'agissait-il d'une mise en scène destinée à créer une peur du vide favorisant son retour ?

## *Le 30 mai et ses conséquences*

Toujours est-il que le lendemain 30 mai le chef de l'État, après un entretien avec le Premier ministre qui lui demande d'abandonner le projet de référendum, effectue une brève déclaration à la radio où d'un ton ferme il dénonce la subversion communiste, annonce la dissolution de l'Assemblée, la constitution d'un gouvernement de transition avec à sa tête Georges Pompidou, et des élections pour le mois de juin. Il appelle ainsi le pays à se prononcer démocratiquement sur la politique à suivre dans le cadre de la continuité des institutions de la Ve République.

Le soir même, une foule de près d'un million de personnes (gaullistes modérés et « majorité silencieuse » ayant repris confiance) défile sur les Champs-Élysées derrière André Malraux, Michel Debré, François Mauriac..., en chantant « la Marseillaise » et en brandissant des drapeaux tricolores. L'espoir a changé de camp. Le 31 mai, Georges Pompidou forme son gouvernement d'où disparaissent les acteurs du mois de mai. Une page vient d'être tournée.

La gauche institutionnelle ne peut dès lors qu'accepter le verdict des urnes. Seuls le PSU et les étudiants gauchistes dénoncent les « élections-trahison ». Et s'ils tentent d'établir un front uni avec les ouvriers grévistes, les efforts de la CGT pour éviter les contacts avec ces « éléments incontrôlés et irresponsables » sont couronnés de succès. Les « révolutionnaires » étudiants, au demeurant très marginaux, ne parviendront pas à entraîner la classe ouvrière dans l'insurrection. Pourtant, le 7 juin, un lycéen pourchassé par les CRS meurt noyé dans la Seine après des affrontements à Renault-Flins. À Peugeot-Montbéliard deux manifestants sont tués par

balles. Le Quartier latin est encore le théâtre d'affrontements nocturnes où des arbres sont abattus et des voitures incendiées : mais il ne s'agit là que de combats
d'arrière-garde. Petit à petit le travail reprend dans le
pays. L'Odéon est évacué le 14 juin et la Sorbonne le 16 ;
le 18 la grève a cessé chez Renault.

À l'approche des élections, le pays a presque retrouvé
son image « normale ».

### Les élections législatives

Le premier tour a lieu le 23 juin : il voit un succès
considérable des partisans de la majorité, qui a su de plus
se réconcilier avec les anciens de l'Algérie française (le
général Salan a été gracié le 15 juin ; Georges Bidault et
Jacques Soustelle ont été autorisés à rentrer en France).

Ainsi, les gaullistes regroupés dans la nouvelle
Union pour la défense de la République (UDR) obtiennent plus de 43 % des suffrages exprimés, les républicains indépendants plus de 4 %, le centre (Progrès et
Démocratie moderne) plus de 10 % ; le parti communiste ne recueille que 20 % des voix, la FGDS 16,5 %
et le PSU, qui a pourtant présenté plus de 300 candidats
et qui défend seul les thèmes du mois de mai, moins
de 4 %.

À l'issue du second tour, le triomphe gaulliste est
total : l'UDR a 293 élus (sur 487), les républicains
indépendants 61, la FGDS (qui perd 64 sièges) 57, le
PC (qui en perd 39) 34, le centre 33, les « non-inscrits » 9 : l'UDR dispose désormais à elle seule d'une
confortable majorité absolue. La « révolution » de 1968
est bien terminée.

---

### « Changer la vie »

Pour ceux qui ont 20 ans en 1968, le général De Gaulle, présente l'image insupportable d'un père autoritaire et conservateur. Pour les étudiants influencés par le marxisme, il est l'expression du « capitalisme monopoliste », ayant besoin d'un pouvoir fort pour imposer la concentration industrielle aux petites entreprises, et l'ordre social aux salariés exploités.

Les idées gaulliennes de « participation » ne sont donc à leurs yeux qu'un leurre destiné à intégrer la classe ouvrière. Mais la révolte vise moins la personne même du Général que les valeurs traditionnelles qu'il incarne, le mythe de la « société de consommation » et la morale sexuelle toujours rigoureuse. Il s'agissait donc de remettre en cause tous les pouvoirs, les hiérarchies et les interdits afin de « changer la vie ».

---

# Le départ du Général

## Une fin inattendue (1968-1969)

*Voulant poursuivre la réforme des institutions, Charles De Gaulle essuie un échec personnel qui le décide à se retirer définitivement de la vie politique en avril 1969.*

L'été 1968 est calme. Les ouvriers ont repris le travail avant de partir en vacances. Les étudiants préparent leurs examens repoussés en septembre. Le Général a repris fermement en main les rênes du pouvoir : le 10 juillet, il remplace Georges Pompidou par Maurice **Couve de Murville** (ministre des Affaires étrangères depuis dix ans). Cette nomination surprend : Pompidou avait été l'un des principaux artisans du rétablissement de l'ordre et de la victoire électorale du mois de juin. Il va désormais être placé « en réserve de la République ».

Fin juillet, de nombreux journalistes « contesta-taires » sont licenciés à l'ORTF. En août, Edgar **Faure**, nouveau ministre de l'Éducation nationale, prépare un projet de « loi d'orientation universitaire » que l'Assem-blée nationale adopte le 12 novembre par 441 voix contre zéro et 39 abstentions.

---

### La loi d'orientation universitaire

Préparée durant l'été par une équipe d'universitaires ré-formistes formée par Edgar Faure, elle prévoit une plus grande autonomie des universités, la participation des étudiants à leur gestion par l'intermédiaire de conseils d'université élus, et la constitution d'unités d'enseigne-ment et de recherche (UER) pluridisciplinaires. Elle cherche à répondre aux aspirations émises par le milieu étudiant en mai, et souvent exprimées dans les « commis-sions » et « assemblées générales » remettant en cause le « mandarinat » professoral, les cours magistraux, les exa-mens « couperets » et le dogmatisme du savoir. Mais elle constitue aussi un moyen pour diviser les contestataires et intégrer dans l'institution le maximum d'étudiants, conduisant les « gauchistes » à se marginaliser en dénon-çant le piège de la participation et en s'y opposant parfois par la force.

---

### *Un mécontentement diffus*

Mais l'attention du pays est attirée par d'autres pro-blèmes : l'invasion de la Tchécoslovaquie par les chars soviétiques le 20 août, qui a mis un terme au « prin-temps de Prague », a achevé d'enterrer les rêves de la jeunesse de constituer une société plus libre, et encoura-gé l'anticommunisme de ceux qui avaient condamné par leur vote l'agitation gauchiste de mai-juin.

D'autre part, on redoute les retombées économiques des grèves et des augmentations de salaires ; les sorties de capitaux durant l'été ont certes été freinées par le contrôle des changes, mais se sont accélérées lors de sa levée, accompagnée de mesures impopulaires parmi les milieux favorisés consistant en une augmentation des droits de succession et des impôts sur les hauts revenus ; on s'attend de plus à une dévaluation du franc pour permettre une relance des exportations, désavantagées par la hausse des coûts de production, ce qui accroît la spéculation contre la monnaie nationale.

Pourtant, à la fin de l'année, la dévaluation n'a pas eu lieu, les gains de productivité ont permis de limiter l'inflation et de relancer la production. Par ailleurs, Paris voit s'ouvrir en décembre les préliminaires des négociations qui conduiront à la fin de la guerre du Viêt-nam.

Mais si l'année 1969 semble s'ouvrir dans des conditions favorables, un faisceau de mécontentements se forme dans le pays : celui des salariés, dont les augmentations de traitements sont rognées par l'inflation et qui n'obtiennent pas de nouvelles hausses de salaires (une journée de grèves et de manifestations aura lieu le 11 mars) ; celui des chefs d'entreprise, souhaitant une dévaluation pour stimuler les exportations ; celui des petits entrepreneurs, supportant mal la hausse du SMIG ; celui enfin d'un certain nombre de personnalités de la majorité critiquant indirectement le chef de l'État.

C'est ainsi que Georges Pompidou déclare le 17 janvier 1969 qu'il serait candidat si le général De Gaulle venait à se retirer, et que Valéry Giscard d'Estaing laisse entendre qu'il est en désaccord avec la politique monétaire du ministre des Finances François-Xavier Ortoli. C'est dans ce contexte que le général De Gaulle annonce le 2 février le référendum sur la régionalisation et la réforme du Sénat.

### Les derniers projets du Général

Ce double projet de réformes avait été entrepris depuis l'été 1968 par Jean-Marcel Jeanneney.

D'une part il s'agit d'amorcer une déconcentration du pouvoir étatique central, par la régionalisation : elle consiste à créer des conseils régionaux composés de trois cinquièmes d'élus (conseillers généraux et délégués de conseils municipaux) et de deux cinquièmes de représentants de chambres professionnelles, de syndicats ou d'associations ; ces élus locaux et ces « forces vives de la nation » auraient à traiter des problèmes d'aménagement du territoire ou de planification concernant leur région.

D'autre part, et cela pour des raisons qui semblent peu évidentes aux observateurs, le second projet transforme l'ancien Sénat en une sorte de Grand Conseil économique et social représentant aussi bien les collectivités territoriales que les forces économiques, sociales et culturelles : certains de ses membres (173) seraient élus pour six ans par des grands électeurs (conseillers régionaux et généraux, délégués des conseils municipaux) ; d'autres (146) seraient nommés par des organisations représentatives de la vie économique, sociale et culturelle. Mais ce nouveau Sénat n'aurait plus qu'un rôle consultatif : l'Assemblée nationale serait tenue de lui soumettre ses projets de loi, mais n'aurait pas à en suivre les avis : elle resterait donc seule investie de la fonction législative. De plus, en cas de disparition du chef de l'État, ce ne serait plus le président du Sénat mais le Premier ministre qui assurerait l'intérim.

### Le référendum du 27 avril 1969

L'opposition des sénateurs à cette réforme réduisant leurs attributions étant certaine, le général De Gaulle, comme il l'avait fait en 1962, la propose directement au pays sous la forme d'un référendum. Mais, désireux de se rassurer sur sa popularité, après les événements de 1968, et ayant renoncé alors au référendum sur la participation, il en fait un plébiscite : si les non l'emportent, il se retirera.

La gauche appelle à voter «non» au référendum pour tenter de prendre sa revanche sur 1968. Il en est de même de certaines personnalités politiques proches de la majorité, comme V. Giscard d'Estaing, le président du Sénat Alain Poher et Jean Lecanuet. De plus, une partie du patronat est devenue hostile à la politique économique suivie depuis plusieurs mois, et se demande si le «non» ne serait pas le meilleur moyen d'en finir avec le dirigisme gaulliste. Et si Georges Pompidou appelle à voter oui, tout le monde sait que la droite disposera en lui d'un candidat rassurant.

Les sondages effectués à la mi-avril prévoient encore 52 % de oui. Mais ceux effectués à la fin de la campagne laissent penser à la victoire du non ; le 27 avril, celui-ci obtient effectivement 53,2 % des suffrages exprimés. Dès l'aube du lendemain 28 avril 1969, le président de la République publie un bref communiqué annonçant qu'il cesse d'exercer ses fonctions, et que cette décision prend effet à midi.

Le général De Gaulle se retire alors définitivement de la scène politique.

---

### La dernière année de Charles De Gaulle

Durant la campagne électorale désignant son successeur, il quitte la France pour un voyage en Irlande. Puis il se retire à Colombey-les-Deux-Églises où il meurt le 9 novembre 1970. Une foule immense lui rendra un dernier hommage en défilant sur les Champs-Élysées.

# La présidence de Georges Pompidou
## (1969-1974)

### Rester gaulliste

*Débutant sous le signe de l'ouverture vers le centre gauche, l'ère « pompidolienne » se poursuit par un raidissement conservateur avant d'être interrompue par la mort du président de la République.*

Après le départ du général De Gaulle, l'intérim du pouvoir est exercé par le président du Sénat Alain Poher.

### L'élection présidentielle (juin 1969)

Georges Pompidou, immédiatement candidat, reçoit le soutien de l'UDR, de Giscard d'Estaing et d'une fraction des républicains indépendants, ainsi que celui d'une partie des « centristes d'opposition » tels que René Pleven, Jacques Duhamel ou Joseph Fontanet. Il trouve en face de lui Alain Poher, bénéficiant de l'appui de la droite libérale, d'une partie du centre, de l'extrême droite antigaulliste, et d'une partie de la gauche non communiste.

François Mitterrand, président d'une FGDS en voie de décomposition, ne s'est pas lancé dans cette compétition hasardeuse.

Au premier tour de l'élection présidentielle qui a lieu le 1er juin, la gauche non communiste connaît un grave échec : M. Rocard et A. Krivine, qui représentent l'héritage du gauchisme de mai 1968, n'obtiennent que 3,6 % et 1,1 % des suffrages exprimés ; G. Defferre, soutenu par P. Mendès-France, mais mollement par la SFIO, ne recueille que 5 % des voix ! En revanche, le communiste Jacques Duclos, jovial et habile orateur, obtient 21,3 % des voix. Il talonne A. Poher, qui avec

---

**Georges Pompidou  (1911-1969)**

Né à Monboudif dans le Cantal, fils d'instituteur, il accède à l'École normale de la rue d'Ulm, est reçu premier à l'agrégation de lettres. Il publiera une *Anthologie de la poésie française*. Il devient chargé de mission auprès du ministre de l'Information de 1944 à 1946, puis est nommé au Conseil d'État. Il exerce aussi des responsabilités au sein de la banque Rothschild, avant de diriger le cabinet du général De Gaulle de septembre 1958 à janvier 1959. Il retourne ensuite à la banque, tout en effectuant des missions secrètes auprès du FLN. Inconnu du grand public, il est nommé Premier ministre par le général De Gaulle en avril 1962. Évincé en juillet 1968, il redevient simple « député du Cantal » tout en cherchant à apparaître comme le successeur potentiel du Général, malgré les retombées de l'obscure « affaire Markovic ».

---

23,3 % des suffrages s'opposera au second tour à G. Pompidou, qui obtient près de 44,5 % des voix. Mais on compte 23,4 % d'abstentions, et de votes blancs ou nuls.

Cependant, compte tenu de l'abstention au second tour d'une grande partie de l'électorat communiste (pour le PC, Pompidou et Poher, « c'est blanc bonnet et bonnet blanc »), Pompidou est élu le 15 juin 1969 avec 58,2 % des suffrages exprimés, contre 41,8 % à A. Poher. Mais plus de 31 % des inscrits se sont abstenus, et 4,4 % ont voté blanc ou nul.

### Le gouvernement Chaban-Delmas (1969-1972).

Le nouveau président de la République confie alors à Jacques **Chaban-Delmas** le poste de Premier ministre pour constituer un gouvernement assurant « l'ouverture dans la continuité » ; il va en effet comprendre des gaullistes « historiques », comme Michel Debré, qui devient ministre de la Défense nationale, et Maurice Schumann qui est nommé ministre des Affaires étrangères. Mais l'on y trouve aussi Valéry Giscard d'Estaing, revenant aux Finances, et les centristes qui avaient soutenu la candidature Pompidou : René Pleven (nommé à la Justice), Joseph Fontanet (devenant ministre du Travail) et Jacques Duhamel (à l'Agriculture).

---

### Jacques Chaban-Delmas

Né à Paris en 1915, il s'engage dans la Résistance, participe à la libération de Paris et est nommé général de brigade. Député de la Gironde en 1946, il devient maire de Bordeaux à partir de 1947. Trois fois ministre durant la IVe République, il est élu président de l'Assemblée nationale en 1958, et de nouveau de 1978 à 1981. Grande figure du « gaullisme historique », il sera « trahi » en 1974 par Jacques Chirac et d'autres élus UDR qui soutiendront contre lui la candidature de V. Giscard d'Estaing à la présidence de la République.

---

Mais Jacques Chaban-Delmas, voulant reprendre et élargir les idées gaullistes de « participation » se donne pour objectif de réaliser une « nouvelle société » permettant le dialogue entre les différents groupes socioprofessionnels et substituant la négociation et l'idée de contrat social aux anciennes oppositions irréductibles. Il s'entoure pour cela de conseillers sociaux-démocrates tels Jacques Delors ou Simon Nora (ex-collaborateur de P. Mendès France), et cherchera à mener à bien une politique contractuelle associant aux décisions publiques les syndicats ouvriers et patronaux. Cela conduira à la mensualisation de tous les salaires et à la création en janvier 1970 du salaire minimum interprofessionnel de croissance (SMIC), intégrant dans son calcul l'évolution de la conjoncture économique. Ces mesures restent toutefois fort modestes, mais la majorité plus conservatrice de l'entourage du président de la République s'inquiète de la prétention réformatrice des conseillers du Premier ministre, comme de ses initiatives visant à libéraliser l'ORTF.

D'autre part, la réorganisation de la gauche en 1969-1971, les scandales financiers qui éclatent fin 1971, puis les accusations de fraude fiscale lancées contre le Premier ministre début 1972 affaiblissent encore la situation de J. Chaban-Delmas. Les choses vont encore plus mal quand le président de la République décide de soumettre aux Français, sous forme de référendum, le projet d'adhésion de la Grande-Bretagne à la Communauté économique européenne : le 23 avril 1972, les oui l'emportent avec 68,3 % des suffrages exprimés ; mais on a compté près de 40 % d'abstentions et 7 % de bulletins blancs ou nuls ; on attribuera cette désaffection de l'électorat au manque de persuasion du Premier ministre. Aussi, bien que le gouvernement de Chaban-Delmas ait obtenu le 24 mai un vote de confiance de l'Assemblée (par 368 voix contre 96), G. Pompidou décide de le remplacer par une personnalité mieux à même, à ses yeux, de mobiliser l'électorat gaulliste en vue des élections législatives de l'année suivante.

### Le gouvernement Messmer et les législatives (1972-1973).

Le 5 juillet, Pierre **Messmer** devient Premier ministre. Ancien combattant de la France libre et ministre de la Défense du général De Gaulle, président de l'association Présence et action du gaullisme, il incarne la fidélité à la mémoire du président disparu. Mais sa présence à la tête du gouvernement signifie aussi un infléchissement vers le conservatisme social et un renforcement de l'autorité du chef de l'État : P. Messmer apparaît en effet comme une personnalité politique relativement effacée, derrière celle de Georges Pompidou. Il appelle auprès de lui des gaullistes peu portés vers l'ouverture, tels Jean Foyer ou Philippe Malaud alors que le député UDR Arthur Conte est nommé à la direction de l'ORTF.

Ce gouvernement de combat, destiné à resserrer les rangs de la majorité pour faire face à la gauche unie, signataire du « programme commun », se dote lui aussi d'un projet social, le « programme de Provins », énoncé dans cette ville par Pierre Messmer le 7 janvier 1973. Il pousse à la constitution d'une « Union des républicains

---

### Le nouveau PS et le programme commun

Après le cuisant échec de Gaston Defferre en juin 1969, la SFIO se transforme en un nouveau parti socialiste lors de son congrès d'Issy-les-Moulineaux. A. Savary remplace G. Mollet à sa tête, alors qu'y adhèrent un certain nombre de clubs socialistes. Puis en juin 1971 se tient le congrès d'Épinay, qui voit l'entrée de la Convention des institutions républicaines de F. **Mitterrand**. Celui-ci obtient l'appui des anciens SFIO P. Mauroy et G. Defferre, et du CERES marxisant de J.-P. Chevènement pour remplacer A. Savary à la tête du PS. Un programme est alors publié, qui est de « changer la vie » par une transformation radicale des structures sociales et une « rupture avec le capitalisme ». Ce « gauchissement » du PS permet un rapprochement avec le parti communiste et la signature d'un « programme commun de gouvernement » en juin 1972 : il se contente d'énoncer quelques orientations générales, telles que la nationalisation de plusieurs groupes industriels, mais permet de réaliser « l'union de la gauche ».

de progrès pour le soutien au président de la République » (URP), qui recueille au premier tour des élections législatives du 4 mars 1973 37,3 % des suffrages exprimés (représentant eux-mêmes 80 % des inscrits). Le parti communiste en obtient 21,4 %, le parti socialiste et le Mouvement des radicaux de gauche (créé par Robert Fabre en octobre 1972) 20,7 %, l'extrême gauche 3,3 % et le Mouvement réformateur (regroupant le parti radical dont Jean-Jacques Servan-Schreiber avait pris la direction en octobre 1970, et le Centre démocrate de Jean Lecanuet) près de 13 %. Ces résultats sont proches de ceux du premier tour de 1967, comme si les événements de 1968 et la signature du programme commun PS-PC n'avaient finalement eu aucun effet sur le corps électoral.

La clé du second tour dépend toutefois de l'attitude des « réformateurs ». Or ceux-ci vont se diviser : J.-J. Servan-Schreiber, élu député de Nancy lors d'une élection partielle en 1970, veut avant tout abattre l'État UDR alors que Jean Lecanuet appelle à s'opposer au péril socialo-communiste, amorçant ainsi son ralliement à la majorité. Aussi le report des voix centristes permet-il l'élection, le 11 mars 1973, de 183 députés UDR ; les républicains indépendants en obtiennent 55, l'Union centriste, proche de la majorité, 30, le parti socialiste 100 et les radicaux de gauche 3, le parti communiste 73, et les réformateurs d'opposition 34 : l'UDR et ses alliés disposent donc d'une confortable majorité de 268 sièges sur 490.

### La dernière année (1973-1974)

Le président Pompidou reconduit alors Pierre Messmer à la tête d'un gouvernement où entrent l'austère Jean Royer, maire de Tours, l'intransigeant Maurice Druon,

Michel Poniatowski, fidèle de V. Giscard d'Estaing, et l'inattendu Michel Jobert.

Le pouvoir, pourtant renforcé, doit cependant faire face à une série de difficultés : l'agitation se poursuit dans les universités (en particulier contre la loi Debré votée en 1970 et réformant le système des sursis) et conduit en juin à la dissolution de la Ligue communiste trotskiste (comme à celle d'Ordre nouveau, mouvement d'extrême droite) après de violents affrontements avec la police.

---

### L'agitation gauchiste

Une certaine effervescence continue à régner dans le milieu estudiantin, et des affrontements sporadiques opposent les militants des différents groupes « gauchistes » (PSU, maoïstes de la Gauche prolétarienne », trotskistes de la Ligue communiste) aux groupuscules d'extrême droite voulant chasser les « marxistes » de l'université. De grandes manifestations contre le régime franquiste ou le coup d'État au Chili se produisent également. Mais les tentatives d'action clandestine des maoïstes resteront sans lendemain (leur chef Alain Geismar étant même emprisonné) comme les efforts de rapprochement avec le monde ouvrier. Le meurtre d'un militant maoïste, Pierre Overney, le 26 février 1972 par un vigile devant les usines Renault de Billancourt sera certes l'occasion d'une manifestation, le 4 mars, réunissant près d'un demi-million de personnes lors de ses obsèques. Mais elle n'aura pas de suite. La fin de la guerre du Viêt-nam, l'union de la gauche et la perspective d'une victoire électorale auront sans doute contribué à désarmer les héritiers de Mai 1968.

---

Les grèves ouvrières tendent à se multiplier, et à Besançon les employés de chez Lip refusent la fermeture de leur entreprise ; durant l'été ils bénéficient d'un grand mouvement de solidarité et une manifestation nationale rassemblant les syndicats ouvriers, mais aussi divers mouvements gauchistes, se déroule à Besançon ; ces derniers avaient également participé à « l'occupation » du Larzac pour protester contre l'extension d'un camp militaire. Puis en octobre, le président Pompidou essuie un échec personnel : désirant réduire à cinq ans la durée du mandat présidentiel, mais voulant éviter de recourir au référendum, il emprunte la procédure constitutionnelle. La réforme doit ainsi être votée d'abord séparément par les deux Chambres, puis par un Congrès commun ; celles-ci adoptent bien le projet, par 270 voix contre 211 à l'Assemblée nationale, et par 162 voix contre 112 au Sénat, mais la majorité requise des trois cinquièmes n'est pas atteinte. G. Pompidou retire alors sa proposition.

On assiste parallèlement à une aggravation de la situation économique : le ralentissement de la croissance, la montée du chômage et de l'inflation, déjà sensibles durant l'année 1973, se précisent à partir de l'automne quand se produit le premier « choc pétrolier ». La guerre du Kippour a en effet provoqué en octobre un embargo sur le pétrole produit par les pays arabes, suivi d'une augmentation brutale et considérable des prix du brut. Cela va entraîner une vive tension sur les prix et une récession mondiale. Le gouvernement semblant par trop passif face à une crise qui se précise, sa popularité est au plus bas. Le 28 février, Pierre Messmer démissionne, pour constituer aussitôt un troisième gouvernement où entre Jacques **Chirac** nommé ministre de l'Intérieur. Mais deux mois plus tard, le 2 avril 1974, on apprend la mort du président de la République, diminué depuis plusieurs mois par une éprouvante maladie, que

laissaient supposer ses dernières et rares apparitions officielles. L'incertitude concernant son état de santé et ses
difficultés à assumer ses fonctions avaient d'ailleurs
contribué à amplifier le malaise politique et à donner à
la France l'impression de ne plus être véritablement
gouvernée. Le président du Sénat, Alain Poher, exerce
de nouveau l'intérim de la présidence de la République.

# La croissance inflationniste
# (1969-1973)

## La fin des « trente glorieuses »

*La fin des années 1960, avec les accords de Grenelle,
et le début des années 1970, avec leurs prolongements
constitués par d'importances hausses de salaires négociées, représentent l'aboutissement d'une évolution en
profondeur du mode de fonctionnement du capitalisme
industriel, déjà à l'œuvre durant la croissance des deux
décennies précédentes.*

Au XIXᵉ siècle, les déséquilibres sur les différents marchés (excès ou insuffisance de la main-d'œuvre par rapport aux besoins de l'industrie, pénurie ou surproduction
de marchandises par rapport à la demande solvable...) se
traduisaient par des fluctuations des prix nominaux et
par des cycles d'activité récurrents, permettant de parler
de « régulation concurrentielle ». En effet, la concurrence entre offreurs et demandeurs de tout bien ou service se traduisait par des hausses ou des baisses de la
production et des prix, sans que l'État intervienne pour
infléchir l'évolution « spontanée » de l'économie.

## La « régulation monopoliste »

Mais dès la fin du XIX<sup>e</sup> siècle, la concentration industrielle, l'essor des organisations ouvrières, la légalisation
des syndicats et la création des partis socialistes...
permettent aux salariés d'obtenir des augmentations régulières de rémunérations nominales : pour maintenir
la rentabilité du capital, les entreprises augmentent
désormais leurs prix, cette tendance à la hausse étant
accélérée par les effets de la Première Guerre mondiale.
La grande crise de 1929 remet provisoirement en cause
ce phénomène, qui reprend pourtant à partir de 1936,
et après la Seconde Guerre mondiale.

Une nouvelle « régulation monopoliste » s'articule
ainsi autour des caractéristiques suivantes :
— détermination sur le plan national des rémunérations
salariales dans le cadre de grandes branches, avec « effets de contagion » d'une branche à l'autre sans tenir
compte de la diversité des situations spécifiques à chaque
entreprise, les hausses de salaires étant généralement
fonction des conditions de productivité les plus favorables, celle des « firmes motrices » ;

— ces entreprises les plus compétitives, aux techniques
de pointe, produisant des biens recherchés et largement
à l'abri de la concurrence par les prix, peuvent accorder
de hauts salaires leur permettant d'attirer la main-d'œuvre la plus qualifiée, et de s'assurer de la « paix sociale »
tout en bénéficiant d'une rentabilité élevée ; en revanche,
les autres entreprises ou branches moins favorisées réper-
cutent sur les prix les hausses de salaires pour maintenir
leurs profits ;

— cette spirale inflationniste coût-prix-salaires ou
salaires-coût-prix est rendue possible par l'action de

l'État, qui accepte d'alimenter l'économie au moyen de paiment, soit directement en pratiquant un déficit budgétaire et en créant de la monnaie, soit indirectement en laissant le système bancaire développer les crédits à l'économie, de façon à stimuler la croissance et à permettre le plein-emploi.

Les hausses de salaires, le desserrement de la « contrainte monétaire » (la quantité de monnaie en circulation n'étant plus fonction du stock d'or ou d'argent disponible) fournissent des débouchés stables et évitent les crises provoquées par l'insuffisance de la demande globale ; mais la hausse des prix sanctionne tout état de « surchauffe » de l'économie.

### L'accélération de l'inflation

La « régulation monopoliste » avait déjà caractérisé la croissance des années 1950-1968, qui s'était effectuée dans le contexte d'une inflation « rampante » limitée toutefois à moins de 5 % l'an (4,8 % en moyenne annuelle de 1953 à 1959, 4 % de 1960 à 1968). Mais durant les cinq années qui suivent 1968, on assiste à une croissance plus rapide de la production intérieure (7,6 % en 1969, entre 5 et 6 % de 1970 à 1973), accompagnée d'une hausse plus forte des prix à la production (3 % seulement en 1968, mais 7,1 % en 1969, 6,3 % en 1970, environ 5,5 % en 1971 et 1972, 8,5 % en 1973.

Cela s'explique par le fait que les hausses de salaires consenties en 1968, et qui seront suivies de nouvelles hausses importantes (supérieures à 10 %) durant les années suivantes, permettent d'élargir le marché intérieur (et donc de stimuler la production) tout en pesant sur les coûts de production. Comme les gains de productivité ne sont que légèrement supérieurs à ceux des années précédentes (malgré un rythme élevé d'investissement productif, surtout en 1969), l'augmentation du coût salarial par unité produite se traduit par une répercussion sur les prix à partir de 1969.

Cette inflation est en quelque sorte le prix à payer pour maintenir la paix sociale, le patronat et les pouvoirs publics ne voulant pas s'opposer aux revendications salariales pour ne pas risquer de provoquer un nouveau Mai 68. Mais si la hausse des prix et celle des salaires s'auto-entretiennent, les salariés bénéficient d'une amélioration du pouvoir d'achat, et les entreprises parviennent globalement à maintenir leur rentabilité grâce à l'inflation qui compense la hausse des coûts et qui allège les dettes.

### La France dans l'inflation mondiale (1960-1981)

L'accélération de la hausse des prix n'est pas propre à la France, dont le « différentiel d'inflation » avec les autres grands pays industrialisés reste encore peu important, bien que l'Allemagne fédérale, principal partenaire commercial de la France, la contienne mieux que les autres.

Ce phénomène peut être rapproché du mouvement des coûts unitaires de la main-d'œuvre (coût salarial total rapporté aux quantités produites, qui peut donc être amorti par les gains de productivité) : dans l'industrie, ces coûts unitaires augmentent en France de 5,2 % par an de 1968 à 1973, et de 10,7 % de 1973 à 1979 ; durant ces mêmes périodes, ils passent aux États-Unis de 3,2 % à 8 % et de 9 % à 17,9 % en Grande-Bretagne... ; mais en Allemagne, ils décélèrent (de 6,9 % à 4,9 %) et restent constants au Japon (6,6 % et 6,8 %), y préparant la désinflation à venir.

Cette évolution s'explique aussi par le fait que la politique économique reste peu contraignante : en 1968, on se contente de prévoir une série d'actions de concertation avec l'industrie et le commerce pour éviter un trop fort dérapage des prix, et d'instituer le contrôle des changes (de mai à septembre, puis en novembre quand se produit une violente spéculation contre le franc). En 1969, un plan Giscard institue un blocage provisoire des prix, suivi de « contrats de programmes » destinés à limiter leurs hausses ; il décide une réduction du déficit budgétaire et des mesures restrictives en matière de crédit, une hausse du taux d'intérêt afin de freiner la croissance de la demande intérieure ; enfin, une dévaluation du franc doit décourager la spéculation et stimuler les exportations. Mais jusqu'en 1974 la préoccupation principale du gouvernement est de ne pas « casser » la croissance par des mesures trop brutales qui risqueraient de provoquer une nouvelle explosion sociale.

### Variation des prix à la consommation
(pourcentage en moyenne annuelle)

|                  | 1960 à 1968 | 1968 à 1973 | 1973 à 1979 | 1980 | 1981 |
|------------------|-------------|-------------|-------------|------|------|
| France           | 3.6         | 6.1         | 10.7        | 13.6 | 13.4 |
| États-Unis       | 2.0         | 5.0         | 8.5         | 13.5 | 10.4 |
| Japon            | 5.7         | 7.0         | 10.0        | 8.0  | 4.9  |
| Allemagne        | 2.7         | 4.6         | 4.7         | 5.5  | 6.3  |
| Grande-Bretagne  | 3.6         | 7.5         | 15.6        | 18.0 | 11.9 |

*Source :* OCDE, *Statistiques rétrospectives* 1960-1981.

# Le septennat giscardien (1974-1981)

## Le « libéralisme avancé »

*Après avoir fait preuve de libéralisme sur le plan des mœurs politiques et de la morale, le nouveau président, confronté à la crise économique, décevra une partie de son électorat.*

En avril 1974, le rapprochement PS-PC permet à la gauche institutionnelle de présenter un candidat unique, François Mitterrand, qui n'est pas véritablement gêné par les candidatures trotskistes d'Alain Krivine et d'Arlette Laguiller, ou par celle de l'écologiste René Dumont. En revanche, du côté de la majorité, Jacques Chaban-Delmas, qui se déclare candidat deux jours après la mort de G. Pompidou, est imité par Edgar Faure, puis par Valéry Giscard d'Estaing. Pierre Messmer, pressenti, déclare qu'il ne se présentera que s'ils se retirent tous les trois ; Edgar Faure s'exécute, mais Jean Royer se porte à son tour candidat.

### VGE président

Mais alors que V. **Giscard d'Estaing**, qui veut « regarder la France au fond des yeux », effectue une campagne habile, où il se présente comme un proche du général De Gaulle mais aussi comme le symbole de la jeunesse et du changement, il n'en est pas de même de Jacques Chaban-Delmas. De plus, le ministre de l'Intérieur Jacques Chirac se fait l'artisan d'un « appel » de 43 personnalités de la majorité (dont 4 ministres gaullistes) qui déplore la multiplicité des candidatures, mais qui apparaît comme un soutien à V. Giscard d'Estaing. Cette « trahison » sera fatale au dernier grand « gaulliste historique ».

---

**Le premier tour de mai 1974**

Lors du premier tour de l'élection présidentielle, le 5 mai 1974, Jacques Chaban-Delmas n'obtient que 15,1 % des suffrages exprimés, contre 32,6 % allant à V. Giscard d'Estaing et 43,2 % à François Mitterrand. L'ensemble des « petits candidats » ne recueille qu'environ 9 % des voix (J. Royer 3,2 % ; A. Laguiller 2,3 % ; R. Dumont 1,3 % ; J.-M. Le Pen, E. Muller, A. Krivine, B. Renouvin, J.-C. Sebag et G. Héraud nettement moins de 1 % chacun).

---

Après un premier tour indécis, le second tour promet donc d'être serré, compte tenu de l'incertitude concernant le vote des électeurs « gaullistes ». Un grand débat télévisé qui a lieu le 10 mai ne départage pas les candidats. De fait, le 19 mai, alors que 87,3 % des inscrits participent au scrutin, Giscard n'obtient que 400 000 voix de plus que François Mitterrand, avec 50,8 % des suffrages exprimés.

Cette élection a accentué le clivage gauche-droite qui s'était déjà amorcé lors des consultations précédentes : en raison du système électoral et de la place prise désormais par l'élection présidentielle, le centre a pratiquement disparu et ses derniers dirigeants ont rallié la majorité.

### Le nouveau gouvernement

Prenant officiellement ses fonctions le 27 mai 1974, V. Giscard d'Estaing nomme Jacques **Chirac** Premier ministre. Dans son gouvernement, qui ne comprend que cinq ministres UDR, Michel Poniatowski devient ministre de l'Intérieur, Michel d'Ornano celui de l'Industrie, Christian Bonnet celui de l'Agriculture et Simone Veil celui de la Santé publique. Le centriste Jean-Jacques

---

**VGE**

Né en 1926, Valéry Giscard d'Estaing s'engage dans l'armée de de Lattre en 1944. Polytechnicien, il entre à l'École nationale d'administration et devient inspecteur des Finances. Membre du cabinet d'Edgar Faure en 1955, il est élu député du Puy-de-Dôme en 1956, à l'âge de 30 ans. Membre des républicains indépendants, dont il prendra la direction, il est secrétaire d'État au Budget alors qu'Antoine Pinay est ministre des Finances, puis remplace W. Baumgartner à ce poste en janvier 1962. Fidèle au général De Gaulle lors de la réforme constitutionnelle de l'automne 1962, il supportera mal son éviction en 1965, et apparaîtra alors comme le « cactus » de la majorité ; en 1967 son « oui, mais » fait des républicains indépendants un groupe critique mais indispensable à l'UNR pour gouverner. Le président Pompidou, dont il a soutenu la candidature, le rappelle ensuite aux Finances en 1969, bien qu'il ait appelé à voter non lors du référendum qui provoque le départ du Général. Il n'a que 48 ans en 1974.

---

Servan-Schreiber est nommé ministre des Réformes (il sera toutefois démis de ses fonctions le 9 juin pour avoir critiqué les essais nucléaires) ; l'autre centriste, Jean Lecanuet, devient garde des Sceaux et Françoise Giroud (qui a voté Mitterrand) secrétaire d'État à la Condition féminine. C'en est bien fini de l'« État UDR ».

### Les réformes

Durant le gouvernement Chirac (1974-1976) et bien que le Premier ministre UDR n'en ait pas l'initiative et n'y soit pas toujours favorable, une série de réformes sont prises touchant les institutions et la vie quotidienne des Français. C'est ainsi que l'âge de la majorité électorale est abaissé à 18 ans (5 juillet 1974) et que le Conseil constitutionnel peut être saisi si la demande est formulée par 60 parlementaires au moins, alors qu'auparavant seul le président de la République, ceux des deux Chambres et le Premier ministre pouvaient le faire (22 octobre 1974) ; d'autre part, afin d'éviter la multiplication des candidatures « farfelues », il faudra désormais justifier de 500 signatures d'élus répartis dans au moins trente départements pour pouvoir se présenter à l'élection présidentielle ; puis, le 31 décembre 1975, une loi prévoit l'élection d'un maire à Paris, administré jusque-là par un préfet ; le nouveau président institue également la séance hebdomadaire de « questions d'actualité » permettant aux députés de s'adresser directement aux ministres ; en outre, dès le 7 août 1974, l'ORTF est remplacé par sept sociétés (les trois chaînes de télévision, Radio France, la SFP, TDF et l'INA), dans le but de créer une concurrence et de décentraliser les décisions.

D'autres réformes vont modifier les conditions de vie des Françaises : en octobre 1974 l'application de la loi Neuwirth sur la contraception est favorisée, et en décembre la vente de la pilule contraceptive est autorisée en pharmacie, ainsi que son remboursement par la Sécurité sociale ; le 17 janvier 1975, la loi Veil permettant l'interruption volontaire de grossesse est votée après un dur débat parlementaire, et grâce au vote unanime de la gauche ; seuls un tiers des députés UDR et un quart des républicains indépendants ont voté pour le projet ; puis, le 11 juillet 1975, une loi simplifie la procédure de séparation entre époux et autorise de fait le divorce par consentement mutuel.

Dans un autre domaine, la Sécurité sociale est étendue à toutes les professions, et une autorisation administrative devient nécessaire en cas de licenciements collectifs. Puis en 1978, les administrations devront communiquer aux demandeurs les documents les concernant, et motiver leur décision alors qu'en janvier 1979 une réforme généralise et étend la compétence des conseils de prud'hommes à l'ensemble des conflits du travail.

L'Éducation nationale est aussi touchée par cette vague réformiste : le ministre René Haby supprime les filières dans l'enseignement du second degré afin d'uniformiser la formation. Mais d'autres projets (comme la réduction du mandat présidentiel, le contrôle des finances des partis politiques, la modification du mode de scrutin, et la réforme de l'entreprise envisagée par le rapport Sudreau) resteront lettre morte.

Bon nombre de députés et de personnalités de la majorité, y compris le Premier ministre, commencent d'ailleurs à se lasser de l'esprit réformateur du chef de l'État : la fin de toute référence au gaullisme, les coups de canif donnés à la Constitution, la loi Veil, mais aussi la création d'un impôt sur les plus-values spéculatives

---

**Le divorce Giscard-Chirac**

Malgré les apparences, l'opposition allait croissant entre le chef de l'État et son Premier ministre : Giscard d'Estaing reprochait à Chirac de rester trop proche de l'UDR et de renoncer à la « giscardiser » ; Chirac était sensible aux critiques que ses conseillers (tels P. Juillet et M.-F. Garaud) et bon nombre de gaullistes conservateurs adressaient au « libéralisme » giscardien et aux réformes faisant selon eux le jeu de la gauche ; il voulait procéder à des élections anticipées, accroître l'intervention de l'État, et regrettait de ne pas disposer « des moyens nécessaires pour assurer efficacement les fonctions de Premier ministre ».

et l'augmentation de la pression fiscale, destinées à financer le surcroît de dépenses sociales, indisposent profondément l'UDR. Pourtant, Jacques Chirac s'est abstenu de toute critique officielle. En 1975, il a même mis en œuvre un plan de relance économique destiné à lutter contre le ralentissement de l'activité, qui impliquait une augmentation des dépenses publiques.

Aussi apprend-on avec surprise, le 25 août 1976, que Jacques Chirac est démissionnaire.

### L'arrivée de Raymond Barre (1976)

Le choix du nouveau Premier ministre constitue une seconde surprise : il s'agit de Raymond **Barre**, professeur d'économie, récent représentant de la France à Bruxelles et ministre du Commerce extérieur. Celui que le chef de l'État qualifie de « meilleur économiste de France » a pour tâche explicite de rétablir la situation économique que le précédent gouvernement aurait été incapable de redresser et aurait même aggravé en sous-estimant l'ampleur de la crise : la relance chiraquienne aurait accéléré l'inflation et dégradé les échanges extérieurs sans pour autant réduire le chômage.

Aussi Raymond Barre, également ministre de l'Économie et des Finances, annonce-t-il en septembre 1976 au Parlement qu'il entend lutter en priorité contre l'inflation, à l'origine de tous les maux ; il en dénonce les causes dont la principale est la croissance excessive des rémunérations, la France vivant « au-dessus de ses moyens », compte tenu de la crise mondiale (voir pp. 451-452). Il annonce également la mise en œuvre d'un plan de redressement et un blocage pour trois mois des prix et des revenus. Raymond Barre n'en est pas pour autant un adepte du dirigisme :

il s'agit simplement de « casser les anticipations inflationnistes », avant de revenir à une « régulation par le
marché » permise par l'accentuation de la concurrence et
par le désengagement de l'État. Cela provoquera son
impopularité et la critique de la gauche, voyant en lui le
« chevalier de l'austérité ».

Précisément, l'absence de résultats sensibles sur le
plan de l'inflation et surtout de l'emploi favorise la
montée de l'opposition. Ainsi, lors des élections municipales de mars 1977, la gauche est majoritaire au
nombre de voix et l'emporte dans 158 des 221 villes de
plus de 30 000 habitants (hors la région parisienne). Ces
élections sont aussi l'occasion d'affrontements au sein de
la droite ; ainsi, à Paris, Jacques **Chirac** qui a pris la
tête du Rassemblement pour la République (RPR),
se substituant à l'UDR le 5 décembre 1976, l'emporte-
t-il aux dépens du giscardien Michel d'Ornano.

### Les législatives de 1978

De part et d'autre, l'objectif est désormais de remporter
les élections législatives de mars 1978. Durant l'été
1977, la victoire semble promise à la gauche, face à la
droite de plus en plus divisée, le RPR attaquant le libéralisme giscardien et le projet d'élection d'une Assemblée européenne au suffrage universel. C'est alors que se
produit l'inattendu : les discussions entre le PS, le PC et
les radicaux de gauche pour actualiser le « programme
commun » échouent définitivement les 21 et 22 septembre 1977. La cause officielle en est le désaccord sur
l'ampleur des nationalisations à réaliser, et sur le pouvoir syndical dans la direction des futurs groupes étatisés.
Il semble qu'en fait le parti communiste constate que
l'union de la gauche bénéficie principalement au parti

socialiste, et que d'autre part il ne désire pas venir au pouvoir pour « gérer la crise » du capitalisme.

Cependant, au début de 1978, les sondages laissent encore entrevoir une victoire de la gauche, et le président de la République prononce le 27 janvier à Verdun-sur-le-Doubs un discours où il précise qu'en cas de victoire de l'opposition il ne démissionnerait pas.

D'ailleurs au premier tour des législatives, le 12 mars 1978, celle-ci obtient un peu plus de 50 % des suffrages exprimés, alors que près de 84 % des électeurs ont voté.

---

### Le premier tour du 12 mars 1978

La nouvelle Union pour la démocratie française (UDF), qui rassemble le parti républicain (remplaçant depuis mai 1977 les républicains indépendants), le Centre des démocrates sociaux (CDS) de Jean Lecanuet et le parti radical, recueille près de 24 % des suffrages, le RPR 22,8 %. Mais la gauche est légèrement majoritaire (le PS obtient 22,8 % des voix, le PC 20,6, les radicaux de gauche 2,2 %, l'extrême gauche et les écologistes 5 %.

---

Mais la désunion de la gauche a porté un coup fatal à sa crédibilité et malgré un accord de désistement de dernière minute entre le PS et le PC, qui n'efface pas les attaques que ce dernier a lancées contre le PS depuis six mois, le report des voix fonctionne mal à gauche lors du second tour : la droite obtient près de 50,5 % des voix et conserve nettement la majorité avec 291 sièges contre 200 à la gauche. Le groupe RPR compte 154 élus, l'UDF et ses alliés 137, les socialistes et apparentés 114 et les communistes 86.

## *La fin du septennat*

Cette hypothèque étant levée, Raymond Barre est reconduit dans ses fonctions de Premier ministre, et si René Monory devient ministre de l'Économie, c'est pour appliquer la politique « libérale » de son prédécesseur. Mais les divisions reprennent à gauche comme à droite à propos en particulier de la politique europénne : le PC attaque le PS, accusé d'accepter l'« Europe du capital », et le RPR dénonce l'abandon des grands thèmes gaullistes sur l'indépendance nationale : le 6 décembre 1978, Jacques Chirac lance l'« appel de Cochin » (où il est hospitalisé), à l'instigation de Pierre Juillet et Marie-France Garaud, dans lequel il critique le « parti de l'étranger » à la tête de l'État, mais qui, par son excès, se retourne contre ses auteurs.

De toute façon, les élections européennes qui se déroulent le 10 juin 1979 ne passionnent pas les Français : on dénombre près de 40 % d'abstentions, et plus de 5 % de votes blancs et nuls. Mais l'UDF sort renforcée de ce scrutin.

Pourtant le gouvernement doit faire face à d'autres difficultés. En effet, fin 1979 se produit le « second choc

---

### Les élections européennes de 1979

Les grands partis de droite et de gauche obtiennent à peu près le même nombre de voix, soit 44 % des suffrages exprimés (27,6 % pour l'UDF, 16,3 % pour le RPR, 23,6 pour le PS et 20,5 pour le PC), et se répartissent les sièges à pourvoir ; les écologistes (avec 4,4 % des voix), Lutte ouvrière (avec 3,1 %), J.-J. Servan-Schreiber et Françoise Giroud (avec 1,8 %), l'Euro-droite de Tixier-Vignancour (1,3 %) n'ont pas d'élus.

pétrolier » qui relance l'inflation seulement stabilisée
depuis 1976, alors que la balance commerciale se dégrade à nouveau et que le chômage progresse sans cesse.
Le mécontentement est donc grand dans le pays quand
éclate fin 1980 l'« affaire des diamants », que le président de la République aurait reçus de l'empereur Bokassa
à l'occasion de ses « chasses africaines ».

Malgré tout, les sondages prévoient, début 1981,
une réélection de Valéry Giscard d'Estaing.

# La stagflation (1974-1981)

## Le début des « vingt douloureuses »

*Le septennat Giscard d'Estaing correspond sur le plan
économique à des années de croissance lente et d'inflation « à deux chiffres » liées en grande partie à l'état
de la conjoncture mondiale.*

Le « choc pétrolier » qui se produit à la fin de 1973
provoque une crise caractérisée par une récession mondiale (suivie d'une croissance moins rapide qu'auparavant), par une montée spectaculaire du chômage, par une
nouvelle accélération de l'inflation et par une baisse de
la rentabilité du capital.

### Les deux « chocs pétroliers »

À la suite de la guerre du Kippour, les pays arabes pétro-
liers relèvent en plusieurs fois le prix du baril de pétrole
brut, qui passe de 3 dollars début octobre 1973 à 11,65
dollars début 1974. Le prix moyen du brut sera encore
multiplié par plus de 2 entre la fin de 1978 et la fin de
1979 (il passe alors de 13 à plus de 27 dollars le baril).

Si en pourcentage le second choc pétrolier est donc moins brutal que le premier, il est en fait plus important si on l'évalue en dollars.

La conséquence n'est pas simplement une nouvelle accélération de l'inflation mais aussi une aggravation du déficit des échanges de produits énergétiques (− 14,8 et − 17,9 milliards de francs en 1972 et 1973, − 51,5 et − 45,7 en 1974 et 1975), entraînant celui du solde global du commerce extérieur de la France : celui-ci atteint − 23 milliards en 1974 (mais + 4,6 milliards en 1975 grâce à la diminution des importations), − 24 milliards en 1976, − 16 en 1977, + 0,3 en 1978, − 13,5 en 1979 ; l'effet du second choc pétrolier se fait alors lourdement sentir : − 57 milliards en 1980, − 54 en 1981, − 104 en 1982...

Mais d'autre part cette « facture pétrolière » a un effet direct sur la croissance : le surcroît de dépenses qu'elle provoque s'élève a environ 6,8 milliards de dollars en 1974, ce qui représente 2,7 % du produit national brut. Cela signifie autant de débouchés en moins pour les autres produits. C'est par ce biais que le choc pétrolier influe sur l'activité.

### La crise

Il s'ensuit une récession en 1975, après une trentaine d'années de croissance, qui se reproduit en 1980-1981.

Dans l'ensemble des pays de la CEE la récession est encore plus forte qu'en France : + 1,7 % de croissance du PIB en 1974, − 1,6 % en 1975 ; aux États-Unis elle est plus longue : − 1,3 % en 1974 et − 1 % en 1975. Et si la reprise qui se produit en 1976 pouvait laisser croire à un simple « accident conjoncturel », l'impossibilité de retrouver durant les années suivantes un taux de croissance comparable à celui des « trente glorieuses », en particulier en ce qui concerne la production industrielle, indique que l'on est bien en présence d'une crise structurelle.

**Évolution de la production et des prix (1973-1981)**
*(Pourcentage annuel de variation)*

|                         | 1973 | 1974 | 1975 | 1976 | 1977 | 1978 | 1979 | 1980 | 1981 |
|-------------------------|------|------|------|------|------|------|------|------|------|
| PIB                     | 5.4  | 2.8  | −0.3 | 4.6  | 3.1  | 3.7  | 3.5  | 1.1  | 1.2  |
| Production industrielle | 7.1  | 2.5  | −8.9 | 8.9  | 0.9  | 2.7  | 4.4  | 0.0  | −1.0 |
| Prix à la production    | 8.5  | 17.7 | 10.5 | 9.7  | 8.4  | 8.0  | 11.1 | 13.7 | 13.1 |

*Source : Rapport sur les comptes de la nation. INSEE.*

L'une de ses caractéristiques est la montée du chômage : d'environ 1,7 % de la population active française durant les années 1960-1967, le taux de chômage atteint 2,5 % en moyenne entre 1968 et 1973, et 2,8 % en 1974 (ce qui représente environ 600 000 sans-emploi). Puis il augmente sensiblement à partir de 1975 : il atteint 5 % en 1977 (soit environ 1,1 million de chômeurs), et plus de 7 % en 1981 (soit près de 1,8 million de chômeurs). Dans les sept grands pays de l'OCDE ce taux de chômage passe de 2,8 % en moyenne annuelle entre 1960 et 1967, à 6,5 % en 1981.

Un autre fait marquant est la baisse de la rentabilité du capital : le rapport du profit au stock de capital physique investi baisse de 18 % en 1971-1972 à 10-11 % au début des années 80, et la rentabilité financière (rapport des revenus distribués et de l'épargne des entreprises à leurs fonds propres) baisse de 7,6 % en 1973 à

3,9 % en 1980-1981. De plus, cela se produit dans le contexte d'une poussée inflationniste, alors que dans le passé le ralentissement de l'activité s'accompagnait d'une moindre hausse des prix.

## La lutte contre l'inflation

Après le plan Fourcade de refroidissement de l'économie, décidé en 1974 (encadrement du crédit, élévation du taux d'escompte, taxation des plus-values nées de l'inflation, augmentation du prix de l'énergie pour en réduire la consommation), Jacques Chirac avait procédé en 1975 à une relance importante : dégrèvements fiscaux, hausse des allocations familiales, aides aux investissements (représentant environ 45 milliards de francs). Cela permit à la France de connaître une récession moins marquée qu'à l'étranger, mais provoqua une poussée inflationniste plus forte, favorisée par la hausse importante des rémunérations nominales (les salaires bruts augmentent de près de 20 % en 1974, de 18,1 % en 1975 et de 16,3 % en 1976); cela entraîna également un important déficit du commerce extérieur en 1976. En août de cette année, R. Barre prend en main la politique économique et donne alors son diagnostic à propos d'une situation jugée intolérable : il faut s'attaquer en priorité à l'inflation, due principalement, en dehors du renchérissement du coût des importations, à croissance trop rapide des revenus intérieurs et du pouvoir d'achat des ménages par rapport à celle de la production intérieure.

Le 22 septembre 1976, il fait adopter par le gouvernement un plan d'austérité : réduction des investissements publics, majoration exceptionnelle de l'impôt sur le revenu, hausse de l'impôt sur les signes extérieurs de richesse, moindre croissance de la masse monétaire

(+ 12,5 % en 1977 contre + 16 % en 1976), élévation du taux d'escompte, blocage des prix pendant les trois derniers mois de l'année, norme de 6,5 % de hausse des prix et des salaires pour 1977. Les résultats en sont décevants sur le plan de l'inflation qui se stabilise simplement entre 8 et 10 % jusqu'en 1978, avec une croissance du produit intérieur de 3,5 %.

Mais la philosophie du Premier ministre est en fait de lutter contre la stagflation par la restauration de la concurrence et de l'initiative des chefs d'entreprise : c'est ce qui l'amène à entreprendre la libération des prix industriels en 1978, à réduire les aides aux entreprises en difficulté (les « canards boiteux ») et à pratiquer une politique de « vérité des prix » dans le secteur public ; c'est la sanction du marché qui doit pousser les entrepreneurs à refuser d'augmenter inconsidérément les salaires, et les syndicats à modérer leurs revendications pour ne pas provoquer des hausses de coûts entraînant des licenciements massifs ou la disparition de leur entreprise. Dans cette perspective, la modération des hausses de salaires est le seul moyen de réduire à la fois l'inflation et le chômage.

Pourtant, le second choc pétrolier révèle la fragilité du système productif français et de l'amélioration toute relative des années 1977-1979 : l'inflation s'accélère de nouveau en 1980-1981, alors que la récession s'installe, que le chômage s'accroît, et que le déficit extérieur se creuse. Pour R. Barre cela s'explique par le fait que les Français n'ont pas compris la nécessité de réduire leur train de vie dans un contexte international devenant très contraignant.

# Mitterrand président (1981-1995)

## Un socialiste à l'Élysée

*Après l'élection de François Mitterrand et la « vague rose » de 1981, la gauche pratique la « relance » puis la « rigueur » qui se poursuivra durant la première « cohabitation » et après la réélection du président. Son second septennat sera marqué par une ouverture plus poussée vers l'Europe, par le discrédit croissant et la déroute électorale du parti socialiste en 1993, puis par une nouvelle « cohabitation » préparant la succession d'un président affaibli.*

## Le premier septennat (1981-1988)

### *L'élection présidentielle de mai 1981*

Au soir du premier tour de l'élection présidentielle, le 26 avril 1981, la réélection de Valéry Giscard d'Estaing semble encore probable. Il obtient en effet 28,3 % des suffrages exprimés, devançant largement J. Chirac soutenu par le RPR (18 %), Michel Debré, voulant défendre le gaullisme orthodoxe (1,7 %) et Marie-France Garaud (1,3 %). À gauche, François Mitterrand obtient 25,8 % des voix. Le communiste Georges Marchais recueille 15,3 % des voix, la trotskiste Arlette Laguiller 2,3 %, le radical de gauche Michel Crépeau 2,2 %, et la PSU Huguette Bouchardeau 1,1 %. En supposant un bon report de voix à droite comme à gauche, le président sortant frôle les 50 % alors que F. Mitterrand ne pourrait compter que sur moins de 47 %. Il suffirait donc qu'une petite partie des 4 % d'électeurs écologistes ayant voté pour Brice Lalonde apportent leurs suffrages à V. Giscard d'Estaing pour que celui-ci soit élu.

## L'impossible candidature Rocard

Dirigeant du PSU en 1968, Michel Rocard s'était porté candidat à la présidence de la République en 1969, et avait obtenu 3,6 % des voix. Constatant le déclin du « gaullisme », il entre au parti socialiste en 1974 pour y défendre l'idée du socialisme autogestionnaire, critiquant la sclérose des « grands appareils verticaux » et « l'archaïsme » de F. Mitterrand. Mais au congrès de Metz, en avril 1979, il doit faire face aux attaques de Laurent Fabius et du CERES qui voient en lui le représentant d'une « gauche américaine » rompant avec la conception traditionnelle du socialisme dirigiste, et prêt à accepter la loi du marché. Pourtant, M. Rocard, populaire dans les sondages, brigue l'investiture du PS lors de la présidentielle de 1981. Devant l'attentisme de F. Mitterrand, il se déclare candidat par son « discours de Conflans », le 19 octobre 1980. Mais le premier secrétaire du PS annonçant sa candidature le 9 novembre, M. Rocard se retire et fera campagne pour F. Mitterrand. Dès lors, il s'abstiendra de toute critique.

Or cela ne suffira pas : J. Chirac annonce bien qu'il voterait pour lui mais n'appelle pas ses électeurs à en faire autant, alors que M.-F. Garaud préconise le vote blanc et que M. Debré ne le soutient que du bout des lèvres. Ainsi on estime à 800 000 le nombre des électeurs gaullistes qui voteront au second tour pour François Mitterrand. Celui-ci est élu le 10 mai 1981 avec 51,8 % des suffrages exprimés contre 48,2 % à Valéry Giscard d'Estaing dont la campagne électorale trop distante par rapport aux problèmes quotidiens des Français et à celui du chômage en particulier, ainsi que l'hostilité irréductible de certains gaullistes expliquent l'échec.

---

**Les législatives de juin 1981**

Ne pouvant gouverner avec une Assemblée nationale hostile, F. Mitterrand la dissout. Lors du premier tour des élections législatives qui a lieu le 14 juin, près de 30 % des électeurs s'abstiennent. Si le RPR et l'UDF obtiennent environ 43 % des suffrages exprimés, le PS en recueille à lui seul près de 38 %, le PC plus de 16 %, l'extrême gauche 1,3 %. Un bon report de voix à gauche permet l'élection de 285 députés socialistes (et celle de 44 communistes), alors que le RPR n'a que 88 élus et l'UDF 62, lors du second tour des élections qui a lieu le 21 juin. La Chambre comptant 490 députés, le PS dispose seul d'une confortable majorité absolue.

---

## *Pierre Mauroy et le changement (1981-1983)*

Après l'écrasante victoire socialiste aux législatives, F. Mitterrand charge P. **Mauroy** (déjà nommé Premier ministre d'un gouvernement de transition le 22 mai) de former un nouveau gouvernement ayant pour mission de mettre en œuvre le programme électoral du président, résumé dans ses « 110 propositions ». 36 des 43 ministres et secrétaires d'État sont socialistes, dont Gaston Defferre, nommé à l'Intérieur, Jacques Delors (à l'Économie), Alain Savary (à l'Éducation), Charles Hernu (à la Défense), et Michel Rocard (au Plan). Robert Badinter devient ministre de la Justice et Michel Jobert ministre du Commerce extérieur. Mais le fait le plus notable est l'entrée de quatre ministres communistes au gouvernement : Charles Fiterman aux Transports, Jack Ralite à la Santé, Anicet Le Pors à la Fonction publique et Marcel Rigout à la Formation professionnelle. Bien que le PS n'ait pas besoin du PC pour gouverner, le chef de l'État montre ainsi qu'il sait apprécier l'aide électorale que lui ont apportée le parti

## Le programme socialiste

L'arrivée au pouvoir de François Mitterrand appuyé par une forte majorité parlementaire socialiste avait de quoi inquiéter les milieux d'affaires et tous ceux qui redoutaient une emprise accrue de l'État sur la société civile. N'avait-il pas signé en 1972 la présentation du programme du PS « Changer la vie », qui se donnait comme objectif de s'attaquer « au système économique et politique [...] sur lequel est édifiée une société injuste et décadente », afin « que cesse l'exploitation de l'homme par l'homme » ?

Pour cela le PS envisageait de faire coexister un secteur public (élargi par la nationalisation de l'ensemble du système bancaire et de certains groupes industriels), un secteur d'économie mixte, et « un vaste secteur privé poursuivant librement ses activités ». Il s'agissait de franchir un premier seuil rendant « l'expérience socialiste irréversible ». Mais il convenait de tenir compte de l'intégration de la France dans le jeu de la concurrence internationale, et du fait que la démocratie économique et politique est indissociable d'un socialisme non bureaucratique.

D'autre part étaient prévus une augmentation substantielle des bas salaires, la réduction de la durée du travail, l'avancement de l'âge de la retraite, le resserrement de la hiérarchie des salaires, l'« extinction des privilèges de la fortune », la « municipalisation des sols », afin de maîtriser l'urbanisme et l'aménagement du territoire, la refonte du système d'enseignement afin de combattre l'inégalité de l'accès aux connaissances, la mise en pratique effective de l'« égalité de l'homme et de la femme », l'élection d'assemblées régionales au suffrage universel, permettant une réelle planification démocratique décentralisée.

Mais le parti socialiste acceptait l'essentiel des dispositions constitutionnelles : il proposait seulement l'établissement d'un « contrat de législature » entre le gouvernement et la majorité parlementaire. Enfin le PS rappelait son attachement à la coexistence pacifique, au désarmement afin de rompre le « cycle infernal de la fabrication de la bombe atomique », et désirait « associer intimement la construction européenne et l'avènement du socialisme en France ».

Ce programme n'envisageait ni une extension indéfinie de la propriété étatique, ni une planification brutale, ni une remise en cause des institutions, ni un renversement des alliances internationales, et proclamait bien haut l'attachement des socialistes à la liberté individuelle et à la démocratie ; il impliquait cependant une rupture avec la logique du profit capitaliste, et le primat des objectifs « qualitatifs » (mode de vie et rapports sociaux).

La droite et les défenseurs du libéralisme économique pouvaient ainsi annoncer une catastrophe économique et dénoncer le danger pour « les libertés » d'une dérive étatique favorisée par les surenchères du parti communiste. Pourtant, les « 110 propositions » de F. Mitterrand étaient apparues bien en retrait du programme socialiste, et ne faisaient aucune allusion à la « rupture avec le capitalisme ».

C'est sans doute ce qui lui permit, après une campagne habile et rassurante mettant l'accent sur l'échec de la politique de son prédécesseur, de convaincre une majorité de Français, y compris un certain nombre de gaullistes.

La plupart de ses engagements seront d'ailleurs effectivement tenus durant les premières années de son septennat, mis à part ceux concernant la réduction de la durée du service militaire, et le « grand débat » sur la politique nucléaire.

Mais le changement de politique économique, à partir de 1983, et les futures dénationalisations ne laisseront subsister de ce programme que la réduction du temps de travail (trente-neuf heures, cinquième semaine de congé, abaissement de l'âge de la retraite).

et l'électorat communistes et veut ainsi associer l'ensemble de la gauche à la politique qui sera suivie. Celle-ci va être marquée par une série de réformes importantes.

Sur le plan économique et social, cinq groupes industriels et une quarantaine d'établissements bancaires sont nationalisés en février 1982 ; le SMIC est majoré ainsi que les allocations familiales et le minimum vieillesse ; une cinquième semaine de congés payés est accordée aux salariés (16 janvier 1982) ; la retraite est avancée à 60 ans (26 mars) ; la durée hebdomadaire du travail est ramenée à 39 heures sans baisse de salaire ; plus de 150 000 emplois seront créés en deux ans dans la fonction publique. De plus, un impôt sur les grandes fortunes sera introduit dans la loi de finances.

D'autre part, la peine de mort est abolie le 9 octobre 1981, et les radios locales sont autorisées en novembre ; en juin 1982 est votée la loi Quilliot renforçant les droits des locataires, et en juillet est créée la Haute Autorité de l'audiovisuel ; puis d'août à décembre sont votées quatre lois Auroux développant les droits des travailleurs dans leurs entreprises, et en octobre la loi Ralite qui supprime le secteur privé dans les hôpitaux publics.

Parallèlement, une loi Defferre (3 mars 1982) organise la décentralisation, par transfert d'une série de compétences de l'État aux Assemblées régionales ; de même les préfets se démettent d'une partie de leurs attributions au profit des présidents de conseils généraux.

### La morosité et le début de la rigueur (1983-1984)

Malgré l'ampleur de ces réformes, le mécontentement et l'inquiétude se substituent progressivement dans le pays à l'« état de grâce » ; le passage aux « 39 heures » est critiqué par ceux qui y voient une charge supplémentaire pour les entreprises, qui s'ajoute au coût de la cinquième semaine de congé, aux hausses des bas salaires et de la fiscalité, alors que les syndicats souhaitent que l'on passe « aux 35 heures ». La progression du chômage, d'abord contenue grâce aux créations d'emplois par l'État, aux nouveaux cycles de formation et aux préretraites, reprend pour atteindre les 2 millions de sans-emploi en 1983. D'autre part, si l'inflation est stabilisée, l'écart s'accroît avec nos partenaires commerciaux, la balance commerciale se dégrade considérablement, et avec elle l'endettement de la France, et deux dévaluations apparaissent nécessaires en octobre 1981, puis en juin 1982.

Dès la seconde, qui fait suite aux élections cantonales des 14 et 27 mars 1982, qui voient la gauche perdre une centaine de sièges et la présidence de huit conseils généraux, un premier train de mesures vient infléchir la politique de relance pratiquée jusqu'alors : les prix et les salaires sont bloqués jusqu'au 31 octobre, afin d'éviter que les avantages de la dévaluation pour les exportateurs français soit annulés par la hausse des prix intérieurs.

Puis surviennent les élections municipales des 6 et 13 mars 1983 (la proportionnelle est introduite à Paris, Lyon et Marseille). La droite obtient 55 % des voix dans les 221 villes de plus de 30 000 habitants et la gauche perd une trentaine de villes. Aussitôt, Pierre Mauroy, qui forme le 22 mars un nouveau gouvernement (peu différent de l'ancien, Michel Rocard devenant ministre de l'Agriculture et Édith Cresson celui du Commerce extérieur), annonce une troisième dévaluation et un plan de rigueur destiné à réduire les dépenses de l'État et le déficit public : emprunt obligatoire, prélèvement de 1 % pour la Sécurité sociale, hausse de la taxe sur les carburants... De plus, le contrôle des changes est renforcé et l'État s'engage dans la voie de la réduction des hausses de rémunérations pour lutter contre l'inflation, devenue l'objectif prioritaire.

Le mécontentement se développe alors : de nombreuses manifestations ont lieu au printemps : celle des étudiants en médecine et des chefs de clinique, hostiles à la réforme hospitalière, celles des partisans de l'école « libre » et d'étudiants s'opposant aux divers aspects des projets de loi Savary (visant d'une part à réduire l'aide financière de l'État aux établissements privés, d'autre part à réformer les conditions d'accès aux seconds cycles des universités), celles des agriculteurs, des PME, des policiers, alors que des grèves éclatent dans l'automobile.

La défaite de la gauche aux élections européennes du 17 juin 1984 et la grande manifestation de défense de l'enseignement privé le 24, qui rassemble à Paris au moins un million de personnes, obligent François Mitterrand à infléchir sa politique.

---

### Les européennes de 1984

Le résultat des élections européennes, qui ont lieu le 17 juin 1984, confirme la montée de l'opposition au gouvernement « socialo-communiste » : l'UDF et le RPR, unis en la circonstance, obtiennent 43 % des suffrages exprimés, le Front national de Jean-Marie Le Pen près de 11 %, une liste écologiste « de droite » 3,4 % ; le PS n'obtient que 20,7 % des suffrages, le PC 11,2 %, les écologistes « de gauche » 3,3 %, Lutte ouvrière 2,1 %, diverses autres « petites listes » se répartissent les 5 % restants (le chef d'entreprise Francine Gomez obtenant à elle seule 1,9 % des voix). La gauche « gouvernementale » ne recueille donc qu'environ 32 % des suffrages. De plus, les suffrages exprimés représentent moins de 55 % des électeurs inscrits.

### *Le gouvernement Fabius (1984-1986)*

Ainsi, le 12 juillet 1984, le projet de loi Savary est-il abandonné, et le 17 Pierre Mauroy cède sa place à Laurent **Fabius**. Les ministres communistes disparaissent de ce nouveau gouvernement, où Pierre Bérégovoy remplace Jacques Delors au ministère de l'Économie, Jean-Pierre Chevènement prend la place d'Alain Savary à l'Éducation nationale, Pierre Joxe celle de Gaston Defferre à l'Intérieur.

Mais si le nouveau Premier ministre offre une image rajeunie et moins doctrinaire d'un pouvoir insistant désormais sur la nécessaire modernisation de l'économie française et sur la rigueur de sa gestion, cela ne suffit pas pour rétablir la confiance : certes, la hausse des prix se ralentit mais le pouvoir d'achat stagne, et le chômage est toujours aussi important.

D'autre part, de nombreux incidents éclatent en Nouvelle-Calédonie (Edgard Pisani y propose « l'indépendance-association » repoussée par la majorité européenne anti-indépendantiste, qui obtiendra 60 % des voix aux élections régionales de septembre 1985).

L'adoption par le Conseil des ministres, le 3 avril 1985, d'un projet de loi sur le retour au scrutin proportionnel provoque le lendemain la démission du ministre de l'Agriculture Michel Rocard. Durant l'été, l'affaire Greenpeace jette le discrédit sur le ministre de la Défense nationale Charles Hernu (qui démissionne en septembre), mais aussi sur le Premier ministre, voire le président de la République (le bateau *Rainbow Warrior* de l'organisation écologiste a été coulé en Nouvelle-Zélande par les services secrets français, provoquant la mort d'un photographe).

La fin de l'année 1985 et le début de 1986 sont ensuite marqués par le débat sur le réalisme d'une « cohabitation » entre un président de gauche dont le mandat ne se termine qu'en 1988 et une majorité parlementaire de droite devant sortir des élections de mars 1986. Le chef de l'État annonce qu'il ne se retirera pas, Jacques Chirac et le RPR qu'ils sont prêts à gouverner dans ces conditions, mais Raymond Barre s'oppose à une telle hypothèse, source selon lui d'immobilisme.

### La première « cohabitation » (1986-1988)

C'est pourtant ce cas de figure qui se réalise : lors des élections législatives du 16 mars 1986, qui se déroulent donc au scrutin proportionnel, la droite est majoritaire : le RPR a 145 élus et l'UDF 129 (les deux partis ayant recueilli 42,1 % des voix) et l'on compte encore 14 élus « divers droite » ; le parti socialiste et les radicaux de gauche ont 215 élus (avec 31,6 % des voix), le parti communiste a 35 députés (et moins de 10 % des voix). Disposant de 288 sièges sur 573, la coalition RPR-UDF - divers droite n'a pas besoin de l'appui des 35 élus du Front national pour soutenir l'action d'un gouvernement représentatif de la nouvelle majorité parlementaire.

Celui-ci sera dirigé par Jacques **Chirac**, nommé Premier ministre le 18 mars. Il se fixe comme objectif prioritaire de lutter contre le chômage, que le précédent gouvernement n'était pas parvenu à résorber.

Pour cela, il veut rendre son dynamisme à l'économie française, en désengageant l'État et en donnant plus de liberté aux entreprises privées : il engage ainsi un grand programme de privatisations (touchant même des entreprises nationalisées avant 1982) dont les exemples les plus célèbres sont Saint-Gobain, la Société générale,

---

**Le gouvernement Chirac (1986)**

Jacques Chirac appelle en particulier Édouard Balladur au ministère de l'Économie, des Finances et de la Privatisation, Charles Pasqua à l'Intérieur, René Monory à l'Éducation nationale ; Albin Chalandon est garde des Sceaux, Pierre Méhaignerie est à l'Agriculture, François Léotard à la Culture, Alain Madelin à l'Industrie, Claude Malhuret est secrétaire d'État aux Droits de l'homme.

---

le groupe Paribas, TF1... ; il achève la levée du contrôle des prix, déjà bien engagée, supprime l'impôt sur les grandes fortunes et l'autorisation administrative de licenciement, revient sur les dispositions de la loi Quilliot...

Il s'agit donc d'un programme libéral visant à restaurer l'esprit d'entreprise et l'attrait pour les gains spéculatifs, ainsi que la rentabilité des placements industriels et financiers.

Mais le chômage n'en sera pas pour autant résorbé, le pouvoir d'achat des salariés continue à stagner alors que d'énormes profits sont vite réalisés par la spéculation boursière ou immobilière ; la crise financière de l'automne 1987, bien que sans conséquence grave sur la reprise de l'activité qui s'amorce, brise cependant le mythe de l'« argent facile » et montre les limites du libéralisme économique.

D'autre part, l'image sécurisante du ministre de l'Intérieur Charles Pasqua, apparaissant comme le garant de l'ordre public, est mise à mal par la poursuite des attentats terroristes, les « bavures » policières lors des manifestations lycéennes de novembre-décembre 1986 (mort de Malik Oussekine) et par l'aggravation de la situation en Nouvelle-Calédonie.

La division de la droite lors de l'élection présidentielle de 1988 va achever de faire perdre leur crédit aux candidats qu'elle présente contre François Mitterrand, qui a attendu le dernier moment pour se déclarer candidat. Il a su ainsi encore une fois laisser Michel Rocard être « candidat pour rien » et ses concurrents s'opposer entre eux pour apparaître comme le plus sûr « rassembleur des Français ».

## Le second septennat (1988-1995)

### Les élections de 1988

À l'occasion du premier tour des élections, le 24 avril, François Mitterrand obtient 34,1 % des suffrages exprimés, Jacques Chirac moins de 20 %, Raymond Barre 16,5 %, Jean-Marie Le Pen 14,4 %, André Lajoinie 6,8 %, Antoine Waechter 3,8 %, Pierre Juquin 2,1 %, Arlette Laguiller 2 %, et Pierre Boussel 0,4 %. Au second tour, le 8 mai, François Mitterrand est réélu avec 54 % des voix, contre 46 % à Jacques Chirac.

Fort de ce nouveau soutien populaire, il décide de dissoudre l'Assemblée comme en 1981. Au premier tour des législatives, qui se déroulent au scrutin majoritaire à deux tours rétabli par la majorité sortante, le PS obtient le 5 juin 34,8 % des suffrages exprimés, le PC 11,3 % et le reste de la gauche 3 %, le RPR 19,2 %, l'UDF 18,5 %, le Front national 9,6 %. Le 12 juin, le PS et ses alliés obtiennent 49 % des suffrages, le PC 3 %, l'UPR (RPR + UDF) 46,8 %, le Front national 1 %. Le PS a 262 élus, le MRG 9, les « divers gauche » 4, le PC 27, l'UDF 130, le RPR 128, le FN 1, les « divers droite » 12, sur un total de 575 députés. Ainsi, le parti socialiste ne dispose plus que d'une majorité relative à la Chambre ;

mais il pourra compter sur la « neutralité » des élus communistes et sur l'appui ponctuel de certains députés centristes.

Le 14 juin, Michel Rocard, que François Mitterrand avait déjà nommé Premier ministre entre les deux élections, est reconduit dans ses fonctions.

Il se donnera pour tâche de poursuivre la politique de rigueur économique afin de rétablir « les grands équilibres » tout en s'efforçant de sauvegarder le dialogue social.

### Le gouvernement Rocard (1988-1991)

Pour l'ancien dirigeant du PSU révolutionnaire de 1968 (âgé de 58 ans en 1988), successeur autoproclamé (mais malheureux) de F. Mitterrand, il s'agit à la fois d'un honneur et d'une consécration mais aussi d'un cadeau empoisonné : la politique « réaliste » qu'il préconisait auparavant est mise en œuvre depuis 1983 sans qu'il en apparaisse l'inspirateur ; la haute autorité de François Mitterrand continue à brider ses éventuelles initiatives et le parti socialiste ne lui est guère plus favorable qu'au temps où il bataillait contre le CERES de J.-P. Chevènement et les « mitterrandistes » du parti.

D'ailleurs, près de la moitié des membres du gouvernement qu'il constitue le 29 juin 1988 est constituée de personnalités extérieures au PS. Il comprend en particulier douze « techniciens » (dont Léon Schwarzenberg, Alain Decaux, Brice Lalonde, Bernard Kouchner...), et cinq UDF (dont Jean-Pierre Soisson).

La première tâche à laquelle s'attelle M. Rocard est le règlement du conflit en Nouvelle-Calédonie, amorcé par les accords de Matignon signés dès le 26 juin par les représentants du FLNKS (Front de libération national

kanak et socialiste de Jean-Marie Tjibaou) et du RPCR
(Rassemblement pour la Calédonie dans la République,
présidé par Jacques Lafleur). Ceux-ci permettront la
tenue d'un référendum sur le statut de l'île, le 6 novembre, approuvant (avec 80 % de *oui*) la création dans ce
territoire d'outre-mer de trois provinces, administrées
par des assemblées de province et par un Congrès terri-
torial (réunissant les élus de ces trois assemblées provinciales). Cela ne mettra pas définitivement fin à toute
agitation en Nouvelle-Calédonie (saccage d'un centre
commercial à Nouméa en mars 1992), mais permettra
cependant aux communautés kanake et métropolitaine
de mieux vivre ensemble.

Mais ce conflit lointain ne constitue pas la préoccupation majeure des Français, confrontés à la montée du
chômage et de la précarité.

Aussi le Premier ministre fait-il voter (dès le 1er décembre 1988) une loi créant le revenu minimum d'insertion (RMI), pour répondre aux besoins des plus
démunis, et faciliter leur accès à la vie professionnelle
(les intéressés s'engageant à chercher une insertion
sociale). Ce revenu, égal à 2 300 F environ en 1995 pour
une personne seule, sera versé à 582 000 allocataires fin
1991, et à 925 000 fin 1995. En tenant compte des
conjoints et enfants, cela signifie que près de 1,8 million
de Français (dont plus de 1,55 million de métropolitains),
soit 3 % de la population, vit essentiellement grâce à ce
revenu.

Mais, durant les deux années et demie suivantes,
Michel Rocard ne parviendra pas à créer une véritable
dynamique économique et sociale. En effet, il ne cherchera ni à étendre l'initiative de l'État (« ni privatisation,
ni nationalisation »), ni à relancer la demande intérieure

---

### Les *grands travaux* de l'ère Mitterrand

Durant les deux septennats de François Mitterrand sont construits (ou achevés) un certain nombre de grands ouvrages architecturaux à vocation essentiellement culturelle. Les plus importants sont le Grand Louvre (dont la Pyramide conçue par l'architecte sino-américain Leoh Ming Pei est inaugurée le 14 octobre1988), la Grande Arche de la Défense (due en particulier à Jean-Pierre Buffi et inaugurée à l'occasion du sommet des sept pays les plus riches, en juillet 1989), l'Opéra Bastille (conçu par le Canadien Carlos Ott et inauguré le 13 juillet 1989), l'extension de la Cité des sciences et de l'industrie (dont F. Mitterrand inaugure la Géode le 6 juin 1985), l'Institut du Monde Arabe (dû à J. Nouvel, P. Soria, G. Lezènes et terminé en1987), la reconversion de la gare d'Orsay en Musée (due à G. Aulenti, et terminée en 1987), la Bibliothèque Nationale de France (d'abord appelée Très Grande Bibliothèque, et qui recevra le nom de Bibliothèque François Mitterrand), dont la construction avait été décidée par le président en 1988, et qu'il inaugure le 30 mars 1995, faisant ainsi sa dernière grande apparition officielle.

---

en augmentant les rémunérations salariales (par peur de nouveaux « dérapages » des prix intérieurs et du déficit des échanges extérieurs), ni à innover sur le plan de la lutte contre le chômage.

Et bien que le parti socialiste se sorte honorablement des élections municipales de mars 1989 et des élections européennes de juin 1989 (en obtenant même 23,6 % des voix contre 20,8 % en 1984), son crédit dans le pays est entamé par une série d'« affaires » (controverse sur le « délit d'initiés » permettant à des proches du chef de l'État d'acheter des actions de la société Triangle, révélations de fausses factures permettant le financement occulte du PS...).

De plus, le climat social se tend (grèves aux usines Peugeot en septembre-octobre 1989, troubles dans les banlieues, comme à Vaulx-en-Velin en octobre 1990, manifestations étudiantes en novembre 1990...) et la création de la contribution sociale généralisée (CSG) en 1990, provoque des oppositions de la part de la droite mais aussi des syndicats ouvriers considérant que ce nouvel impôt ne devrait pas toucher les salariés et retraités modestes.

Les manifestations culturelles (inauguration du Grand Louvre en mars 1989 et de l'Opéra Bastille en juillet, fête du bicentenaire de la Révolution le 14 juillet 1989, suivie de l'inauguration de l'Arche de la fraternité à la Défense...) ne concernent finalement qu'une petite partie de la population parisienne et ne peuvent faire oublier les difficultés du quotidien qui tendent à s'aggraver pour beaucoup de Français modestes.

De plus, l'engagement de la France dans la Guerre du Golfe, le 17 janvier 1991, aux côtés des États-Unis et des forces de l'ONU, afin d'obliger les troupes ira-kiennes de Saddam Hussein de se retirer du Koweït qu'elles avaient envahi, suscite des questions sur l'objec-tif réel de cette opération et sur les moyens utilisés : l'extrême gauche manifeste contre la guerre, et le minis-tre de la Défense, Jean-Pierre Chevènement, démissionne au début du conflit.

### Les gouvernements Cresson et Bérégovoy (1991-1993)

Sentant son Premier ministre en perte de crédit, F. Mit-terrand tente de créer un « choc psychologique » en appelant pour la première fois une femme à la tête du gouvernement, Édith **Cresson**, le 15 mai 1991. Fidèle mitterrandiste, elle avait fait partie du premier gouver-nement socialiste en 1981 (comme ministre de l'Agriculture), puis avait été ministre du Commerce extérieur et du Tourisme (en 1983-1984), du Redéploiement industriel (en 1984-1986), des Affaires européennes (en 1988-1990), et député européen (de 1979 à 1981).

Mais son volontarisme sera mal accepté et certaines de ses prises de position concernant la Bourse (« J'en ai rien à cirer de la Bourse ») ou critiquant l'attitude des milieux industriels (elle sera décapitée en effigie par les extrémistes japonais) lui vaudront bien des inimitiés.

C'est durant son ministère qu'a lieu le sommet de Maastricht (9-10 décembre 1991), durant lequel les chefs d'État européens adoptent le traité prévoyant d'approfondir la construction de l'union européenne. Celle-ci devrait reposer sur l'Union économique et monétaire (dont le principe avait été adopté à Madrid en juin 1989), achevée par la création d'une monnaie unique impliquant le respect de critères de convergences économiques contraignants (voir p. 501), ainsi que sur une coopération plus poussée en matière militaire, et sur une harmonisation juridique des pays membres.

Le traité de Maastricht sera signé par les ministres des Affaires étrangères le 7 février 1992 et ratifié en France d'extrême justesse après un vif débat partageant la gauche et la droite, par le référendum du 20 septembre 1992 (les *oui* obtenant moins de 51 % des voix). Entre-temps, Édith Cresson avait été remplacée à la tête du gouvernement par Pierre **Bérégovoy**, le 2 avril 1992. Secrétaire général de l'Élysée en 1981, ministre des Affaires sociales de 1982 à 1984, puis ministre des Finances de 1984 à 1986 et de 1988 à 1992, cet ancien ouvrier autodidacte, fondateur du parti socialiste autonome en 1958, représente a priori l'image d'un militant sincère et dévoué.

Mais si la poursuite d'une politique de rigueur et celle de la réforme des marchés boursiers satisfont les milieux industriels et le monde des affaires, la popularité du Premier ministre est vite remise en cause par l'absence de reprise économique. De plus, le climat social se dégrade (paralysie du pays par l'action des chauffeurs routiers manifestant contre le permis à points), le procès dans l'affaire du sang contaminé par le virus du sida débouche sur une plainte contre d'anciens ministres socialistes de 1984-1985, et P. Bérégovoy lui-même voit son image ternie par ses amitiés douteuses (rappel de Bernard Tapie au ministère de la Ville après que celui-ci a eu affaire avec la justice, affaire du prêt personnel avantageux consenti au Premier ministre...).

**Répartition des sièges par grandes familles politiques**
**(élections législatives de 1958 à 1993)**

| | nov. 1958 | mars 1962 | mars 1967 | juin 1968 | mars 1973 |
|---|---|---|---|---|---|
| PC | 10 | 41 | 73 | 34 | 73 |
| Socialistes/Rad.gauche | 88 | 106 | 121 | 57 | 102 |
| Centre et droite (1) | 182 | 91 | 85 | 94 | 119 |
| Gaullistes (2) | 207 | 233 | 200 | 293 | 183 |

| | mars 1978 | juin 1981 | mars 1986 | juin 1988 | mars 1993 |
|---|---|---|---|---|---|
| P.C. | 86 | 44 | 35 | 2 | 25 |
| Socialistes/Rad.gauche | 115 | 283 | 216 | 275 | 67 |
| Centre et droite (1) | 123 | 61 | 131 | 131 | 207 |
| Gaullistes (2) | 154 | 83 | 155 | 130 | 242 |
| Front National | | | 35 | 1 | |

(1) De 1958 à 1973 : Indépendants et Paysans, Républicains indépendants, Union centriste... Depuis 1978 : Union pour la démocratie française (UDF).

(2) De 1958 à 1967 : Union pour la nouvelle république (UNR). En 1968 et 1973 : Union pour la défense de la république (UDR). Depuis 1978 : Rassemblement pour la république (RPR).

*Source :* Le Monde, 30 mars 1993.

La connaissance du mal dont souffre le président de la République (opéré en septembre 1992 d'un cancer de la prostate) n'est pas de nature à relever le moral des Français, qui n'attendent plus rien du parti au pouvoir et du premier ministre : la sanction des élections de mars 1993 sera brutale, mais attendue.

### Les élections législatives de mars 1993

Le discrédit du parti socialiste et de ses dirigeants est tel qu'il n'obtient le 21 mars, lors du premier tour des législatives, que 17,6 % des voix (contre plus de 30 % en 1988). Le RPR reçoit 20,35 % de suffrages, l'UDF 19,22 %, le Front national 12,52 %, le PC 9,21 %, les écologistes 7,70 %... À l'issue du second tour, le 28 mars, le RPR compte 242 élus et l'UDF 206 ; le PS n'a que 53 députés et le PC 24 ; le MRG et les divers gauche ont 14 députés, contre 36 divers droite. La droite dispose ainsi de plus de 480 sièges sur 577.

Parmi les personnalités marquantes du parti socialiste sont battus Michel Rocard, Roland Dumas (alors ministre des Affaires étrangères), Michel Delebarre, Dominique Strauss-Kahn (ministre de l'Industrie), Louis Mermaz, Michel Sapin (ministre de l'Économie et des Finances)...

François Mitterrand confie alors le 29 mars à Édouard **Balladur** (membre du RPR, parti ayant le plus d'élus), le soin de former un nouveau gouvernement. Jacques Chirac, président de ce parti, ne souhaite pas en effet renouveler l'expérience de 1986, qui ne lui avait pas permis d'aborder dans de bonnes conditions les élections présidentielles de 1988.

Le nouveau Premier ministre constitue aussitôt un gouvernement restreint ayant pour objectif de redresser la situation du pays et de rétablir la confiance. Celui-ci comprend en particulier Charles Pasqua à l'Intérieur et à l'Aménagement du territoire, François Léotard à la Défense, Alain Juppé aux Affaires étrangères, François Bayrou à l'Éducation nationale, Simone Veil aux Affaires sociales, Pierre Méhaignerie à la Justice, Edmond Alphandéry à l'Économie, Nicolas Sarkosy au Budget...

Compte tenu de la présence de F. Mitterrand à l'Élysée, et de la future échéance présidentielle de 1995, ce gouvernement a une marge de manœuvre limitée et tend à se consacrer surtout à la gestion des affaires courantes.

### La seconde cohabitation (1993-1995)

Le 1er mai 1993 est marqué par la suicide de Pierre Bérégovoy (très affecté par le dur échec socialiste et par l'évocation d'un prêt personnel avantageux dont il avait bénéficié). Vers la fin du mois éclate le début de l'affaire Valenciennes-Olympique de Marseille, qui va défrayer la chronique durant les années à venir, et conduira à l'inculpation pour corruption de Bernard Tapie, ancien ministre de la Ville.

À la fin de l'année, les étudiants protestent contre le CIP (Contrat d'insertion professionnelle, qualifié de « SMIC-Jeune »), et le projet de révision de la *loi Falloux* provoque une gigantesque manifestation qui conduit en janvier à son abandon. En septembre 1994 débute une polémique sur les amitiés entre le président de la République et René Bousquet (ancien collaborateur notoire, inculpé en 1992 pour crime contre l'humanité, et assassiné par Christian Didier le 8 juin 1993). D'autre part, les suites de l'affaire du sang contaminé débouchent sur la mise en examen des anciens ministres socialistes Georgina Dufoix, Laurent Fabius et Edmond Hervé.

En décembre, après que Jacques Chirac et Jean-Marie Le Pen ont annoncé leur candidature à l'élection présidentielle à venir, Jacques Delors, qui apparaissait comme le meilleur candidat de la gauche, voire le seul susceptible de l'emporter, déclare lors d'une émission télévisée très attendue qu'il ne sera pas candidat.

En janvier 1995, tandis que M$^{gr}$ Jacques Gaillot, l'« évêque des pauvres et des exclus », est suspendu par le pape Jean-Paul II, les grandes manœuvres préélectorales se précisent : Jack Lang envisage sa candidature, bientôt suivi par le premier secrétaire du parti socialiste, Henri Emmanuelli, en faveur duquel Jack Lang se retire. De son côté, le Premier ministre Édouard Balladur annonce qu'il sera candidat. Il aura finalement comme opposant socialiste Lionel Jospin, choisi par son parti début février.

Début mars s'ouvre le procès Urba-Sages, révélant le financement occulte du parti socialiste, et impliquant H. Emmanuelli, trésorier à l'époque des faits incriminés. À la fin du mois, F. Mitterrand inaugure les locaux de la future Bibliothèque nationale de France (qui portera son nom).

En avril, Jacques Mellick, député-maire socialiste de Béthune, dont le faux témoignage avait dans un premier temps disculpé Bernard Tapie, est condamné pour subornation de témoin ; cela entraîne l'effondrement du système de défense de l'ancien président de l'OM.

Le 20 avril, les cendres de Pierre et Marie Curie sont transférées au Panthéon. À la fin du mois s'achève le procès Noir-Botton, le maire de Lyon, premier nommé, étant condamné pour fausses factures.

Ainsi, ces deux années voient se succéder une série d'affaires ou de scandales révélateurs d'un malaise croissant au sein de la société française. D'une façon plus générale, la politique menée par le gouvernement Balladur, prêchant la poursuite de la rigueur économique et le retour à l'orthodoxie financière et n'attendant que de ceux-ci un lointain rétablissement de la situation de l'emploi, ne contribue pas à rendre l'espoir aux Français.

Pourtant, à plusieurs mois de l'échéance électorale, les sondages restent favorables àÉ. Balladur, dont le calme, le discours « responsable » semblent rassurer une majorité de Français. Jacques Chirac souffre alors de son éloignement du pouvoir, et la gauche de l'absence de chef charismatique.

Bien plus, ces deux dernières années de la présidence de F. Mitterrand voient le discrédit qui touchait le parti socialiste atteindre son ancien chef. L'ouvrage de Pierre Péan sur la jeunesse du président et son attirance pour l'extrême droite, son amitié pour René Bousquet, les affaires de délits d'initiés touchant des proches de F. Mitterrand n'étaient pas de nature à restaurer la crédibilité de ceux qui l'avaient soutenu ou avaient bénéficié de sa protection.

Et si les Français rendent hommage au courage de F. Mitterrand, de plus en plus affecté d'une façon visible par la maladie dont il souffre, son affaiblissement le prive d'initiative politique susceptible de relancer la gauche. Son dernier grand projet, la poursuite de la construction européenne, ne semble pas de cette nature, comme en témoigne le mauvais résultat de la liste socialiste aux élections européennes, pourtant conduite par Michel Rocard, subissant lui-même le contrecoup de cet échec.

Ayant cependant pris la tête du parti socialiste en avril 1993, Michel Rocard devait être supplanté en juin 1994 par Henri Emmanuelli, pourtant peu crédible,

**Les élections européennes de 1994**

Elles sont l'occasion d'un nouvel échec du parti socialiste qui obtient moins de 14,5 % des voix, contre 25,6 % à la liste UDF-RPR, menée par Dominique Baudis.

Les grands vainqueurs sont Philippe de Villiers, dont la liste obtient 12,3 % des voix, et Bernard Tapie, tête de liste des radicaux de gauche, qui dépasse les 12 %, et révèle ainsi le désir de renouvellement du personnel politique de gauche. La liste Front national de Jean-Marie Le Pen dépasse, elle, les 10,5 %.

Par contre, la liste du parti communiste obtient moins de 7 % des voix et celle que mène J.-P. Chevènement 2,5 %, ne faisant guère mieux qu'Arlette Laguiller (2,3 %) et Brice Lalonde, avec Génération Écologie (2 %), et moins bien que les Verts (2,9 %).

Michel Rocard ne se remettra pas de cette piètre performance, qui lui fera perdre la direction du PS et lui barrera la route à la candidature à l'élection présidentielle.

dans le rôle d'un éventuel candidat à la présidence de la République. Cela permet sans doute d'expliquer la montée, dans les sondages préélectoraux, de Jacques Chirac tenant un discours volontariste néogaullien, séduisant une partie de l'électorat de gauche.

### Les élections présidentielles de 1995 ... et les débuts de la présidence de Jacques Chirac

Le désarroi idéologique de la gauche, la guerre de succession au sein du parti socialiste, la mise en accusation de Bernard Tapie et l'aggravation du chômage auquel le candidat É. Balladur n'apporte pas de solution, expliquent aussi cette remontée de Jacques Chirac.

Dénonçant l'aggravation de la « fracture sociale », la spéculation financière, la passivité de son concurrent-Premier ministre Balladur, il apparaît à la veille de l'élection comme le favori du scrutin. Pourtant, lors du premier tour, qui a lieu le 23 avril 1995, c'est le candidat du parti socialiste, Lionel Jospin qui arrive en tête avec 23,3 % des suffrages exprimés, devant Jacques Chirac (20, 8%), Édouard Baladur(18,6 %) et Jean-Marie Le Pen (15 %), confirmant le rôle croissant du Front national dans la vie politique française. Robert Hue, pour le parti communiste, obtient 8,6 %, et Arlette Laguiller (Lutte ouvrière) dépasse les 5 %. Par contre, Philippe de Villiers n'obtient que 4,7 %, et Dominique Voynet (les Verts) que 3,3 %.

Au second tour, le 7 mai 1995, Jacques Chirac bénéficie d'un bon report des voix de droite, et est élu président de la République avec 52,6 % des voix, L. Jospin obtenant un résultat honorable avec 47,4 % des suffrages.

À la suite de ces élections, J. Chirac appelle le 18 mai à Matignon Alain **Juppé**, en remplacement d'Édouard Balladur.

---

**Les élections municipales de 1995 (11 et 18 juin)**

Elles ne donnent pas lieu à de grands bouleversements par rapport à celles de 1989 : dans les agglomérations de plus de 100 000 habitants (hors Paris), la gauche (présentant souvent des listes d'union) l'emporte dans 18 cas (+2), la droite « classique » dans 14 cas (–3) ; mais si l'on considère l'ensemble des villes de plus de 30 000 habitants, la droite en gagne 21 mais en perd 5. Le fait nouveau est la victoire du Front national dans une ville de plus de 100 000 habitants (Toulon), une de plus de 30 000 (Marignane) et une de plus de 15 000 (Orange).

Le nouveau Premier ministre constitue un gouvernement éphémère qui sera remanié en novembre 1995. Il comprendra en particulier : Jacques Toubon à la Justice, Charles Millon à la Défense, François Bayrou à l'Éducation, Jean-Louis Debré à l'Intérieur, Jean Arthuis à l'Économie, Hervé de Charette aux Affaires étrangères.

Les premiers mois du nouveau pouvoir seront marqués par les élections municipales (en juin), par la reprise des essais nucléaires français dans le Pacifique, et par le dramatique attentat à la bombe dans le RER parisien, le 25 juillet, faisant 7 morts et 25 blessés. Il sera suivi par celui de la place de l'Étoile (le 1er août), par celui du métro Maison-Blanche (le 6 octobre, jour des obsèques de l'auteur présumé des premiers attentats, Khaled Kelkal, tué par la police), puis par un nouvel attentat dans le RER, près du musée d'Orsay (le 17 octobre).

L'automne 1995 verra aussi se développer l'agitation des étudiants réclamant de nouveaux crédits pour l'Université, et la vague de grève dans les transports, accompagnées de multiples manifestations contre le « Plan Juppé » concernant la réforme du financement de la Sécurité sociale et du système de retraite. Ce mouvement social de novembre-décembre sera aussi provoqué par les déclarations de J. Chirac, annonçant en octobre que la poursuite de la politique de rigueur et le respect des « critères de convergence » du traité de Maastricht, concernant en particulier la réduction des dépenses publiques, lui paraissent désormais inéluctables ; alors qu'il avait pourtant affirmé, avant son élection, qu'il fallait infléchir cette politique afin de lutter efficacement contre le chômage et l'exclusion.

Par ailleurs, J. Chirac fera état de son intention de supprimer le service militaire obligatoire.

Ces divers facteurs d'incertitude expliquent la baisse rapide, dans les sondages, de la cote de popularité du président de la République et de son Premier ministre. Ils rendent compte également du suprenant retour de la gauche, remportant les élections législatives des 25 mai et 1er juin 1997 après « l'incroyable dissolution » de la Chambre décidée par J. Chirac. Le parti socialiste sortira grand vainqueur de ce scrutin et verra son premier secrétaire, Lionel **Jospin**, accéder à l'hôtel Matignon, dans le cadre d'une nouvelle « cohabitation ».

---

### La fin de François Mitterrand

François Mitterrand s'éteindra le 8 janvier 1996, à l'âge de 79 ans, à la suite d'un mal dont il souffrait cruellement depuis plusieurs années.

Sa mort provoquera une grande émotion dans le pays, car, au-delà du drame humain auquel les Français seront sensibles, une partie d'entre eux verra avec inquiétude disparaître une grande figure de l'histoire politique du pays, ayant permis à une gauche – certes décevante – d'exercer le pouvoir durant dix ans.

Mais elle sera aussi l'occasion du début d'une polémique sur l'état de santé réel du chef de l'État, dès le début de son premier mandat (sa maladie ayant été dissimulée lors de la publication de bulletins de santé mensongers), et sur sa capacité à assumer sa charge jusqu'au bout.

### J.-M. Le Pen et le Front national

Le Front national a été fondé en 1972 par Jean-Marie Le Pen, ancien membre actif et député de l'UDCA de Pierre Poujade, en 1956, à l'âge de 27 ans. Il s'engagea ensuite dans le 1er régiment étranger de parachutistes, et participa à l'expédition de Suez puis à la guerre d'Algérie en tant qu'officier de renseignement.

Les dix premières années du parti sont difficiles sur le plan électoral. En 1973, lors des élections législatives, le Front national n'obtient que 1,3 % des voix (et J.-M. Le Pen lui-même 5,2 % à Paris). En 1974, au premier tour de l'élection présidentielle, J.-M. Le Pen ne recueille que 0,7 % des suffrages. Lors des législatives de 1978, le Front national, présent dans 16 circonscriptions seulement, n'obtient que 0,33 % des voix (et J.-M. Le Pen 3,9 % à Paris). En 1979, le Front national ne peut présenter de liste aux élections européennes. Enfin, en 1981, J.-M. Le Pen n'obtient pas les 500 signatures nécessaires pour être candidat à la présidence, et le Front national n'obtient que 0,35 % des voix aux législatives (et J.-M. Le Pen 4,38 %).

Mais, à partir de 1983, la situation change radicalement : aux municipales, la liste de J.-M. Le Pen obtient 11,3 % à Paris (XXe arrondissement), et l'année suivante le FN obtient près de 11 % des voix lors des élections européennes, et a 10 élus. Lors des législatives de 1986, les candidats FN reçoivent près de 10 % des suffrages, et plus de 20 % dans certaines circonscriptions (dans les Bouches-du-Rhône, les Alpes-Maritimes, à Perpignan...). Grâce au scrutin proportionnel, le Front a 35 députés élus. En 1988, J.-M. Le Pen reçoit 14,4 % des voix au premier tour de la présidentielle, et le FN 9,6 % au premier tour des législatives, ce qui lui permet d'avoir un député, Yann Piat (mais exclue du Front en octobre).

En 1989, aux élections municipales, les listes FN n'obtiennent globalement que 2,2 % des voix, mais dépassent les 20 % dans certaines circonscriptions, et Marie-France Stirbois est élue député lors d'une législative partielle à

Dreux. En 1993, le Front national obtient 12,5 % aux législatives (mais n'a pas d'élu), et, en 1994 10,5 % aux européennes (avec 11 élus). Puis, lors du premier tour de l'élection présidentielle de 1995, J.-M. Le Pen obtient 15 % des voix et, aux municipales, le FN a 1 249 conseillers élus, et enlève la mairie de plusieurs grandes villes (Toulon, Marignane, Orange). Lors des élections législatives de mai 1997, il obtiendra à nouveau 15 % des suffrages exprimés.

Cette montée du Front national semble très liée à la personnalité de son président, dont les formules-chocs et les prestations télévisées séduisent un nombre important de Français, en particulier ceux des milieux populaires : lors des dernières consultations électorales, son parti a été celui qui a reçu le plus de votes ouvriers (27 %), devant le parti socialiste et le parti communiste.

Osant parler ouvertement du problème de l'immigration et de l'insécurité, préoccupant une bonne partie de l'opinion, flattant l'orgueil national, cultivant habilement les réflexes racistes et antisémites, dénonçant l'« établissement » politique qui confisque le pouvoir au profit des partis dominants, J.-M. Le Pen a su capter la confiance de 10 à 15 % des Français victimes de la crise économique, désorientés par la perte d'identité nationale et par la « mondialisation », et inquiets d'un avenir incertain.

L'absence de nouveau modèle de société et de solutions concrètes aux problèmes quotidiens du chômage et de la violence, de la part des partis traditionnels de droite et de gauche, expliquent en grande partie ce crédit croissant.

Mais l'ambiguïté des positions économiques du Front national, oscillant entre l'apologie du libéralisme et le dirigisme, son intolérance et son racisme reconnu par J.-M. Le Pen lui-même, son culte des valeurs relevant de l'idéologie nationaliste d'extrême droite continuent à en faire un parti « à part » aux yeux des autres forces politiques et de la majorité des Français, voyant en lui un danger pour la démocratie.

# De la relance à la rigueur néolibérale
## (1981-1995)

### Vers le « réalisme économique »

*Le premier mandat de François Mitterrand commence sous le signe de la relance keynésienne et de l'extension du rôle de l'État dans l'économie. Puis les socialistes optent pour une politique de « rigueur » qui conduit à une désinflation spectaculaire poursuivie pendant le gouvernement Chirac ; celui-ci entreprend aussi une « privatisation » des entreprises publiques et active les mécanismes de marché que la victoire de la gauche en 1988 ne remet pas en cause. Au contraire, durant le second septennat, l'adhésion de la France au traité de Maastricht accentuera le victoire du « néolibéralisme ».*

Quand les socialistes arrivent au pouvoir, en juin 1981, le contrecoup du second choc pétrolier est toujours présent : la production industrielle diminue en volume par rapport à 1980, année durant laquelle sa croissance était nulle ; parallèlement, le produit intérieur brut n'augmente que faiblement, la hausse des prix à la production et à la consommation atteint 13 %, et l'on compte près de 1,7 million de chômeurs.

Ayant condamné depuis plusieurs années la politique suivie par Raymond Barre, les socialistes décident, conformément à leur programme, de relancer l'activité.

### La relance (1981-1982)

Selon eux, la « stagnation » que connaît alors l'économie française s'explique en grande partie par l'insuffisance de la demande intérieure, qui réduit les perspectives de vente des entreprises et leur motivation à investir et à embaucher. Il convient donc – sans pour autant accroître l'ensemble des rémunérations – d'augmenter les bas salaires et les dépenses publiques pour stimuler le marché intérieur, tout en accroissant l'offre en aidant les entreprises privées par le biais de subventions, et en développant les investissements de l'État par l'intermédiaire d'un secteur public élargi : des nationalisations doivent en effet permettre à l'État d'accroître et de diriger les investissements des entreprises industrielles passées sous contrôle public, tout en facilitant leur financement grâce à l'extension du secteur bancaire nationalisé.

Un déficit budgétaire « de relance » est alors décidé pour permettre de dégager les fonds nécessaires au rachat des entreprises privées, aux aides publiques et aux créations d'emplois prévues dans le secteur public (150 000). Le lancement d'emprunts d'État doit permettre de financer une partie de ces dépenses, et la reprise attendue de l'activité doit contribuer à accroître progressivement les recettes fiscales de l'État.

Le gouvernement estime ainsi que le risque de « dérapage » inflationniste est réduit, car une reprise des investissements, de la croissance et de l'emploi permettra de réduire les coûts unitaires de production et les dépenses d'assistance.

La logique de cette politique coïncide donc étroitement avec la pensée keynésienne selon laquelle le sous-emploi et la stagnation durable de l'activité ne peuvent être surmontés que grâce à l'action de l'État, seul en mesure de restaurer, par ses dépenses, un climat propice à la reprise.

**Le devenir de la planification**

Les II^e (1953-1957), III^e (1958-1961), IV^e (1962-1965) et V^e (1966-1970) plans de développement avaient été marqués par un souci de diversification de la production, et par la prise en compte de préoccupations liées à une situation beaucoup plus favorable que durant l'immédiat après-guerre : formation de la main-d'œuvre, urbanisme, meilleure répartition des « fruits de la croissance »....
Mais l'ambiguïté du devenir du système social étant levée, le poids des partis de gauche étant moins grand, l'idée même d'une planification « active » s'estompe pour faire du plan une simple étude prospective à moyen terme, révélant les préférences de l'État, mais ne l'engageant en aucune façon à mettre en œuvre les moyens financiers nécessaires à leur réalisation. La tendance à la « déplanisation » s'accentue encore avec les VI^e (1971-1975), VII^e (1976-1980), VIII^e (1981-1986) et IX^e plans (1984-1988), qui se résument au travail de quelques experts, au sein d'un Commissariat général au plan réduit à un rôle symbolique. Même l'arrivée des socialistes au pouvoir ne s'est pas traduite par un renouveau de l'idée de planification.

## Les effets de la relance

Cette politique a pour conséquence de stabiliser le niveau du chômage en 1982-1983, grâce parfois à un traitement social du problème (stages de formation pour les jeunes, possibilités de départ anticipés en préretraite...). Elle permet également une légère reprise de l'activité en 1982, et l'amélioration de la situation des entreprises nationalisées, alors que la hausse des prix marque un léger recul.

Cependant, la production industrielle baisse de nouveau en 1982 ; la hausse du SMIC, la réduction du temps de travail hebdomadaire (passage aux 39 heures) et la cinquième semaine de congés payés alourdissent les coûts unitaires des entreprises bien que les gains de productivité soient élevés cette même année : leur rentabilité reste pratiquement au niveau plancher de 1981 durant les années suivantes.

Aussi la conséquence la plus visible à court terme est-elle la dégradation du solde de la balance commerciale qui atteint − 136 milliards de francs en 1982 (contre − 87 milliards en 1981). Cela s'explique par le fait que les hausses des rémunérations et le surcroît des dépenses publiques ont provoqué une augmentation des importations deux fois plus importante que celle des exportations de produits français. En effet, en dehors du problème de l'énergie, un certain nombre de biens de consommation courante comme de biens de production doivent être importés dans une proportion croissante, et la compétitivité des produits français tend à se dégrader : le « différentiel d'inflation » (c'est-à-dire l'écart des taux d'inflation) entre la France et ses principaux partenaires commerciaux se creuse de plus en plus fortement. Avant le second choc pétrolier, il n'était que de moins d'un point et demi par rapport à l'inflation moyenne des grands pays de la CEE, de moins d'un point par rapport au Japon, d'environ deux points par rapport aux États-Unis, mais de quatre points par rapport à l'Allemagne.

Or si la hausse des prix à la consommation en France (de 13,5 % en 1980 et 1981) est égale à près de 12 % en 1982 et à près de 10 % en 1983, elle n'est plus, pour ces deux dernières années, que de 6,1 et 3,2 % aux États-Unis, de 5,2 et 3,2 % en Allemagne, de 2,6 et 1,8 % au Japon. La désinflation est donc spectaculaire dans ces grands pays industriels, alors qu'elle s'amorce seulement en France.

Cette situation est alors jugée intolérable par le gouvernement socialiste, qui décide de changer de politique.

### L'inflation [1] en France et dans les grands pays de l'OCDE (1980-1988)

|  | 1980 | 1981 | 1982 | 1983 | 1984 | 1985 | 1986 | 1987 | 1988 |
|---|---|---|---|---|---|---|---|---|---|
| France | 13.5 | 13.4 | 11.8 | 9.6 | 7.4 | 5.8 | 2.7 | 3.1 | 2.7 |
| États-Unis | 13.4 | 10.3 | 6.1 | 3.2 | 4.3 | 3.5 | 1.9 | 3.6 | 4.0 |
| RFA | 5.4 | 6.4 | 5.2 | 3.2 | 2.5 | 2.1 | -0.1 | 0.2 | 1.2 |
| Gde-Bretagne | 18.0 | 11.7 | 8.7 | 4.5 | 5.0 | 6.0 | 3.4 | 4.1 | 4.9 |
| Japon | -8.0 | -4.9 | 2.6 | 1.8 | 2.2 | 2.0 | 0.3 | -0.1 | 0.4 |

(1) Variation d'une année sur l'autre des prix à la consommation.

Sources : *Perspectives économiques de l'OCDE*, juin 1990.

## La rigueur

Dès le courant de 1982, la priorité devient la lutte contre l'inflation, jugée responsable du déficit extérieur, qui entraîne l'endettement de la France, la dépréciation du franc, et risque d'engager le pays dans une spirale incontrôlable de nouveaux déficits commerciaux, d'effondrement de la devise nationale et d'inflation importée.

Ainsi Pierre Mauroy décide-t-il de bloquer durant six mois les prix et les salaires, et le responsable du Budget, Laurent Fabius, prépare pour 1983 un budget moins déficitaire que le précédent. Il est procédé également à trois dévaluations destinées à relancer les exportations françaises. Mais, au-delà de ces mesures ponctuelles, le gouvernement s'engage dans une politique de « rigueur » visant à réduire considérablement les hausses de salaires, en proclamant la fin de leur indexation sur le taux d'inflation anticipé : désormais, il convient de s'attacher à limiter au maximum les hausses de prix, et se contenter, dans la mesure du possible, de

---

### Nationalisation et privatisation (1981-1987)
#### Les nationalisations (1981-1982)

- Acquisition de 100 % du capital d'Usinor et Sacilor (contrôlés à 85 % auparavant) ;

- Nationalisation complète de la Compagnie générale d'électricité (CGE), de Thomson, de Saint-Gobain-Pont-à-Mousson, de Pechiney-Ugine-Kuhlmann et de Rhône-Poulenc (ainsi que des filiales de ces cinq grands groupes industriels) ;

- Participation majoritaire dans le capital de Dassault-Breguet et de Matra ;

- Achat des filiales françaises d'entreprises étrangères : CII-Honeywell-Bull, Roussel-Uclaf et Compagnie générale de construction téléphonique (CGCT) ;

- Nationalisation complète des compagnies financières Paribas et Indosuez, ainsi que de 36 établissements bancaires.

#### Les privatisations (1986-1987)

Le krach boursier d'octobre 1987 et le retour des socialistes au gouvernement en 1988 ont interrompu le processus de privatisation engagé dès la fin de 1986, qui prévoyait le retour au secteur privé de l'ensemble des entreprises nationalisées en 1981-1982, mais également celui de certaines firmes industrielles ou bancaires passées sous contrôle public à la Libération. Ont finalement été privatisées : Saint-Gobain-Pont-à-Mousson, la CGE, la CGCT, la Société générale, le Crédit commercial de France, Paribas, l'agence Havas, TF1, plusieurs banques régionales, et partiellement Elf-Aquitaine.

---

maintenir après coup le pouvoir d'achat des salaires. Contenir la demande intérieure est de plus jugé nécessaire pour éviter la croissance trop rapide des importations, qui compromettrait le rétablissement recherché de la balance commerciale.

De fait, le rythme de progression des salaires va se réduire d'une façon rapide, passant d'environ 15 % en 1981-1982 à 4 % en 1986. D'autre part, en raison de la réduction de certaines dépenses publiques, de l'établissement d'une nouvelle tranche d'imposition sur les hauts revenus (taxés à 65 %), de l'augmentation des cotisations sociales (1 % Bérégovoy), le déficit budgétaire d'abord stabilisé commence à se réduire : égal à 153 milliards de francs en 1985, il baisse à 141 milliards en 1986 (puis à 120 et 115 milliards en 1987 et 1988).

Le résultat de cette politique sera de ramener effectivement la hausse des prix à moins de 3 % en 1986, éliminant ainsi le différentiel d'inflation avec les principaux pays de l'OCDE, de réduire sensiblement le déficit commercial (88 milliards en 1983, 69 en 1984-1985, 37,5 en 1986), l'année 1986 voyant également une légère reprise de l'activité. Mais la production industrielle croît toujours aussi faiblement (moins 1 % par an), le taux de chômage dépasse les 10 % et le nombre des chômeurs est passé de 1,9 à 2,5 millions entre 1983 et 1986.

L'effet principal de la rigueur aura finalement été de briser la hausse des coûts salariaux, permettant ainsi l'amorce du rétablissement de la rentabilité des entreprises, mais au prix d'une stagnation d'ensemble du pouvoir d'achat des salariés.

### Le retour au libéralisme

En fait, le retournement de politique économique effectué en 1982-1983 constitue également un pas vers le désengagement de l'État : les services de la planification ne jouent aucun rôle actif en matière de détermination des grands objectifs nationaux ; les stratégies des différents établissements industriels et financiers nationalisés ne sont pas

coordonnées, et ils agissent comme des firmes privées ;
l'acceptation du jeu concurrentiel et de l'intégration de
l'économie française dans l'Europe élargie signifie aussi
celle des critères capitalistes de rentabilité ; de même, la
réforme de la Bourse, avec la création en 1986 du marché à
terme d'instruments financiers (MATIF), marque le désir
du gouvernement socialiste de favoriser les mécanismes de
financement privés. Au total, l'objectif de gestion plus
« efficace » du système économique existant se substitue à
celui des nouvelles réformes économiques ou sociales.

Cela peut expliquer à la fois le manque de soutien
rencontré par les partis de gauche lors des élections de
1986 et la facilité avec laquelle est mise en œuvre la
politique du gouvernement Chirac à partir du printemps
1986. Dans ses grandes lignes, la politique conjonctu-
relle ne se modifie pas : poursuite de la réduction du
déficit du budget de l'État (dont le solde négatif passe
de 3,3 % du produit intérieur brut en 1985 à 2,8 en
1986, 2,3 en 1987 et 2 % en 1988) ; désir d'alléger le
poids de la fiscalité avec la suppression de l'impôt sur les
grandes fortunes et de la tranche d'imposition à 65 %,
et avec la baisse de l'impôt sur les bénéfices des entreprises ; maintien de taux d'intérêt réels élevés pour freiner
le développement du crédit. Pourtant, le taux des prélèvements obligatoires, impôts plus cotisations sociales,
qui était passé de 44,6 % en 1984 à 44,1 % en 1986,
atteint 44,8 % en 1987).

Cependant, la nouvelle majorité se distingue de la
précédente par sa référence explicite aux bienfaits de
l'initiative privée et de la déréglementation : une partie
des entreprises nationalisées en 1981-1982 sont privatisées, de façon à restaurer ou à accentuer l'« esprit de profit »
dans ces firmes comme dans le pays (et à permettre égale-

ment à l'État de trouver des recettes nouvelles permettant d'amortir une partie de sa dette) ; la libération des prix industriels, déjà engagée par Raymond Barre et poursuivie par les gouvernements socialistes, est menée à son terme afin d'instaurer un système de « vrais prix », et de respecter l'autonomie de gestion des firmes ; l'autorisation administrative de licenciement est supprimée pour permettre aux entreprises d'adapter l'emploi à leurs besoins et donc de comprimer leurs coûts, tout en favorisant l'embauche dans celles qui hésitaient à accroître le nombre de leurs employés par peur de ne pouvoir le réduire en cas de difficultés ultérieures.

Dans l'esprit de Jacques Chirac et de son ministre de l'Économie Édouard Balladur, il s'agit donc d'activer les mécanismes de l'économie de marché, de rétablir la rentabilité des entreprises privées et de les inciter ainsi à investir et à embaucher. La remontée des profits est de fait importante à partir de 1986 : le « taux de marge » (rapport du profit brut à la valeur ajoutée) passe dans l'industrie d'environ 28 % en 1981-1985 à près de 33 % en 1988. De même, leur rentabilité économique (rapport du profit brut au capital engagé), qui était tombée de près de 18 % en 1973 à 12-13 % en 1975 et à 11 % de 1981 à 1985, tend vers 13 % en 1988. Quant au taux de profit net (profit brut moins impôt et charges financières), il remonte d'environ 6 % à 8 % entre 1981-1985 et 1988.

Cependant, la rentabilité des investissements doit être supérieure au coût de l'endettement pour inciter les entreprises à acheter des machines et à employer plus de main-d'œuvre plutôt qu'à acheter des titres ou à spéculer en Bourse : c'est précisément cette infériorité de la rentabilité économique par rapport à la rentabilité financière qui explique l'atonie des investissements durant ces dernières années.

Ce phénomène (non limité à la France) explique la frénésie de placement boursier qui s'est observée de 1982-1983 à 1987. La montée excessive des cours par rapport à la rentabilité réelle des entreprises est à l'origine du retournement brutal d'octobre 1987 : la vente par certains entraîne une perte de confiance et un effondrement rapide des cours de nombreux titres. Ce krach de 1987, qui n'a finalement pas eu de répercussion sur le monde de la production, a cependant eu pour conséquence de montrer les limites des placements spéculatifs et a conduit un certain nombre d'investisseurs à accroître (pour un temps) l'investissement productif.

Le retour des socialistes au gouvernement en 1988 ne se traduit pas par un infléchissement de la politique suivie durant la « cohabitation » : la rigueur reste à l'ordre du jour, aussi bien en ce qui concerne la politique salariale que sur le plan des finances publiques (malgré une légère augmentation des dépenses) ; aucune renationalisation n'est envisagée, et l'harmonisation des politiques européennes reste l'objectif pour 1993.

### Vers une sortie de crise ?

En 1988, un certain nombre d'indicateurs laissent à penser que la reprise de l'activité est effective, bien que le nombre des chômeurs reste élevé.

Ainsi, la croissance réelle du produit intérieur brut est égale à 3,3 % (contre moins de 2 % en 1987, ce qui le porte à 5 658,6 milliards de francs courants) et celle de la production industrielle est de 4,3 %, alors qu'elle stagnait depuis 1980. Le taux de chômage, de 10,5 % de la population active en 1987, redescend autour de 10 % en 1988, et l'emploi augmente de 0,9 % (contre 0,3 % en 1987 et 0 % en 1986). Le taux de croissance de l'investissement productif est de 12,2 % en 1988, après avoir été compris entre 8 et 10 % en 1985-1987, et alors qu'il était négatif de 1980 à 1984. Les gains de productivité sont globalement de 3,7 % en 1988 (contre 3,1 % en moyenne, de 1984 à 1987) ; dans l'industrie, ils sont de 6 % (contre 3,5 % en moyenne de 1984 à 1987).

La rentabilité du capital poursuit son redressement et le pouvoir d'achat des ménages s'améliore sensiblement en 1988 : il augmente de 3,5 % (contre 0,5 % en 1987, 2,5 % en 1986, 1,7 % en 1985, – 0,7 % en 1983 et 1984). Mais cela provient surtout de l'accroissement des prestations sociales (+ 3,5 %), de celui des revenus de la propriété (+ 8,6 %) et des allègements fiscaux. En effet, le pouvoir d'achat des salaires nets ne s'accroît en réalité que de 1,3 % (mais il avait baissé de 1983 à 1985 et en 1987) et celui du SMIC net baisse même de 0,6 %.

On ne peut donc parler de véritable amélioration de la situation des salariés, dont l'endettement total tend en 1988 vers 50 % de leur revenu disponible brut (contre 38 % en 1978), et qui doivent diminuer leur épargne pour pouvoir maintenir leur consommation : ainsi, leur taux d'épargne brut (rapport du montant de leur épargne à leur revenu disponible brut) baisse de 20 % environ en 1975 à 12 % en 1988. Leur situation financière tend donc à se dégrader et l'on peut se demander jusqu'à quel point peut se poursuivre un mécanisme de reprise qui repose en grande partie sur l'endettement et la désépargne.

Un autre problème majeur se pose à l'économie française en cette fin des années 80 : le solde de ses échanges extérieurs reste fortement négatif : – 61,3 milliards de francs en 1985, – 28,3 en 1986, – 60,9 en 1987, – 65,7 en 1988. De plus, le solde des produits manufacturés (égal à + 83 milliards en 1985 et à + 32,5 milliards en

## La mort du keynésianisme ?

On assiste au milieu des années 80 à une remise en cause de la pensée keynésienne qui avait inspiré les politiques économiques suivies depuis la Seconde Guerre mondiale, en raison du fait que l'inflation et le chômage perdurent malgré l'interventionnisme de l'État.

Pour J.-M. Keynes, en effet, le capitalisme souffre d'un mal chronique : l'augmentation en longue période de la part des revenus épargnés réduit celle qui est affectée à la consommation ; cela rend pessimistes les entrepreneurs, qui limitent leur production et leurs investissements et n'emploient pas toute la main-d'œuvre disponible. Aussi, pour assurer un flux de dépenses permettant de tendre vers le plein emploi, faut-il que l'État émette de la monnaie (afin d'abaisser les taux d'intérêt et de rendre moins coûteux les investissements), pratique un déficit budgétaire accroissant la demande intérieure ou encore investisse et crée lui-même des emplois dans le secteur public, sans risque inflationniste tant que le chômage est élevé.

En 1981, les nationalisations, les aides aux entreprises privées, l'embauche dans le secteur public, le « budget de relance » constituent ainsi des instruments de politique économique conformes à la logique keynésienne. Mais ceux-ci interviennent dans un contexte mondial particulier : les autres grands pays capitalistes développés se sont engagés depuis le second choc pétrolier dans une politique d'austérité visant à réduire la demande et les prix afin de pouvoir développer leurs exportations et de réduire leur déficit extérieur. La France se trouve donc en décalage par rapport à ses concurrents, et la relance de la demande intérieure va surtout profiter à ceux-ci : le solde négatif de la balance commerciale française atteint un record historique en 1982, avec plus de 120 milliards de francs de déficit.

En quelques mois, le gouvernement socialiste va alors changer radicalement de politique et se rapprocher sans le dire de ceux qui, aux États-Unis, en particulier avec l'élection de Ronald Reagan fin 1980, ont adopté le point de vue des « économistes de l'offre » : pour ceux-ci, si les choses ne vont pas, ce n'est pas à cause de l'insuffisance de la demande, mais parce que les coûts de production sont trop élevés ; ainsi, le soutien de l'activité ne peut que provoquer ou aggraver l'inflation sans résorber pour autant le chômage.

Il faut donc au contraire stimuler l'offre en cherchant à restaurer la compétitivité des entreprises, par la réduction des charges salariales, fiscales, financières qui pèsent sur elles ; l'État doit s'opposer aux hausses de salaires, réduire les impôts, s'abstenir de collecter l'épargne par le biais d'emprunts publics qui assèchent le marché financier et provoquent la hausse des taux d'intérêt.

D'une façon plus générale, ces « néolibéraux » condamnent l'extension du secteur public et du rôle économique de l'État : selon eux, il perturbe les mécanismes spontanés du marché, transforme trop d'entreprises et de ménages en « assistés » qui attendent l'aide de l'État plutôt que de faire l'effort pour s'adapter aux nouvelles conditions des marchés, et décourage l'initiative par ses taux d'imposition dissuasifs.

Sans se convertir totalement au néolibéralisme, les socialistes vont, à partir de 1983-1984, prôner une réduction des prélèvements obligatoires (impôts et cotisations sociales) et du déficit budgétaire, refuser d'accorder des augmentations de salaires en les « désindexant » par rapport aux prix, tout en accordant la liberté des prix aux secteurs encore contrôlés, redynamiser la Bourse en y introduisant de nouveaux produits financiers, accepter la logique du marché et de la concurrence internationale à la place de celle de la  planification, reléguée aux oubliettes de l'histoire.

Cependant, en France comme à l'étranger, les gouvernants sont incapables de résorber le déficit budgétaire qui devient un moyen structurel de soutien de l'activité, montrant ainsi les limites du libéralisme économique.

Les dispositions du très libéral « traité de Maastricht » (voir p. 503) ne viseront d'ailleurs qu'à limiter et non à éliminer ce déficit.

1986) est de − 10,3 milliards en 1987 et de − 42,2 milliards en 1988. La balance commerciale se détériore en particulier à l'égard de l'Allemagne fédérale (− 50 milliards de francs en 1988 contre − 44,5 en 1987), des États-Unis (− 10,8 milliards en 1988 contre − 5,2 en 1987) et du Japon (− 27,5 milliards en 1988 contre − 22,8 en 1987). Cela signifie que la désinflation ne peut être une fin en soit : elle ne suffit pas à faire vendre les produits français en quantités suffisantes : durant ces dernières années, trop d'entreprises ont cherché à profiter du rétablissement de leurs profits pour se désendetter (dans le contexte de taux d'intérêt élevés) ou pour effectuer des placements financiers, plutôt que d'innover pour faire face à la concurrence étrangère.

En 1988, la « sortie de crise » reste donc partielle et encore aléatoire.

### 1988-1995 : Une compétitivité retrouvée...

Durant le second septennat de François Mitterrand, la poursuite de la politique de désinflation compétitive (voir encadré ci-dessous), menée aussi bien par les gouvernements socialistes que par celui d'Édouard Balladur, permet à la France de conserver sa place parmi les pays les moins inflationnistes du monde.

**L'inflation (1) en France et dans le monde (1988-1995)**

|            | 1988 | 1990 | 1992 | 1994 | 1995 |
|------------|------|------|------|------|------|
| France     | 2.7  | 3.4  | 2.4  | 1.7  | 1.7  |
| États-Unis | 4.1  | 5.4  | 3.0  | 2.6  | 2.8  |
| Allemagne  | 1.3  | 2.7  | 5.1  | 2.7  | 1.8  |
| Japon      | 0.7  | 3.1  | 1.7  | 0.7  | −0.1 |

(1 ) Variation des prix à la consommation par rapport à l'année précédente.

Sources : *Perspectives économiques de l'OCDE*, juin 1996.

Ceci a été permis par la faible augmentation des coûts salariaux et par une politique monétaire plus restrictive limitant la croissance des moyens de paiement mis à la disposition de l'économie. C'est ainsi que le coût unitaire de la main-d'œuvre dans le secteur des entreprises (coût total du travail rapporté aux quantités produites), qui avait augmenté de 13 % en 1980 et de plus de 10 % en 1982, ne s'accroît que de 3,5 en 1990, de 1,4 % en 1992 et de 0,5 % en 1995, et que la masse monétaire, qui augmentait de 9 à 10 % par an à la fin des années 1980, diminue en 1993 et ne s'accroît que de 0,8 % en 1994 et de 4 % en 1995.

Cette compétitivité-prix retrouvée par les entreprises françaises leur permet de développer leurs exportations, et à la France de connaître un rétablissement spectaculaire du solde de ses échanges commerciaux extérieurs, à partir de 1991-1992, portant celui-ci à un niveau historique record en 1995 (plus de 50 milliards de francs d'excédents pour les produits manufacturés, et près de 200 milliards pour le total des échanges de biens et services).

**Échanges extérieurs de la France de 1990 à 1995**
**en milliards de francs (balance des opérations courantes)**

|                          | 1990  | 1991  | 1992  | 1993  | 1994  | 1995  |
|--------------------------|-------|-------|-------|-------|-------|-------|
| Total des biens, dont    | −101  | −84.3 | −21.7 | 31.3  | 26.5  | 48.4  |
| prod. agro-aliment.      | 51    | 44.3  | 53.2  | 56.9  | 44.9  | 51.5  |
| Prod. manufacturés       | −58.7 | −35.5 | 3.8   | 43.1  | 47.3  | 56.4  |
| Énergie                  | −93.3 | −93.5 | −78.6 | −68.6 | −65.7 | −59.5 |
| Services (y compris tourisme) | 99 | 107.8 | 116.3 | 120.3 | 134.6 | 134.5 |
| Total des biens et services | −2 | 23.5  | 94.6  | 151.6 | 161.1 | 182.9 |

Sources : *Rapport sur les comptes de la nation*, années 1994 et 1995.

Mais cette évolution favorable s'explique aussi en partie par la baisse du coût global de l'énergie importée et d'une façon générale par la hausse limitée des importations, qui provient elle-même de la faible croissance de l'économie française.

---

### La politique de désinflation compétitive

Elle s'articule autour de quatre axes complémentaires :

- une politique monétaire cherchant à restreindre la croissance de la quantité de monnaie en circulation ;

- une politique budgétaire tendant à réduire progressivement le déficit des finances publiques et l'endettement de l'État.

- une politique de maîtrise des coûts de production, visant principalement les salaires, dont la croissance trop rapide est considérée comme responsable de l'inflation par la demande et par les coûts (bien que les salaires ne représentent que le tiers environ de la valeur ajoutée des entreprises) ;

- une politique structurelle de retrait de l'État de la vie économique, afin d'activer les mécanismes concurrentiels : dénationalisation, réduction des directives et de la sphère d'intervention publique, allègement des impôts et charges pesant sur les entreprises, engagement résolu au sein du nouveau grand marché européen et acceptation des contraintes que celui-ci implique.

L'objectif de cette politique est de permettre aux entreprises françaises de vendre leurs produits à des prix attractifs – et de les inviter à le faire – afin qu'elles s'adaptent à une économie de plus en plus ouverte, et puissent résister à une concurrence européenne et mondiale de plus en plus contraignante.

Cette démarche s'oppose à la politique de dévaluation compétitive utilisée dans le passé ; en effet, elle respecte les principes de la stabilité des taux de change entre monnaies européennes, sur lesquels reposait le système monétaire européen et qui conditionnent la création d'une monnaie européenne unique ; elle vise à maintenir une monnaie forte permettant d'alléger le coût des importations, et faisant reposer la compétitivité sur des ajustements économiques (gains de productivité et baisse des coûts réels) et non sur des manipulations monétaires ; elle devrait favoriser la réduction des taux d'intérêt, puisqu'une monnaie forte attire les capitaux ; elle pousse à l'augmentation de l'épargne, puisque le revenu des placements n'est pas rogné par l'inflation, et facilite ainsi le financement des investissements.

Cependant, si la stabilité des taux de change élimine l'incertitude des revenus futurs provenant des transactions internationales, cela ne signifie pas qu'une monnaie nationale est correctement appréciée par rapport aux autres. Ainsi, le franc peut être « surévalué » et maintenu artificiellement à ce niveau élevé grâce à des taux d'intérêt eux-mêmes élevés, ou à une politique monétaire restrictive.

La faible inflation qui peut en résulter favorise les épargnants et les rentiers ; mais dans le même temps une telle politique freine les investissements productifs moins attractifs que les placements monétaires ou financiers, alors que si l'inflation est plus forte, ce sont les biens de consommation et de production qui sont les plus recherchés ; cela pousse alors à un plus grand emploi des divers facteurs de production.

D'autre part, une monnaie forte ne favorise pas forcément l'épargne nationale, si elle est associée à une faible croissance des rémunérations salariales.

Voir J.-C TRICHET (gouverneur de la Banque de France), *Dix Ans de désinflation compétitive en France*, Notes bleues de Bercy, octobre 1992, et P. BEZBAKH, *Inflation et désinflation*, La Découverte, 1996.

### *... mais des inégalités qui se creusent*

Or cette faible croissance s'accompagne d'une montée apparemment inexorable du chômage, qui provoque l'exclusion sociale d'un nombre croissant de Français, et qui pèse sur la rémunération des actifs, lesquels modèrent leurs revendications salariales par peur de perdre leur emploi. C'est ainsi que les salaires, qui augmentaient de 10 à 15 % par an avant 1983, n'augmentent plus en moyenne que de 4,5 % par an de 1988 à 1991, et de 2,5 % de 1992 à 1995.

**Croissance économique, chômage et évolution des salaires en France (1988-1996)**

|                                          | 1988 | 1990 | 1992 | 1993 | 1994 | 1995 | 1996 (3) |
|------------------------------------------|------|------|------|------|------|------|----------|
| Taux de croissance du PIB en volume (1)  | 4.5  | 2.5  | 1.2  | −1.3 | 2.8  | 2.2  | 1        |
| Taux de chômage (2)                      | 10   | 8.9  | 10.3 | 11.7 | 12.3 | 11.6 | 12.6     |
| Taux de croissance des salaires dans les entreprises | 4.3  | 5.1  | 3.8  | 3.2  | 1.6  | 1.8  | 2.8      |

(1) Variation par rapport à l'année précédente.

(2) En pourcentage de la population active.

(3) Estimation.

Sources : *Perspective économiques de l'OCDE.* juin 1996 p. A4, A15 et A24.

L'évolution des revenus d'activité des ménages telle qu'elle ressort d'une étude du Conseil supérieur de l'emploi, des revenus et des coûts, rendue publique en janvier 1997, apparaît même préoccupante. Cette étude montre en effet que le revenu des ménages actifs (salariés et entrepreneurs individuels) a baissé en moyenne de 0,5 % par an de 1989 à 1994, alors que les revenus du patrimoine ont augmenté de 3,90 % par an et ceux des retraités de 2,3 %.

En d'autres termes, le travail s'avère de moins en moins rémunérateur alors que le revenu des ménages inactifs s'accroît. De plus, parmi les salariés, les inégalités se creusent : « en dix ans », relève ce rapport, « le niveau de vie des ménages d'ouvriers non qualifiés a diminué de 5 %, celui des employés n'a pas bougé, et celui des cadres a augmenté de 13 % ».

Pourtant, si la situation globale des salariés tend à se dégrader, il n'en est pas de même de celle des entreprises, vue dans son ensemble.

En effet, le taux de profit des entreprises industrielles gagne encore près de deux points et demi en 1995 (15,2 %) par rapport à 1988 (12,8 %), année durant laquelle la rentabilité du capital avait déjà retrouvé un niveau comparable à celui de la moyenne des années 1970.

Cela n'exclut pas, bien sûr, qu'un certain nombre de firmes de toutes tailles connaissent de sérieuses difficultés et soient contraintes de fermer leurs portes ou de se séparer d'une partie de leurs employés.

Mais cela révèle le fait que de nombreuses entreprises en bonne santé financière procèdent elles aussi à des licenciements en privilégiant les critères de rentabilité à court terme, qui impliquent l'allègement du coût salarial. Comme elles ne procèdent pas non plus à des augmentations de leur stock de capital productif, ainsi qu'en témoigne la stagnation des investissements, ce comportement explique la faible croissance de la production globale et la baisse des effectifs employés.

**Les investissements en France (1986-1995)**

|                                               | 1986 | 1988 | 1990 | 1992 | 1993 | 1994 | 1995 |
|-----------------------------------------------|------|------|------|------|------|------|------|
| Variation de la formation brute de capital fixe | 4.5  | 9.6  | 2.8  | –2.8 | –6.7 | 1.3  | 2.8  |

Sources : *Perspectives économiques de l'OCDE*, juin 1996, p. A8.

Dès lors, la récession n'est évitée qu'au prix d'un soutien de l'activité par l'Etat, dont les dépenses augmentent plus vite que les recettes ; ainsi, le déficit des finances publiques et l'endettement de l'État s'accroissent d'autant plus que les taux d'intérêt réels (qui rémunèrent les souscripteurs d'emprunts publics) restent relativement élevés.

**Évolution de la dette publique en France en pourcentage du produit intérieur brut**

|                                              | 1982 | 1984 | 1986 | 1988 | 1990 | 1992 | 1994 | 1995 |
| -------------------------------------------- | ---- | ---- | ---- | ---- | ---- | ---- | ---- | ---- |
| Dette nette des administrations publiques    | 2.1  | 7.5  | 13.8 | 14.2 | 16.3 | 20.4 | 31   | 35   |

Sources : *Perspectives économiques de l'OCDE*, juin 1996, p. A38

Ainsi le redressement économique de la France, durant le second septennat de François Mitterrand, a surtout bénéficié aux entreprises exportatrices. L'exportation, de moteur secondaire de l'économie, tend à devenir son moteur principal. Mais celui-ci n'est pas suffisamment puissant pour susciter un essor de l'activité aussi ample qu'il le faudrait pour résorber le chômage.

On peut même se demander si ce n'est pas cette course à l'exportation qui provoque la montée du chômage, puisqu'elle pousse les entreprises à réduire toujours plus leurs coûts de production, et donc l'emploi.

### La France dans l'Europe : une monnaie unique contraignante

*L'Acte unique* de 1986 signé par les États membres de la Communauté économique européenne, avait déjà pour but de poursuivre la formation d'un *grand marché* européen. La libre circulation des marchandises était déjà en vigueur depuis l'application du traité de Rome fondant la CEE. Il restait à la mettre en œuvre pour les personnes et les capitaux afin de constituer un espace sans frontière intérieure. Ce fut chose faite en 1993.

Entre-temps et conformément à l'objectif fixé en 1988 de réaliser une Union économique et monétaire (UEM), fut conclu en décembre 1991 le traité de Maastricht, adopté de justesse en France par voie référendaire en septembre 1992. Il se propose de parachever l'unification économique de l'Europe en créant les conditions pour qu'une monnaie unique européenne irrigue ce grand marché et se substitue aux diverses monnaies nationales.

Un Institut monétaire européen (IME) et une Banque centrale européenne (BCE) indépendante des pouvoirs politiques seraient en charge de cette monnaie, l'écu, rebaptisé euro en décembre 1995.

La mise en place de ces institutions devrait être terminée le 31 décembre 1996, et la liste des États membres ayant accès à cette monnaie unique devrait être dressée en 1998. Le taux de conversion de chaque monnaie en euro devrait être fixé le 1er janvier 1999, et le remplacement de ces monnaies nationales par des euros serait réalisé durant l'année 2002.

L'objectif explicite du traité de Maastricht est de faire de l'Europe une zone de stabilité monétaire dotée d'une monnaie forte capable de rivaliser avec le dollar américain. Ceci serait possible grâce à l'attitude vigilante d'institutions monétaires déterminées à éviter tout dérapage inflationniste (qui affaiblit le pouvoir d'achat et la confiance dans la monnaie), en limitant la création monétaire à un montant jugé compatible avec la stabilité des prix. Ainsi, l'Europe pourrait attirer les capitaux étrangers, avoir des taux d'intérêt modérés, et bénéficier de bonnes conditions pour financer ses investissements. Par ailleurs, les avantages d'une monnaie unique seraient multiples :

– elle empêcherait la « guerre des dévaluations » que se livrent des pays cherchant à développer leurs exportations en manipulant les taux de change ;

– elle supprimerait l'incertitude quant aux revenus futurs procurés par l'exportation ou par des placements dans les autres pays européens, puisqu'ils ne seraient plus désormais susceptibles d'être modifés par un changement de parité monétaire ;

– elle mettrait fin aux mouvements financiers spéculatifs au sein de l'UEM, provoqués auparavant par l'attrait pour les devises fortes ou par l'anticipation de dévaluation, ou de réévaluation.

– elle éliminerait le coût des transactions monétaires, constitué par les frais de change que les banques font supporter à leurs clients ;

elle transformerait la nature des échanges extérieurs entre pays, puisque importateurs et exportateurs n'auraient plus à se procurer la devise de leur vendeur ou à convertir dans leur propre monnaie celle de leur acheteur : la notion même de commerce « extérieur » tendrait à disparaître puisqu'il ne subsisterait qu'un marché unique et une monnaie unique.

Mais le traité de Maastricht prévoit que, pour avoir accès à cette monnaie unique, les pays signataires devront avoir respecté durant plusieurs années des critères de convergence particulièrement contraignants : ils devront avoir un déficit du budget de l'État inférieur à 3 % du produit intérieur brut, une dette publique brute cumulée n'excédant pas 60 % de ce même PIB, un taux d'inflation ne dépassant pas de 1,5 % le taux d'inflation des pays les moins inflationnistes, et des fluctuations de la valeur de leur monnaie nationale inférieures à 2,5 % par rapport à un cours de référence.

De plus, il est précisé que les États doivent cesser d'aider ou de protéger les entreprises du secteur concurrentiel (actuellement publiques ou privées). Cela revient à remettre en cause le statut des entreprises nationalisées, et la notion même de service public. En effet, la plupart des activités considérées (en France en particulier) comme relevant du service public pourraient faire l'objet d'une « privatisation » et être gérées selon une autre rationalité visant à obtenir une rentabilité financière maximale et non plus à satisfaire les besoins essentiels de tous les usagers. C'est le cas des services postaux, de la fourniture d'énergie, des transports ferroviaires, mais peut-être aussi celui des assurances sociales, de l'éducation, de la médecine...

Les États doivent également s'abstenir de financer leurs déficits budgétaires par la création monétaire, et ne doivent plus pouvoir imposer leur vue à la Banque centrale autonome. C'est la raison pour laquelle le statut de la Banque de France a été modifé en 1993, son gouverneur et les membres de son Conseil de politique monétaire étant certes nommés par le pouvoir politique mais désormais dégagés de sa tutelle : les responsables de la politique monétaire nationale sont – en théorie – totalement libres de leurs choix.

### L'Europe ? Mais quelle Europe ?

Le président de la République et ses Premiers ministres successifs (socialistes et RPR), soutenus par la majorité de leurs partis et par diverses personnalités (comme V. Giscard d'Estaing ou R. Barre) ayant défendu les clauses du traité de Maastricht, la politique économique française est depuis le début des années 1990 orientée vers la réalisation de ces objectifs. Le maintien de la parité franc-mark et d'un faible taux d'inflation sont ainsi considérés comme les meilleurs signes de la bonne santé de l'économie française. De même, la réduction des dépenses publiques est devenue une priorité et le désengagement de l'État est jugé nécessaire pour rétablir le dynamisme des entreprises privées.

Ces principes néolibéraux avaient certes – on l'a vu – commencé à être appliqués à partir de 1983. Mais, depuis la signature du traité, cette politique antikeynésienne a pris la forme d'une contrainte institutionnelle, puisqu'elle s'impose aux pays signataires, dont la marge de manœuvre est devenue bien étroite : les États nationaux s'engagent en effet à se priver de leurs armes traditionnelles que sont les politiques monétaires, budgétaires et de change, alors que la croissance est lente et que le chômage augmente.

C'est ce qui explique les vives critiques formulées à l'égard de ce traité par Philippe Séguin et Jean-Pierre Chevènement, qui animèrent (parallèlement au parti communiste, au Front national et à Philippe de Villiers) la campagne du *non* lors du référendum de 1992.

Sous des formes différentes, ils dénoncent la perte de souveraineté des États, le fait de donner aux dirigeants d'une Banque centrale européenne des prérogatives exorbitantes (alors qu'ils ne disposeront d'aucune légitimité démocratique) et de faire de l'orthodoxie monétaire et financière l'objectif prioritaire auquel tout est subordonné. À leurs yeux, et en particulier pour J.-P. Chevènement (qui avait déjà critiqué en 1983 le retournement de politique du gouvernement socialiste auquel il appartenait), il faudrait rompre avec la politique du franc fort surévalué par rapport au mark allemand, refuser le « diktat » des milieux financiers et rentiers, et redonner à l'État un rôle actif seul capable de relancer la croissance, de résorber le chômage et de réduire les inégalités.

Ce discours, tenu le temps de la campagne électorale de 1995 par le candidat Jacques Chirac, qui rejoindra ensuite le camp des fidèles aux principes de Maastricht, pose la question des effets pervers de cette conception de la construction européenne. Ne risque-t-elle pas de compromettre la croissance économique en privilégiant les placements financiers au détriment des investissements productifs, et en rendant plus difficile les exportations européennes à cause d'une monnaie trop forte par rapport au dollar et aux autres devises mondiales ? Le désengagement de l'État ne risque-t-il pas d'affecter le système éducatif, la recherche, la prévention des maladies et les soins médicaux, l'entretien des infrastructures...

Le « grand marché » dégagé de toute réglementation étatique ne risque-t-il pas d'aggraver les inégalités ? D'une part, en effet, il peut faire le jeu des grandes entreprises contrôlant le marché européen en éliminant les plus petites. D'autre part, il tend à rendre encore plus précaire la situation des salariés victimes d'une « déréglementation » totale du marché du travail et de la concurrence accrue entre entreprises, réduisant toujours plus le coût du travail pour rester compétitives.

On peut donc comprendre l'inquiétude des Français, devant l'accentuation de la concurrence au sein de la nouvelle Europe, elle-même immergée dans une mondialisation accrue qui n'offre guère de perspectives rassurantes pour leur avenir et celui de leurs enfants.

# Les sciences exactes durant le second XXᵉ siècle

## La France pionnière

*Le haut niveau de la recherche scientifique française peut se mesurer par la reconnaissance internationale que constitue l'attribution de prix Nobel en physique, chimie et médecine, ou de médailles Fields (équivalent du Nobel) en mathématiques ; mais de telles récompenses sont loin d'épuiser la richesse d'un pays dans ces disciplines.*

S'il subsiste des chercheurs isolés, la recherche scientifique est de plus en plus une œuvre collective, plus particulièrement en physique, en astrophysique ou en médecine, car elle s'effectue dans le cadre de laboratoires internationaux, auxquels sont associés des chercheurs français.

### Les mathématiques

L'École normale supérieure demeure le lieu principal de la formation de grands mathématiciens français. Les mathématiques pures connaissent ainsi un essor remarquable, comme le montre l'attribution de la médaille Fields à Laurent **Schwartz** (1950), Jean-Pierre **Serre** (1954). René **Thom** (1958), Alexandre **Grothendieck** (1966), Alain **Connes** (1982), Pierre-Louis **Lions** et Jean-Christophe **Yoccoz** (1994).

Laurent **Schwartz** (né en 1915), travaillant sur le calcul différentiel et intégral, est l'auteur d'une théorie des distributions généralisant la notion de fonction et développant l'étude des équations aux dérivées partielles. Ses recherches trouvent des applications dans le domaine de la physique.

Jean-Pierre **Serre** (né en 1926), après sa thèse sur la topologie algébrique, a reformulé la théorie des espaces analytiques complexes, qu'il a étudiés avec H. **Cartan** ; il a contribué avec A. **Grothendieck** à renouveler la géométrie algébrique, puis s'est tourné vers la théorie des nombres.

L'œuvre de René **Thom** (né en 1923) est essentielle dans le domaine de la géométrie, où il introduit un certain nombre de concepts nouveaux : cobordisme, transversalité et singularité. Il a formulé une célèbre théorie des catastrophes selon laquelle toute forme instable correspond au passage entre deux structures stables selon sept types de catastrophes élémentaires qu'il définit. Il a écrit en particulier *Stabilité structurelle et morphogenèse* (1977) et *Esquisse de sémiophysique* (1988), ouvrage plus philosophique que mathématique.

Alain **Connes** (né en 1947) est le promoteur d'un programme de géométrie non commutative, reliant les mathématiques et la mécanique quantique. Il a développé la classification des facteurs, introduite par von Neuman, et inventé l'homologie cyclique.

Plus récemment, Pierre-Louis **Lions** (né en 1956) s'est illustré par ses travaux concernant l'équation de Boltzmann et le contrôle optimal, et Jean-Christophe **Yoccoz** (né en 1957) s'est distingué par ses recherches sur les systèmes dynamiques et les petits diviseurs.

D'autre part, plusieurs fondateurs de groupes Bourbaki ont joué un rôle important dans la recherche mathématique : ainsi, Henri **Cartan** (né en 1904) cherche à unifier la géométrie différentielle, la théorie des fonctions analytiques et la topologie algébrique. Il a imaginé le concept de convexité holomorphe, conduisant à la théorie de Cartan-Serre, et celui d'espace annelé. Parallèlement, les recherches de Jean **Dieudonné** (né en 1906) ont porté sur la théorie des fonctions analytiques, l'algèbre topologique, les espaces vectoriels, la théorie spectrale... Il a publié en 1987 *Pour l'honneur de l'esprit humain, les mathématiques aujourd'hui.* Claude **Chevalley** (né en 1909) renouvelle pour sa part les méthodes de l'arithmétique, de la géométrie algébrique, et développe surtout la théorie des groupes algébriques.

Dans le domaine du calcul des probabilités apparaissent les noms de P. A. **Meyer**, de Paul **Malliavin** et de Jacques **Neveu**, qui joue le rôle de chef d'école dans une discipline profondément renouvelée depuis 1950. D'autre part, Jean **Leray** a travaillé sur la mécanique des fluides, les théorèmes de point fixe en analyse non linéaire et la suite spectrale avec Serre et Cartan. Yves **Meyer** s'est intéressé à l'analyse harmonique liée au phénomène de résonance. Il est l'auteur d'une théorie des ondettes qui a de nombreuses applications en recherche pétrolière et en météorologie. Jacques-Louis **Lions**, président du Centre national d'études spatiales, a joué un rôle déterminant dans le développement des mathématiques appliquées à l'industrie, la recherche nucléaire et la recherche fondamentale en informatique. Citons aussi dans un autre domaine les recherches d'Ivar **Ekeland** sur les problèmes d'équilibre dynamique.

À l'institut des Hautes Études scientifiques de Bures-sur-Yvette travaillent également d'autres mathématiciens français de renom, tels Marcel **Berger** et Pierre **Cartier**. Le premier a créé une école florissante de géométrie riemannienne, utile en théorie de la relativité ; il poursuit en cela l'œuvre de son maître André **Lichnerowicz** (né en1915), qui a présidé des commissions

nationales et internationales de réflexion sur l'enseignement des mathématiques. Le second, après une thèse
consacrée aux problèmes de base de la géométrie algébrique, a contribué au développement des parties les plus
diverses des mathématiques (théorie des groupes,
arithmétique, calcul des probabilités...) et poursuit des
recherches se situant aux confins de la géométrie, de
l'algèbre et de la physique mathématique. Ils y retrouvent des chercheurs étrangers installés en France depuis
de longues années et appartenant de fait à l'école française de mathématiques, tels Jean **Bourgain** (analyse
harmonique), David **Ruelle** (turbulences), Mikhael **Gro-
mov** (inégalités géométriques liées à l'optimisation).
Parmi eux, Alexandre **Grothendieck** (à l'origine d'un

---

### Nicolas Bourbaki

Sous ce pseudonyme, un groupe de jeunes mathématiciens issus de l'École normale supérieure de la rue d'Ulm
entreprend en 1935 la réalisation d'un traité *(Éléments de
mathématiques)* présentant une synthèse des connaissances dans leur domaine. Il ne s'agit ni d'une encyclopédie ni d'une œuvre didactique, mais d'un essai de
classification et de clarification de la pensée mathématique, dont la publication commença en 1939 et reste
inachevée. L'idée maîtresse est celle de structure, qui
débordera de son champs initial durant les années 1960
pour s'étendre aux sciences humaines.

Parmi les fondateurs du groupe Bourbaki figurent Jean
**Delsarte**, André **Weil**, Henri **Cartan**, René de **Possel**, Jean
**Dieudonné**, Claude **Chevalley**... chaque membre ayant
atteint la cinquantaine étant remplacé. Le groupe continue à se réunir aujourd'hui et anime en outre des séminaires Bourbaki, qui aboutissent à une publication
annuelle faisant le point sur l'actualité de la recherche
mathématique.

gigantesque travail collectif de reconstruction de la géométrie algébrique) et le Belge Pierre **Deligne,** son plus
brillant disciple, ont reçu la médaille Fields respectivement en 1966 et 1978 pour leur démonstration des
conjectures de Weil, du nom du Français André **Weil**
(né en 1906), frère de la philosophe Simone Weil.
Celui-ci étudia l'algèbre en Allemagne avec son ami
Claude **Chevalley** dans les années 1920 ; il fut l'inspirateur du groupe Bourbaki et l'auteur d'une œuvre immense en arithmétique et en géométrie de 1930 à 1960.

D'une façon générale, cette discipline est marquée
par un glissement des mathématiques fondamentales
vers les grands problèmes issus de la physique et de
l'industrie, et se trouve amenée à utiliser et à orienter
l'usage de grands calculateurs.

### La physique et la chimie

La recherche en physique est essentiellement, le fait des
équipes du CNRS et du CEA (Commissariat à l'énergie
atomique). Mais des Français participent également aux
expériences en physique des particules élémentaires qui
ont lieu au Conseil européen de recherche nucléaire
(CERN) situé à Genève, où a été construit le LEP (accé-
lérateur d'électrons et de positons), entré en fonction en
juillet 1989 ; les expériences qui y sont effectuées repoussent l'horizon des connaissances de l'infiniment petit, et
éclairent également la compréhension des phénomènes
cosmiques.

Malgré cet aspect collectif de la recherche, il est
possible d'isoler quelques noms, en particulier ceux des
prix Nobel. Alfred **Kastler** (1902-1984) reçoit celui de
physique en 1966 pour sa découverte du *pompage optique*,
procédé de stimulation électromagnétique des atomes

permettant des mesures fines d'écart d'énergie à l'origine du fonctionnement des lasers. En1970, Louis **Néel** (né en 1904) l'obtient également (conjointement avec le Suédois Alfven) pour ses travaux en physique atomique des substances magnétiques (ferrimagnétisme).

C'est aussi le domaine d'Anatole **Abragam** (né en 1915), auteur d'un *Traité de magnétisme nucléaire* en 1961, ouvrage de référence dans la discipline, alors que Louis **Leprince-Ringuet** (né en 1901 ) a travaillé à partir de 1925 avec Maurice de Broglie sur les neutrons et les transmutations artificielles, puis sur les rayons cosmiques après 1933. Il fit construire le laboratoire de haute montagne de l'aiguille du Midi et aménager celui du pic du Midi de Bigorre. On lui doit des travaux sur les propriétés des mésons lourds et des hypérons. Hubert **Curien** (né en 1924), directeur du CNRS en 1969, du Centre national d'études spatiales en 1979, a dirigé la recherche en minéralogie sur le mouvement des atomes dans les cristaux, les structures cristallines et les échanges isotopiques avant de devenir ministre de la Recherche scientifique. Par ailleurs, Claude **Cohen-Tannoudji** travaille dans le domaine de la physique atomique et moléculaire, Jean **Iliopoulos** dans celui de la théorie des particules élémentaires, Bernard **Julia** et Claude **Itzykson** sur la mécanique statistique, Pierre-Gilles de **Gennes** en physique des liquides et sur la supraconductivité, Thibaud **Damour** et Brandon **Carter** en astrophysique des trous noirs et des pulsars, Louis **Michel** sur l'interaction des particules élémentaires, la cristallographie...

Deux années de suite, le prix Nobel de physique est attribué à des chercheurs français : Pierre-Gilles de **Gennes** (né en 1932) le reçoit en 1991 pour ses travaux

---

**Un fondateur : Léon Brillouin (1889-1969)**

Durant l'entre-deux-guerres, il découvre « l'effet Brillouin » (portant sur l'interaction entre les ondes lumineuses et les ondes acoustiques), prolonge les découvertes de Louis **de Broglie** en mécanique ondulatoire (théorie du paramagnétisme, et des corps solides, « zones de Brillouin »), et en chimie quantique (« théorème de Brillouin »). En 1939, il est nommé directeur de la Radiodiffusion nationale afin de remédier au retard de la France dans le domaine de la transmission des ondes. En 1941, il part aux États-Unis, où il s'installe définitivement après la guerre. Il y développera la théorie de l'information, montrera qu'elle est quantifiable, mais susceptible de « néguentropie » : plus on cherche une information précise et plus on doit employer une énergie importante.

---

sur les polymères permettant de nombreuses applications dans le monde moderne (colles, adhérences...). Georges **Charpak** (d'origine polonaise) l'obtient en 1992 pour sa mise au point de chambres à fils utilisées pour détecter les particules chargées électriquement, d'une grande utilité aussi bien en recherche fondamentale que dans le domaine appliqué (radiographies industrielles et médicales). Tous deux sont d'ardents défenseurs d'une rénovation de l'enseignement des sciences dans le système scolaire français.

En chimie, Marc **Julia** (né en 1922) a travaillé dans le domaine de la chimie organique et sur la vitamine A. En 1987, le Strasbourgeois Jean-Marie **Lehn** (né en 1939) se voit attribuer le prix Nobel (avec les Américains Pedersen et Cram) pour son étude des molécules complexes à haut niveau de sélectivité d'interactions avec d'autres molécules, créant ainsi la *chimie supramoléculaire*.

## *Le rôle du CNRS*

Le Centre national de la recherche scientifique a été créé en 1939, couronnant les efforts de Jean **Perrin** et de Jules **Breton** (à l'origine de l'Office des recherches scientifiques et industrielles et des inventions). Il s'agissait de regrouper la recherche fondamentale et appliquée, des laboratoires de l'enseignement public et des instituts autonomes, et de fournir des moyens matériels aux chercheurs de toutes les disciplines.

Après la guerre, le CNRS, dirigé par Frédéric **Joliot**, puis par Georges **Tessier**, jouera un rôle particulier dans les domaines de la physique atomique et de la génétique. De nombreux chercheurs de très haut niveau y seront associés : Gaston **Dupouy** (qui le dirige de 1950 à 1957 et met au point un nouveau microscope électronique), des prix Nobel de médecine A. **Lwoff**, J. **Monod** et F. **Jacob** (de l'Institut Pasteur), de physique A. **Kastler** et d'économie (G. **Debreu** et M. **Allais**), ainsi que de Jean **Brossel** (médaille d'or CNRS de physique en 1984), d'Evry **Schatzman** (astrophysicien), de Paul **Hagenmüller** (chimie du solide), de Guy **Ourisson** (chimie organique).

---

### L'astronomie

André **Lallemand** (né en 1904) a travaillé à l'observatoire de Strasbourg dès 1938, puis à celui de Paris en 1943 ; il a étudié en particulier la photométrie de la couronne solaire, et l'utilisation de la photoélectricité en astronomie. Ses recherches entreprises dès avant la guerre ont abouti à la mise au point du télescope électronique permettant l'observation des étoiles et des spectres stellaires.

## *La recherche industrielle*

Avec 2,25 % de dépenses en recherche industrielle par rapport à son produit intérieur brut, la France n'occupe que le septième rang mondial derrière les États-Unis, l'Allemagne, le Japon, la Suède, la Grande-Bretagne et la Suisse. En outre, les dépenses de recherche et de développement sont concentrées dans un petit nombre de branches : 85 % du financement public bénéficie à l'aérospatiale, l'électronique, aux télécommunications et au nucléaire ; et plus des deux tiers de ces dépenses proviennent du budget du ministère de la Défense ; seules quatre branches consacrent plus de 10 % de leur valeur ajoutée à la recherche : l'aéronautique (42 %), l'électronique (27 %), les industries pharmaceutiques (23 %), l'informatique ( 11 %), et deux branches (l'automobile et la chimie) près de 10 %.

Cela explique que la **France** soit à la **tête de la technologie de pointe** dans les domaines de l'énergie nucléaire, de l'aéronautique et de l'aérospatiale (avec les fusées **Ariane** concurrençant les lanceurs américains), dans l'utilisation du **laser** (bistouri-laser de Marcel **Bessis**), la confection des **fibres optiques**, l'exploration des fonds marins (équipe du commandant Jacques-Yves **Cousteau**), dans l'étude des **bioénergies** et de la **géothermie** (recherches du BRGM), des moyens de transports modernes (**TGV**), des **télécommunications** (Minitel) et de l'**électronique**, grâce à l'impulsion donnée par l'État. Mais cela explique aussi qu'elle connaisse des difficultés dans ceux des industries de biens de consommation ou de la machinerie industrielle.

La maîtrise d'une haute technologie (comme dans le cas de la construction des centrales nucléaires civiles) ne signifie cependant pas nécessairement que le produit fabriqué sera concurrentiel : l'avion Concorde n'a pu s'imposer commercialement, et si le kilowatt d'électricité d'origine nucléaire apparaît moins cher, c'est parce que l'on ne tient pas compte de la totalité du coût de la recherche fondamentale et de la construction des centrales, qui a provoqué un endettement considérable de l'EDF.

## La médecine

En 1965, André **Lwoff** (1902-1994), Jacques **Monod** (1910-1976) et François **Jacob** (né en 1920) reçoivent le prix Nobel de physiologie et de médecine pour leurs découvertes sur *la régulation génétique de la synthèse des protéines*, représentant un saut décisif de la connaissance dans le domaine capital de la biochimie génétique et moléculaire. En 1970, Jacques Monod écrira un ouvrage grand public, *le Hasard et la Nécessité*, à la fois œuvre de vulgarisation scientifique et essai philosophique.

En 1980, Jean **Dausset** (né en 1916) obtient à son tour le prix Nobel, qu'il partage avec les Américains G. Smell et B. Benacerraf. Il avait découvert en 1958 le système HLA (antigènes à la surface des leucocytes), jouant un rôle fondamental dans le processus immunitaire. Cela a permis des progrès considérables dans les greffes d'organes.

En 1989, Dominique **Stehelin,** chercheur à l'institut Pasteur de Lille, aurait mérité de partager le prix Nobel de médecine pour avoir participé aux recherches des deux lauréats américains, Michael Bishop et Harold E. Varmus, débouchant sur l'identification des oncogènes, qui expliquent le développement des cancers.

Citons également les Américains d'origine française André **Cournand** et Roger **Guillemin,** qui ont obtenu le prix Nobel de médecine en 1956 et en 1977, pour leurs travaux respectifs en cardiologie et sur les hormones du cerveau, et René **Dubos** (1901-1982), biochimiste et bactériologiste, auteur de travaux sur les antibiotiques.

D'autre part, Robert **Debré** (1882-1978) fut un pionnier en pédiatrie ; Alexandre **Minkowski** a développé la médecine des prématurés ; l'hématologiste Jean **Bernard** a fait avancer le traitement des leucémies ; le néphrologue Jean **Hamburger** a mis au point un rein artificiel et réalisé la première greffe du rein entre faux jumeaux (1959) ; Robert **Merle d'Aubigné** s'est signalé dans le domaine de l'orthopédie et François **L'Hermitte** en neurologie.

Plus récemment apparaissent les noms de Jean-François **Bach**, immunologiste, de Marc **Gentilini**, travaillant sur les maladies tropicales, et de Luc **Montagnier**, chercheur à l'Institut Pasteur, qui a le premier identifié le virus du sida, condition indispensable pour envisager un traitement de cette terrible maladie.

---

### Le génome humain

La première carte du génome humain a été publiée en 1993 par une équipe de l'INSERM (Institut national de la santé et de la recherche médicale) dirigée par Daniel **Cohen**. L'inventaire du génome humain permet de dépister les maladies héréditaires et certaines prédispositions morbides dès la vie intra-utérine. En 1994, les gènes de 928 maladies ont été localisés et dix mille séquences codées d'ADN identifiées comme gènes probables.

# Sciences humaines et sciences sociales

## Un bouillonnement intellectuel interrompu

*Depuis la guerre, l'intérêt pour l'économie a pris en France une place croissante au cœur du discours politique et de la grande information. Parallèlement, les approches de l'histoire se renouvellent ainsi que l'objet de la sociologie et les problématiques en philosophie, grâce à l'œuvre de quelques personnalités d'exception.*

### Les sciences économiques

François **Perroux** (1903-1987), fondateur de l'Institut de sciences économiques appliquées en 1944, a donné une grande impulsion à l'étude de la croissance et des faits économiques et sociaux. Il a écrit entre autres ouvrages *le Revenu national, son évaluation et son utilisation* (1947), *les Comptes de la nation* (1948), *l'Économie du XXᵉ siècle* (1961).

L'économie mathématique s'illustre avec Gérard **Debreu** (né en 1921) et Maurice **Allais** (né en 1911). Ancien *Bourbaki,* ayant émigré aux États-Unis en 1948, G. Debreu construit avec Kenneth Arrow dans les années 1950 un célèbre modèle approfondissant les conditions mathématiques de l'équilibre général. Il a reçu le prix Nobel d'économie en 1983. Maurice Allais, polytechnicien, le reçoit à son tour en 1988. Il a travaillé comme G. Debreu sur le concept d'équilibre général, mais critique l'hypothèse de maximisation de l'utilité *(paradoxe d'Allais)*, celle de l'autonomie des décisions individuelles *(individualisme relativisé)* introduit le temps et le risque... Il a aussi écrit sur la monnaie, le taux d'intérêt et l'inflation, et a prévu le krach boursier d'octobre 1987. Il critique aujourd'hui la logique économique du traité de Maastricht.

Edmond **Malinvaud** (né en 1923) a développé en France les instruments d'analyse quantitative. Ancien directeur de l'INSEE, il est l'auteur d'ouvrages de microéconomie, de statistiques économiques et de comptabilité nationale, d'une étude sur *la Croissance française* (1972), avec J.-J.Carré et Paul Dubois et d'un *Réexamen de la théorie du chômage*.

L'approche critique en économie politique est représentée notamment par Robert **Boyer** et Jacques **Mistral**. Ils ont publié *Accumulation, inflation, crise* (1978), prolongement de leur participation à l'étude du CEPREMAP *Approches de l'inflation. L'exemple français* (avec Jean-Paul **Benassy**, Rose Marie **Gelpi**, Alain **Lipietz**...), qui constitue l'axe de référence de l'école postmarxiste française dite *de la régulation*, montrant les transformations structurelles du capitalisme mondial.

Sur le plan des études historiques descriptives, il convient de citer les travaux de Jean **Bouvier**, Jean **Marczewski**, Maurice **Lévy-Leboyer** et Alfred **Sauvy**. Ce dernier, polytechnicien et démographe, fut directeur de l'Institut de conjoncture de 1937 à 1945, et de l'Institut national des études démographiques de 1945 à 1962. Il a publié de nombreux ouvrages, dont une *Théorie générale de la population* (1954-1956), une *Histoire économique de la France entre les deux guerres* (1965-1975), qui constitue l'étude de référence sur la période, *Croissance zéro* (1973)...

René **Dumont** (né en 1904) est à la fois agronome, économiste du développement et militant écologiste : il milite pour la défense de l'équilibre écologique de la planète, pour le non-gaspillage des ressources, le développement de l'agriculture, et pour la transformation radicale des relations entre les nations développées et les pays du tiers monde, condamnés par les premières au sous-développement. Il a écrit en particulier *L'Afrique noire est mal partie* (1962), *l'Utopie ou la Mort* (1973), *Agronomie de la faim* (1974), *Seule une écologie socialiste* (1977)... et a été candidat à l'élection présidentielle de 1974.

### L'histoire

L'école dite « des *Annales* » trouva en Fernand **Braudel** (1902-1985) un illustre continuateur, à l'origine du concept d'« économie-monde » et auteur en particulier de *Civilisation matérielle, économie et capitalisme, XVe-XVIIIe siècles* (1979).

De même, Georges **Duby** (1919-1996), poursuivit le renouveau de l'étude de la société féodale, dans *Guerriers et Paysans* (1973), *le Temps des cathédrales* ( 1976), *le Chevalier, la Femme et le Prêtre* (1981). Il a également dirigé deux volumineuses *Histoire de la France rurale* et *Histoire de la France urbaine.*

Emmanuel **Le Roy Ladurie** (né en 1929) appréhende également les phénomènes historiques en diversifiant leurs déterminants et en s'intéressant à toutes leurs manifestations (*Histoire du climat depuis l'an mille*, 1967, *Montaillou, village occitan*, 1971, *le Carnaval de Romans*, 1979)... *les Platter* (1995).

Philippe **Ariès** a surtout étudié l'histoire des mentalités et des attitudes (*l'Enfant et la Vie familiale sous l'Ancien Régime*, 1960, *l'Homme devant la mort*, 1977...) et Jean **Delumeau** celle des religions *(Naissance et affirmation de la Réforme, Le Christianisme va-t-il mourir ?)* et de l'inconscient *(la Peur en Occident)*. Il en est de même de Pierre **Chaunu** *(le Temps des réformes, la Mémoire et le Sacré)*.

Jacques **Le Goff**, avec ses écrits sur *la Nouvelle Histoire*, Jean **Favier**, directeur des Archives nationales, et auteur notamment d'un *Philippe le Bel* et d'une *Guerre de Cent Ans*, Régine **Pernoud** avec ses études de la femme médiévale et sa défense du Moyen Âge, Albert **Soboul**, François **Furet**, Georges Soria, travaillant sur la Révolution française, et Pierre **Goubert** sur le XVIIe siècle (*Louis XIV et vingt millions de Français...*), Pierre **Miquel** et René **Remond**, Claude **Manceron**, Alain **Decaux** et André **Castelot**... ont contribué parmi bien d'autres à la connaissance de l'histoire de France et à la faire partager par le grand public.

---

### La paléontologie et l'archéologie

L'abbé Henri **Breuil** (1877-1961), le plus illustre paléontologue français a dégagé les subdivisions du paléolithique supérieur et découvert de nombreuses peintures rupestre. Plus récemment, Yves **Coppens** a mené de multiples fouilles archéologiques orientées vers l'étude des crânes et André **Leroi-Gourhan** (*Milieu et Technique*, 1945, *le Fil du temps*, 1983) observa l'art et les matériaux préhistoriques pour connaître les mentalités.

---

## La sociologie

Marcel **Mauss** (1872-1950), élève du fondateur de la sociologie française, Émile **Durkheim** (1858-1917), laisse un *Essai sur le don. Forme et raison de l'échange dans les sociétés archaïques* (1925) et de nombreux articles, regroupés dans un *Manuel d'ethnographie* (1947) et dans *Sociologie et anthropologie* (1950). Il a également influencé l'école structuraliste.

Georges **Gurvitch** (1894-1965) développa la sociologie structurelle et « différentielle » mettant en évidence la diversité des déterminants, sociaux mais prônant le rapprochement avec la philosophie. Il écrivit des *Essais de sociologie* (1939), *Déterminismes sociaux et liberté humaine* (1955). *Les Cadres sociaux de la connaissance* et ses *Études sur les classes sociales* furent publiés en 1966.

Raymond **Aron** (1905-1983), d'abord philosophe (*Introduction à la philosophie de l'histoire*, 1938) est surtout connu pour ses écrits relevant de la sociologie et sa critique du marxisme : *l'Opium des intellectuels* (1955), *Dix-Huit Leçons sur la société industrielle* (1963), *la Lutte des classes* (1964), *les Étapes de la pensée sociologique* (1967).

Jean **Stoetzel** (né en 1910), fondateur de l'Institut français de l'opinion publique (IFOP), a également écrit plusieurs ouvrages dont *les Sondages d'opinion publique* (1948) et *la Psychologie sociale* (1963).

Edgar **Morin** (né en 1921) analyse le lien entre le réel et l'imaginaire à travers le phénomène de la culture de masse. Il a écrit de nombreux ouvrages dont *le Cinéma ou l'Homme imaginaire* (1956), *le Paradigme perdu : la nature humaine* (1973), *Sciences avec conscience* (1982).

Michel **Crozier** (né en 1922) étudie plus particulièrement les organisations et le comportement de groupes sociaux résistant au changement (*le Phénomène bureaucratique*, 1964, *la Société bloquée*,1970...).

Alain **Touraine** (né en 1925), sociologue du travail, s'éloigne de la problématique marxiste en introduisant dans l'étude des rapports sociaux la complexité des déterminants du monde moderne (*Sociologie de l'action*, 1965, *la Société postindustrielle*, 1969, *l'Après-socialisme*,1980).

Pierre **Bourdieu** (né en 1930) est l'un des chercheurs les plus originaux dans le domaine des sciences sociales françaises, au début des années 1990. Auteur en 1964, avec

Jean-Claude Passeron d'un ouvrage de référence sur la transmission de la culture, *les Héritiers,* il publia *la Distinction* en 1979, *Homo academicus* en 1984, *Raisons pratiques* en 1994, et anima une étude collective de grande portée sur la pauvreté *Misère du monde,* publiée en 1993. À la fin de 1995, il sera l'un des rares intellectuels à s'être intéressé et à avoir soutenu d'une façon militante le « mouvement social », qu'il considère comme l'ébauche d'une nouvelle expression collective de révolte contre la normalisation de la pensée et des comportements sociaux.

### La philosophie des sciences

L'un des maîtres de la philosophie française contemporaine est Gaston **Bachelard** (1884-1962), l'un des rares philosophes qui se sont intéressés à l'histoire des sciences. Il a en particulier étudié la naissance de la pensée scientifique moderne, autonome, rationaliste et appliquée. Il a publié *le Nouvel Esprit scientifique* (1938), *la Philosophie du non* (1940), *le Matérialisme rationnel* (1953).

Jean **Cavaillès** (1903-1944), exécuté par les Allemands pour faits de résistance, était l'auteur d'une thèse sur la philosophie des sciences et des travaux concernant la logique mathématique. *Sur la logique et la théorie de la science* fut publié à partir de 1946.

Michel **Serres** (né en 1930) s'est consacré à l'histoire des sciences (*Hermès*, 1969-1977), en reliant les uns aux autres les différents champs de la connaissance et en tentant ainsi de rétablir les ponts rompus entre la philosophie et la science. Chroniqueur au *Nouvel Observateur,* il participe à de nombreuses émissions télévisées de vulgarisation scientifique.

### La phénoménologie

Chez Husserl, fondateur du courant phénoménologique contemporain, la démarche consistait à réagir contre le subjectivisme et l'irrationalisme du début du siècle, pour faire de la philosophie une réflexion sur la scientificité des connaissances, en considérant chaque phénomène réel comme un objet que l'on doit prendre en tant que tel.

Le principal représentant français de cette école est Maurice **Merleau-Ponty** (1908-1961). Opposé à la conception d'une conscience absolument transparente à elle-même, il défend l'idée d'une dialectique entre la signification admise des choses et celle qui est intériorisée par le sujet qui les envisage. Considérant que « la phénoménologie est d'abord le désaveu de la science », il s'intéresse aux causalités physiques et physiologiques qui déterminent *la Structure du comportement humain* (1942), et critique dans *Phénoménologie de la perception* (1945) les concepts traditionnels de la psychologie. Il

---

**Le sauvetage des œuvres philosophiques**

Pour faire face au désintérêt pour la philosophie marquant les années 1980, Michel **Serres** anime une équipe (comprenant notamment Louis Audibert, André Pessel, Jean-Michel Olle...) qui entreprend de publier des œuvres philosophiques tendant à disparaître, entraînant dans l'oubli les étapes de l'histoire de la pensée française. Une quarantaine d'ouvrages (dont *la République* de Jean Bodin, *la Logique* de Scipion Dupleix...) ont déjà été réédités en 1988. Une démarche du même type avait été entreprise en 1834 à l'initiative de Guizot et de Victor Cousin, et durant les années 1940 par Gaston **Bachelard**, Henri Gouhier, André Lalande... publiant des écrits philosophiques de Condillac, Buffon, Cabanis.

développe une nouvelle théorie de la compréhension des choses selon laquelle la « vision » de l'observateur est conditionnée par son « intentionnalité », qui représente la conscience comme perpétuelle transgression d'elle-même, c'est-à-dire comme « existence » (*Sens et non-sens*, 1948, *les Aventures de la dialectique*, 1955, *le Visible et l'Invisible*, 1964). Proche de Jean-Paul **Sartre** sur le plan philosophique, il fonde avec lui *les Temps modernes* en 1945 et se rapproche de la pensée marxiste. Mais il n'acceptera pas l'idée d'une « fin de l'histoire ».

## L'existentialisme

L'existentialisme est un courant philosophique pour lequel l'existence précède et détermine l'essence des choses. S'opposant ainsi à l'idéalisme et à la croyance en une nature humaine universelle, il met en avant le primat du vécu ; celui-ci est la source d'une perception du monde propre à chacun ; il permet la connaissance de soi-même et de son environnement, et fonde le principe de la totale liberté et de la pleine responsabilité humaine. Cette philosophie se développa dans deux directions : l'une, athée et influencée par le marxisme (J.-P. Sartre), qui mit en avant la solitude de l'être face au monde extérieur qu'il crée en cherchant à le maîtriser ; l'autre, chrétienne, et selon laquelle la liberté s'acquiert en trouvant Dieu par une existence tournée vers autrui.

L'un des précurseurs de la pensée existentialiste française et qui illustre ce second courant est Gabriel **Marcel** (1889-1973) ; influencé par Kierkegaard et Jaspers, il chercha comme Emmanuel **Mounier** une convergence entre sa démarche philosophique et sa foi chrétienne. Il laisse notamment *Existence et objectivité* (1914), *Être et savoir* (1918-1937), *Du refus de l'invocation* (1940).

Emmanuel **Mounier** (1905-1950), influencé par **Péguy**, fonde en 1932 la revue *Esprit* où il développe sa conception du « personnalisme » se voulant une synthèse de la pensée chrétienne et des idées socialistes. Il s'agit d'affirmer le primat de l'individu sur les forces matérielles et les organisations, en fondant philosophiquement la liberté humaine face au déterminisme marxiste. Ses œuvres majeures sont *Révolution personnaliste et communautaire* (1935), *Qu'est-ce que le personnalisme ?*, *Introduction aux existentialismes* (1947).

L'existentialisme de Jean-Paul **Sartre** (1905-1980) constitue une autre dimension de la phénoménologie, qu'il cherche à introduire au sein du marxisme en y intégrant une théorie de la conscience, à travers le concept d'« intentionnalité » : c'est par la prise de conscience de ce qui n'est pas, de l'existence de l'irréel que procède la connaissance de soi ; il s'ensuit une opposition fondamentale entre l'« en-soi » et le « pour-soi », ou entre l'« être » et le « non-être », dont la transcendance constitue le principe de la dialectique sartrienne. Mais, de plus, l'individu qui se réalise en se projetant hors de lui-même doit faire face au regard d'autrui (« L'enfer, c'est les autres »). Parallèlement à ses œuvres philosophiques (*la Transcendance de l'ego*, 1938, *l'Être et le Néant*, 1943, *L'existentialisme est un humanisme*, 1946, *Critique de la raison dialectique*, 1960...), il écrit des romans (*la Nausée*, 1938, *le Mur*, 1939, *les Chemins de la liberté*, 1945-1949) et des pièces de théâtre (*Huis clos*, 1944, *la Putain respectueuse*, 1946, *les Mains sales*, 1948, *le Diable et le Bon Dieu*, 1951, *les Séquestrés d'Altona*, 1960), et met en scène *Kean* de Victor Hugo.

D'autre part, J.-P. Sartre participe au Comité national des écrivains résistants durant la guerre, fonde *les*

*Temps modernes* avec M. **Merleau-Ponty**, R. **Aron**, S. de **Beauvoir**, devient « compagnon de route » du parti communiste (« un anticommuniste est un chien », déclare-t-il en 1952), avant de rompre avec lui en 1956 après l'invasion de la Hongrie. Il dénonce la torture en Algérie, soutient les étudiants révoltés en 1968, puis devient directeur de publications d'extrême gauche dont *la Cause du peuple* maoïste, pour permettre l'expression politique des mouvements « gauchistes » durant les années 1970.

## Le structuralisme

Il s'agit d'un courant de pensée qui envisage les productions humaines comme des objets d'étude indépendants de leurs créateurs, et comme des éléments d'un ensemble cohérent dont ils tirent leur signification et dont ils ne peuvent être abstraits. Dans cette approche qui accorde la préférence à la permanence et à la synchronie au détriment de l'évolution et de la diachronie, l'homme tend à disparaître comme sujet et acteur de l'histoire, au profit des rapports durables qui s'établissent entre les individus au sein d'une société organisée et « structurée ».

Le véritable fondateur est le linguiste suisse Ferdinand de **Saussure** (1857-1913) qui introduisit dans son *Cours de linguistique générale* (publié en 1916) l'idée que le langage doit être appréhendé comme une structure composée d'éléments interdépendants, dont chacun n'a de sens que relativement à l'ensemble du mécanisme de la langue saisi dans sa durée.

Le structuralisme toucha aussi différentes sciences sociales après la Seconde Guerre mondiale. En France, en particulier, il se développe dans les années 1950-1970 ; un certain nombre de chercheurs y trouvent une

---

### Les structuralistes français

Les grands auteurs qui ont été influencés ou ont introduit le structuralisme dans leurs disciplines sont principalement le linguiste Émile **Benveniste** (*Problèmes de linguistique générale*, 1966), l'anthropologue Claude **Lévi-Strauss** (*Anthropologie structurale*, 1958), le critique littéraire Roland **Barthes** (*Système de la mode*, 1967), le psychanalyste Jacques **Lacan** (*Écrits*, 1966), le psychologue Jean **Piaget** (*la Pensée sauvage et le Structuralisme*, 1963), le sociologue philosophe Michel **Foucault** (*les Mots et les Choses*, 1966, *l'Archéologie du savoir*, 1969), le philosophe marxiste Louis **Althusser** (*Pour Marx, Lire le Capital*, 1965...), le philosophe mathématicien Michel **Serres** (*le Système de Leibniz et ses modèles mathématiques*, 1968), l'historien philologue Georges **Dumézil** (*l'Idéologie tripartie des Indo-Européens*, 1958, *Mythe et épopée*, 1968-1973)...

---

méthode permettant de rompre avec une forme d'idéalisme considérant l'individu comme un créateur libre, et avec un « historicisme » rendant impossible une connaissance scientifique à partir du moment où la modification des conditions historiques rend précaire tout savoir.

Le champ le plus fécond du structuralisme, après la linguistique, est l'anthropologie, qui s'intéresse à des sociétés à évolution lente. C'est dans ce domaine que s'illustre Claude **Lévi-Strauss** (né en 1908). Influencé par Durkeim, Mauss et la linguistique structurale de F. de Saussure, il définit sa méthode dans plusieurs articles : *l'Analyse structurale en linguistique et en anthropologie* (1945) et *la Notion de structure en ethnologie* (1952). Après avoir étudié diverses sociétés « primitives » au Brésil et au Pakistan, il publie de nombreux ouvrages dont les *Structures élémentaires de la parenté* (1949), *Anthropologie structurale* (1958 et 1973), *la Pensée sauvage* (1962).

Il s'est aussi intéressé à la signification des mythes, en particulier amérindiens, qu'il envisage également du point de vue structural, c'est-à-dire en les étudiant dans leur combinaison et dans leur transformation à partir d'un « mythe de référence » (*le Cru et le Cuit*, 1964, *Du miel aux cendres*, 1967, *l'Homme nu*, 1971).

### La psychanalyse

Jacques **Lacan** (1901-1981), médecin et psychiatre, a joué un rôle décisif dans le développement de l'approche freudienne en France, qu'il préconisait contre la psychanalyse « officielle » et américaine. Il fonda ainsi l'École freudienne à Paris en 1964, avant de la dissoudre en 1980 pour excès de « conformisme » de pensée. Il a développé dans ses célèbres séminaires (dont le contenu fut publié sous les titres *Écrits*, 1966, *Écrits techniques de Freud*, 1975, *les Psychoses*, 1981...) l'idée que l'« inconscient est structuré comme un langage », rejoignant ainsi la démarche structuraliste. Il met en avant le rôle du « désir de l'autre », de la « castration » qui pousse à combler ce « manque », du « symbolique » comme lieu de l'existence humaine.

Il a influencé Roland **Barthes** (1915-1980), critique structuraliste, qui a publié de nombreux ouvrages sur le langage, la littérature, le pouvoir et les signes : *le Degré zéro de l'écriture* (1953), *Mythologies* (1957), *le Système de la mode* (1967), *l'Empire des signes* (1970), *Fragments d'un discours amoureux* (1977).

Le philosophe Michel **Foucault** (1926-1984) a subi l'influence de l'approche psychanalytique et de la démarche structuraliste. Il les applique à l'étude des idées, des connaissances et du discours, et met l'accent sur les discontinuités et les « coupures épistémologiques ». Il a publié de nombreux ouvrages qui ont fait date, dont *l'Histoire de la folie à l'âge classique* (1961), *les Mots et les Choses, une archéologie des sciences humaines* (1966), *l'Archéologie du savoir* (1969), *Surveiller et punir, naissance de la prison* (1975), et le début d'une *Histoire de la sexualité* (1976).

En outre, le Suisse Jean **Piaget** (1896-1980) laisse une œuvre majeure dans le domaine de la psychologie. Il a cherché à étudier les structures successives du savoir et le développement de l'intelligence humaine (psychologie génétique). Il a écrit de nombreux ouvrages dont *la Naissance de l'intelligence* (1936), *la Psychologie de l'intelligence* (1947), *les Mécanismes perceptifs* (1961), *l'Équilibre des structures cognitives* (1975).

---

### La psychiatrie infantile

Deux femmes s'illustrent en ce domaine : Françoise **Dolto** (1908-1988) est la principale initiatrice de la psychanalyse des enfants en France et participa à l'École freudienne de Paris. Elle a publié en particulier *Psychanalyse et pédiatrie* (1939), *le Cas Dominique* (1971).

Maud **Mannoni** (née en 1923), qui a subi l'influence de **Lacan**, a milité pour la création du Centre de thérapie pour enfants psychotiques, débouchant sur l'ouverture de celui de Bonneuil en 1979. Elle a publié notamment *l'Enfant arriéré et sa mère* (1964), *le Psychiatre, son « fou » et la psychanalyse* (1970), *Un lieu pour vivre* (1976)...

---

### En marge des écoles

Vladimir **Jankélévitch** (1903-1985), philosophe refusant tout conformisme de pensée, a subi l'influence de Bergson et du courant existentialiste. S'interrogeant sur *la Mauvaise Conscience* (1933), *le Mal* (1947), *la Mort* (1966), *le Pardon* (1967), il a su aussi déconcerter par ses réflexions sur les thèmes du « je ne-sais-quoi » et du « presque-rien ».

Gilles **Deleuze** (1925-1995) s'inscrit dans le courant philosophique interrogé par la démarche psychanalytique mais tentant de défendre l'authenticité du désir et de la vie inconsciente contre la prétention normalisatrice d'une certaine psychanalyse. Il a écrit *Empirisme et subjectivité* (1953), *Nietzsche et la philosophie* (1962), *Logique du sens* (1969) et surtout *l'Anti-Œdipe* (1972), avec Félix **Guattari**, psychanalyste s'intéressant aux contenus sociopolitiques de l'inconscient, et auteur de *Psychanalyse et transversalité*.

Dans une perspective assez proche, Jacques **Derrida** (né en 1930) interroge la signification de l'écrit, qu'il considère comme déjà contenu dans la parole, elle-même expression du désir. Il a publié principalement *l'Écriture et la différence* (1967) *l'Archéologie du frivole* (1976), *la Carte postale, de Socrate à Freud et au-delà* (1980)...

Philosophe et sociologue, résistant durant la Seconde Guerre mondiale, Henri **Lefebvre** (1905-1991) illustre la pensée marxiste critique, faisant du matérialisme dialectique un instrument non dogmatique de compréhension de la réalité sociale. Il a écrit *Logique formelle et logique dialectique* (1947), *Critique de la vie quotidienne* (1947 et 1962), *Sociologie de Marx* (1965), *De l'État* (1976-1978).

François **Châtelet** (1925-1985) approfondit l'histoire des idéologies et de la philosophie, dirigeant la publication de plusieurs séries d'ouvrages sur ces thèmes, Jean-Pierre **Faye** étudie la philosophie politique et le langage totalitaire,

Georges **Balandier** publie en 1967 une *Anthropologie politique*.

Jean **Baudrillard** (né en 1929) étudie l'attitude et le désir de l'individu face à la « société de consommation », dans *le Système des objets* (1968), *Pour une critique de l'économie politique du signe* (1972), *le Crime parfait* (1995).

---

Le philosophe Georges **Politzer** (1903-1942), membre du PCF et cofondateur de la *Revue marxiste*, a publié une *Critique des fondements de la psychologie* et *le Bergsonisme, mystification politique* (publiée en 1945). En 1941, il crée la revue clandestine *Pensée libre* ; il sera fusillé pour faits de résistance en 1942.

---

### Quelle relève ?

Les grands penseurs français que l'on vient d'évoquer ont disparu ou ont vieilli sans avoir formé, semble-t-il, des élèves susceptibles d'égaler leurs maîtres.

La société française (mais n'en est-il pas de même ailleurs) n'abrite plus de grands esprits capables d'expliquer les transformations qu'elle subit, ni de rendre compte de l'avenir qui l'attend. De ce point de vue, le « grand silence des intellectuels » peut surprendre et inquiéter alors que le besoin de compréhension de ce monde en rapide mutation est pourtant essentiel.

Peut-être ne s'agit-il cependant que d'une période de maturation d'une réflexion nécessairement difficile face à la complexité d'un réel en bouleversement. Mais il peut s'agir aussi du fruit d'un monde dépréciant la réflexion philosophique et critique au profit de la recherche pragmatique de solutions et de formations techniques, le souci du savoir-faire l'emportant sur celui du savoir que faire.

# Nouvelles cultures de l'après-guerre

## Deux générations sans successeurs ?

*Entre la fin de la Seconde Guerre mondiale et le début des années 70, les Français retrouvent le goût de vivre, certains celui de la provocation, qui s'exprime dans les lettres, le théâtre, le cinéma et la musique, alors que la télévision devient une compagne quotidienne.*

### La littérature

La création littéraire est dense durant l'après-guerre (voir la chronologie *La littérature*, p. 541). Quelques auteurs marquent plus particulièrement ces années.

C'est le cas d'Albert **Camus** (1913-1960), auteur de romans à dimensions philosophiques (*l'Étranger*, 1942, *la Peste*, 1947, *la Chute*, 1956), de pièces de théâtre (*le Malentendu*, 1944, *Caligula*, 1945, *l'État de siège*, 1948, *les Justes*, 1949), et de célèbres essais *(le Mythe de Sisyphe*, 1942, *l'Homme révolté),* 1951, qui résument sa pensée : l'absurdité de la vie, la solitude humaine, le destin tragique du révolutionnaire. Éditorialiste au journal *Combat* après guerre, il s'engage à gauche, mais critique violemment le stalinisme, se brouille avec Sartre et défend l'idéal d'un humanisme lucide contre toutes les oppressions.

De même, Simone de **Beauvoir** (1902-1986), compagne de J.-P. Sartre, effectue à partir des années 1940 une brillante carrière littéraire tout en menant un combat féministe intransigeant et en participant aux luttes politiques aux côtés des forces de gauche. Après avoir publié *le Sang des autres* (1944), *les Bouches inutiles* (1945), *Pour une morale de l'ambiguïté* (1947), *le Deuxième Sexe* (1949), elle obtient le prix Goncourt pour *les Mandarins* (1954), et écrira encore la trilogie autobiographique *Mémoires d'une jeunefille rangée* (1958), *la Force de l'âge* (1960), *Tout compte fait* ( 1972).

Durant les années 1950 s'affirme une forme littéraire qualifiée de « Nouveau Roman », ou « antiroman » ou « nouveau réalisme » (se démarquant des auteurs plus traditionnels qui poursuivent leurs œuvres tels André **Maurois**, François **Mauriac**, Henri de **Montherlant**, André **Malraux**, Marcel **Pagnol**, évoqués dans la période 1919-1939, voir p. 195). Ces nouveaux venus sont en particulier Alain **Robbe-Grillet**, Marguerite **Duras**, Nathalie **Sarraute**, Claude **Mauriac**, Michel **Butor**, Claude **Simon**...

D'autres noms s'imposeront dans des genres différents, tels Henri **Troyat**, Maurice **Druon**, Bernard **Clavel**, Marguerite **Yourcenar**, Paul **Léautaud**, Boris **Vian**, Jules **Supervielle**, **Saint-John Perse**, prix Nobel de littérature en 1960, et Michel **Tournier,** auteur en particulier du *Roi des aulnes* (prix Goncourt 1970) et des *Météores* (1975)...

### Le théâtre

Durant ces années, le théâtre connaît un dynamisme remarquable, grâce à un renouvellement de la mise en scène : Jean **Vilar** (1912-1971) connaît le succès en 1945 avec son adaptation de *Meurtre dans la cathédrale*, de T.-S. Eliot et son jeu d'acteur dans diverses pièces comme *Henri IV* de Pirandello ou les classiques de Molière. Créateur du Festival d'Avignon en 1947, il dirige le Théâtre national populaire (TNP) de 1951 à 1963. Il rencontre en Gérard **Philipe** (1922- 1959) un interprète exceptionnel qui domine les années 1950 par son talent de comédien et sa personnalité de « jeune premier ». Il triomphe dans *le Cid* (1951), *le Prince de Hombourg* (1951),

*Lorenzaccio* (1953), *Ruy Blas* (1954), *On ne badine pas avec l'amour* (1959).

Eugène **Ionesco** (1912-1994), d'origine roumaine, fait œuvre révolutionnaire avec *la Cantatrice chauve* (1950), *les Chaises* (1952), *Amédée ou Comment s'en débarrasser* (1954), *Rhinocéros* (1959), *Le roi se meurt* (1962).

Samuel **Beckett** (1906-1989), d'origine irlandaise, qui allie l'ironie et le burlesque, donne en particulier *En attendant Godot* (1953), *Fin de partie* (1957) puis *Oh les beaux jours* (1963)... Jacques **Audiberti** (1899-1965) laisse également une œuvre non conformiste, dominée par le culte du langage recherché (*Le mal court*, 1947).

Après une jeunesse agitée le conduisant en prison, Jean **Genet** (1910-1986) publie le *Journal du voleur* (1949), *le Condamné à mort* (1951), mais se consacre surtout au théâtre ; il exprime dans ses pièces ses fantasmes sexuels, sa condamnation des préjugés et du racisme, avec un style volontiers provocateur : *les Bonnes* (1947), *le Balcon* (1957), *les Nègres* (1959), *les Paravents* (1961).

Le théâtre plus traditionnel trouve en Jean **Anouilh** (1910-1987) un illustre continuateur. Déjà connu avant la guerre, il produit en 1939 *le Rendez-vous de Senlis*, puis de nombreuses pièces tragiques, ironiques ou légères, dont *Colombe* (1951), *Becket ou l'Honneur de Dieu* (1959), *la Foire d'empoigne* (1962). De même Armand **Salacrou** (1899-1989), auteur de *l'Inconnue d'Arras* en 1935, et d'*Histoire de rire* en 1939, continue après la guerre à écrire des pièces dramatiques ou récréatives (*les Nuits de la colère*, 1946). Dans un autre genre, Félicien **Marceau**, d'origine belge, lance la pièce-monologue, avec *l'Œuf* (1956), puis *la Bonne Soupe*, (1958) et Marcel **Marceau**, après avoir joué *Arlequin*, fait renaître la pantomime en 1947 avec le personnage de Bip, bouffon au visage et au costume blancs, et crée une école de mime en 1958.

De son côté, Jean-Louis **Barrault** (1910-1994), déjà metteur en scène (*le Soulier de satin*, 1943) et acteur (*Drôle de drame*, 1937, *les Enfants du paradis*, 1944) avant et pendant la guerre, poursuit ensuite une œuvre de création théâtrale avec sa femme, Madeleine **Renaud** (Compagnie Renaud-Barrault fondée en 1947, création du théâtre d'Orsay en 1974). Ils interprètent également de grandes œuvres classiques et celles de Ionesco, Beckett, Genet.

## Le cinéma

Les grands réalisateurs des années 1930 (René **Clair**, Marcel **Carné**, Sacha **Guitry**) et ceux qui s'affirment après la guerre (Henri-Georges **Clouzot**, Jean **Cocteau**, Max **Ophuls**, Jacques **Becker**, Claude **Autant-Lara**) bénéficient du talent confirmé de Louis **Jouvet**, Charles **Dullin**, Pierre **Larquey**, **Raimu**, Pierre **Brasseur**, Jean **Gabin**, Michel **Simon**, Bernard **Blier**..., du charme et de la sensibilité d'**Arletty**, de Michèle **Morgan**, de Martine **Carole**..., de la personnalité exceptionnelle de Gérard **Philipe**, aussi présent à l'écran que sur la scène. De même, Simone **Signoret** et Serge **Reggiani** se révèlent dans *Casque d'or*, en 1952, et Yves **Montand** exprime ses talents d'acteur dans *le Salaire de la peur* en 1953. Puis en 1956 naît le mythe Brigitte **Bardot,** après son apparition dans *Et Dieu créa la femme*.

En 1960, c'est Jean-Paul **Belmondo** qui apparaît dans *À bout de souffle*. Avec A. Delon, Ph. **Noiret**, Lino **Ventura**, M. **Serrault**, J.-L. **Trintignant**, Catherine **Deneuve** et Romy **Schneider**... il fera partie des acteurs les plus populaires des trente dernières années, rejoints plus récemment par G. **Depardieu**, I. **Adjani**...

C'est à la fn de ces années 1950 qu'apparaît le terme de
« Nouvelle Vague » pour qualifier la nouvelle sensibilité
qui se manifeste dans différents domaines de la vie littéraire et artistique. Toutefois, elle se limitera bien vite à
un groupe de jeunes réalisateurs sans réelle unité, mais
ayant en commun un certain non-conformisme et le fait
d'animer les *Cahiers du cinéma* : Claude **Chabrol**, Jean-
Luc **Godard**, Éric **Rohmer**, Jacques **Rivette**, François
**Truffaut**, dont se démarqueront Louis **Malle**, Alain
Resnais et Roger **Vadim**.

## La recherche musicale

La composition musicale du second XX^e siècle est fortement marquée par l'œuvre d'Olivier **Messiaen** (1908-
1992). Organiste à l'église de la Trinité dès 1930 et
professeur au Conservatoire de Paris à partir de 1942, il
s'illustre dans trois registres principaux : l'étude scientifique des chants d'oiseaux (*Catalogue d'oiseaux pour piano*,
1958) ; l'adaptation des rythmes traditionnels asiatiques
ou latino-américains (*Chronochromie*, 1960) ; les œuvres
religieuses, qui culminent avec son *Saint François d'Assise*
en 1983.

Pierre **Schaeffer** (né en 1910) s'oriente en 1948 vers la
« Musique concrète » et compose avec Pierre Henry
*Bidule en ut* (1949), *Symphonie pour un homme seul* (1950),
*Orphée 51* (1951). Travaillant à la radio, il crée en 1951
le Groupe de recherches musicales (GRM), invente en
1952 le « phonogène » et étudie les sons (*Études aux sons
animés*, 1958...).

Pierre **Henry** (né en 1927) a fréquenté O. Messiaen avant
de travailler avec P. Schaeffer. Il est l'un des initiateurs
de la musique électroacoustique, créant *Microphone bien
tempéré* (1951), *Haut Voltage* (1955)... Il compose ensuite

---

### Le jazz à Saint-Germain-des-Prés

Dès 1945, les cabarets du quartier Saint-Germain-des-Près, à Paris (le Caveau des Lorientais, le Vieux-Colombier, le club Saint-Germain, le Tabou) deviennent les hauts lieux d'une nouvelle joie de vivre symbolisée par le jazz Nouvelle-Orléans. Claude **Luter** à la clarinette, Mezz **Mezzrow**, Marcial **Solal**, André **Reweliotty**... accompagnent Sidney **Bechet**. En 1949, ce dernier triomphe au festival de jazz de la salle Pleyel, et en 1955 il peut fêter à l'Olympia son disque d'or. Durant ces mêmes années, Boris **Vian** à la trompette et Henri **Salvador** à la guitare animent aussi les nuits de Saint-Germain ; en 1955, ils réalisent un disque-pastiche « Rock and roll-mops ».

---

pour Maurice **Béjart** *la Reine verte* ( 1963) et *Messe pour le temps présent* (1967) et mène plus avant la recherche de nouvelles sonorités dans de nombreuses œuvres, dont *l'Apocalypse de Jean* ( 1968).

Pierre **Boulez** (né en 1925), lui aussi élève de O. Messiaen, devient après la guerre le principal représentant de l'école sérielle. Il compose des *Sonates pour piano* (1946-1948), collabore avec P. Schaeffer, fonde les concerts du « Domaine musical » en 1954 et connaît le succès dans les années suivantes avec *le Marteau sans maître*, *Pli selon pli*. Parallèlement, P. Boulez s'illustre comme chef d'orchestre et prendra en 1976 la responsabilité de l'Institut de recherche et de coordination acoustique-musique (IRCAM), au Centre Georges-Pompidou.

### Le cabaret et le music-hall (1945-1960)

Tandis que Charles **Trenet**, Maurice **Chevalier**, Tino **Rossi**... poursuivent une brillante carrière, de nouveaux noms apparaissent ou s'affirment dans les domaines de la chanson populaire et des sketches comiques. Débutant le plus souvent dans les cabarets de la rive gauche à Paris (*La Galerie 55, l'Échelle de Jacob, le Port du salut, l'Écluse*, avant de passer aux *Trois Baudets*, véritable marchepied d'une grande carrière passant par *Bobino* et l'*Olympia*), ils acquièrent par la suite une célébrité nationale grâce au développement de la radio et de l'industrie du disque.

Ainsi **Bourvil** et Luis **Mariano** débutent en 1946, Yves **Montand** chante en 1947 *lesPoètes, C'est si bon...* ; Francis **Lemarque** compose *À Paris*, Suzy **Delair** interprète les airs de Francis Lopez.

En 1948, Juliette **Gréco** chante au Tabou *Si tu t'imagines*, et les **Frères Jacques** *la Queue du chat*, à la Rose rouge.

En 1949, Édith **Piaf** connaît la gloire et Line **Renaud** interprète les chansons de Loulou Gasté. En 1950-1951 **Patachou, Mouloudji**, Zizi **Jeanmaire** se font connaître, et de nouveaux amuseurs apparaissent, tels Pierre **Dac** et Francis **Blanche**, Robert **Lamoureux** et Darry **Cowl**.

---

### Les vrais débuts de la télévision

La télévision devient durant les années 1950 un instrument culturel privilégié dont les pionniers sont en particulier Pierre **Dumayet** et Pierre **Desgraupes,** qui produisent avec Pierre **Lazareff** et Igor **Barrère** le grand magazine d'information *Cinq Colonnes à la une*, Max-Pol **Fouchet** (*Lecture pour tous*), Pierre **Sabbagh** (*Au théâtre ce soir*), Stellio **Lorenzi**, *La caméra explore le temps*, Léon **Zitrone**, présentateur du journal télévisé et de grands événements, Jean **Nohain** et ses *Trente-six chandelles* ; ce sera aussi le temps de *la Piste aux étoiles*, de l'*Homme du XXe siècle*, ou de *la Tête et les Jambes*, qui constitueront de grands classiques de l'histoire de la télévision à une seule chaîne et en noir et blanc.

En 1952, Georges **Brassens** débute aux Trois Baudets et chante *le Gorille* et *la Mauvaise Réputation* dans un spectacle où Henri **Salvador** tient le premier rôle. En 1953, Jacques **Brel** chante quelques chansons aux Trois Baudets, à l'Échelle de Jacob... et Léo **Ferré** parvient à faire interpréter *Paris Canaille, Pauvre Rutebeuf*. L'année suivante, Gilbert **Bécaud** passe à l'Olympia, Philippe **Clay** chante *le Noyé assassiné* ; on voit Annie **Cordy**, **Bourvil** et Georges **Guétary** dans l'opérette *la Route fleurie*. Roger **Pierre** et Jean-Marc **Thibault**, Jean **Poiret** et Michel **Serrault**, Fernand **Raynaud** et Raymond **Devos** viennent étoffer le monde des comiques. En 1955, Jean **Ferrat** débute avec *Ma môme*, Charles **Aznavour** chante *Sur ma vie*, à l'Olympia, Tino Rossi *Méditerranée*, **Dalida** *Bambino*. En 1957, Léo **Ferré** chante *les Poètes* et Guy **Béart** débute aux Trois Baudets.

Puis une nouvelle génération s'adressant à un public plus jeune s'affirme en 1958 : Richard **Antony** chante *Nouvelle Vague*, précédant de peu l'apparition de Johnny **Hallyday**, alors que Sacha **Distel** abandonne la guitare-jazz pour la variété *(Scoubidou)*. L'année suivante, Eddy **Mitchell** et les Chaussettes noires font leur apparition puis Hugues **Aufray** s'illustre en adaptant en français des chansons de Bob Dylan et en popularisant la « country music ».

Plus tard s'affirmeront Serge **Lama**, Michel **Delpech**, Serge **Gainsbourg** puis France **Galle**, Michel **Berger**, Véronique **Sanson**, Yves **Duteilh**, Francis **Cabrel**, Patrick **Bruel**, **Renaud**, Jean-Jacques **Goldman**..., qui, au cœur même des années 1990, n'auront guère vu surgir de véritables successeurs. On tendra plutôt à revenir aux rythmes et chansons des années 1960, comme en témoignent le retour de certains chanteurs « oubliés », le succès de groupes comme les Années twist et des concerts de Johnny Halliday ou d'Eddy Mitchell...

Le « rap », la « techno » et le succès des « boys bands » durant les années 1990 semblent surtout le fait d'un public très jeune et relève plus d'un « effet de mode » que d'un nouvel élan créatif.

### *1980-1990 : une société sans culture ?*

Après l'effervescence intellectuelle et le bouillonnement d'idées des années 1950-1960, la créativité littéraire, philosophique, voire artistique et musicale, s'est ralentie à partir du début des années 1970. Le « Nouveau Roman », les « nouveaux philosophes », les « nouveaux romantiques » et même la « Nouvelle Histoire » n'ont pas engendré une révolution dans la façon de voir ou d'interpréter le monde.

La mode des années 1980 a plutôt été celle du retour au réalisme des récits biographiques, racontant le destin exceptionnel d'êtres solitaires. Les grands auteurs ou les chercheurs originaux en sciences sociales et humaines n'ont fait que peu d'émules, dans le contexte d'un discrédit croissant des disciplines « littéraires » au profit des carrières rémunératrices « d'entreprise ». La montée du chômage et la crise économique ne sont certes pas étrangères à ce phénomène, poussant les jeunes (et les moins jeunes) à rechercher l'« utile » et le « concret » au détriment de la spéculation intellectuelle.

Même ceux qui à l'âge de vingt ans ont participé à la mode « beatnik » ou « hippie », ou vibré aux idées contestatrices et « anticapitalistes » de 1968, se sont finalement intégrés dans une société « consensuelle » et normalisée.

La disparition prématurée d'esprits « non conformistes » comme Thierry Le **Luron** et **Coluche** (en 1986), ou Pierre **Desproges** (en 1988), se fait cruellement sentir.

La télévision contribue à standariser le mode de vie et l'univers intellectuel des nouvelles générations, et joue le rôle de compagne privilégiée de leurs premières années, tenu à l'époque de leurs parents par *les Pieds-Nickelés*, *Fillette*, *Tintin* ou *Spirou*, et par la radio écoutée en famille ou seul dans sa chambre grâce aux nouveaux postes à transistors.

Cela peut expliquer la raison pour laquelle aucun nouveau courant de pensée ou d'expression culturelle véritablement original n'est apparu depuis la fin des années 1970 ; et si les « vieilles idéologies » ont connu un éphémère regain d'actualité, elles se sont heurtées ensuite aux difficultés de la confrontation au réel : les références au marxisme se font de plus en plus rares, même parmi les partis de gauche, surtout depuis la déliquescence de l'expérience socialiste en 1982-1983, alors que l'efficacité du « libéralisme économique » a montré ses limites en favorisant le krach boursier de 1987 et en ne parvenant pas à réduire le chômage.

Sans idéologie, peu politisés et habitués au confort que la croissance de l'après-guerre a banalisé, les moins de trente ans ont tendance à prendre comme modèle d'identification les vedettes de la chanson, de la télévision, du sport ou du cinéma et à rêver d'un enrichissement rapide grâce à une carrière médiatique fulgurante, ou à la réussite dans le monde de la publicité, de la finance ou du sport.

L'attrait pour la recherche scientifique, la culture pour elle-même, la capacité d'imaginer de nouvelles relations sociales ou d'autres systèmes de valeur ne semblent pas être pour l'heure les traits dominants de la génération qui atteindra l'âge mur en l'an 2000.

# La littérature, le cinéma, le théâtre (1945-1995)

*L'abondance des productions littéraire, cinématographique, théâtrale et musicale depuis 1945 ne permet de les évoquer que de façon partielle et simplement chronologique. Ne sont citées ici que les œuvres ne faisant pas l'objet d'un développement spécifique par ailleurs, et l'on comprendra que l'on ne puisse traiter de la musique dite « de variété ».*

**L** : *littérature* ; **C** : *cinéma* ; **T** : *théâtre* ; **M** : *musique* ; **D** : *danse.*

## 1945

**L** : *les Amitiés particulières* (1944) (Roger Peyrefitte), *le Silence de la mer* (Vercors), *Seuls demeurent* (René Char), *Drôle de jeu* (Roger Vailland), *Mon village à l'heure allemande* (Jean-Louis Bory), *le Tricheur* (Claude Simon). **C** : *Les Enfants du paradis* (Marcel Carné). **TMD** : *les Forains* (chorégraphie de Roland Petit, au théâtre des Champs-Élysées).

## 1946

**L** : *J'irai cracher sur vos tombes* (Boris Vian, alias Vernon Sullivan), *Vents* (Saint-John Perse), *Feuillets d'Hypnos* (R. Char), l'*Âge d'homme* 1er volume (Michel Leiris), *l'Univers concentrationnaire* (David Rousset). **C** : *les Portes de la nuit* (M. Carné), *la Bataille du rail* (René Clément), *la Symphonie pastorale* (Jean Delannoy).

## 1947

**L** : *Caroline chérie* (Cécil Saint-Laurent), *l'Écume des jours* et *l'Automne à Pékin* (Boris Vian), *la Petite Hutte* (André Roussin), *la Nef des fous* (Armand Lanoux). *Mes camarades* *sont morts* (Pierre Nord), *le Caporal épinglé* (Jacques Perret), *Tant que la terre durera* (Henri Troyat). **C** : *Quai des Orfèvres* (Henri-Georges Clouzot), *La Chartreuse de Parme* (Christian-Jaque), *le Diable au corps* (Claude Autant-Lara), *la Bataille de l'eau lourde* (Jean Dreville).

**1948**

**L** : *Vipère au poing* (Hervé Bazin), *Notre prison est un royaume* (Gilbert Cesbron), *les Grandes Familles* (Maurice Druon), *les Hauteurs de la ville* (Emmanuel Roblès), *Portrait d'un inconnu* (Nathalie Sarraute). **C** : *Les Parents terribles* (Jean Cocteau), *Dédé d'Anvers* (Yves Allégret), *la Chartreuse de Parme* (Christian-Jaque), *Rocambole* (Jacques de Baroncelli).

**1949**

**L** : *la Tête contre les murs* (H. Bazin), *Week-end à Zuydcoote* (Robert Merle), *la Part maudite* (Georges Bataille). **C** : *Jour de fête* (Jacques Tati), *la Beauté du diable* (René Clair), *Rendez-vous de juillet* (Jacques Becker), *le Point du jour* (Louis Daquin). **D** : Fondation des Ballets de Paris par R. Petit.

**1950**

**L** : *Un barrage contre le Pacifique* (Marguerite Duras), *Tu récolteras la tempête* (Jean Hougron). **C** : *Orphée* (Jean Cocteau), *Justice est faite* (André Cayatte), *la Ronde* (Max Ophuls).

**1951**

**L** : *Oublieuse Mémoire* (Jules Supervielle), *les Grands Moyens* (Roger Ikor), *l'Homme et la Mort* (Edgar Morin), *Mémoires d'Hadrien* (Marguerite Yourcenar), *Lorsque l'enfant paraît* (André Roussin). **C** : *Fanfan la Tulipe* (Christian-Jaque), *le Journal d'un curé de campagne* (Robert Bresson), *les Belles de nuit* (René Clair). **T** : *le Goûter des généraux* (B. Vian).

## 1952

**L** : *les Enfants du bon Dieu* (Antoine Blondin), *Les saints vont en enfer* (G. Cesbron), *Au bon beurre* (Jean Dutour), *Cela s'appelle l'aurore* (E. Roblès). **C** : *Jeux interdits* (René Clément), *Casque d'or* (Jacques Becker), *Nous sommes tous des assassins* (André Cayatte), *la Vérité sur Bébé Donge* (Henri Decoin), *Don Camillo* (Julien Duvivier), Manon des sources (Marcel Pagnol).

## 1953

**L** : *L'Arrache-cœur* (Boris Vian), *la Maison de la nuit* (Thierry Maulnier), *La mort est mon métier* (Robert Merle), *les Gommes* (Alain Robbe-Grillet), *les Semailles et les Moissons*, 1er vol. (H. Troyat). **C** : *les Vacances de M. Hulot* (Jacques Tati), *le Salaire de la peur* (H.G. Clouzot), *la Dame aux camélias* (Raymond Bernard).

## 1954

**L** : *Chiens perdus sans collier* (Gilbert Cesbron), *les Carnets du major Thomson* (Pierre Daninos), *Bonjour tristesse* (Françoise Sagan), *les Aristocrates* (Michel de Saint Pierre), *le Sacre du printemps* (C. Simon). **C** : *Monsieur Ripoix* (René Clément), *Touchez pas au grisbi* (J. Becker), *French Cancan* (Jean Renoir).

## 1955

**L** : *le Voyeur* (A. Robbe-Grillet), *les Élans du cœur* (Félicien Marceau), *les Rois maudits*, 1er vol. (M. Druon), *les Eaux mêlées* (Roger Ikor). **C** : *Lola Montès* (M. Ophuls), *les Diaboliques* (H.-G. Clouzot). **MD** : *Symphonie pour un homme seul* (chorégraphie de Maurice Béjart).

## 1956

**L** : *Qui j'ose aimer* (Hervé Bazin), *l'Emploi du temps* (Michel Butor), *les Racines du ciel* (Romain Gary), *Un certain sourire*

(F. Sagan), *l'Ère du soupçon* (N. Sarraute). **C** : *Nuit et brouillard* (Alain Resnais), *Et Dieu créa la femme* (Roger Vadim), *la Traversée de Paris* (C. Autant-Lara), *Un condamné à mort s'est échappé* (R. Bresson), *le Monde du silence* (Jacques-Yves Cousteau).

## 1957

**L** : *Amers* (Saint-John Perse), *la Modification* (M. Butor), *Fleur d'épine* (Jean-Pierre Chabrol), *Rue du Havre* (Paul Guimard), *le Carrefour des solitudes* (Christian Mégret), *le Métier des armes* (Jules Roy), *la Loi* (R. Vailland). **C** : *les Sorcières de Salem* (Raymond Rouleau).

## 1958

**L** : *le Pont de la rivière Kwaï* (Pierre Boulle), *Moderato cantabile* (M. Duras), *l'Empire céleste* (Françoise Mallet-Joris), *Un malaise général* 1er vol. (François Nourrissier), *le Repos du guerrier* (Christiane Rochefort), *Une curieuse solitude* (Philippe Sollers). **C** : *En cas de malheur* (C. Autant-Lara), *les Amants* et *Ascenseur pour l'échafaud* (Louis Malle), *les Tricheurs* (M. Carné), *les Misérables* (Jean-Paul Le Chanois).

## 1959

**L** : *les Centurions* (J. Lartéguy), *l'Amant de cinq jours* (Françoise Parturier), *le Dernier des Justes* (André Schwartz-Bart), *Un singe en hiver* (A. Blondin), *le Dîner en ville* (Claude Mauriac), *Zazie dans le métro* (Raymond Queneau), *Aimez-vous Brahms ?* (F. Sagan), *la Lumière des justes*, 1er vol. (H. Troyat). **C** : *Orfeu negro* (Marcel Camus), *les Quatre Cents Coups* (François Truffaut), *Hiroshima mon amour* (A. Resnais). **T** : *Un château en Suède* (F. Sagan).

## 1960

L : *la Promesse de l'aube* (R. Gary). C : *À bout de souffle*
(Jean-Luc Godard), *la Vérité* (H.G. Clouzot). *Austerlitz*
(Abel Gance), *les Yeux sans visage* (Georges Franju).

## 1961

L : *Nuits sans nuits* (Michel Leiris), *le Matin des magiciens*
(Louis Pauwels et Jacques Bergier), *le Parc* (Philippe
Sollers) *la Pitié de Dieu* (Jean Cau), *les Damnés de la terre*
(Frantz Fanon), *la Prison maritime* (Michel Mohrt).
C : *l'Année dernière à Marienbad* (A. Resnais), *Cléo de 5 à 7*
(Agnès Varda), *la Proie pour l'ombre* (Alexandre Astruc),
*Un taxi pour Tobrouk* (Denys de La Patelière), *Léon Morin,
prêtre* (Jean-Pierre Melville), *Jules et Jim* (F. Truffaut).

## 1962

L : *L'Esprit du temps* (E. Morin), *les Pianos mécaniques*
(Henri-François Rey), *le Balcon* (Jean Genet), *le Mal jaune*
(J. Lartéguy). C : *Un singe en hiver* (Henri Verneuil), *le
Caporal épinglé* (J. Renoir), *la Guerre des boutons* (Yves
Robert), *Thérèse Desqueyroux* (Georges Franju), *Hitler,
connais pas* (Bertrand Blier), *Vie privée* (Louis Malle), *le
Repos du guerrier* (R. Vadim).

## 1963

L : *la Planète des singes* (P. Boulle), *le Procès-Verbal* (Jean-
Marie Le Clézio), *Pour un nouveau roman* (A. Robbe-Grillet), *Quand la mer se retire* (Armand Lanoux). T : *les
Paravents* (Jean Genet). C : *le Mépris* (J.-L. Godard), *le
Soupirant* (Pierre Étaix), *le Feu follet* (L. Malle), *le Vice et
la Vertu* (R. Vadim). **MD** : *la Reine verte* (chorégraphie
de M. Béjart).

## 1964

**L** : *l'État sauvage* (Georges Conchon), *Paris au mois d'août* (René Fallet), *les Nouveaux Prêtres* (M. de Saint Pierre), *la Truite* (R. Vailland). **C** : *les Parapluies de Cherbourg* (Jacques Demy), *le Bonheur* (A. Varda), *les Amitiés particulières* (Jean Delannoy). **M** : *Wozzek* (dirigé par P. Boulez à l'Opéra).

## 1965

**L** : *les Choses* (Georges Perec), *les Juifs* (R. Peyrefitte), *la Rhubarbe* (René-Victor Pilhès), *la Maison de rendez-vous* (A. Robbe-Grillet), *l'Astragale* (Albertine Sarrazin), *les Eygletières*, 1er vol. (H. Troyat). **C** : *la Vieille Dame indigne* (René Allio), *la 317e section* (Pierre Schoendorffer), *Pierrot le Fou* (J.-L. Godard), *la Religieuse* (Jacques Rivette). **M** : *Et expecto resurrectionem mortuorum* (d'Olivier Messiaen, joué à Chartres), Les Beatles au Palais des Sports. **D** : *Notre-Dame de Paris,* chorégraphie de R. Petit à l'Opéra.

## 1966

**L** : *C'est Mozart qu'on assassine* (G. Cesbron), *Oublier Palerme* (Edmonde Charles-Roux), *Journal*, t.1 (Jean Guitton), *la Traversière* (A. Sarrazin). **C** : *la Grande Vadrouille* (Gérard Oury), *Un homme et une femme* (Claude Lelouch), *le Vieil Homme et l'Enfant* (Claude Berri), *Paris brûle-t-il ?* (René Clément), d'après Dominique Lapierre et Larry Collins.

## 1967

**L** : *le Défi américain* (J.-J. Servan-Schreiber), *Histoire* (Claude Simon), *les Choses de la vie* (P. Guimard), *Un homme qui dort* (G. Perec). **C** : *la Chinoise* (J.-L. Godard), *Benjamin* (Michel Deville), *le Samouraï* (J.-P. Melville),

*Alexandre le Bienheureux* (Y. Robert). **MD** : *Messe pour le temps présent*, musique de P. Henry, chorégraphie de M. Béjart.

## 1968

**L** : *les Fruits de l'hiver* (Bernard Clavel), *la Place de l'Étoile* (Patrick Modiano), *le Petit Matin* (Ch. de Rivoyre), *les Chevaux du soleil* (Jules Roy), *l'Œuvre au noir* (M. Yourcenar), *Au plaisir de Dieu* (Jean d'Ormesson), *Dieu existe, je l'ai rencontré* (André Frossard). **C** : *Baisers volés* (F. Truffaut), *Un soir un train* (André Delvaux), *l'Amour fou* (J. Rivette), *la Piscine* (Jacques Deray), *Z* (Costa-Gavras). **MD** : *Turangalila*, chorégraphie de R. Petit à l'Opéra, musique de Olivier Messiaen.

## 1969

**L** : *les chemins de Katmandou* (René Barjavel), *Creezy* (Félicien Marceau), *Innocentines* (René de Obaldia), *Détruire, dit-elle* (M. Duras), *la Disparition* (G. Perec), *la Ronde de nuit* (P. Modiano), *les Allumettes suédoises* (Robert Sabatier). **C** : *Ma nuit chez Maud* (Eric Rohmer), *l'Enfant sauvage* (F. Truffaut), *les Choses de la vie* (Claude Sautet), *le Diable par la queue* (Ph. de Broca), *le Boucher* (C. Chabrol), *l'Aveu* (Costa-Gavras), *l'Armée des ombres* (J.-P. Melville), *le Clan des Siciliens* (Henri Verneuil).

## 1970

**L** : *Talleyrand* (Jean Orieux), *les Poneys sauvages* (Michel Déon), *la Logique du vivant* (François Jacob), *la Grève* (F. Nourissier), *le Roi des Aulnes* (Michel Tournier), *Ni Marx ni Jésus* (J.-F. Revel). **C** : *Raphaël ou le Débauché* (M. Deville), *le Cercle rouge* (J.-P. Melville), *le Genou de Claire* (E. Rohmer), *Élise ou la Vraie Vie* (Michel Drach), *les Mariés de l'An II* (J.-P. Rappeneau). **TM** : *Hair* à la

Porte-Saint-Martin. **T** : *1789* (Ariane Mnouchkine).
**M** : *l'Oiseau de feu* (mise en scène de M. Béjart).

## 1971

**L** : *Une société sans école* (Ivan Illich), *la Guerre à neuf ans*
(Pascal Jardin), *l'Irrévolution* (Pascal Lainé), *les Bêtises* (Jacques Laurent), *la Maison des Atlantes* (Angelo Rinaldi), *le Sac du palais d'été* (Pierre-Jean Rémy). **C** : *Avoir vingt ans dans les Aurès* (René Vautier), *le Chagrin et la Pitié* (M. Ophuls), *Mourir d'aimer* (A. Cayatte), *la Décade prodigieuse* (C. Chabrol), *Bonaparte et la Révolution* (A. Gance), *le Souffle au cœur* (L. Malle), *la Folie des grandeurs* (G. Oury).

## 1972

**L** : *Maleville* (R. Merle), *Trois Sucettes à la menthe* (R. Sabatier), *la Cause des peuples* (Jean-Edern Hallier), *Si je mens* (Françoise Giroud), *l'Epervier de Maheux* (Jean Carriere). **C** : *l'Attentat* (Yves Boisset), *Sans mobile apparent* (Ph. Labro), *L'aventure c'est l'aventure* (C. Lelouch), *César et Rosalie* (C. Sautet). **T** : *1793* (A. Mnouchkine).

## 1973

**L** : *Monsieur le Consul* (Lucien Bodard), *Un taxi mauve* (Michel Déon), *Un sac de billes* (Joseph Joffo), *Quand la Chine s'éveillera* (Alain Peyrefitte), *la Terrasse des Bernardini* (Suzanne Prou). **C** : *la Maman et la Putain* (Jean Eustache), *R.A.S.* (Y. Boisset), *l'Emmerdeur* (E. Molinaro), *l'Horloger de Saint-Paul* (Bertrand Tavernier), *les Valseuses* (Bertrand Blier). **T** : *la Cage aux folles* (Jean Poiret et Michel Serrault).

## 1974

**L** : *le Malheur d'aimer* (Claude Roy), *les Paroissiens de Palente* (Maurice Clavel), *la Dentellière* (Pascal Lainé),

*Temps immobile*, 1<sup>er</sup> vol. (C. Mauriac), *l'Imprécateur* (R.V. Pilhes), *les Noisettes sauvages* (R. Sabatier). C : *Stavisky* (A. Resnais), *Lacombe Lucien* (L. Malle), *les Doigts dans la tête* (Jacques Doillon), *Dupont la joie* (Y. Boisset), *Vincent, François, Paul et les autres* (C. Sautet). T : *Good bye mister Freud* (Jérôme Savary).

## 1975

L : *les Météores* (M. Tournier), *les Mots pour le dire* (Marie Cardinal), *Sept morts sur ordonnance* (G. Conchon), *la Baie des anges* (Max Gallo), *la Vie devant soi* (R. Gary-Émile Ajar), *Ainsi soit-elle* (Benoîte Groult), *le Cheval d'orgueil* (Pierre-Jakez Hélias), *la Cuisinière et le mangeur d'hommes* (A. Glucksmann). C : *Cocorico, Monsieur Poulet* (Jean Rouch), *Souvenirs d'en France* (André Téchiné), *Cousin cousine* (Jean-Charles Tacchella), *Section spéciale* (Costa-Gavras), *Un sac de billes* (J. Doillon), *Adèle H.* (Fr. Truffaut).

## 1976

L : *les Otages* (J. Cau), *la Saison des loups* (B. Clavel), *le Jeu du roi* (Jean Raspail), *Niagarak* (Yves Navarre), *la Dérobade* (Jeanne Cordelier). C : *le Crabe-tambour* (P. Schoendoerffer), *le Juge et l'Assassin* (B. Tavernier), *Moi, Pierre Rivière* (R. Allio), *Un éléphant ça trompe énormément* (Yves Robert), *L'une chante, l'autre pas* (A. Varda), *la Victoire en chantant* (Jean-Jacques Annaud), *F. comme Fairbanks* (Maurice Dugowson).

## 1977

L : *La neige brûle* (Régis Debray), *Louisiane* (Maurice Denuzière), *John l'enfer* (Didier Decoin), *les Maîtres penseurs* (André Glucksmann), *l'Été meutrier* (Sébastien Japrisot), *la Barbarie à visage humain* (Bernard-Henri Lévy), *les Vaches sacrées* (T. Maulnier), *la Kermesse aux idoles* (Louis

Nucera). C : *Diabolo menthe* (Diane Kurys), *la Dentellière* (Claude Goretta).

## 1978

L : *E = MC²*, *mon amour* (P. Cauvin-Klotz), *les Ritals* (Fr. Cavanna), *le Nain jaune* (Pascal Jardin), *Rue des boutiques obscures* (P. Modiano), *la Vie mode d'emploi* (G. Perec), *le Pull-over rouge* (Gilles Perrault). C : *Violette Nozières* (Cl. Chabrol), *l'Argent des autres* (Ch. de Chalonge). T : *Notre-Dame de Paris* (Robert Hossein) au Palais des Sports.

## 1979

L : *l'Angoisse du roi Salomon* (Gary-Ajar), *Des grives aux loups* (Claude Michelet), *la Maison du père* (M. Mohrt), *Orient-Express* (Pierre-Jean Rémy), *le Retournement* (Vladimir Volkoff), *la Chambre des dames* (Jeanne Bourin), *Affaires étrangères* (Jean-Marc Roberts), *les Trente Glorieuses* (Jean Fourastié), *l'Empire éclaté* (Hélène Carrère d'Encausse). C : *I comme Icare* (H. Verneuil). TMD : *Lulu*, en version intégrale à l'Opéra (Patrice Chéreau et Pierre Boulez), *la Chauve-Souris*, chorégraphie de R. Petit.

## 1980

L : *le Maître de Hongrie* (Marcel Jullian), *Money* (P.L. Sulitzer), *Fort-Saganne* (Louis Gardel), *le 5ᵉ Cavalier* (D. Lapierre et L. Collins), *le Jardin d'acclimatation* (Y. Navarre), *l'Usage de la parole* (N. Sarraute). C : *la Banquière* (Francis Girod), *le Dernier Métro* (Fr. Truffaut), *Mon oncle d'Amérique* (A. Resnais), *la Boum* (Claude Pinoteau). T : *Le Père Noël est une ordure* (troupe du Splendid).

## 1981

L : *l'Allée du Roi* (Françoise Chandernagor), *la Dernière Fête de l'Empire* (Angelo Rinaldi), *Anne-Marie* (Lucien

Bodard), *Une enfance sicilienne* (E. Charles-Roux), *l'Idéologie française* (B.H. Lévy), *le Chemin de la lanterne* (Louis Nucera), *l'Amour nu* (Françoise Prévost). C : *Coup de torchon* (B. Tavernier), *Diva* (Jean-Jacques Beneix), *Garde à vue* (Claude Miller), *le Maître d'école* (Cl. Berri), *le Choix des armes* (Alain Corneau), *les Uns et les Autres* (C. Lelouch), *Hôtel des Amériques* (André Téchiné), *Une étrange affaire* (P. Granier-Deferre).

## 1982

L : *les Étoiles de Compostelle* (Henri Vincenot), *Dans la main de l'ange* (Dominique Fernandez), *la Baleine blanche* (J. Lanzmann), *le Lion est mort ce soir* (J.-P. Chabrol), *le Roman de Sophie Trébuchet* (Geneviève Dormann), *le Nabab* (Irène Frain). C : *les Misérables* (Robert Hossein), *Mortelle Randonnée* (Claude Miller).

## 1983

L : *la Mémoire d'Abraham* (Marek Halter), *le Charme noir* (Yann Queffélec), *Avant-guerre* (Jean-Marie Rouart), *les Hauts de Ramatuelle* (Françoise Parturier), *le Saint Office* (Maurice Rheims). C : *À nos amours* (M. Pialat), *Tchao pantin* (Cl. Berri), *Fort-Saganne* (A. Corneau), *l'Été meurtrier* (Jean Becker), *la Lune dans le caniveau* (J.-J. Beinex). M : *Saint-François d'Assise* (de O. Messiaen) à l'Opéra.

## 1984

L : *De Gaulle*, 1er volume (Jean Lacouture), *le Diable en tête* (Bernard Henri-Lévy), *l'Amant* (M. Duras), *Coup de soleil* (Jean Hougron), *les Yeux d'Irène* (J. Raspail), *le Vagabond immobile* (M. Tournier).

## 1985

L : *le Rire de Laura* (Fr. Mallet-Joris), *les Nuages de septembre* (Fr. Prévost), *les Noces barbares* (Y. Queffélec), *De guerre lasse* (Fr. Sagan). **C** : *Trois Hommes et un couffin* (Coline Serreau). **TM** : *Quartet,* mise en scène de P. Chéreau.

## 1986

**L** : *l'Étudiant étranger* (Ph. Labro), *Sans la miséricorde du Christ* (Hector Bianciotti), *Un dimanche d'août* (P. Modiano), *la Guerre civile* (M. Mohrt), *la Fête des pères* (Fr. Nourrissier), *le Cœur absolu* (P. Sollers). **C** : *Thérèse* (Alain Cavalier), *Jean de Florette* et *Manon des Sources* (Cl. Berri), *le Paltoquet* (M. Deville).

## 1987

**L** : *le Harem* (Frédérique Hébrard), *la Défaite de la pensée* (Alain Finkielkraut), *l'Invitation* (C. Simon). **C** : *Sous le soleil de Satan* (Maurice Pialat), *le Nom de la rose* (Jean-Jacques Annaud), *Au revoir les enfants* (L. Malle). **T** : *Kean* (monté par R. Hossein avec J.-P. Belmondo). Francis Huster, codirecteur du nouveau théâtre Renaud-Barrault.

## 1988

**L** : *l'Exposition coloniale* (Erik Orsenna), *la Petite marchande de prose* (Daniel Pennac), *la Porte du fond* (Christiane Rochefort), *Quoi ? l'Éternité* (Marguerite Yourcenar), *la Fontaine aux innocents* (S. Prou), *la Femme sous l'horizon* (Y. Queffélec), *les Greniers de Sienne* (M. Rheims). **C** : *le Grand Bleu* (Luc Besson), *l'Ours* (J.-J. Annaud). *Camille Claudel* (Bruno Nuytten). **T** : *la Liberté ou la Mort* (R. Hossein).

## 1989

**L.** : *le Rapt de Ganymède* (Dominique Fernandez), *les Étoiles du Sud* (Julien Green), *les Fils d'Abraham* (Marek Halter), *Hôtel Styx* (Yves Navarre), *l'Empire immobile* (Alain Peyrefitte), *Tu ne m'aimes pas* (Nathalie Sarraute). **C** : *la Vie et rien d'autre* (Bertrand Tavernier).

## 1990

**L** : *Voyage de noces* (Patrick Modiano), *Histoire du juif errant* (Jean d'Ormesson), *Notre ami le Roi* (Gilles Perrault), *Un concours de circonstance* (Paul Guimard), *la Nuit singulière* (Pierre Jakez-Hélias), *le Petit Garçon* (Philippe Labro), *la Gloire des Nations* (Hélène Carrère d'Encausse), *l'Enfant aux loups* (Françoise Chandernagor), *les Champs d'honneur* (Jean Rouaud). **C** : *Cyrano de Bergerac* (J.-P. Rappeneau), *la Gloire de mon père* et *le Château de ma mère* (Yves Robert).

## 1991

**L** : *la Fête à Venise* (Philippe Sollers), *Aliocha* (Henri Troyat), *Ce que la nuit raconte au jour* (Hector Bianciotti), *la Femme de chambre du Titanic* (Didier Decoin), *Un Soir à Londres* (Michel Morht), *le Sexe des anges* (Françoise Parturier). **C** : *Van Gogh* (Maurice Pialat), *Tous les matins du monde* (Alain Corneau), *les Amants du Pont-Neuf* (Leos Carax).

## 1992

**L** : *le Gardien des ruines* (François Nourissier), *Comme un roman* (Daniel Pennac), *l'Âge de pierre* (Paul Guimard), *Quinze Ans* (Philippe Labro), *Dialogue du désir* (Pascal Lainé), *À nous deux Satan* (Pierre Boulle), *Victorieuse Russie* (Hélène Carrère d'Encausse), *Pêcheurs de lunes* (Jean Raspail), *le Crépuscule des masques* (Michel Tournier). **C** : *l'Amant* (Jean-Jacques Annaud), *Indochine* (Régis Wargnier), *IP5* (J.J. Beineix), *l'Accompagnatrice* (Claude Miller), *Un cœur en hiver* (Claude Sautet).

## 1993

**L** : *Qui trop embrasse* (Pierre-Jean Rémy), *Amours barbares* (Jules Roy), *Avec toute ma sympathie* (François Sagan), *Ah !*

*l'amour toujours l'amour* (Claude Sarraute), *le Secret* (Philippe Sollers), *le Château des oliviers* (Frédérique Hébrard), *l'Incertaine* (Pascal Lainé), *Poudre d'or* (Yves Navarre), *Grand Amour* (Erik Orsenna), *la Faux* (René-Victor Pilhes), *l'Enfant-roi* (Robert Merle). C : *Germinal* (Claude Berri), *Smoking, No smoking* (Alain Resnais), *ma Saison préférée* (André Téchiné), *Tout ça pour ça* (Claude Lelouch), *les Visiteurs* (Alain Poiré).

## 1994

L : *le Dauphin et le Régent* (Catherine Nay), *Mauvais genre* (François Nourissier), *le Secret du roi* (Gilles Perrault), *la Condottière* (Max Gallo), *Journal d'une parisienne* (Françoise Giroud), *Un début à Paris* (Philippe Labro), *la Semaine anglaise* (Pascal Lainé), *le Neuvième Jour* (Hervé Bazin), *le Pas si lent de l'amour* (Hector Bianciotti). C : *la Reine Margot* (Patrice Chéreau), *le Colonel Chabert* (Yves Angélo), *Un Indien dans la ville* (Hervé Palud), *la Cité de la peur* (Alain Berbérian).

## 1995

L : *le Cavalier du Louvre* (Ph. Sollers), *le Grand Tsar blanc* (Wladimir Volkoff), *le Cygne noir* (Robert Sabatier), *le Raja* (Jacques Lanzmann), *la Quarantaine* (J. Marie Le Clézio), *Monsieur Malaussène* (Daniel Pennac), *les Niçois* (Louis Nucera), *le Fakir* (René-Victor Pilhes), *l'Album de famille* (Suzanne Prou). C : *Nelly et M. Arnaud* (Claude Sautet), *le Hussard sur le toit* (Jean-Paul Rappeneau), *la Haine* (Mathieu Kassovitz), *la Cérémonie* (Claude Chabrol), *Élisa* (Jean Becker), *les Misérables* (Claude Lelouch), *le Bonheur est dans le pré* (Étienne Chatiliez).

# Bibliographie

J.-J. Becker, *Histoire politique de la France depuis 1945,* coll. Cursus, A. Colin.

Serge Berstein, *la France des années 30*, coll. Cursus, A. Colin.

Fernand Braudel, Ernest Labrousse, *Histoire économique et sociale de la France* (tome IV, vol. 2 et 3), PUF.

Georges Duby, *Histoire de France*, tome 3, Larousse.

J.-F. Eck. *Histoire de l'économie française depuis 1945,* coll. Cursus, A. Colin.

René Rémond, *Notre siècle (1918-1988)*, Fayard.

Alfred Sauvy, *Histoire économique de la France durant l'entre-deux-guerres*, Economica.


*Nouvelle Histoire de la France contemporaine*, Points Histoire, Le Seuil :
– Philippe Bernard, *la Fin d'un monde (1914-1929),* n° 12 ;
– Henri Dubief, *le Déclin de la III$^e$ République (1929-1938)*, n° 13 ;
– Jean-Pierre Azéma, *De Munich à la Libération (1938-1944)*, n° 14 ;
– Jean-Pierre Rioux, *la France de la IV$^e$ République (1944-1958)*, n$^{os}$ 15 et 16 ;
– Serge Berstein, *la France de l'expansion.*
   1. « La République gaullienne » (1958-1969), n° 17 ;
   2. « L'apogée Pompidou » (1969-1974), n° 18, avec la collaboration de Jean-Pierre Rioux.

# Index

*On trouvera indexés ci-après les noms des personnalités ayant contribué, dans tous les domaines, à l'édification de notre pays – à l'exclusion des noms de lieux, d'événements, d'institutions.*